El lenguaje

Pensando para quienes se inician en el estudio del lenguaje, este manual, que se ha convertido con el tiempo en un éxito de ventas, supone una introducción particularmente amena a este tema. Comenzando desde cero, permite alcanzar un sólido conocimiento sobre todas las cuestiones esenciales de la Lingüística y acercarse al análisis de los elementos clave del lenguaje (sonidos, palabras, estructuras y significados). En este libro se discuten todo tipo de cuestiones fascinantes, tales como la manera en que funciona una conversación, el proceso mediante el cual los niños adquieren el lenguaje, las razones por las que las mujeres y los hombres hablan de forma diferente o la manera en que una lengua varía de una región a otra o entre grupos sociales diferentes.

La tercera edición del libro se ha revisado sustancialmente, con objeto de incluir nuevas secciones sobre cuestiones de especial relevancia en la actualidad en el estudio del lenguaje, entre las que pueden citarse la relación entre el lenguaje y la cultura, el inglés afroamericano, los gestos o el argot. Se ha incluido, asimismo, un glosario muy completo, que proporciona explicaciones particularmente útiles de los términos técnicos y cada capítulo contiene nuevos ejercicios y tareas de investigación, cuya solución se recoge al final del libro.

Sin rival en cuanto a popularidad, *El lenguaje* es, simplemente, la mejor introducción al campo de la Lingüística disponible actualmente.

GEORGE YULE ha enseñado Lingüística en las Universidades de Edimburgo y Hawai, en la Universidad Estatal de Louisiana y en la Universidad de Minnesota. Entre sus obras destacan *Análisis del discurso* (en colaboración con Gillian Brown, 1983), *Enseñando la lengua hablada* (en colaboración, asimismo, con Gillian Brown, 1983), *Pragmática* (1996) y *Explicando la gramática inglesa* (1998).

GEORGE YULE

El lenguaje

TERCERA EDICIÓN

Traducción de Nuria Bel Rafecas

Nueva edición española a cargo de
Antonio Benítez Burraco

akal

ARGENTINA
ESPAÑA
MÉXICO

Diseño interior y cubierta: RAG

Primera edición, en Cambridge University Press, 1998
Segunda edición, 2004
Tercera edición, 2007
   1.ª reimpresión, 2008
   2.ª reimpresión, 2016
   3.ª reimpresión, 2018

Título original:
The Study of Language 3th Edition

© Cambridge University Press, 2006
   Publicada originalmente por The Press Syndicate of the University of Cambridge

© Ediciones Akal, S. A., 2007
   para lengua española
   Sector Foresta, 1
   28760 Tres Cantos
   Madrid - España
   Tel.: 918 061 996
   Fax: 918 044 028
   www.akal.com

ISBN: 978-84-460-2521-4
Depósito Legal: M-11.944-2008
Impreso en España

Prefacio

A la hora de elaborar la tercera edición de este libro mi intención ha sido la de ofrecer una visión actualizada de lo que se sabe actualmente sobre el lenguaje y sobre los métodos que emplean los lingüistas para llegar a ese conocimiento. Aunque en las últimas décadas se han producido numerosos avances, particularmente interesantes, en lo concerniente al estudio del lenguaje, todavía sigue siendo válida la premisa de que cualquier hablante individual de una determinada lengua posee un conocimiento «inconsciente» más completo de cómo funciona el lenguaje que el que cualquier lingüista ha sido capaz de describir hasta la fecha. Por esta razón, conforme vayas leyendo los capítulos que siguen, deberías adoptar una actitud crítica sobre la efectividad de las descripciones, los análisis y las generalizaciones que se hacen en ellos, y tratar de compararlos con tus propias intuiciones sobre la manera en que funciona el lenguaje. Cuando acabes el libro, lo esperable es que te des cuenta de que sabes ya bastante sobre la estructura interna del lenguaje (su forma) y sobre los diversos usos del mismo en la vida humana (su función), pero también de que estás preparado para hacerte el tipo de preguntas que los lingüistas profesionales se hacen durante sus investigaciones.

Para ayudarte a averiguar más cosas acerca de las cuestiones que se discuten en este libro, cada capítulo concluye con una lista de «Lecturas adicionales», que tratan de forma más detallada de lo que permite una introducción como la que supone este libro las cuestiones analizadas en cada uno de ellos. Cada capítulo cuenta, asimismo, con unos «Ejercicios», unas «Tareas de investigación» y unos «Temas/proyectos de discusión». El objetivo de los ejercicios es que puedas comprobar si has comprendido algunos de los puntos principales o de los términos más importantes discutidos en el capítulo en cuestión. Deberías poder resolverlos sin grandes dificultades, aunque también encontrarás un apéndice al final del libro en el que se recogen las respuestas propuestas para cada uno de ellos. Las tareas de investigación están pensadas para ofrecerte la oportunidad de profundizar en conceptos relacionados con el material presentado en cada capítulo, así como en diversos tipos de análisis lingüístico que van más allá de lo expuesto en dicho capítulo. Con objeto de ayudarte en la realización de estas tareas, en la página web del libro, que puedes encontrar en http://www.cambridge.org/yule, se incluye una serie de lecturas escogidas. Los temas/proyectos de discusión te darán la oportunidad de analizar algunas de las cuestiones de mayor relevancia en lo concerniente al estudio del lenguaje, así como de reflexionar acerca de las controversias que existen en el análisis de determinados aspectos del mismo, pero también de intentar centrar tus propias opiniones sobre diferentes cuestiones relacionadas con el lenguaje.

El origen de este libro se remonta a los cursos de introducción al estudio del lenguaje que impartí en las Universidades de Edimburgo y Minnesota, así como en la Universidad Estatal de Louisiana, pero también a las sugerencias y críticas de varios cientos de estudiantes, quienes me obligaron a exponer lo que tenía que decir de forma que pudieran entenderlo. Elaboré una primera versión de este libro para los alumnos del Independent Study de la Universidad de Minnesota. Las sucesivas versiones del mismo se han beneficiado de los expertos consejos de numerosos profesores que trabajan con grupos de distintos tipos en diferentes situaciones. Me siento particularmente en deuda con Hugh Buckingham, catedrático de la Universidad Estatal de Louisiana, quien ha sabido compartir conmigo sus conocimientos y su entusiasmo, como colega y como amigo, durante muchos años.

Por su ayuda en la elaboración de la primera y la segunda ediciones de este libro, me gustaría reconocer también mi deuda con Gill Brown, Keith Brown, Penny Carter, Feride Erkü, Diana Fritz, Kathleen Houlihan, Tom McArthur, Jim Miller, Rocky Miranda, Eric Nelson, Sandra Pinkerton, Rich Reardon, Gerald Sanders, Elaine Tarone y Michele Trufant.

Por sus sugerencias y consejos durante la preparación de esta tercera edición, quisiera manifestar mi agradecimiento a las siguientes personas:

Jean Aitchison (Universidad de Oxford)
Linda Blanton (Universidad de Nueva Orleans)
Mary Anna Dimitrakopoulos (Universidad de Indiana en South Bend)
Thomas Field (Universidad de Maryland en Baltimore)
Anthony Fox (Universidad de Leeds)
Luisa Garro (Universidad de Nueva York)
Gordon Gibson (Universidad de Paisley)
Katinka Hammerich (Universidad de Hawai)
Raymond Hickey (Universidad de Essen)
Richard Hirsch (Universidad de Linköping)
Fiona Joseph (Universidad de Wolverhampton)
Eliza Kitis (Universidad Aristóteles)
Jens Reinke (Universidad Christian Albrechts en Kiel)
Philip Riley (Universidad de Nancy 2)
Rick Santos (Fresno City College)
Joanne Scheibman (Universidad Old Dominion)
Royal Skousen (Universidad Brigham Young)
Michael Stubbs (Universidad de Trier)
Mary Talbot (Universidad de Sunderland)
Sherman Wilcox (Universidad de Nuevo México)

Por mi propio curso de introducción, me siento en deuda con Willie y Annie Yule, y por enseñarme de forma continuada, con Maryann Overstreet.

1 Los orígenes del lenguaje

Masticar, lamer y sorber son actos extremadamente comunes entre los mamíferos, los cuales, si se observan sin más, presentan similitudes obvias con el habla.
MacNeilage (1998)

Habitualmente no solemos concebir el hecho de hablar como algo similar al hecho de masticar, lamer o sorber, si bien, al igual que sucede en el primer caso, estas tres actividades implican la realización de movimientos con la boca, la lengua y los labios que son, en cierta medida, controlados. En consecuencia, es posible que dicha relación no resulte tan improbable como podría parecer a primera vista. Constituye, asimismo, un ejemplo del tipo de observaciones que pueden dar lugar a especulaciones interesantes acerca del origen del lenguaje hablado. No obstante, siguen siendo especulaciones y no hechos. Lo cierto es que desconocemos cómo se originó el lenguaje. Sospechamos que alguna forma de lenguaje hablado debió desarrollarse hace entre 100.000 y 50.000 años, mucho antes que lo hiciese cualquier forma de lenguaje escrito (cuyos primeros vestigios datan de hace sólo 5000 años). Con todo, entre los restos procedentes de etapas anteriores de la vida sobre la Tierra no ha sido posible encontrar ni evidencias directas, ni artefactos relacionados con el habla de nuestros antepasados lejanos, que sirvan para esclarecer el aspecto que podría haber tenido el lenguaje en las primeras etapas de nuestra historia evolutiva. Quizás debido a esta falta de evidencias físicas directas ha habido una gran cantidad de hipótesis sobre los orígenes del habla en la especie humana. En este capítulo analizaremos algunas de estas especulaciones con mayor detalle.

El origen divino

Según la tradición bíblica, Dios creó a Adán y «formó del suelo todos los animales del campo y todas las aves del cielo y los llevó ante el hombre para ver cómo los llamaba, y para que cada ser viviente tuviese el nombre que el hombre le diera» (*Gn* 2,19). De acuerdo con una tradición hindú, el lenguaje proviene de la diosa Sarasvati, esposa de Brahma, creador del Universo. Para la mayoría de las religiones el lenguaje humano parece tener un origen divino. A lo largo de la historia se han llevado a cabo algunos experimentos, con resultados bastante contradictorios, para intentar redescubrir esta lengua divina original. La hipótesis de partida era que si se permitía que algunos niños crecieran sin entrar en contacto con ninguna lengua, entonces terminarían por usar espontáneamente la lengua original dada por Dios.

Un faraón llamado Psamético probó a realizar este experimento con dos recién nacidos hace más de 2500 años. Tras pasar dos años en compañía de varias cabras y de una pastora muda, parece ser que los niños empezaron a hablar espontáneamente. Sus palabras no sonaban a egipcio, sino a lo que parecía ser la palabra frigia *bekos*, que significaba «pan». El faraón llegó así a la conclusión de que el frigio, una antigua lengua hablada en parte de la actual Turquía, debía de ser la lengua original. Esta conclusión resulta poco plausible. Es posible que los niños no tomaran esta «palabra» de ninguna fuente humana, sino que, como diversos críticos han señalado, seguramente se la debieron oír a las propias cabras (si eliminas la terminación -kos, que fue añadida en la versión griega de la historia, y pronuncias lo que queda, ¿acaso no eres capaz de oír a las cabras?)

Jacobo IV de Escocia llevó a cabo un experimento similar hacia el año 1500 y parece ser que en esta ocasión los niños empezaron a hablar en hebreo. Desgraciadamente, los restantes casos en los que se han descubierto niños salvajes que no han tenido ningún contacto previo con una lengua humana no parecen confirmar los resultados obtenidos por este tipo de experimentos sobre el «origen divino». Los niños que viven privados de contacto con el lenguaje humano en sus primeros años de vida no llegan a desarrollar el lenguaje (estudiaremos el caso de uno de estos niños más adelante, en el Capítulo 13). Aun en el caso de que el lenguaje hubiera tenido un origen divino, lo cierto es que carecemos de medios para reconstruirlo, máxime teniendo en cuenta los acontecimientos ocurridos en una ciudad llamada Babel «porque allí confundió Dios el lenguaje de todo el mundo» (*Gn* 11, 9).

La hipótesis de los sonidos naturales

Una hipótesis bastante diferente a las anteriores acerca del origen del lenguaje se basa en el concepto de los «sonidos naturales». En esencia, la idea consiste en que las palabras primitivas podrían haber sido imitaciones de los sonidos naturales que las mujeres y los hombres primitivos oían a su alrededor. Cuando pasaba un objeto volando que emitía un sonido GRA-GRÁ, el hombre primitivo trataba de imitar el sonido que oía y lo utilizaba para referirse al objeto asociado con dicho sonido. Y cuando otra criatura voladora hacía CU-CÚ, este sonido natural pasaba a emplearse para hacer referencia a este tipo de objeto diferente. El hecho de que todas las lenguas modernas contengan algunas palabras cuya pronunciación parece imitar los sonidos de la naturaleza podría considerarse un argumento a favor de esta teoría. En castellano, además de *cucú*, tenemos *chapotear, bomba, mugir, zumbar, sisear* y formas como *guau-guau*. De hecho, a este tipo de hipótesis se la ha denominado la hipótesis del «guau-guau» sobre el origen del lenguaje. Pero aunque es cierto que hay bastantes palabras en todas las lenguas que son **onomatopeyas** (es decir, que imitan los sonidos naturales), no es fácil determinar de dónde proceden los nombres de la mayoría de las cosas de nuestro mundo que no emiten sonidos, por no mencionar las entidades abstractas, si la única manera de referirse a ellas fuera imitar los sonidos naturales. Además, también podría provocarnos un cierto escepticismo una teoría que parece asumir que una lengua es únicamente un conjunto de palabras utilizadas como «nombres» de entidades.

Se ha sugerido, asimismo, que los sonidos originales de las lenguas podrían haber derivado de los gritos mediante los que según esta hipótesis, se manifiestan de forma habitual emociones como el dolor, el enfado o la alegría. Sería así como habría adquirido ¡Ay! sus connotaciones dolorosas. No obstante, interjecciones como *¡Ay!*, pero también como *¡Huy!, ¡Ah!, ¡Oh!* o *¡Au!*, se generan habitualmente con inspiraciones repentinas, al contrario de lo que sucede cuando hablamos normalmente. Lo habitual es que los sonidos del habla se produzcan utilizando el aire que espiramos. En esencia, los ruidos expresivos que la gente hace cuando reacciona emocionalmente ante algo contienen sonidos que no se utilizan para nada más en su propia lengua, por lo que difícilmente pueden considerarse como una fuente razonable de los sonidos del habla.

Una tercera hipótesis basada en los sonidos naturales es la que se denomina la hipótesis del «yo-he-ho» (una antigua secuencia rítmica empleada por los marineros durante la sirga). Según esta teoría, los sonidos que hacen las personas al realizar un esfuerzo físico podrían encontrarse en el origen de nuestro lenguaje, especialmente cuando este esfuerzo físico lo realizaban varias personas que debían ponerse de acuerdo. En consecuencia, un grupo de humanos primitivos habría desarrollado un conjunto de gruñidos, gemidos y palabrotas que utilizarían al levantar y acarrear árboles o mamuts muertos. Lo más llamativo de esta teoría es que situaría el desarrollo del lenguaje humano dentro de un contexto social. Los sonidos humanos, con independencia de cómo se produjeran, habrían tenido algún uso reglamentado dentro de la vida social de los grupos humanos primitivos. Es una idea interesante, que podría relacionarse con los usos que los humanos damos a los sonidos que producimos. Sin embargo, no contesta a la pregunta acerca de los orígenes de estos sonidos, dado que los monos y otros primates disponen de gruñidos y de llamadas sociales, pero no parecen haber desarrollado la capacidad de hablar.

La hipótesis de la adaptación física

En lugar de centrarnos en los tipos de sonidos como posible origen para el habla característica de nuestra especie, una alternativa consiste en examinar los rasgos físicos que poseen los seres humanos, especialmente aquellos que difieren de los existentes en otros seres vivos, los cuales podrían ser los responsables de la generación de los sonidos del habla. Podemos comenzar haciendo la siguiente observación: en una fase inicial de la evolución de nuestros antepasados se produjo una transición desde una postura cuadrúpeda hasta una postura erguida, lo que permitió una locomoción bípeda y dio lugar a un reajuste de la función de las extremidades anteriores.

Algunos de los efectos que tuvo este cambio pueden observarse en las diferencias físicas que existen entre el esqueleto de un gorila y el de un hombre de Neanderthal, que vivió hace alrededor de 60.000 años. La reconstrucción del tracto vocal del Neanderthal sugiere que habría sido capaz de producir algunas distinciones entre sonidos que recuerdan a las que existen entre los diferentes sonidos consonánticos. Es preciso esperar hasta hace unos 35.000 años para encontrar en las reconstrucciones realizadas a partir de estructuras esqueléticas fosilizadas rasgos que comiencen a parecerse a los de los humanos modernos. En el estudio del desarrollo evolutivo, existen determinadas características físicas, que habría que denominar con mayor propiedad como adaptaciones parciales, que parecen ser relevantes para el habla. Se trata de variantes optimizadas de rasgos que se encuentran ya en otros primates. Por sí solos, estos rasgos no tendrían por qué dar lugar necesariamente a la producción del habla, pero constituyen indicios adecuados de que una criatura que los poseyera probablemente sería capaz de hablar.

Dientes, labios, boca, laringe y faringe

En la especie humana los **dientes** adoptan una posición recta, no estando inclinados hacia delante, como ocurre en los monos, y además todos tienen un tamaño parecido. Estas características no resultan particularmente beneficiosas para cortar o desgarrar la comida, pero son muy útiles a la hora de producir sonidos como *f*, *z* y *d*. Los **labios** humanos están conectados por una musculatura mucho más compleja que la que encontramos en otros primates y la flexibilidad que ésta les confiere facilita la producción de sonidos como como *p* y *b*. La **boca** humana, que es relativamente pequeña en comparación con la poseen otros primates, puede abrirse y cerrarse rápidamente, y contiene una **lengua** más pequeña, más gruesa y más musculosa, con la que se puede generar una amplia variedad de sonidos en el interior de la cavidad oral. El resultado al que, en conjunto, dan lugar estas pequeñas diferencias consiste en una cara que dispone de una musculatura más compleja, y que interconecta los labios y la boca, capaz de generar una gran diversidad de conformaciones, así como de articular con mayor rapidez los sonidos que se producen gracias a las mismas.

La **laringe** humana, o «caja de la voz« (puesto que contiene las cuerdas vocales), se diferencia de forma significativa por su posición de la que poseen los monos. Durante la evolución de la especie humana, la adopción de la postura erecta hizo que la cabeza se adelantara en relación con la columna vertebral y que la laringe quedara más baja, creándose una cavidad más amplia, llamada **faringe**, situada encima de las cuerdas vocales, la cual actúa como una caja de resonancia para todos los sonidos producidos por la laringe, contribuyendo a incrementar su variedad y a hacerlos más distintivos. Una consecuencia desafortunada de estos cambios es que la posición de la laringe humana aumenta la posibilidad de atragantarse al comer. Los monos quizás no sean capaces de utilizar la laringe para producir sonidos lingüísticos, pero tampoco sufren el problema de que los trozos de comida puedan alcanzar la tráquea. Sin duda, en términos evolutivos el tener esta capacidad vocal adicional (esto es, la posibilidad de producir una mayor variedad de emisiones acústicas) debe haber incrementado enormemente las posibilidades de supervivencia, pues, de lo contrario, no hubiera compensado el inconveniente potencial que supone el riesgo añadido de morir atragantado.

El cerebro humano

El **cerebro** humano es el responsable del control de la organización de todos estos componentes físicos más complejos disponibles potencialmente para la producción de sonidos. El cerebro humano posee un tamaño inusualmente grande en relación con el tamaño corporal además se encuentra **lateralizado**, esto es, cada hemisferio se ocupa de determinadas funciones especializadas. En la mayoría de los seres humanos las regiones encargadas del control de los movimientos motores implicados en tareas como el habla y la manipulación de objetos (fabricación y utilización de herramientas) se encuentran localizadas, en gran medida, en el hemisferio cerebral izquierdo. Resulta plausible la existencia de una conexión evolutiva entre estas dos capacidades humanas, así como la implicación de ambas en el desarrollo de un cerebro capaz de hablar. La mayoría de las restantes teorías sobre el origen del habla implican la existencia de seres humanos que producirían ruidos aislados para señalar objetos de su entorno, en lo que seguramente puede haber sido una etapa crucial en el desarrollo del lenguaje; sin embargo, conviene señalar que se trataría de un lenguaje carente aún de cualquier tipo de organización estructural. Todas las lenguas humanas, incluida la de signos, implican la organización y combinación de sonidos (o signos) en secuencias determinadas. Al parecer, una parte de nuestro cerebro se ha especializado en generar este tipo de secuencias.

Si tratamos de analizar esta cuestión por analogía e intentamos establecer cuáles son los procesos básicos necesarios para la fabricación de herramientas, parece evidente que no es suficiente con ser capaz de coger una piedra (producir un sonido), sino que el ser humano también ha de ser capaz de ponerla en contacto con otra piedra (otros sonidos) de forma apropiada. Dicho en términos de estructuras lingüísticas, el ser humano debió de desarrollar en primer lugar la capacidad de nombrar las cosas produciendo siempre el mismo ruido específico (por ejemplo, *pan*) para cada objeto concreto. Sin embargo, un segundo paso crucial habría sido el aprender a combinarlo con otro ruido específico (por ejemplo, *bueno*) para construir un mensaje complejo *(pan bueno)*. Después de algunos miles de años de evolución, los seres humanos han terminado perfeccionando esta capacidad de generar mensajes hasta el punto de que los sábados, viendo un partido de fútbol, pueden picar algo para comer y decir *Este pan está bueno*. Por lo que sabemos hasta el momento, otros primates son incapaces de hacerlo.

El origen genético

Podemos concebir a un bebé humano durante sus primeros años de vida como un ejemplo viviente de la manera en que tuvieron lugar algunos de los cambios físicos descritos anteriormente. En el momento del nacimiento, el cerebro del bebé pesa únicamente la cuarta parte de lo que llegará a pesar en el estadio adulto y su laringe se encuentra situada en una posición mucho más elevada de la garganta, lo que le permite, al igual que a los chimpancés, respirar y beber al mismo tiempo. En un intervalo de tiempo relativamente corto, la laringe desciende, el cerebro se desarrolla, el niño adopta una postura erguida y comienza a andar y a hablar. Este conjunto de procesos de desarrollo casi automáticos, así como la complejidad que presenta el lenguaje del niño pequeño, han llevado a algunos investigadores a buscar un origen para el lenguaje que no consista simplemente en una serie de pequeñas adaptaciones físicas adquiridas por la especie a lo largo del tiempo. Incluso los niños que son sordos de nacimiento (y que, en consecuencia, nunca desarrollan un lenguaje hablado) acaban utilizando muy pronto la lengua de signos con gran fluidez, siempre que las circunstancias sean las apropiadas. Este hecho parece indicar que los humanos nacemos dotados de una capacidad especial para el lenguaje. Es innata y ninguna otra criatura parece poseerla, no estando vinculada a ninguna variedad específica de lenguaje. ¿Es posible que esta capacidad lingüística se halle ensamblada genéticamente en el recién nacido humano?

Como solución al enigma del origen del lenguaje, la **hipótesis del innatismo** sugeriría que dicho origen se encontraría en la existencia de algo especial en el genoma humano, posiblemente algún tipo de mutación crucial. En consecuencia, la aparición del lenguaje no habría sido el resultado de un cambio gradual, sino algo que habría sucedido con bastante rapidez. No estamos seguros de cuándo habría tenido lugar este supuesto cambio genético, ni de cómo se relacionaría con las adaptaciones físicas descritas anteriormente. Lo que sí parece claro es que cuando se toma en consideración esta hipótesis, nuestras especulaciones acerca del origen del lenguaje se desplazan desde las evidencias fósiles o desde el origen físico de los sonidos humanos básicos, hacia las analogías con la manera en que funcionan los ordenadores (estar pre-programado o ensamblado, etc.) y hacia los conceptos tomados del estudio de la genética. La investigación acerca del origen del lenguaje se convierte, entonces, en una búsqueda de ese «gen del lenguaje» especial que sólo poseerían los seres humanos.

Si somos, de hecho, la única criatura dotada de esta especial capacidad para el lenguaje, ¿resulta completamente imposible para cualquier otra criatura producir o entender el lenguaje? Trataremos de dar respuesta a esta cuestión en el capítulo 2.

■ Ejercicios

1. ¿Con cuál de los cuatro tipos de «orígenes del lenguaje» asociarías la cita de MacNeilage que encabeza este capítulo?
2. ¿Cuál es la idea básica de la hipótesis del «guau-guau» acerca del origen del lenguaje?
3. ¿Cuál es la idea básica de la hipotesis del «yo-he-ho»?
4. ¿Por qué razón se considera que es poco probable que interjecciones como ¡ay! sean el origen de los sonidos propios del habla?
5. ¿Qué características especiales poseen los dientes humanos que los hacen útiles para la producción de los sonidos del habla?
6. ¿Dónde se encuentra localizada la faringe y de qué manera ha llegado a convertirse en un componente importante del sistema de generación de sonidos en la especie humana?
7. ¿Por qué crees que habría que mencionar como una prueba a favor de la hipótesis del innatismo a los niños pequeños sordos que terminan utilizando con particular eficacia la lengua de signos?

■ Tareas de investigación

A. ¿Cuál es la conexión que existe entre la maniobra de Heimlich y el desarrollo del habla en la especie humana?
B. ¿Qué es lo que sucedió exactamente en Babel y por qué razón se emplea este hecho para explicar el origen del lenguaje?
C. La idea de que «la ontogenia recapitula la filogenia» fue propuesta por primera vez en 1866 por Ernst Haeckel y aún se emplea con frecuencia en las discusiones acerca del origen del lenguaje. ¿Serías capaz de expresar esta idea de una manera más sencilla o menos técnica?
D. ¿Qué relación existe entre la hipótesis del innatismo, tal y como se ha descrito en este capítulo, y la idea de una Gramática Universal?

■ Temas/proyectos de discusión

I.   A menudo se propone que existe una relación entre el lenguaje, la capacidad de utilizar herramientas y la mayor destreza en el uso de la mano derecha que caracteriza a la mayoría de los humanos. (i) ¿Es posible que la liberación del uso de las manos que implica la adopción de una postura erecta bípeda diera lugar a una mayor capacidad de manipulación, la cual, a su vez, terminara desembocando en el desarrollo del lenguaje? (ii) ¿Por qué razón adoptamos una postura erecta? (iii) ¿Qué tipo de modificaciones habrían tenido lugar en nuestras manos? (Para obtener información básica sobre esta cuestión puedes leer el capítulo 5 de Beaken, 1996)

II. En este capítulo no nos hemos ocupado de la cuestión de si el lenguaje se ha desarrollado como una parte más de nuestras capacidades cognitivas generales o si, por el contrario, ha evolucionado como un componente separado, que puede existir de forma independiente (y sin tener relación con la inteligencia general, por ejemplo). ¿Qué tipo de evidencias serían necesarias, en tu opinión, para tratar de resolver esta cuestión? (Para obtener información básica sobre esta cuestión puedes leer el capítulo 4 de Aitchison, 2000).

III. Se ha afirmado que el desarrollo de los niños puede ofrecer evidencias indirectas sobre la manera en que evolucionó originariamente el lenguaje. Por ejemplo, el tracto vocal reconstruido del hombre de Neanderthal y el de un recién nacido son sensiblemente parecidos. ¿Crees que existe algún paralelismo entre el comportamiento de los niños y el que implican las propuestas presentadas en este capítulo acerca del comportamiento de los seres humanos primitivos que sea relevante en lo concerniente al uso y el origen del lenguaje? (Para obtener información básica sobre esta cuestión puedes leer a Bickerton, 1981; Lenneberg, 1967 y Lieberman, 1984).

IV. Las limitaciones que presenta una teoría puramente gestual del origen del lenguaje pueden relacionarse con las diferencias que existen según el tipo de mensaje. Considera estos dos mensajes: *El perro persigue al gato* y *Mi hermano piensa que él es un perro*. ¿Qué mensaje crees que sería más fácil de expresar mediante gestos (y gruñidos primitivos, si es necesario)? Razona tu respuesta. (Para obtener información básica sobre esta cuestión puedes leer los artículos que aparecen en Armstrong *et al.*, 1995).

V. Jeremy Campbell (1982: 156) escribió lo siguiente: «La hipótesis de que la fabricación de herramientas o la tecnología de la subsistencia impulsaron la evolución de la inteligencia y del lenguaje plantea muchos interrogantes».(i) ¿Compartes las dudas de Campbell acerca de esta propuesta de que la evolución del lenguaje puede estar ligada a la evolución de la capacidad de fabricación de herramientas? (ii) ¿Cómo encaja en esta discusión el concepto de «inteligencia»? (Para obtener información básica sobre esta cuestión puedes leer la colección de artículos de Gibson e Ingold, 1993)

VI. Se ha sugerido que el habla es, de hecho, una función superpuesta, es decir, que emplea atributos físicos que en realidad se habían desarrollado para satisfacer otras funciones más básicas, como, por ejemplo, respirar o comer. ¿Qué pruebas utilizarías para apoyar o refutar esta propuesta?

■ Lecturas adicionales

Dos textos introductorios a la cuestión del estudio del origen del lenguaje son los de Aitchison (2000) y Beaken (1996). Jespersen (1921) es el responsable de muchos de los divertidos nombres que designan algunas de las primeras hipótesis acerca del origen del lenguaje (como, por ejemplo, la teoría del «guau-guau»). Ya de forma más específica, puede leerse a Salus (1969) en lo concerniente a los «sonidos naturales»; sobre la relación entre el uso de herramientas y el lenguaje puede consultarse a Gibson e Ingold (1993); para la hipótesis del innatismo resulta particularmente ilustrativo el libro de Pinker (1994), teniendo en cuenta los argumentos en contra expuestos por Sampson (1997). Las ideas de Haeckel son analizadas por Gould (1977). Otras aproximaciones interesantes a la cuestión del origen del lenguaje aparecen en Bickerton (1990), Corballis (1991), Deacon (1997), Dunbar (1996), Jablonski y Aiello (1998) y Lieberman (1991, 1998).

2 Los animales y el lenguaje humano

Una tarde, a mitad de la década de los años ochenta, mi esposa y yo volvíamos de un crucero vespertino por el puerto de Boston, cuando decidimos dar una vuelta por los muelles. Cuando pasábamos frente al Acuario de Boston una voz grave nos gritó: «¡Eh! ¡Eh! ¡Largo de ahí!». Pensando que habíamos entrado por error en algún lugar prohibido, nos paramos y miramos a nuestro alrededor buscando a un guardia de seguridad o a algún encargado, pero no vimos a ninguno, como tampoco ninguna señal de advertencia. La voz retumbó de nuevo «¡Eh! ¡Eh, tú!». Siguiendo la voz nos fuimos aproximando a un gran estanque rodeado de cristal, situado frente al acuario, en el que cuatro focas comunes parecían estar confinadas a modo de exhibición. Con gran incredulidad, identifiqué como origen de las advertencias a una gran foca que descansaba en posición vertical en el agua con su cabeza extendida hacia atrás y hacia arriba, y con su boca, ligeramente abierta, girando a un lado y a otro lentamente. La foca no me estaba hablando a mí, sino al aire y casualmente a cualquiera al alcance del oído que tuviera el cuidado de escuchar.

Deacon (1997)

Existe un buen número de anécdotas acerca de seres vivos capaces de hablar. En general, damos por sentado que se trata de invenciones o del producto de la fantasía, o bien que hacen referencia a aves o animales que simplemente reproducen algo que han oído decir previamente a un ser humano (como descubrió Deacon en el caso de la ruidosa foca del Acuario de Boston). No obstante, tenemos constancia de que los seres vivos son capaces de comunicarse entre sí, si bien con otros miembros de su misma especie. ¿Es posible que una criatura aprenda a comunicarse con los seres humanos empleando el lenguaje? ¿O, por el contrario, posee el lenguaje humano determinadas propiedades que lo hacen tan especial como para diferenciarlo sustancialmente de cualquier otro sistema de comunicación y, en consecuencia, imposible de aprender para cualquier otra criatura? Para poder responder a estas preguntas, analizaremos en primer lugar algunas de las propiedades especiales que posee el lenguaje humano, para pasar seguidamente a revisar algunos experimentos de comunicación en los que intervienen seres humanos y animales.

Señales comunicativas y señales informativas

En primer lugar, resulta preciso distinguir lo que son específicamente señales **comunicativas** de aquellas que pueden considerarse señales **informativas,** pero que no son intencionadas. Así, cuando una persona escucha a otra puede obtener información sobre quien habla gracias a diferentes señales que esta persona envía de forma no intencionada. Podría notar, por ejemplo, que está resfriada (porque tiene la voz ronca), que no es una persona tranquila (puesto que ha estado moviéndose constantemente en la silla), que es descuidada (lleva los calcetines desparejados), o que procede de alguna otra parte del país (tiene un acento raro). Sin embargo, cuando dicha persona recurre al lenguaje para decir *Me gustaría presentarme a la plaza vacante de neurocirujano del hospital*, normalmente se supone que está comunicando algo intencionadamente. De forma semejante, no se suele pensar que un mirlo esté comunicando nada por el hecho de tener plumas negras o por estar posado sobre la rama de un árbol mirando al suelo, pero sí se considera que está enviando una señal comunicativa cuando grita al advertir la presencia de un gato. En consecuencia, cuando estudiamos las diferencias que existen entre el lenguaje humano y la comunicación animal, estamos considerándolos a ambos según su potencial para ser un medio de comunicación intencionada.

Desplazamiento

Cuando tu gato vuelve a casa y se para a tus pies haciendo *miau*, lo más probable es que entiendas su mensaje como algo relacionado con ese preciso momento y lugar. Si le preguntamos al gato dónde ha estado y qué tal le han ido las cosas, obtendremos probablemente el mismo *miau* por respuesta. Parece que la comunicación animal está diseñada exclusivamente para el momento presente, para el aquí y el ahora. No puede utilizarse de forma efectiva para relacionar sucesos que situados lejos en el tiempo o en el espacio. Cuando tu perro dice *GRRR*, posiblemente querrá decir *GRRR, ahora mismo*, porque no parece que los perros sean capaces de comunicar algo como *GRRR, ayer por la noche en el parque*. Ahora bien, los usuarios del lenguaje humano son perfectamente capaces de producir mensajes equivalentes a *GRRR, ayer por la noche en el parque*, y continuar diciendo *Lo cierto es que volveré mañana a por un poco más*. Los seres humanos pueden hacer referencia a tiempos pasados o futuros. Esta propiedad del lenguaje humano es lo que se llama **desplazamiento** y permite a quienes lo usan hablar sobre cosas y sucesos que están presentes en el entorno inmediato. De hecho, el desplazamiento permite hablar incluso acerca de cosas y lugares de cuya existencia no podemos estar seguros, como, por ejemplo, los ángeles, las hadas, Papa Noel, Supermán, el cielo o el infierno. Por regla general, se considera que la comunicación animal carece de esta propiedad.

Se ha aducido, sin embargo, que el sistema que emplean las abejas para comunicarse tiene la propiedad del desplazamiento. Así, por ejemplo, cuando una abeja obrera encuentra néctar y vuelve al enjambre, ejecuta una danza compleja con el objeto de comunicar a las restantes abejas la situación del néctar. Dependiendo del tipo de baile (dar vueltas para decir 'cerca', y mover el abdomen con un *tempo* variable, para indicar «lejos» y «cómo de lejos»), las otras abejas pueden averiguar dónde encontrar el festín recién descubierto. ¿Supone esta capacidad de las abejas de indicar una ubicación a una cierta distancia que la comunicación entre ellas se caracteriza por cierto grado de desplazamiento? Lo crucial en este caso es, desde luego, cuál es ese grado. La comunicación entre las abejas posee el rasgo del desplazamiento, pero de forma extremadamente limitada. Ciertamente, una abeja puede lograr que otras se dirijan hacia una fuente de alimento, pero ha de ser hacia la fuente de alimento más reciente. No puede ser *aquel jardín de rosas al otro lado del pueblo que ya visitamos el pasado fin de semana*, ni puede ser, por lo que sabemos, posibles néctares futuros en el paraíso de las abejas.

Arbitrariedad

Lo normal es que no haya una conexión «natural» entre una forma lingüística y su significado. La conexión es, por el contrario, bastante arbitraria. Si observamos la palabra árabe كلب, por ejemplo, no podremos concluir que tenga un significado natural deducible a partir de su forma gráfica, o no en mayor medida de lo que lo podríamos hacerlo en el caso de su forma en español, *perro*. La forma lingüística no tiene, por consiguiente, una relación natural o «icónica» con ese objeto ladrador de cuatro patas que hay en el mundo real. Este aspecto de la relación entre los signos lingüísticos y los objetos del mundo real se designa como **arbitrariedad**. Resulta evidente que, si queremos, podemos jugar a hacer que el aspecto de las palabras «se corresponda» de alguna forma con la propiedad o actividad a la que se refieren, como en estos ejemplos de un juego infantil:

Sin embargo, este tipo de juegos sólo contribuye a subrayar lo arbitrario de la conexión que normalmente existe entre la forma lingüística y su significado.

Es evidente que hay algunas palabras en las lenguas que parecen «imitar» los sonidos producidos por algunos objetos o actividades, de ahí que parezca que la conexión sea menos arbitraria. Algunos ejemplos en español serían *cucú*, *arrullar*, *tartamudear* o *ronronear*. Sin embargo, en las lenguas humanas estas onomatopeyas son relativamente escasas.

En cambio, en el caso de la mayoría de las señales que emplean los animales para comunicarse parece existir una clara conexión entre el mensaje que transmiten y la señal que utilizan para transmitirlo. La impresión de que las señales empleadas por los animales no son arbitrarias puede estar estrechamente relacionada con el hecho de que todos los animales cuentan con un conjunto finito de señales para comunicarse. Es decir, todos los tipos de comunicación animal tienen a producirse merced a un conjunto limitado y fijo de elementos vocales o gestuales. Muchos de estos elementos se utilizan únicamente en situaciones específicas (por ejemplo, para delimitar el territorio) y en momentos concretos (por ejemplo, durante la época de celo).

Productividad

Para poder describir nuevos objetos y situaciones los seres humanos crean constantemente nuevas expresiones y nuevos enunciados, y lo hacen mediante la manipulación de los recursos lingüísticos de los que disponen. Esta propiedad se designa como **productividad** (o «creatividad» o «carácter abierto») y se encuentra ligada al hecho de que el número potencial de enunciados en cualquier lengua humana es infinito.

Por el contrario, los sistemas de comunicación que emplean otras especies no parecen poseer este tipo de flexibilidad. Así, las cigarras disponen de cuatro señales para escoger, mientras que los monos vervet cuentan con alrededor de treinta y seis llamadas vocales. Tampoco parece que los animales puedan producir señales nuevas para aludir a nuevas experiencias o sucesos. La abeja obrera, que normalmente es capaz de comunicar el lugar donde se encuentra el néctar, no podrá hacerlo si dicho lugar es realmente «nuevo». En un experimento realizado al efecto se colocó un enjambre de abejas en la base de una torre de radio, situando el alimento en lo alto de la misma. A continuación se subieron diez abejas a lo alto de la torre y se les mostró la comida. Cuando se liberó a las abejas y se les permitió que indicaran a sus compañeras la localización del hallazgo, lo hicieron de la manera habitual, esto es, bailando. En consecuencia, todo el enjambre salió zumbando en busca de aquella comida gratuita, pero aunque volaron dando vueltas en todas direcciones, no pudieron localizarla (a lo mejor es ésta una buena manera de volver realmente locas a las abejas.) El problema parece estribar en el hecho de que el lenguaje mediante el que se comunican las abejas dispone de un conjunto fijo de señales y todas ellas están relacionadas únicamente con las distancias sobre el plano horizontal. Las abejas son incapaces de modificar su sistema de comunicación para crear un mensaje «nuevo» que indique distancias en el plano vertical. Según Karl von Frisch, que fue el autor del experimento, «las abejas carecen de una palabra para denotar *arriba* en su lengua» y además, son incapaces de inventarla.

Esta característica limitante inherente a la comunicación animal es lo que se denomina **referencia fija**. Cada una de las señales del sistema se relaciona con un objeto o un motivo concretos de forma invariable. En el repertorio de los monos vervet, por ejemplo, existe una señal de peligro, *CHUTTER*, que estos animales utilizan cuando detectan una serpiente, y otra, *RRAUP*, que usan cuando se acerca un águila. Estas señales son fijas en lo que respecta a su referente y no pueden ser manipuladas. Lo que podría constituir una evidencia de que el lenguaje de los monos es productivo sería la emisión de algo como *CHUTT-RRAUP* ante la proximidad de una criatura voladora con aspecto de serpiente. A pesar de que se han hecho multitud de experimentos en los que aparecen de forma imprevista serpientes en el aire por encima de ellos (por no mencionar otras experiencias inusuales y terroríficas) los monos vervet no emiten ninguna señal de peligro nueva. Un humano, en circunstancias similares, es plenamente capaz de crear una nueva señal, probablemente una vez que consiga recuperarse de la sorpresa inicial, gritando algo como *¡Vaya, no me lo puedo creer, una serpiente voladora!*, lo que constituiría señal que nunca nadie habría pronunciado hasta ese momento.

Transmisión cultural

Mientras que uno hereda de sus padres determinados rasgos físicos, como unos ojos marrones o un color de pelo oscuro, no hereda, en cambio la lengua que habla. Todo el mundo adquiere una lengua en el contexto de una cultura determinada, en relación con otros hablantes y de una forma que no tiene nada que ver con los genes familiares. Un niño nacido de padres coreanos (que nunca hayan salido de Corea y que sólo hablen coreano) que sea adoptado y criado por hablantes de inglés americano manifestará determinadas características físicas heredadas de sus padres biológicos, pero inevitablemente hablará inglés. Un gatito, sometido a las mismas experiencias, dirá *miau* a pesar de todo.

Este proceso mediante el cual una lengua pasa de una generación a otra se ha denominado **transmisión cultural**. Resulta evidente que los seres humanos nacen con una predisposición innata para adquirir el lenguaje. Sin embargo, también está claro que no nacen con la capacidad de producir enunciados propios de una determinada lengua, como podría ser el castellano. Adquirimos nuestra lengua materna como niños en el seno de una cultura concreta.

En el caso de la comunicación animal, los individuos nacen dotados de un juego de señales específicas que se generan de forma instintiva. En algunas especies de pájaros existen evidencias de que el instinto se combina con el aprendizaje (o la exposición) para producir el canto correcto. Si estos pájaros pasan sus primeras siete semanas de vida sin oír a sus congéneres, producirán de forma instintiva cantos o llamadas, aunque éstos serán, de alguna manera, anormales. En cambio, si los niños humanos crecen aislados, no producen ninguna lengua «instintiva». La transmisión cultural de una determinada lengua es crucial en el caso del proceso de adquisición característico de la especie humana.

Dualidad

El lenguaje humano está organizado simultáneamente en dos niveles o capas. Esta propiedad es lo que se llama **dualidad** (o «doble articulación»). En lo concerniente a la producción del habla, podemos generar sonidos individuales, como, por ejemplo, *s*, *e* o *r*, a un nivel físico. Como sonidos individuales, ninguna de estas formas discretas posee un significado intrínseco, Sin embargo, cuando los emitimos siguiendo una combinación determinada, como en *ser*, estamos ya en otro nivel diferente, puesto que el significado de dicha combinación difiere del de otras combinaciones posibles, como *res*. Es decir, en uno de estos dos niveles, tenemos sonidos diferentes y, en el otro, tenemos significados distintos. Esta dualidad de niveles es, de hecho, uno de los rasgos que más contribuye a hacer del lenguaje humano un sistema económico, ya que mediante un conjunto limitado de diferentes sonidos podemos generar un número extremadamente elevado de combinaciones (esto es, de palabras) con significados distintos.

En el caso de los restantes seres vivos, cada señal comunicativa parece consistir en una forma única y fijada, que no puede descomponerse en partes diferentes. Aunque tu perro sea capaz de generar *guau* («Estoy encantado de verte»), no parece que la *g*, la *u* y la *a* sean elementos separables que luego se combinen en un nivel distinto de la producción. Si tu perro operase realmente mediante este sistema de dos niveles (es decir, si su sistema de comunicación se caracterizase por la dualidad), lo esperable sería oír diversas combinaciones, cada una con un significado distinto, como *ugua* («¡Tengo hambre!») o *agua* («Estoy realmente aburrido»).

Hablando con animales

Si estas cinco propiedades del lenguaje humano hacen de él un sistema de comunicación único, significativamente diferente de los sistemas de comunicación que utilizan otras criaturas, entonces sería bastante improbable que otros seres vivos fuesen capaces de comprenderlo. Sin embargo, algunos seres humanos se comportan como si no fuera este el caso. Después de todo, los humanos se dirigen a los animales recurriendo a un buen número de expresiones diferentes de su propia lengua, aparentemente porque tienen la sensación de que éstos entienden lo que se les está diciendo. Los jinetes gritan *¡Sooo!* a sus caballos y éstos se paran (o eso parece); si le decimos a un perro *Tráemelo*, lo hace (bueno, a veces); finalmente, en el circo hay diversos animales que van *arriba*, *abajo* y *dan vueltas* en respuesta a las órdenes habladas que se les da. ¿Deberíamos considerar estos ejemplos como una prueba de que los no humanos pueden entender el lenguaje humano? Seguramente no. La explicación más aceptada de lo que sucede en estos casos es que el animal reacciona de una manera específica a unos determinados estímulos sonoros o «ruidos», aunque sin «comprender» realmente el significado de las palabras que integran dicho «ruido».

Si parece difícil aceptar que los animales entiendan el lenguaje humano, todavía debería parecernos menos plausible la idea de que un animal sea capaz de generar estructuras características del lenguaje humano. Después de todo, no tenemos apenas evidencias de la existencia de animales que hayan aprendido a producir las señales comunicativas características de otras especies. Aunque tengamos a un caballo en un establo de vacas durante años, nunca llegará a decir *Mu*. Otro ejemplo: en algunos hogares la llegada de un bebé y la de un cachorro son simultáneas. El bebé y el perrito crecen en el mismo entorno, oyendo más o menos las mismas cosas, pero, sin embargo, cuando pasan alrededor de dos años, el bebé genera gran cantidad de los ruidos característicos del habla humana, mientras que el cachorro, no. Pero quizás un perrito no sea un buen ejemplo. ¿No sería mejor trabajar con un pariente más cercano del ser humano, con un chimpancé?

Los chimpancés y el lenguaje

La idea de criar juntos a un chimpancé y a un niño puede parecer una pesadilla, pero es básicamente lo que se hizo hace años con objeto de intentar enseñar a un animal de este tipo a utilizar el lenguaje humano. En la década de los años treinta del siglo pasado, dos científicos (Luella y Winthrop Kellogg) publicaron sus experiencias acerca de la crianza simultánea del hijo de ambos y de un chimpancé, también recién nacido. El chimpancé, llamado Gua, llegó, según los informes, a comprender alrededor de unas cien palabras, pero realmente fue incapaz de «decir» ninguna de ellas. En la década de los años cuarenta, otra pareja de científicos (Catherine y Keith Hayes) crió en su propia casa a una chimpancé llamada Viki, exactamente como si fuera un niño. Estos padres adoptivos pasaron cinco años tratando de que Viki «dijera» palabras en inglés, mostrándole para ello la manera en que debía articular su boca conforme iba produciendo sonidos. Viki llegó a producir algunas palabras, realmente versiones muy pobremente articuladas de *mamá*, *papá*, y *cup* («vaso»). Analizado desde una perspectiva actual, fue realmente un logro, dado que ahora resulta evidente que las características estructurales del tracto vocal de los primates no humanos no son las adecuadas para producir los sonidos del habla humana. Los monos y los gorilas pueden, como los chimpancés, comunicarse gracias a un amplio abanico de llamadas vocales pero, simplemente, no pueden hablar.

Washoe

Siendo conscientes de que un chimpancé era un mal candidato para aprender a hablar, Beatrix y Allen Gardner decidieron enseñar a una chimpancé llamada Washoe a usar una versión modificada de la lengua de signos americana. Como se describirá posteriormente en el capítulo 16, esta lengua de signos tiene todas las propiedades básicas del lenguaje humano y lo utilizan muchos niños que son sordos de nacimiento como si fuera su lengua materna natural.

Desde el primer momento los Gardner y su ayudante en la investigación criaron a Washoe como si fuera un bebé humano, proporcionándole un entorno doméstico agradable. Utilizaban la lengua de signos siempre que Washoe estaba presente y la animaban a que también ella la empleara, incluso aunque se tratase de su propia «versión bebé» de la variante empleada por los adultos. En tres años y medio, Washoe llegó a usar los signos correspondientes a más de 100 palabras, que iban desde *avión*, *bebé* o *plátano* hasta *ventana*, *mujer* y *tú*. Todavía más impresionante fue el hecho de que Washoe era capaz de combinarlos y producir «oraciones» del tipo *hazme-cosquillas*, *más-fruta* o *abre-comida-beber* (para conseguir que alguien le abriese el frigorífico). Algunas de las formas que Washoe utilizaba parecían ser invenciones propias, como el signo que empleaba para denotar *biberón*, o la combinación *agua-pájaro*, con el que hacía referencia a un cisne, lo que parecería indicar que su sistema de comunicación era productivo en potencia. Además, Washoe demostró comprender una cantidad mucho mayor de signos que los que lograba producir. También parecía ser capaz de mantener conversaciones rudimentarias, que, por lo general, consistían en secuencias del tipo pregunta-respuesta. Poco tiempo después, Francine Patterson constató que un gorila llamado Koko poseía una capacidad similar para conversar haciendo uso de la lengua de signos.

Sarah y Lana

Al mismo tiempo que Washoe estaba aprendiendo la lengua de signos, Ann y David Premack trataban de enseñar a otra chimpancé, llamada Sarah, a utilizar unos objetos de plástico de diferentes formas con el objetivo de poder llegar a comunicarse con los seres humanos. Estos objetos de plástico representaban «palabras» que podían ordenarse de forma secuencial para formar «oraciones» (Sarah prefería colocarlos en una disposición vertical). En este caso, la estrategia básica era sustancialmente diferente de la utilizada por los Gardner. Sarah había sido entrenada para asociar de manera sistemática estas formas con objetos o acciones. Sin embargo, seguía estando enjaulada y para lograr que manipulase los símbolos, se la recompensaba con comida. Una vez que hubo aprendido a utilizar un número suficientemente grande de estas formas de plástico, Sarah podía conseguir una manzana seleccionando la forma correcta (un triángulo azul) entre otras muchas.

María

dar

chocolate

Sarah

Conviene advertir que este símbolo es arbitrario, ya que sería difícil encontrar alguna conexión natural entre una manzana y un triángulo azul de plástico. Sarah también llegó a producir «oraciones» como *María-da-chocolate-Sarah*, y tenía la impresionante capacidad de entender estructuras tan complejas como *Si Sarah poner rojo sobre verde, María dar chocolate Sarah*. Y Sarah obtenía el chocolate.

Una técnica de entrenamiento parecida, empleando un lenguaje artificial semejante, fue la utilizada por Duane Rumbaugh para adiestrar a una chimpancé llamada Lana. El lenguaje que aprendió se llamaba «yerkish» (algo así como «jérguico») y consistía en un conjunto de símbolos que se disponían sobre un gran teclado conectado a un ordenador. Cuando Lana quería agua, tenía que apretar cuatro símbolos en el orden correcto, con objeto de generar el mensaje *por favor-máquina-dar-agua*.

Tanto Sarah como Lana demostraron tener capacidad para utilizar lo que parecían símbolos-palabras y estructuras básicas de una manera que superficialmente se asemeja al uso que los seres humanos hacen del lenguaje. Sin embargo, estas aparentes habilidades lingüísticas suscitaron un gran escepticismo. Se afirmó, por ejemplo, que cuando Lana usaba el símbolo correspondiente a «por favor», no tenía realmente por qué comprender el significado de la expresión. El símbolo para «por favor» en el teclado del ordenador podía simplemente equivaler al botón de una máquina expendedora, por lo que –y aquí está la base de la crítica– también nosotros podríamos aprender a utilizar una máquina expendedora sin tener que disponer del lenguaje. Este es sólo uno de los numerosos argumentos que se han propuesto en contra de la idea de que el uso de signos y símbolos por parte de estos chimpancés se asemeje al uso que los seres humanos hacemos del lenguaje.

La polémica

Basándose en su trabajo con otro chimpancé, llamado Nim, el psicólogo Herbert Terrace ha sostenido que los chimpancés simplemente producen signos en respuesta a los requerimientos de las personas y que tienden a repetir los signos que usan éstas, lo que hace que algunos investigadores ingenuos consideren que están tomando parte en una «conversación». Al igual que en otros muchos estudios críticos del aprendizaje animal, el comportamiento de los chimpancés se considera un tipo de respuesta condicionada por las señales emitidas (a menudo de forma inadvertida) por sus adiestradores humanos. La conclusión a la que llegó Herbert fue que los chimpancés son criaturas inteligentes que aprenden a comportarse de determinada manera (a utilizar la lengua de signos o a seleccionar símbolos) para obtener recompensas, de manera que, básicamente, lo que hacen es aprender «trucos» más o menos complejos.

En respuesta a las afirmaciones de Terrace, los Gardner, afirmaron que ellos no eran «adiestradores de animales» y que no estaban enseñando ni provocando respuestas condicionadas en Washoe. Mediante toda una serie de complejos experimentos, diseñados para eliminar cualquier posibilidad de que se le facilitaran señales no intencionadas al chimpancé por parte de sus cuidadores humanos, los Gardner demostraron que, en ausencia de cualquier ser humano, Washoe era capaz de generar los signos correctos al identificar objetos en diferentes fotografías. Los Gardner también hicieron hincapié en una diferencia fundamental entre los experimentos realizados con Washoe y con Nim. Mientras que Nim había permanecido en una celda desnuda y sin ventanas, como un animal de laboratorio, y la mayoría de los ayudantes en la investigación no dominaban la lengua de signos, Washoe había vivido en un entorno doméstico, disponiendo de muchas oportunidades para participar en juegos imaginativos e interactuar con usuarios que dominaban la lengua de signos con fluidez y la utilizaban también normalmente entre ellos. Los Gardner también informaron de que un grupo de chimpancés más jóvenes no sólo llegó a aprender la lengua de signos, sino a utilizarla entre ellos y con la propia Washoe, incluso cuando no había humanos presentes.

Kanzi

En un estudio más reciente, realizado por Sue Savage-Rumbaugh, se produjo, casi por accidente, un interesante avance en relación con la polémica anterior. Savage-Rumbaugh estaba intentando enseñar a un bonobo (un tipo de chimpancé pigmeo) llamado Matata a usar los símbolos del «yerkish», con la particularidad de que su cría, Kanzi, siempre estaba con ella durante las sesiones de aprendizaje. Aunque Matata no alcanzó una gran destreza, la cría empezó a utilizar el sistema de símbolos de forma espontánea y con gran facilidad. Es decir, Kanzi no aprendió al ser entrenado, sino por el hecho de estar expuesto y observar el uso de aquel lenguaje desde sus primeros días de vida. Kanzi terminó por desarrollar un vocabulario de símbolos significativamente amplio (alrededor de 250 formas). Al llegar a los ocho años, podía entender el inglés hablado a un nivel comparable al de un niño de dos años y medio, asociando para ello las palabras habladas con los símbolos ya conocidos. Asimismo, diversas evidencias sugerían que Kanzi hacía uso de un conjunto significativamente diferente de «ruidos amables» como si fuesen palabras, con objeto de referirse a cosas como plátanos, uvas o zumo. Era capaz, asimismo, de pedir mediante el lenguaje de símbolos que le pusieran sus películas favoritas, *La conquista del fuego* (sobre humanos primitivos) y *Greystoke, la leyenda de Tarzán*.

Los rudimentos más básicos del lenguaje

Se han hecho descubrimientos muy importantes a partir de estos intentos por enseñar a los chimpancés a utilizar algún tipo de lenguaje. Asimismo, se han despejado algunas incógnitas. ¿Fueron Washoe y Kanzi capaces de interactuar utilizando un sistema de símbolos que había sido elegido por los seres humanos y no por los propios chimpancés? La respuesta es, sin lugar a dudas, «sí». ¿Llegaron Washoe y Kanzi a alcanzar un nivel lingüístico comparable al de un niño de la misma edad? La respuesta es, con la misma rotundidad, «no». Además, una de las lecciones más importantes para aquellos que estudian la naturaleza del lenguaje consiste en que, a pesar de que somos capaces de describir algunas propiedades clave del lenguaje, no disponemos, en cambio, de una definición totalmente objetiva e indiscutible de lo que supone «utilizar el lenguaje». Asumimos que cuando los niños emiten ruidos parecidos a los lingüísticos estamos presenciando parte del proceso de desarrollo del lenguaje, pero lo cierto es que cuando algunos chimpancés jóvenes producen signos parecidos a los característicos del lenguaje al interactuar con los seres humanos, muchos científicos se muestran reacios a clasificar este comportamiento como «uso del lenguaje». Además, los criterios que utilizamos en cada caso no parecen ser los mismos.

El dilema continúa, al igual que la polémica existente entre diferentes psicólogos y lingüistas acerca de la capacidad de utilizar el lenguaje que podrían tener los chimpancés. Sin embargo, dada la cantidad de evidencias que contienen los estudios descritos hasta el momento, quizás sería conveniente que el lingüista Noam Chomsky (1972) revisase su afirmación de que la «adquisición de los rudimentos del lenguaje, incluso de los más básicos, excede con mucho de las capacidades de cualquier mono, por inteligente que sea». No tenemos constancia de lo que opinan los chimpancés sobre la teoría lingüística, pero indudablemente sí que la tenemos acerca de sus capacidades obvias para asimilar los «rudimentos más básicos del lenguaje».

■ Ejercicios

1. ¿Qué tipo de evidencias suele aducirse para apoyar la idea de que el lenguaje se transmite culturalmente?
2. ¿Qué diferencia existe entre un sistema de comunicación productivo y uno de referencia fija?
3. ¿Cuál es la propiedad del lenguaje que permite a las personas hablar acerca del «futuro»?
4. ¿Cómo intentaron demostrar los Gardner que Washoe no se limitaba simplemente a repetir los signos que hacían los humanos con los que interactuaba?
5. Si Sarah usaba una forma de plástico de color gris para transmitir el significado «rojo», ¿qué propiedad podemos decir que tenía su «lenguaje»?
6. ¿Cuál se considera que fue el elemento clave en el aprendizaje lingüístico de Kanzi?
7. ¿A qué se alude cuando se recurre al término arbitrariedad para describir una propiedad del lenguaje humano?
8. El hecho de que las señales lingüísticas que utilizamos para comunicarnos no tengan normalmente un objetivo adicional al de la mera comunicación (como podría ser alimentarse), ¿podría considerarse una propiedad única del lenguaje humano?
9. ¿Cuál es el término que empleamos para caracterizar el hecho de que tres palabras distintas, como *algo, lago* y *gola,* constituidas por los mismos sonidos, tengan significados diferentes?
10 ¿Se ha intentado alguna vez enseñar a un chimpancé a producir los sonidos característicos del habla humana? ¿Cuál fue el problema?
11. ¿En qué se basó Terrace para concluir que la utilización de la lengua de signos por parte de los chimpancés no debería considerarse propiamente como un proceso lingüístico?

■ Tareas de investigación

A. ¿Qué quiere decir la expresión «simbolismo sonoro» y de qué manera se relaciona con la propiedad de la arbitrariedad?
B. En los estudios relativos a la comunicación entre animales y seres humanos se menciona en ocasiones el «fenómeno de Hans *el listo*». ¿Quién o qué era Hans *el listo*? ¿A qué debía su fama? ¿En qué consistía exactamente el «fenómeno»?

C. ¿A qué se debía el nombre que se le dio al chimpancé implicado en los experimentos realizados por el psicólogo Herbert Terrace (Nim Chimpsky)?

D. ¿Qué es exactamente un bonobo? ¿Por qué razón debería tener más éxito que un chimpancé a la hora de aprender el lenguaje?

■ Temas/proyectos de discusión

I. A continuación se enumeran seis propiedades adicionales (también denominadas «características de diseño») que a menudo se tienen en cuenta cuando se compara el lenguaje humano con otros sistemas de comunicación:

Uso de un **canal vocal-auditivo** (las señales lingüísticas se envían haciendo uso de los órganos vocales y se reciben mediante los oídos).

Especialización (las señales lingüísticas no sirven para ningún fin adicional, como podría ser la respiración o la alimentación).

No direccionalidad (las señales lingüísticas no poseen una direccionalidad intrínseca, de forma que pueden ser captadas por cualquiera capaz de oírlas, incluso aunque no sea visible).

Evanescencia (las señales lingüísticas son producidas y desaparecen con gran rapidez).

Reciprocidad (cualquiera capaz de enviar una señal lingüística puede ser también un receptor de la misma).

Prevaricación (las señales lingüísticas pueden ser falsas, o usadas para mentir o engañar).

(i) ¿Es posible encontrar estas propiedades en todas las formas de comunicación humana que hacen uso del lenguaje?

(ii) ¿Se trata de propiedades exclusivas del lenguaje humano o, por el contrario, pueden encontrarse también en los sistemas de comunicación de otros seres vivos?

(Para obtener información básica sobre esta cuestión puedes leer el capítulo 17 de O'Grady *et al.*, 2005.)

II. La crítica más recurrente que se ha hecho a los proyectos de aprendizaje del lenguaje por parte de los chimpancés consiste en aducir que éstos responden a aprendizaje sencillamente como animales entrenados para obtener recompensas y que, por tanto, no están utilizando el lenguaje para expresar nada en particular. Lee los siguientes informes e intenta definir cómo se deberían interpretar las diferentes conductas de los distintos chimpancés a los que se refieren (Dar, Washoe y Moja). Los signos se representan empleando letras mayúsculas.

Después de su siesta, Washoe hizo el signo FUERA. Yo estaba esperando que Washoe fuera hacia su orinal por sí misma y no me opuse. Entonces Washoe me tomó de las manos y me las juntó para hacer FUERA, y entonces hizo el signo correspondiente a FUERA con sus propias manos para enseñarme cómo debía hacerlo.

Greg estaba chillando y haciendo ruido con una sirena para impedir que Dar se quedara dormido. Dar acercó su puño a los labios de Greg e hizo el ruido de dar besos. Greg preguntó, ¿QUÉ QUIERES?, y Dar contestó SILENCIO, poniendo el signo sobre los labios de Greg.

Moja nos hizo el signo de PERRO a Ron y a mí, y nos miró a la cara, esperando que hiciéramos «guau». Después de varias repeticiones yo hice «miau». Moja hizo entonces de nuevo el signo correspondiente a PERRO y yo repetí «miau» nuevamente. Entonces Moja me dio un palmetazo fuerte en la pierna y continuó haciéndolo hasta que finalmente ladré. Entonces Moja se abalanzó sobre mí y me dio un abrazo.

Moja miraba fijamente el Dairy Queen con aire nostálgico mientras íbamos en coche. Entonces durante más de un minuto repitió los signos de HELADO-NO muchas veces, sacudiendo la cabeza mientras se acercaba el puño a la boca, con el dedo índice levantado.

(Para obtener información básica sobre esta cuestión puedes leer a Rimpau *et al.*, 1989, de donde se han tomado estos ejemplos.)

III. La mentira y el engaño, que parecen ser rasgos privativos de los seres humanos, llevaron a Charles Hockett (1963) a incluirlos como posibles propiedades del lenguaje humano, agrupándolos bajo el nombre técnico de **prevaricación**. Al discutir esta propiedad, Hockett afirmaba que «los mensajes lingüísticos pueden ser falsos», mientras que «parece que el hecho de mentir es algo muy infrecuente entre los animales». Teniendo esto en cuenta, lee el siguiente informe (Jolly, 1985) acerca de un suceso acaecido entre dos chimpancés hembras, llamadas Matata y Lorel.

Matata volvió al grupo social para aparearse y tuvo que aceptar subordinarse a Lorel, una hembra a la que habría dominado fácilmente algunos años antes. La situación duró algunos días, hasta que Matata se encontró sola en la jaula exterior con Lorel y la cría de una hembra aún más dominante. Matata se levantó y tiró a la cría de la pierna cuando ésta estaba colgada de una red que había sobre ella. Naturalmente, el pequeño chimpancé se puso a llorar. Todos los demás animales empezaron a golpear la jaula interior donde estaban, incluyendo un macho adulto y la madre de la cría agredida. Según iban saliendo, Matata miraba con expresión feroz a Lorel y gruñía. La madre dominante se volvió bruscamente y atacó a la inocente Lorel. Desde aquel día, Matata volvió a dominar a Lorel siempre que había comida o tenía que cuidar de una cría.

(i) ¿Crees que el caso anterior puede considerarse un ejemplo de prevaricación? Si crees que sí, ¿significa esto que la prevaricación no debe considerarse una propiedad distintiva del lenguaje humano? Si crees que no, entonces, ¿ante qué tipo de comportamiento nos encontraríamos?

(ii) Si estás de acuerdo con la idea de que los animales son capaces de prevaricar, ¿cómo crees que influiría este hecho en nuestra concepción de la inteligencia o las capacidades cognitivas de los animales? ¿Sabes si existe alguna otra especie además de la humana que posea una inteligencia particularmente desarrollada?

IV. Al principio de este capítulo hemos intentado establecer una clara distinción entre señales **comunicativas** e **informativas**. El elemento básico que diferenciaba ambos tipos de comunicación era el concepto de intención. Pero no siempre es tan sencillo identificar cuándo se hace algo intencionadamente o no.

(i) ¿Qué opinas del vestirse de una determinada manera? ¿Podría ser un elemento comunicativo la ropa que uno se pone?

(ii) La llamada expresión corporal o lenguaje corporal, ¿sería comunicativa o informativa? ¿Y los apretones de manos o las expresiones faciales?

(iii) ¿Se interpretan de la misma manera los mismos gestos en diferentes culturas? ¿Es posible distinguir los gestos intencionados (es decir, comunicativos) de aquellos que no lo son? ¿O es, acaso, el propio concepto de «comportamiento intencionado» lo que varía de una cultura a otra?

V. Realmente no puede afirmarse que las propiedades denominadas *transmisión irradiada* y *reciprocidad* sean exclusivas del lenguaje humano. ¿En qué otros sistemas de comunicación están presentes? ¿Consideras que lo están en todas las formas lingüísticas de comunicación humana?

VI. Cuando se discutió la propiedad de la *arbitrariedad* no se prestó demasiada atención a la cuestión de la iconicidad en el lenguaje (es decir, a la posibilidad de que la forma imite el significado). En cambio, sí se hizo mención a las onomatopeyas, un fenómeno al que en ocasiones se hace referencia como **simbolismo del sonido.** Para algunos investigadores este fenómeno es bastante frecuente y para demostrarlo ponen como ejemplo el sentido despectivo que tienen las palabras que contienen sonidos como la *ch* (en palabras como *charlar*, *cháchara*, *charlatán*). Desde esta perspectiva, cualquier hipótesis sobre la arbitrariedad de las formas del lenguaje necesita ser revisada.

(i) ¿Consideras que este sentido despectivo está realmente presente en todas las palabras que contienen el sonido *ch* en castellano?

(ii) ¿Serías capaz de proponer otros sonidos o combinaciones de sonidos que puedan asociarse con significados concretos?

(iii) ¿Qué dirías de los sonidos de las palabras que identifican conceptos de proximidad (este, aquí) frente a los que denotan de lejanía (ese, allí)? ¿Existe alguna diferencia? ¿Cuál? ¿Hay un patrón regular que permita distinguir los términos que denotan las cosas que están cerca de las que están lejos de un hablante?

(iv) ¿Crees que existe una posible correspondencia entre el tamaño de una palabra y la frecuencia con que se utiliza (en el sentido de que cuanto más se utiliza menor es su extensión)? Si esto fuera cierto, ¿consideras que podría constituir una evidencia en contra de la tesis de la arbitrariedad?

(Para obtener información básica sobre esta cuestión puedes leer los artículos de Hinton *et al.*, 1994.)

VII. ¿Cuáles son, en tu opinión, las ventajas y los inconvenientes que presentan los diferentes sistemas de símbolos (formas de plástico, teclas en una consola de ordenador, lengua de signos) que se han utilizado en los experimentos con chimpancés? ¿Qué sistema (bien uno de los anteriores, bien otro inventado por ti) utilizarías si tuvieras la oportunidad de intentar enseñar a hablar a un chimpancé?

VIII. En la columna de la izquierda se recogen algunos ejemplos de las primeras combinaciones de palabras que produce típicamente un niño, mientras que en la segunda se incluyen algunos ejemplos de las combinaciones de dos palabras realizadas por Washoe.

libro rojo	mi bebé
mamá cena	ir flor
ir tienda	beber rojo
tirar pelota	cosquillas Washoe
libro mesa	más fruta

Teniendo en cuenta estos datos, ¿crees que el tipo de actividad lingüística que llevan a cabo los niños y Washoe es esencialmente la misma?

IX. Un argumento habitual entre quienes han criticado la idea de que los chimpancés poseen una capacidad lingüística es el que se basa en las diferencias evolutivas que existen entre dicha especie y la nuestra, como se pone de manifiesto en el siguiente fragmento, tomado de Wallman (1992, 109).

> ¿Acaso resulta absurdo considerar la ausencia de competencia lingüística en los monos como algo que exija una explicación? No tiene por qué ser así. Después de todo, a nadie se le ocurriría plantearse las razones por las que el Homo sapiens no puede volar o por las que las aves no pueden nadar. Nadie hace este tipo de preguntas, porque se asume que especies separadas por millones de años de evolución se distinguirán por sus adaptaciones y que el grado de divergencia se correlaciona aproximadamente con el tiempo en que han estado evolucionando por separado, de forma que no existiría una evolución convergente o paralela. Dado que nuestro linaje se separó del de los homínidos más próximos hace cuatro millones de años, nos separan de ellos ocho millones de años de evolución independiente.¿Cuál es la razón, entonces, de que haya quien defienda que una especie de mono posee una facultad propia del ser humano, y una que además ni siquiera utilizan?

¿Qué otros argumentos se te ocurren a favor o en contra de este punto de vista?

■ Lecturas adicionales

En el capítulo 12 de Hudson (2000) o en el capítulo 17 de O'Grady et al. (2005) puede encontrarse una introducción a las propiedades del lenguaje y una discusión acerca de otros sistemas de comunicación. Algunas de las ideas originales sobre las propiedades del lenguaje provienen de Hockett (1960). Para diferentes perspectivas sobre la cuestión de la naturaleza de la comunicación puede recurrirse a Mellor (1990) o a Rogers y Kaplan (2000). Para obtener información adicional acerca de los monos vervet, puede leerse a Cheney y Seyfarth (1990), mientras que en lo concerniente a la danza de las abejas conviene leer a Von Frish (1993). Para una comparación entre la comunicación humana y la animal, véase Aitchison (1998). Liden (1987) y Premack (1986) presentan una visión general de la investigación con chimpancés, en general, desde un punto de vista favorable a la misma, mientras que Anderson (2004) o Wallman (1992) hacen lo propio desde una postura crítica. Más específicamente, Kellogg y Kellogg (1933) describen la vida con Gua, y Hayes (1951), la vida con Viki. Sobre Washoe, véase Gardner *et al.* (1989); sobre Koko, véase Patterson y Linden (1981); sobre Sarah, véase Premack y Premack (1991), sobre Lana, véase Rumbaugh (1977); sobre Nim, véase Terrace (1979); y sobre Kanzi, véase Savage-Rumbaugh y Lewin (1994) y Savage-Rumbaugh *et al.* (1998). Para obtener información adicional sobre los bonobos, véase Boesch *et al.* (2002).

3

El desarrollo de la escritura

De vez en cuando mi hija de ocho años viene a verme cuando estoy trabajando y me echa los brazos al cuello, simulando, a todas luces, que me quiere, para marcharse seguidamente riéndose como una tonta. Tan pronto como se va, tanteo mi espalda con la mano y trato de alcanzar el *post-it* que me ha colgado y en el que ha escrito algo parecido a «Yo Soy tonto del bote». Podría pensarse que el pronombre *Yo* no significa nada a menos que sea uno mismo el que lo escriba, pero de alguna manera yo estoy implícito en el enunciado. Ella se ha burlado un poco de mí y ambos lo sabemos.

Probablemente éste sea el truco más logrado que es posible conseguir mediante la escritura, a saber, el poner en boca de otro individuo un pronombre de primera persona. Seguramente no hubo que esperar más de un par de semanas tras la invención de la escritura cuneiforme en Sumer, hace cinco mil años, para que a algún escriba se le ocurriera grabar los caracteres correspondientes a «Dame una patada» en una tablilla de arcilla y la fijara en la parte de atrás de las vestiduras de algún sacerdote que pasara por allí.

Nunberg (2001)

A la hora de estudiar el desarrollo de la escritura conviene tener presente que todavía hoy en día existen numerosas lenguas en el mundo que sólo se emplean en su variante hablada, esto es, que carecen de forma escrita. En el caso de aquellas lenguas que sí disponen de sistemas de escritura, su desarrollo, según nuestros conocimientos actuales, ha sido un fenómeno relativamente reciente. Podemos considerar que los primeros intentos por parte del ser humano de representar la información visualmente corresponden a las pinturas de las cavernas, que datan de hace al menos 20.000 años, o a algunos objetos de arcilla, que tienen unos 10.000 años de edad y que parecen constituir un intento primitivo de llevar un libro de contabilidad, aunque también podemos considerarlos con mayor propiedad como precursores primitivos de la escritura. Los primeros vestigios de escritura que podemos identificar sin lugar a confusión corresponden a lo que Geoffrey Nunberg designa como las marcas «cuneiformes» que aparecen grabadas en tablillas de barro de hace alrededor de 5000 años. Una escritura antigua que presente una relación más evidente con los sistemas de escritura que usamos actualmente sólo la encontraremos en inscripciones de hace sólo unos 3000 años.

Hemos de tener en cuenta que la mayoría de las evidencias utilizadas en la reconstrucción de sistemas de escritura antiguos proviene de inscripciones hechas sobre piedra o sobre tablillas. Si quienes hicieron estas inscripciones dispusieron también de otros sistemas de escritura sobre madera, piel, u otros materiales perecederos, es algo que desconocemos, porque los posibles restos se han perdido. Sin embargo, estas inscripciones de las que sí disponemos y que se remontan a hace algunos miles de años, nos permiten seguir el desarrollo de la tradición escrita mediante la que los seres humanos han pretendido crear un registro permanente de lo que les iba sucediendo.

Pictogramas e ideogramas

Las pinturas rupestres encontradas en las cavernas debieron de servir para recordar acontecimientos significativos (por ejemplo, Humanos 3, Bisontes 1), pero nadie cree que fueran mensajes lingüísticos específicos. Por lo general, se consideran parte de una tradición propia del arte pictórico. Sólo cuando algunos de estos «retratos» empiezan a representar imágenes concretas de forma consistente, podemos comenzar a describir lícitamente el resultado como una suerte de pintura-escritura o **pictogramas**. Así, una forma como ☼ podría llegar a utilizarse para representar el sol. Lo que resulta fundamental en el uso de estos símbolos representativos es que todo el mundo llegue a utilizar formas similares para representar significados parecidos. Es decir, tiene que haber una relación convencional entre el símbolo y su interpretación.

Con el tiempo, un dibujo como el anterior podría acabar adquiriendo una forma simbólica fijada en mayor grado, como ⊙, y llegar a emplearse para denotar «calor» y «día» además de «sol». Hay que tener en cuenta que cuando el símbolo amplía su significado con objeto de denotar «calor», además de «sol», pasa de designar algo visible a designar algo de naturaleza conceptual (de forma, en modo alguno, puede seguir considerándose un «retrato»). Es entonces cuando se puede afirmar que estos símbolos son ya parte de un sistema de escritura de ideas, es decir, que consiste en **ideogramas**. La distinción entre pictogramas e ideogramas es esencialmente una diferencia en la relación que existe entre el símbolo y la entidad que representa. Las formas «más parecidas a dibujos» son pictogramas; las formas derivadas, más abstractas, son ideogramas.

Una propiedad clave tanto de los pictogramas como de los ideogramas es que no representan palabras o sonidos de ninguna lengua en particular. Los pictogramas modernos, como los que se representan en la ilustración, no dependen de ninguna lengua, de forma que vienen a tener prácticamente el mismo significado convencional básico en diferentes lugares, en los que se hablan numerosas lenguas distintas.

Se cree, en general, que muchos de los símbolos que posteriormente entrarían a formar parte de diferentes sistemas de escritura tienen su origen en pictogramas o en ideogramas. Por ejemplo, en los jeroglíficos egipcios el símbolo ⊓ se utilizaba para hacer referencia a una casa y deriva de la representación esquemática de la planta de una casa. Por poner otro ejemplo, en la escritura china el ideograma 川 se utilizaba para denotar «río» y tenía su origen en la representación pictórica de una corriente de agua que fluyera entre dos orillas. Sin embargo, conviene remarcar que, ni los símbolos escritos chinos ni los egipcios son de hecho «dibujos» de una casa o de un río. Tienen un carácter más abstracto. Cuando se crean los símbolos de un sistema de escritura, siempre se lleva a cabo una abstracción de la realidad.

Cuando la relación entre el símbolo y la entidad o la idea que representa llega a ser lo suficientemente abstracta, se incrementan las probabilidades de que el símbolo se esté utilizando para representar una palabra de una lengua determinada. En la escritura egipcia temprana, el ideograma para agua era ≋. Mucho más tarde, el símbolo ∼∼, derivado del anterior, llegó a emplearse para denotar el significado de la palabra «agua». En el momento en que los símbolos se utilizan para representar las palabras de una lengua, podemos considerarlos ya como ejemplos de escritura de palabras o «logogramas».

Logogramas

Un buen ejemplo de escritura logográfica es la utilizada por los sumerios, que vivían en la región meridional del actual Irak hace entre 5000 y 6000 años. Debido a las formas tan particulares que adoptaban los símbolos que los componían, este tipo de inscripciones se conoce más frecuentemente como escritura **cuneiforme**. El término «cuneiforme» significa 'con forma de cuña', puesto que las inscripciones utilizadas por los sumerios se obtenían presionando con un instrumento en forma de cuña sobre una tabla de arcilla blanda, lo que daba lugar a formas como ⌇⌇⌇ .

La forma de este símbolo realmente no ofrece ninguna pista sobre el tipo de entidad al que hace referencia. La relación entre la forma escrita y el objeto que representa se ha vuelto ya arbitraria, de ahí que se trate de un caso de escritura de palabras o **logograma**. El símbolo cuneiforme representado anteriormente puede compararse con una representación pictográfica típica de la misma entidad, un pez: ⚡ . También podemos comparar el ideograma correspondiente a «sol», al que hicimos referencia anteriormente, ⊙ , con el logograma utilizado para denotar la misma entidad en el caso de la escritura cuneiforme: ⬌⬌ .

En la China actual podemos encontrar un sistema de escritura moderno que se basa, hasta cierto punto, en el uso de logogramas. Muchos de sus símbolos escritos, o **caracteres**, se utilizan como representaciones del significado de las palabras o de partes de las palabras, y no de los sonidos de la lengua hablada. Una de las ventajas que presenta un sistema de este tipo es que dos hablantes de dos dialectos diferentes del chino, que podrían tener graves dificultades para entender las formas habladas empleadas por su interlocutor, pueden leer el mismo texto escrito. De todos los sistemas de escritura conocidos, el chino es el que se ha estado usando de forma continuada durante mayor tiempo (alrededor de 3000 años) y resulta evidente que ofrece otras muchas ventajas a sus usuarios.

No obstante, una de sus mayores desventajas estriba en la cantidad excesiva de símbolos de uso cotidiano escritos diferentes que lo integran, a pesar de que la lista oficial de caracteres del chino moderno se reduce a unos 2500 (otras listas contienen hasta 50.000 caracteres). Al parecer, tener que recordar tantos símbolos-palabras constituye una carga sustancial para la memoria, de ahí que, como atestigua la historia de la mayoría de los restantes sistemas de escritura, exista una tendencia generalizada a que la escritura logográfica evolucione y se transforme. Una manera de lograrlo es disponer de algún método sistemático que permita pasar de los símbolos que representan palabras (es decir, de un sistema logográfico) a símbolos que representen sonidos (esto es, a un sistema fonográfico).

La escritura jeroglífica

Una forma de utilizar símbolos ya existentes para representar los sonidos de una lengua consiste en la utilización de lo que se conoce como **escritura jeroglífica**. Mediante este sistema, el símbolo utilizado para denotar una determinada entidad pasa a convertirse en el símbolo que denota el sonido de la palabra que se emplea en la lengua hablada para hacer referencia a dicha entidad. A partir de ese momento, ese símbolo en particular empieza a utilizarse siempre que dicho sonido aparezca en una palabra cualquiera.

Podemos inventarnos un ejemplo, partiendo para ello del sonido de la palabra castellana, *pan*. Supongamos que el pictograma ⊕ se hubiese convertido con el tiempo en el logograma ⬭. Este logograma se pronuncia *pa*. Según el método sistemático al que hacíamos referencia en el apartado anterior, y que operaría en el caso de la escritura jeroglífica, debería ser posible hacer referecia a nuestro propio progenitor como ⬭⬭. Del mismo modo, si el logograma para *red* es ✝, entonces deberíamos poder combinar ambos logogramas con objeto de obtener ⬭✝, es decir, *pared,* y así, sucesivamente.

Tomemos otro ejemplo, esta vez de una lengua imaginaria, en la que el ideograma ≋ se convierte en el logograma ⤳ para denotar una palabra que se pronuncia *ba* (y que significaría «barco»). El símbolo correspondiente a la palabra que se pronuncia *baba* (y que significa «padre») sería ⤳⤳. En consecuencia, un mismo símbolo se puede utilizar de muchas formas diferentes, y cada una con un significado distinto. Lo que se consigue con este proceso es reducir sensiblemente el número de símbolos que se necesitan para disponer de un sistema de escritura.

La escritura silábica

En el último ejemplo, el símbolo en cuestión se utilizaba para representar la manera de pronunciar una determinada parte de una palabra, formada por la combinación *(ba)* de una consonante *(b)* y una vocal *(a)*. Esta combinación es una sílaba. Cuando un sistema de escritura hace uso de un conjunto de símbolos que representan la forma en que se pronuncian las sílabas, se le denomina sistema de **escritura silábica**.

Hoy en día ya no se usan sistemas de escritura silábicos puros, pero se puede escribir el japonés moderno mediante un conjunto de símbolos simples que representan las sílabas de la forma hablada, de ahí que frecuentemente se diga que el japonés cuenta con un sistema de escritura (parcialmente) silábico, o con un **silabario**. A comienzos del siglo XIX, un indio cherokee llamado Secuoya, que vivía en Carolina del Norte, inventó un sistema de escritura silábico que encontró una gran aceptación entre los miembros de su comunidad a la hora de escribir mensajes a partir de la lengua hablada. Cuando se analizan algunos ejemplos de escritura cherokee, como Ꭲ *(ho),* Ꮙ *(sa)* y Ꮵ *(ge),* puede comprobarse que los símbolos no corresponden a consonantes (C) o a vocales (V) simples, sino a sílabas (CV).

Tanto el sistema de escritura egipcio como el sumerio evolucionaron hasta el punto de que algunos de los primitivos símbolos logográficos comenzaron a utilizarse para representar sílabas de la lengua hablada. Sin embargo, no llegó a emplearse un sistema de escritura plenamente silábico hasta la aparición del usado por los fenicios, un pueblo que habitaba lo que hoy día es el Líbano hace entre 3000 y 4000 años. Resulta evidente que muchos de los símbolos que utilizaron los fenicios provenían de la escritura egipcia. La forma egipcia ⊏⊐, que significaba «casa», se adoptó, después de darle un pequeño giro, como ⅁. Tras emplearse logográficamente para representar una palabra que se pronunciaba *beth* (y que seguía teniendo el significado de «casa»), comenzó a usarse para representar otras sílabas que también empezaban por el sonido *b*. De forma similar, la forma egipcia ∿, que significaba «agua», se convirtió en ⌇, y comenzó a utilizarse para representar sílabas que empezaban con el sonido *m*. Así, una palabra que se pronunciase *muba* se habría escrito como ⅁⌇, mientras que otra que se pronunciase *bima* se habría escrito como ⌇⅁ (hay que tener en cuenta que se escribía de derecha a izquierda). Hacia el año 1000 a.C., los fenicios habían dejado de utilizar los logogramas y disponían ya de un sistema de escritura silábico plenamente desarrollado.

La escritura alfabética

Cuando se dispone de un conjunto de símbolos para representar sílabas que empiezan, por ejemplo, con el sonido *b* o con el sonido *m*, se está, de hecho, muy cerca de poder utilizar los símbolos para representar los sonidos simples de una lengua. Ésta es, en efecto, la base de la escritura alfabética. Un **alfabeto** es, en esencia, un conjunto de símbolos escritos que representan cada uno de ellos un sonido único. El proceso que acabamos de esbozar es el que al parecer dio lugar a los sistemas de escritura de las lenguas semíticas, como son el árabe y el hebreo. Los alfabetos de estas lenguas, incluso en sus versiones modernas, constan básicamente de símbolos para las consonantes, mientras que es el lector (o lctr) el que debe aportar los sonidos vocálicos. A este tipo de sistema de escritura se lo designa en ocasiones como **alfabeto consonántico**. La variante primitiva del inventario alfabético semítico, que proviene de los sistemas de escritura de los fenicios, es el origen de la mayoría de los alfabetos del mundo. Formas modificadas de este alfabeto se encuentran tanto hacia el este de la región en la que se desarrolló el alfabeto semítico (llegando hasta las lenguas iranias e hindúes), como hacia el oeste (a través del griego).

Los griegos primitivos dieron un paso adicional en el proceso de alfabetización, al utilizar símbolos adicionales para representar también los sonidos vocálicos en tanto que entidades distintas de los consonánticos, de ahí que creasen un sistema de escritura modificado con objeto de acomodar en él a las vocales. Esta remodelación dio lugar a la aparición de un símbolo propio para la vocal *a (alfa),* que se podía combinar con los símbolos ya existentes para las consonantes, como la *b (beta).* El resultado es la aparición de un sistema de escritura en el que cada sonido cuenta con un único símbolo, esto es, un «alfabeto». De hecho, para algunos estudiosos de los orígenes del alfabeto moderno correspondería a los griegos el mérito de haber transformado el sistema intrínsecamente silábico de los fenicios en un sistema de escritura en el que ya existía una relación biunívoca plena entre símbolos y sonidos.

De los griegos, este alfabeto revisado pasó al resto de Europa occidental gracias a los romanos y con el paso del tiempo fue sufriendo diferentes modificaciones para acomodarse a los requisitos de las lenguas a las que se fue aplicando. El resultado es que denominamos alfabeto latino al sistema de escritura que empleamos para el español. Otra línea de evolución fue la que se produjo a partir del alfabeto griego en el este de Europa, donde se hablaban las lenguas eslavas, y que dio lugar a una nueva versión del mismo denominada alfabeto cirílico (en honor de san Cirilo, un misionero cristiano del siglo IX), en la que se basa el sistema de escritura utilizado en Rusia actualmente.

El origen de las formas concretas de varias de las letras de los alfabetos europeos modernos se encuentra en los jeroglíficos egipcios, como se muestra en la siguiente ilustración:

egipcio	fenicio	griego primitivo	latino
			B
			M
			S
			K

El inglés escrito

Si efectivamente los orígenes del sistema de escritura alfabético se explican por la necesidad de lograr una correspondencia unívoca entre los sonidos y los símbolos empleados para representarlos, cabe preguntarse, y no sin razón, por qué en una lengua como el inglés existen tantas diferencias entre la forma escrita (*you know* [«tú lo sabes»]) y la hablada *(yu no)*.

La respuesta a esta cuestión debe buscarse en las diferentes influencias históricas experimentadas por la forma escrita del inglés a lo largo del tiempo. La ortografía inglesa sigue siendo, en esencia, la misma que se utilizaba cuando la imprenta llegó a Inglaterra en el siglo XV. En aquel tiempo se adoptaron una serie de convenciones a la hora de representar por escrito las palabras que, en gran parte, eran deudoras de la forma en que se escribían en otras lenguas, fundamentalmente en latín y en francés. Además, muchos de los primeros impresores hablaban en realidad holandés, de forma que no supieron tomar decisiones precisas y coherentes sobre la manera de representar adecuadamente la pronunciación inglesa.

Quizá un hecho aún más importante sea que desde el siglo XV la pronunciación del inglés ha sufrido cambios sustanciales. Así, por ejemplo, aunque actualmente no se pronuncia el sonido inicial *k,* ni el sonido *ch* cuando se encuentra en mitad de una palabra, las letras que denotan la pronunciación antigua siguen apareciendo en la moderna ortografía, como ocurre con la de una palabra como *knight* [«caballero»]. En consecuencia, incluso si hubiera habido en un primer momento una correspondencia adecuada entre las letras escritas y los sonidos, y aunque los impresores hubieran hecho un buen trabajo, todavía existirían grandes discrepancias entre el inglés hablado hoy en día y la manera de escribirlo.

Para terminar de entender mejor los orígenes de las discrepancias entre la manera de escribir y de pronunciar las palabras en inglés debemos tener en cuenta, finalmente, el hecho de que la grafía de muchas palabras inglesas antiguas fue «recreada» por los reformadores de la ortografía del siglo XVI para hacerla más parecida a la fuente latina de la que se suponía (a veces de forma errónea) que derivaban (por ejemplo, *dette* se convirtió en *debt* [«deuda»]; *iland* se transformó en *island* [«isla»]). De hecho, aunque Noah Webster, el radical reformador americano de la ortografía, pudo tener éxito (en los Estados Unidos) a la hora de revisar una forma del inglés británico como *honour* [«honor»], no se atrevió a ir más allá de *honor* (proponiendo, en consecuencia, *onor*). En líneas generales, no encontraron aceptación otras propuestas suyas, como *giv* (en lugar de *give* [«dar»]) o *laf* (en lugar de *laugh* [«reír»]), que estaban en consonancia con el principio alfabético. En el capítulo 4 analizaremos la manera de describir los sonidos de las palabras inglesas de manera coherente, dado que las formas escritas resultan tan poco fiables.

■ Ejercicios

1. ¿Cuál es la diferencia fundamental que existe entre los pictogramas y los ideogramas?
2. ¿Cuál es la diferencia fundamental que existe entre un sistema de escritura logográfico y uno fonográfico?
3. ¿Qué sucede en el proceso que se conoce como escritura jeroglífica?
4. ¿Qué lengua moderna emplea un sistema de escritura (parcialmente) silábico?
5. ¿Cómo se llama el sistema de escritura utilizado para el ruso?

6. ¿En qué lugar del planeta crees que podrías encontrar el sistema de escritura que se haya estado usando de forma continua durante más tiempo?

■ Tareas de investigación

A: ¿En qué consiste la escritura bustrofédica? ¿Cuándo se utilizó?

B: ¿Qué sistema de escritura es el conocido como hangul? ¿Dónde se emplea? ¿Cómo se escriben las palabras en la página?

C: La mayoría de los símbolos que figuran en el teclado de un ordenador o en una máquina de escribir (QWERTY) pertenecen a un sistema alfabético, ¿Qué ocurre, en cambio, con otros, como @, %, &, 5, * o +?¿Son alfabéticos, silábicos, logográficos o ideográficos? ¿Cómo describirías otros símbolos especiales, como ✂ ☞ ✎ ♥ © ☠ o :-?

D: Esta imagen es una copia de una carta descrita por Jensen (1969) y que fue escrita por una joven mujer yukaguir, un pueblo que vive en el norte de Siberia. La mujer (c) le escribía la carta a su amado (b), que se marchaba de viaje. ¿Que crees que se dice en la carta? ¿Quiénes son los otros participantes (señalados con las letras c y d)? ¿De qué tipo de «escritura» se trata?

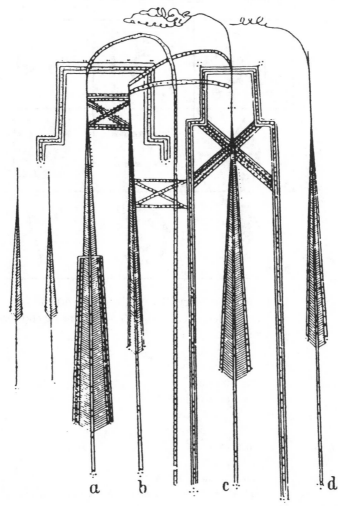

■ Temas/proyectos de discusión

I. Según Florian Coulmas, «la actual distribución de los diferentes sistemas de escritura demuestra su estrecha relación con la religión» (2003: 201). ¿Crees que la expansión de las diferentes religiones (y no alguna otra cosa) es la causa de las diferentes formas de escritura que se emplean actualmente en el mundo? ¿Qué evidencias podrías aportar si tuvieras que sostener lo contrario?
(Para obtener información básica sobre esta cuestión puedes leer el capítulo 10 de Coulmas, 2003.)

II. Si bien los pictogramas parecen ser independientes de la lengua, no sucede lo mismo en relación con la cultura. Para poder interpretar numerosas representaciones pictográficas e ideográficas, debemos estar familiarizados con las asunciones culturales acerca de lo que «significan» los símbolos.

(i) A modo de sencillo ejercicio, muestra los doce símbolos que aparecen a continuación a algunos amigos y pregúntales si saben lo que quieren decir (si alguien afirma que no los había visto nunca, debes animarlo a que trate de adivinar el significado).

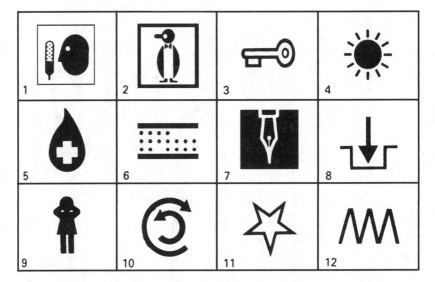

(ii) A continuación, enséñales la siguiente lista de «significados oficiales» y pídeles que hagan corresponder a cada uno de ellos uno de los símbolos anteriores.

(a) agitar
(b) donantes de sangre
(c) seco o calor
(d) mantener congelado
(e) cerrar con llave
(f) niños perdidos
(g) inscripciones
(h) telegramas
(i) abrir la puerta o la tapa
(j) sala de conferencias de prensa, sala de entrevistas

     (k) equipo de protección
     (l) maniobra de atraque (de barcos)
   (iii) ¿Qué tipo de asunciones de índole cultural crees que están implícitas en el proceso de interpretación de estos símbolos?
     (Los símbolos se han tomado de Ur, 1988)

III. Los grafitos o pintadas constituyen otro uso bastante especializado del lenguaje escrito (que también cuenta con una larga historia).
   (i) ¿Qué es lo que tiene de especial o de poco habitual la forma escrita típica de los grafitos? ¿Qué es lo que los hace reconocibles como tales?
  (ii) Un problema notorio que plantean muchos de los grafitos es que su interpretación resulta bastante compleja, dado que depende, en gran medida, del conocimiento que se tenga sobre cuestiones muy específicas, como el sentido de su ubicación física, las confrontaciones políticas de la época, la idiosincrasia del vocabulario empleado en ellos, etc. ¿Serías capaz de proponer algunos ejemplos de grafitos y determinar qué es preciso saber, además de la lengua en que están escritos y el tipo de escritura empleada, para interpretarlos?

■ Lecturas adicionales

En el capítulo 12 de Fromkin *et al.* (2003) o en el capítulo 16 de O'Grady *et al.* (2005) es posible encontrar una caracterización básica del desarrollo de la escritura. Una descripción más completa es la que hacen Campbell (1997), Coulmas (2003) y Sampson (1985), así como la que aparece en el volumen enciclopédico de Daniels y Bright (1996). Libros clásicos sobre la materia son los de Gelb (1963) y Jensen (1969). En la parte 3 del libro de Comrie *et al.* (1997) o en el de Nakanishi (1990) se ilustran buena parte de los sistemas de escritura actuales. Para obtener más información acerca de las lenguas antiguas, véase Woodard (2003), mientras que para la función de los objetos de arcilla como precursores de la escritura, véase Schmandt-Besserat (1996). Un estudio particularmente detallado sobre la escritura bustrofédica es el de Jeffrey (1990), mientras que en el caso del hangul conviene leer el de Kim-Renaud (1997). Para obtener información adicional acerca del alfabeto, véase Man (2000) o Sacks (2003). Para obtener información adicional acerca de la ortografía inglesa, véase Carney (1997).

4   Los sonidos del lenguaje

Soneto fonético

Las guturales gritos emitieron,
las nasales lamentos murmuraron,
las labiales amor manifestaron,
las palatales, al llorar, gimieron.

Cacuminal la lucha fue, mordieron
las dentales los labios, y sangraron;
sinalefas la herida religaron,
las cuerdas la tensión no resistieron:

Sonó en los ámbitos acento fuerte
y firme entonación comenzó a alzarse...
¡Ah, clamoroso amor, oírte y verte!

Mas, ¡ay! saber es reto de la suerte:
la espina de la yod empieza a hincarse,
ya tu sílaba, amor, diptonga en muerte.

Juan M. Díez Taboada, citado en Quilis Fernández (1979)

Imagina que el propietario de un pequeño restaurante en Inglaterra, que siempre ha tenido problemas con la ortografía de las palabras poco frecuentes, pone un anuncio en el ventanal principal del establecimiento en el que se indica que cuentan con un nuevo SEAGH. Al ver el anuncio, decides preguntarle de qué novedad se trata. Al oír la forma en que pronuncia la palabra, te das cuenta de que se trata de una palabra que habitualmente se escribe como *chef*. ¿Cómo ha llegado a escribirla de esa manera? «Es muy fácil», responde. «He cogido el primer sonido de la palabra *sure* («seguro»), el sonido intermedio de *dead* («muerto»), y el sonido final de la palabra *laugh* («risa»). ¿Es que acaso no resulta *seagh*?»

Esta anécdota, aunque poco probable, puede servir como evidencia de que muchas veces los sonidos del inglés hablado no se corresponden con las letras del inglés escrito. Si no se pueden utilizar las letras del alfabeto de forma coherente para representar los sonidos, ¿cómo podríamos lograr describir adecuadamente los sonidos de una lengua como el inglés? Una solución es diseñar un alfabeto diferente que cuente con símbolos que representen sonidos. Este conjunto de símbolos ya existe y se denomina **alfabeto fonético**. En el presente capítulo estudiaremos la manera en que se usan estos símbolos para representar tanto los sonidos consonánticos como los vocálicos, así como cuáles son las características físicas del tracto vocal humano que están implicadas en la producción de dichos sonidos.

Fonética

El estudio general de las características de los sonidos del habla se conoce como **fonética**. Nuestro interés prioritario será la **fonética articulatoria**, es decir, el estudio de la manera en que se producen, o se «articulan», los sonidos del habla. Sin embargo, otras áreas de estudio dentro de la fonética son la **fonética acústica**, que se ocupa de las propiedades físicas del habla, en tanto que conjunto de ondas sonoras que se propagan por el aire, y la **fonética auditiva** (o fonética perceptiva), que trata acerca de la percepción mediante el oído de los sonidos del habla.

Sonidos sonoros y sordos

En fonética articulatoria, el principal objetivo de la investigación es el análisis de la forma en que se producen los sonidos del habla gracias a las complejas herramientas orales de que disponemos. El punto de partida de todo el proceso es el aire expulsado por los pulmones hacia la laringe a través de la tráquea. Dentro de la laringe están las cuerdas vocales que pueden adoptar dos posiciones básicas:

1. Cuando las cuerdas vocales se separan, el aire de los pulmones pasa entre ellas sin ningún obstáculo. Los sonidos que se producen de esta manera se denominan **sordos**.
2. Cuando las cuerdas vocales se aproximan, el aire procedente de los pulmones las separa repetidamente cuando pasa a través de ellas, dando lugar a una vibración. Los sonidos que se producen de esta forma se llaman **sonoros**.

La diferencia existente entre ambos tipos de sonidos puede percibirse físicamente si se pone suavemente la yema de un dedo sobre la parte superior de la nuez (es decir, sobre la porción de la laringe que es posible detectar bajo la barbilla) mientras se producen sonidos como *N-N-N-N* o *B-B-B-B* . Como quiera que estos sonidos son sonoros, lo esperable es detectar algún tipo de vibración. Si se mantiene el dedo en la misma posición mientras se producen sonidos como *S-S-S-S* o *F-F-F-F*, que son sordos, lo lógico es que no se detecte vibración alguna. Otro experimento consiste en taparse las orejas con los dedos y producir ambos tipos de sonidos; sólo se notará vibración en el caso de los sonoros (por ejemplo, *B-B-B-B*), pero no en el de los sordos (*S-S-S-S*, por ejemplo).

Punto de articulación

Una vez que el aire ha pasado a través de la laringe, sigue ascendiendo en dirección a la boca y/o la nariz. La mayor parte de los sonidos consonánticos se articulan utilizando la lengua y otras partes de la boca para constreñir de algún modo la forma de la cavidad oral a través de la que está pasando el aire. Los términos utilizados para describir gran parte de los sonidos hacen referencia al punto donde se produce su articulación, es decir, al lugar de la boca en el tiene lugar dicha constricción.

Lo que necesitamos es una sección de una cabeza. Si cortamos la cabeza justo por la mitad, podremos ver qué zonas de la cavidad oral desempeñan un papel relevante en la producción del habla. A continuación describiremos el punto de articulación de la mayoría de los sonidos consonánticos, empezando por los que se articulan en la parte delantera de la boca y terminando por aquellos cuyo punto de articulación se encuentra situado al final de la misma. Para clasificar los sonidos conviene seguir teniendo presente la distinción sonoro-sordo discutida anteriormente. Asimismo, comenzaremos a utilizar los símbolos del alfabeto fonético con objeto de poder referirnos de forma apropiada a sonidos concretos. Dichos símbolos se suelen colocar entre corchetes [ ].

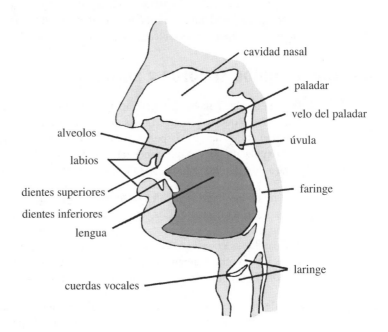

Bilabiales

Son los sonidos que se articulan utilizando ambos (=bi) labios (=labia). Los sonidos iniciales de las palabras *pino*, *vino* y *mido* son **bilabiales**. Se representan respectivamente, con los símbolos [p], que es un sonido bilabial sordo, y [b] y [m], que son sonoros. La diferencia que existe entre [b] y [m] responde únicamente a su modo de articulación (algo sobre lo que se hablará más adelante), dado que [b] es una consonante oclusiva y [m], nasal.

Labiodentales

Son sonidos en cuya articulación intervienen los dientes superiores y el labio inferior. El sonido inicial de las palabras *fácil* y *forma* es **labiodental**, se representa con el símbolo [f] y es sordo.

Dentales

Estos sonidos se articulan situando la punta de la lengua detrás de los dientes centrales de la mandíbula superior. El sonido inicial de palabras como *cine*, *zona*, *ce-*

bra y el final de palabra como *luz*, *paz*, *voz* es **dental** sordo. El símbolo que se emplea para representarlo es [θ]. En español no existe la correspondiente consonante dental sonora (que se representa como [ð]), salvo como alófono, un concepto que se discutirá en el siguiente capítulo. En ocasiones se emplea el término «interdental» para designar a esta consonante, especialmente cuando se pronuncia colocando el ápice de la lengua entre (=inter) los dientes superiores y los inferiores.

Alveolares

Son sonidos en cuya articulación la parte frontal de la lengua se sitúa sobre los alvéolos, la zona rugosa inmediatamente posterior a, y por encima, de los dientes superiores. Los sonidos iniciales de palabras como *todo*, *dato*, *nariz*, *riña*, *sopa* o *lado* son todos **alveolares**, como también lo es la consonante intermedia en *aro*. Los símbolos que los representan son, respectivamente, [t], [d], [n], [ɾ], [s], [l] y [r]. [t] y [s] son consonantes sordas, mientras que las restantes son sonoras. Estas consonantes se distinguen igualmente por su modo de articulación: [t] y [d] son consonantes oclusivas, [n] es nasal, [ɾ] y [r] son vibrantes (la primera se denomina vibrante simple y la segunda, múltiple), [s] es fricativa y [l] es lateral. Sobre estas diferencias se hablará más adelante.

Palatales

Detrás de los alvéolos, en la parte superior de la boca, se encuentra una parte dura llamada paladar duro o simplemente paladar. Los sonidos que se producen cuando el dorso de la lengua se apoya en la parte anterior y media del paladar se llaman **palatales** (o alveopalatales). Son cuatro las consonantes palatales que existen en español y se corresponden con los sonidos iniciales de *chico*, *yema*, *ñandú* y *llover*. Sus símbolos son, respectivamente, [t͡ʃ], [d͡ʒ], [ɲ] y [ʎ]. Todas estas consonantes, salvo [t͡ʃ], son sonoras. Las razones por las que los símbolos correspondientes a los sonidos representados la *ch* y la *y* no son sencillos se explican más adelante. Asimismo, conviene precisar que estas cuatro consonantes se distinguen también por su modo de articulación, algo sobre lo que volveremos a continuación. Mientras que [t͡ʃ] y [d͡ʒ] son africadas, [ɲ] es una consonante nasal y [ʎ], lateral.

Velares

En la parte posterior del techo de la boca, y situada tras el paladar duro, se encuentra una zona blanda que se denomina paladar blando o velo del paladar. Los sonidos producidos como resultado del contacto de la parte posterior de la lengua (el postdorso) con el velo del paladar reciben el nombre de **velares**. Existe un sonido velar sordo, representado por el símbolo [k], que no sólo aparece en *casa* o *loco*, sino también como sonido inicial en *queso* y *quilo*, a pesar de las diferencias ortográficas. El sonido velar sonoro, que podemos oír al principio de palabras como *gato* o *guerra*, se representa con el símbolo [g]. Existe un segundo sonido velar sordo, que es el que aparece al comienzo de palabras como *jamón* o *geranio*, y que se representa como [x]. A diferencia de [k] o de [g], se trata de un sonido fricativo, un concepto que también se discutirá posteriormente.

Los sonidos del lenguaje

Tabla de los sonidos consonánticos

Una vez que se ha descrito con cierto detalle el punto de articulación de los sonidos consonánticos del castellano, podemos resumir toda esta información básica en la tabla que se muestra a continuación. En la parte superior de la misma figuran los diferentes nombres utilizados para hacer referencia al lugar de articulación y bajo cada uno de ellos, las etiquetas -S (sordo) y +S (sonoro). A la izquierda de la tabla también se ha incluido un grupo de términos utilizados para describir el modo de la articulación, un concepto que se tratará en la siguiente sección.

	Bilabiales		Labiodentales		Dentales		Alveolares		Palatales		Velares	
	-S	+S	-S	+S	-S	+S	-S	+S	-S	+S	-S	+S
Oclusivas	p	b					t	d			k	g
Fricativas			f		θ		s				x	
Africadas									t͡ʃ	d͡ʒ		
Nasales		m						n		ɲ		
Laterales										ʎ		
Aproximantes										(j)		(ɰ)
Vibrante múltiple (*trill*)								r				
Vibrante simple (*flap*)								ɾ				

Limitaciones de la tabla

La tabla anterior dista de estar completa. Figuran en ella la mayoría de los sonidos consonánticos utilizados para la descripción básica de la pronunciación del castellano. Sin embargo, existen algunas diferencias entre este conjunto básico de símbolos y la tabla, mucho más completa, de la Asociación Fonética Internacional (AFI). La diferencia más obvia estriba en que el número de sonidos que incluye esta última es mucho mayor.

El AFI (o Alfabeto Fonético Internacional) pretende describir los sonidos de todas las lenguas del mundo. Incluye, por ejemplo, símbolos para representar algunos de los sonidos característicos del inglés, que no existen, en consecuencia, en español. Es el caso, por ejemplo, de las consonantes **glotales**, en cuya articulación no intervienen de forma activa ni la lengua ni otras partes de la cavidad bucal. Una consonante glotal característica del inglés es el sonido inicial de palabras como *who* («quien») o *whose* («de quien»), que representamos como [h] y que es fricativo. Al articular esta consonante, la glotis, es decir, el espacio situado entre las cuerdas vocales permanece abierta, como sucede en la producción de los restantes sonidos consonánticos sordos, pero, sin embargo, no se produce ninguna alteración de la corriente de aire que llega de los pulmones por parte de los articuladores de la cavidad bucal. Otro ejemplo de sonido ausente es lo que se conoce como **oclusión glotal**, representada por el símbolo [ʔ], que aparece cuando el espacio entre las cuerdas vocales (la glotis) se cierra por completo, muy brevemente, y después se abre. Prueba a pronunciar la expresión *¡Oh, oh!* Entre el primer *Oh* y el segundo producimos normalmente una oclusión glotal. Algunas personas la producen también en mitad de la expresión *Uh-uh* (queriendo decir «no»). También se puede generar una oclusión glotal al intentar emitir las palabras *puré* o *cole* sin pronunciar la *-r-* o la *-l-* intermedia. En inglés, este sonido caracteriza a determinados hablantes, como los de Cockney (un área de Londres) Para hacerte una idea de como hablan en esta zona, trata de pronunciar *Harry Potter* como si no existiera la *H* o la *tt*). También algunos escoceses y muchos neoyorquinos son proclives a la oclusión glotal. De la misma manera, existen consonantes **uvulares**, en cuya articulación interviene la parte posterior de la lengua y la úvula (situada al final del velo del paladar). Una consonante uvular es, por ejemplo, el sonido que se representa con una *r* en palabras francesas como *rouge* y *lettre* y cuyo símbolo sería [ʀ]. Los sonidos uvulares también son utilizados por muchas lenguas indias americanas. Otros sonidos que no aparecen en castellano son los **faríngeos** (que se articulan en la faringe), característicos de las lenguas semíticas como el árabe, y los **retroflejos**, que se pronuncian elevando el ápice de la lengua hacia la parte posterior de los alvéolos.

Otro sentido en el cual la tabla puede resultar incompleta es que para cada sonido sólo contempla una entrada, de manera que no recoge la gran diversidad de pronunciaciones diferentes que puede detectarse habitualmente entre los hablantes del castellano. Así, por ejemplo, una consonante como [n] se pronuncia de manera ligeramente diferente en palabras como *nariz, entrada* o *monje*. Si el cambio en el punto de articulación es muy evidente, recurrimos a símbolos distintos, como [ɲ] en el caso de *monje*, que indica que se trata de una consonante nasal velar (y no alveolar, como sería lo esperable y como sucede en el caso de *nariz*). Una alternativa consiste en conservar el símbolo del sonido y recurrir a diacríticos para marcar la diferencia. Así, el sonido [n] en *entender* se suele representar como [n̪], para indicar que su modo de articulación es más bien dental que alveolar.

Finalmente, conviene tener presente que en algunas descripciones fonéticas se emplean algunos símbolos que difieren con respecto a los utilizados en el AFI, que son los que figuran en la tabla anterior. Las variantes más habituales, que corresponden a las propuestas por la *Revista de Filología Española*, son: [c] o [č] en lugar de [t͡ʃ], [ŷ] en lugar de [d͡ʒ] y [ṝ] en lugar de [r]. Para una discusión más amplia sobre la utilización de los símbolos del AFI, véase Ladefoged (2001).

Modo de la articulación

Hasta ahora nos hemos centrado en la descripción de los sonidos consonánticos en función del lugar donde se produce su articulación. También podemos describir dichos sonidos atendiendo al modo en que se articulan. Conviene recurrir a esta forma de caracterización si queremos distinguir algunos sonidos que en nuestra descripción anterior hemos clasificado como pertenecientes a la misma categoría. Por ejemplo, tanto [t] como [s] son sonidos alveolares sordos. ¿En qué se diferencian? Difieren en el modo de la articulación, es decir, en la manera en que se pronuncian. El sonido [t] pertenece al grupo de las consonantes oclusivas, mientras que el [s] forma parte de las consonantes fricativas.

Oclusivas

De los sonidos mencionados anteriormente, [p], [b], [t], [d], [k] y [g] se producen cuando «interrumpimos» de alguna manera (aunque sea de forma muy breve) el flujo del aire y después lo dejamos pasar de forma abrupta. El sonido consonántico que resulta del efecto de bloquear o interrumpir la corriente de aire que llega de los pulmones se llama **oclusivo**. Una caracterización completa del sonido [t] que existe al comienzo de una palabra como *tío* sería, por tanto: consonante oclusiva dental sorda. Algunas veces sólo se menciona el modo de la articulación, como cuando se dice, por ejemplo, que la palabra *beso* empieza con una oclusiva sonora.

Fricativas

Cuando se articulan las consonantes [f], [θ] y [x] se bloquea casi por completo la corriente de aire procedente de los pulmones, la cual debe pasar, consecuentemente, a través de un canal muy estrecho. Como quiera que el aire es expulsado a presión a través de dicho conducto, se produce una fricción, de ahí que estos sonidos se denominen **fricativos**. Si se pone una mano abierta frente a la boca al articular sonidos como [f] y, especialmente, [s], puede sentirse la corriente de aire que se está dejando salir durante su articulación. Una palabra como *fríes* empieza y acaba con las fricativas sordas [f] y [s]. Y una palabra como *paz* termina en la fricativa sorda [θ].

Africadas

En la articulación de sonidos como [t͡ʃ] y como [d͡ʒ] la oclusión momentánea del paso del aire va seguida de su liberación a través de un canal constreñido que causa una cierta fricción. Estos sonidos consonánticos se denominan **africados** y aparecen al principio de palabras como *choto* y *yema*. El primer sonido al que nos hemos referido es sordo y el segundo, sonoro. En el sistema AFI los sonidos africados se representan mediante dígrafos, en los que los símbolos correspondientes a los dos sonidos implicados van unidos mediante un diacrítico (͡).

Nasales

La mayoría de los sonidos se producen oralmente, con el velo del paladar levantado, lo que impide que la corriente de aire penetre en la cavidad nasal. Sin embargo, cuando el velo del paladar baja, la corriente procedente de los pulmones puede liberarse parcialmente a través de la nariz, produciéndose sonidos como [m], [n] y [ɲ]. Estos sonidos se denominan **nasales** y son todos sonoros, apareciendo al comienzo de palabras como *mano*, *nido* y *niño*.

Líquidas

Los sonidos iniciales de palabras como *ligero*, *llanto* y *rojo*, así como el intermedio de la palabra *aro*, reciben la denominación de consonantes **líquidas**. El sonido [l] se forma dejando que la corriente de aire pase por ambos lados de la lengua en el momento en que ésta toma contacto con los alvéolos, de ahí que esta consonante también se denomine líquida **lateral**. Es el sonido que encontramos en posición inicial en la palabra *ligero*. Algo semejante sucede en el caso del sonido [ʎ], con la salvedad de que en este caso la lengua se encuentra en contacto con el paladar duro. En consecuencia, el sonido [ʎ], que es el que inicia la palabra *llanto*, también es lateral. El tipo de sonido para el que empleamos los símbolos [r] y [ɾ] se forma cuando el ápice de la lengua entra en contacto con los alvéolos, adoptando una conformación curvada. Su característica principal es que en su pronunciación se producen una o varias interrupciones breves de la corriente de aire. Estos sonidos también se conocen como consonantes líquidas vibrantes y son los que aparecen en posición intermedia en las palabras *carro* y *caro*, respectivamente. El sonido [r] se denomina vibrante múltiple *(o trill),* mientras que [ɾ] recibe el nombre de vibrante simple, aunque también se conoce como *flap.* Los hablantes del inglés americano que pronuncian una palabra como *butter* («mantequilla») de forma más parecida a 'budder' están haciendo este *flap* o «aleteo». Aunque este sonido se suele representar como [ɾ], también es común la grafía [D]. El *flap* se produce cuando el ápice de la lengua toca los alvéolos durante un breve instante. Muchos americanos tienden a articular de esta manera la [t] y la [d] en posición intervocálica, de forma que, cuando hablan informalmente, los pares como *latter* («último») y *ladder* («escalera»), *writer* («escritor») y *rider* («jinete»), *metal* («metal») y *medal* («medalla») no tienen consonantes intermedias distintas. Todas son *flaps.*

Glides

Los sonidos [ɯ] y [j], que no existen de forma independiente en castellano (aparecerán formando parte de los diptongos), se denominan **glides** o consonantes aproximantes. Ambos son sonoros y aparecen en inglés al comienzo de palabras como *we* ('nosotros') o *yes* ['sí']. La característica más relevante de estos sonidos es que se producen cuando la lengua se acerca o se separa de la posición articulatoria correspondiente a una vocal (en inglés *glide* significa «deslizarse»), de ahí que, en ocasiones, también se conozcan como semivocales o consonantes aproximantes. A veces el sonido [h], que aparece en palabras como *hello* [«hola»], se clasifica como glide, debido a la manera en que se combina con otros sonidos, aunque en otros casos se considera un sonido fricativo glotal.

La intención a la hora de enumerar esta lista relativamente extensa de los rasgos fonéticos de los sonidos consonánticos del castellano no ha sido la de poner a prueba a tu capacidad para memorizar una gran cantidad de términos y de símbolos, sino la de poner de manifiesto que es posible describir detalladamente los aspectos físicos implicados en la producción del habla con objeto de poder caracterizar adecuadamente los sonidos de cualquier lengua, con independencia de los caprichos que pueda presentar su ortografía. Sin embargo, todavía resta por estudiar un último tipo de sonidos. Son los sonidos conocidos como vocales y diptongos.

Vocales

Mientras que los sonidos consonánticos se articulan, en su mayoría, mediante la obstrucción o el cierre completo del tracto vocal, en la articulación de los **sonidos vocálicos** el flujo de aire apenas se ve interrumpido. Son, por definición, sonoros. Para describir los sonidos vocálicos, estudiaremos la manera en que la lengua contribuye a modificar la «forma» de la cavidad bucal a través de la que ha de pasar la corriente de aire. Si queremos determinar el punto de articulación de las vocales, conviene tener presente la conformación del espacio interior de la boca, que cuenta con una parte anterior y otra posterior, y que puede estar más o menos cerrada. Así, la vocal presente en *crin* o en *fin* es anterior y cerrada, porque el sonido se realiza cuando la parte delantera de la lengua se eleva, contribuyendo a estrechar en parte la cavidad bucal.

Por el contrario, los sonidos vocálicos presentes en *col* y *mol* se articulan con la lengua en una posición relativamente más baja, de ahí que se caractericen como vocales posteriores y (semi)abiertas. La próxima vez que estés delante del espejo del cuarto de baño intenta pronunciar cuidadosamente las palabras *mil*, *col* o *mal*. En el primer caso, tu boca permanecerá bastante cerrada, pero en el caso de las otras dos la lengua se irá desplazando hacia abajo, lo que hará que la boca se vaya abriendo (es probable que también te des cuenta de que los sonidos que normalmente expresan relajación o placer contienen típicamente vocales abiertas).

La terminología usada en la descripción de las vocales (por ejemplo, cerrada, anterior) deriva de su posición en la tabla que se utiliza habitualmente para clasificar los sonidos vocálicos más comunes, como la que aparece a continuación:

	Anterior	Central	Posterior
Cerrada	i		u
Semiabierta (o semicerrada)		e	o
Abierta		a	

A continuación se incluyen cada uno de los sonidos representados en la tabla anterior junto con algunos ejemplos de palabras que los contienen comunes para la mayoría de los hablantes del castellano. La lista de ejemplos va de las vocales anteriores cerradas, a las posteriores abiertas, y acaba con los posibles diptongos:

[i] *vi, sí, lid*
[e] *red, pez, eme*
[u] *un, tú, cuna*
[o] *no, sol, loco*
[a] *mal, sal, pan*
[ja] *hacia, rabia, limpia*
[je] *siete, tiempo, diente*
[jo] *labio, odio, radio*
[ju] *ciudad, triunfo, viudo*
[ɰa] *guarda, agua, cuatro*
[ɰe] *cuerda, rueda, suelo*
[ɰi] *ruido, muy, ruina*
[ɰo] *arduo, asiduo, antiguo*
[aj] *aire, baile, fraile*
[ej] *peine, seis, ley*
[oj] *hoy, soy, doy*
[aɰ] *causa, auto, aula*
[eɰ] *feudo, deudor, Europa*
[oɰ] *lo unió, Rouco*

Diptongos

Los últimos catorce símbolos de la lista anterior contienen dos sonidos. Estos sonidos vocálicos «combinados» se llaman **diptongos**. Conviene tener cuenta que en cada caso empiezan con un sonido vocálico y terminan con una semiconsonante (o glide), o a la inversa. Mientras que al pronunciar la mayoría de los sonidos vocálicos simples los órganos articulatorios permanecen en una posición relativamente fija, al pronunciar los diptongos se mueven desde una posición vocálica a otra.

Los procesos de diptonguización pueden afectar realmente a un amplio número de sonidos vocálicos y resultan más frecuente en determinadas variedades de una lengua. Así, en inglés son más habituales en las variedades meridionales del inglés británico. Por su parte, la mayor parte de los hablantes de inglés americano pronuncian una palabra como *say* ('decir') como [sej], es decir, como si existiera un diptongo en lugar de una sola vocal. De la misma manera, en ocasiones es posible escuchar [ɯ̯ij] como pronunciación de *we* ('nosotros') o [ðej] como pronunciación de *they* ('ellos'). Si tratas de pronunciar cuidadosamente las consonantes y los diptongos que se indican a continuación, te darás cuenta de que se trata de un ejercicio de pronunciación muy conocido: [haɯ̯ naɯ̯ braɯ̯n kaɯ̯].

La sutil variación individual en la pronunciación

Los sonidos vocálicos varían característicamente entre unas formas dialectales del castellano y otras, siendo, a menudo, uno de los rasgos que nos permiten distinguir un acento de otro. Por esta razón, puede ocurrir que los sonidos vocálicos de algunas de las palabras mencionadas anteriormente no se pronuncien en tu entorno de la manera en que se ha sugerido, o puede, incluso, que tú mismo no hagas uso al hablar de algunas de las diferencias de pronunciación que se han discutido previamente.

Por otro lado, los sonidos vocálicos se caracterizan por variar significativamente en su articulación física real. Sin embargo, si nos vamos centrando en diferencias de pronunciación cada vez más sutiles, podemos terminar describiendo la pronunciación de grupos cada vez más reducidos de hablantes, hasta llegar, incluso, a la caracterización del habla individual. El análisis de estas diferencias sutiles nos permite identificar las voces de los diferentes individuos, pero no nos ayuda a entender la manera en que logramos saber lo que están diciendo personas que nos son completamente ajenas y cuyas voces no nos son, por tanto, familiares. Resulta evidente que somos capaces de dejar a un lado cuanto de idiosincrásico existe en términos fonéticos en las voces que oímos y reconocer cada tipo de sonido subyacente como parte de una palabra que cuenta con un significado determinado. Para entender cómo podemos lograr algo así, necesitamos estudiar de forma más general los patrones característicos de los sonidos de una lengua, es decir, su fonología.

Ejercicios
1. ¿Qué diferencia existe entre la fonética acústica y la fonética auditiva?
2. ¿Cuál de estas palabras acaba normalmente con un sonido sordo (-S) y cuál con uno sonoro (+S)?

   (a) perdiz
   (b) gas
   (c) ciudad
   (d) pedal
   (e) salón
   (f) coñac

3. Intenta pronunciar los sonidos iniciales de las siguientes palabras y después trata de definir su punto de articulación (por ejemplo, bilabial, alveolar, etc.):

(a) jirafa
(b) familia
(c) tiza
(d) bota
(e) china
(f) zona
(g) cama
(h) gota

4. Trata de identificar el modo de articulación (por ejemplo, oclusivo, fricativo, etc.) de los sonidos iniciales de las siguientes palabras:

(a) silla
(b) crisis
(c) juez
(d) madre
(e) disco
(f) gasto
(g) lunes
(h) fácil

5. ¿Qué palabras castellanas se pronuncian normalmente como indican las transcripciones fonéticas siguientes?

(a) kaθa
(b) ferokaril
(c) t͡ʃiko
(d) dʒugo
(e) piɲon
(f) erumbɾe
(g) θarapastɾoso
(h) ʎubia
(i) xaɾt͡ʃa
(j) raʎaduɾa

6. Haciendo uso de los símbolos utilizados en este capítulo, escribe una transcripción fonética básica de la pronunciación más habitual de las siguientes palabras:

(a) ella
(b) tapa
(c) duro
(d) andar
(e)) cacerola
(f) soez
(g) chuzo
(h) legaña

■ Tareas de investigación

A. Intenta averiguar cómo se pronuncian habitualmente las siguientes palabras. Puedes usar el diccionario, si es preciso. Seguidamente, trata de clasificar las palabras en cuatro grupos, de modo que puedan servir como ejemplos de los sonidos [g], [θ], [r] y [k]:

gato, guante, agua, coz, zapato, cascada, seguir, rasgo, reguero, cine, zorro, cena, lazo, queso, kilogramo.

B. En principio, resulta posible caracterizar una consonante como [k] recurriendo, por un lado, a la distinción entre los rasgos sonoro y sordo, y, por otro, haciendo referencia al punto y al modo de articulación. Así, en el caso de [k], dicha caracterización sería: velar oclusiva sorda. Escribe de la misma manera las definiciones correspondientes a los sonidos iniciales de las siguientes palabras castellanas:

(a) miedo
(b) vista
(c) fiesta
(d) guante
(e) ruta
(f) zoo
(g) cinta
(h) nunca
(i) tanto
(j) chiste
(k) suerte
(l) gol

¿Crees que en alguna de las definiciones anteriores la distinción entre sonoro y sordo resulta superflua y, por consiguiente, podría omitirse?

C. Los términos «obstruyente» y «sonante» se emplean en ocasiones para describir la manera en que se pronuncian las consonantes. ¿Cuáles de las consonantes descritas en este capítulo (oclusivas, fricativas, africadas, glides, nasales, líquidas, vibrantes y laterales), que son todas obstruyentes, serían también sonantes? ¿Por qué?

D. ¿Qué es la fonética forense?

■ Temas/proyectos de discusión

I. A la hora de describir la articulación de las vocales castellanas pueden hacerse dos distinciones adicionales: si tienen o no un carácter labializado, y si son agudas, graves o neutras (es decir, según su timbre).

(i) El carácter labializado se refiere a la forma que adoptan los labios en el momento de la emisión, en particular si adoptan una conformación redondeada o no. Con la ayuda de un espejo o de un buen amigo, intenta decidir qué vocales castellanas son, en condiciones normales, labializadas y cuáles no. ¿Crees que se trata de un rasgo pertinente para su descripción, es decir, permite diferenciarlas de una manera diferente a la de los restantes rasgos?

(ii) El término timbre se refiere a la calidad de la onda sonora emitida. Es una característica acústica del sonido vocálico. Como se describió en este capítulo, la vibración de las cuerdas vocales produce una onda sonora llamada **tono fundamental**, que va acompañada de una serie de armónicos superpuestos. Esta onda compuesta, es decir, el tono fundamental junto con los armónicos, va siendo filtrada conforme pasa por las diferentes cavidades del aparato fonador, si bien el «filtrado» depende de la forma que adoptan dichas cavidades. La capacidad que tienen estas cavidades de hacer de filtro se debe a que actúan como una caja de resonancia sólo para algunos de los armónicos que integran la onda compuesta. El conjunto formado por el tono fundamental más los armónicos filtrados es lo que llamamos el **timbre** del sonido. ¿Serías capaz de determinar qué vocales del castellano poseen un timbre *agudo*, *grave* o *neutro*?

(Para obtener información básica sobre esta cuestión puedes consultar el texto de fonética del español mencionado en el apartado «Lecturas adicionales» que aparece al final de este capítulo.)

II. A partir de las siguientes palabras transcritas fonéticamente, trata de distinguir las que claramente son palabras del castellano de las que no lo son. Con respecto a las formas integradas en este segundo grupo, intenta separar las que podrían ser palabras castellanas de las que no podrían serlo. ¿En qué te has basado para distinguir entre ambos tipos de formas?

(a) flema
(b) θrlnz
(c) θigara
(d) sandalia
(e) ksln
(f) t͡ʃlopa
(g) kolka
(h) d͡ʒel
(i) t͡ʃrls
(j) fol
(k) kanaʎa
(l) ʎanaka

III. En castellano existen algunas expresiones, como *ding-dong* o *pim-pam-pum*, cuyos componentes nunca aparecen en un orden diferente (es decir, no suele oírse *dong-ding*, ni *pam-pum-pim*. ¿Se te ocurren otros ejemplos? ¿Cómo describirías, en términos fonéticos, el cambio que tiene lugar al pasar de un término a otro de la serie?

IV. ¿Cómo describirías en términos fonéticos la diferencia que existe entre los dos componentes de los siguientes pares de elementos?

(a) casa-gasa
(b) barco-marco

    (c) dado-lado

    (d) mona-mola

    (e) vino-pino

    (f) lava-cava

(Para obtener información básica sobre esta cuestión puedes leer el capítulo 6 de Pinker, 1994.)

■ Lecturas adicionales

El capítulo 3 de Finegan (2004) y el capítulo 6 de Fromkin *et al.* (2003) constituyen sendas introducciones alternativas al tema de la fonética. Los manuales de Catford (2002), Collins y Mees (2003), Ladefoged (2001) y Roach (2001a) tienen un carácter más especializado, y en cualquiera de ellos puede consultarse la cuestión de las vocales labializadas (o redondeadas) y de las consonantes obstruyentes y sonantes. El *Handbook of the International Phonetic Association* (1999) contiene una descripción fonética detallada de diferentes lenguas. Ya de forma más específica, puede consultarse a Pullum y Ladusaw (1996) en lo concerniente a la cuestión de los símbolos fonéticos; a Crystal (2003a) o a Task (1996a), si se busca un diccionario de términos técnicos, y a Roach *et al.* (2003), Wells (1990) o Upton *et al.* (2001), si se busca un diccionario de pronunciación del inglés. Acerca de la pronunciación del inglés americano, véase Kreidler (2004), mientras que para la pronunciación del inglés británico, véase Cruttenden (2001). Ball (1993) se ocupa de la descripción fonética de diversos trastornos del habla. Sobre fonética acústica y auditiva pueden consultarse los manuales de Denes y Pinson (1993), Ladefoged (1996) o Stevens (1998), mientras que en lo relativo a la fonética forense pueden consultarse los de Baldwin y French (1990), Gibbsons (2003) o Hollien (1990). Para una introducción a la fonética que presta atención a ejemplos del castellano, puede consultarse, entre otros, la de Gil Fernández (1988).

5

Los patrones sonoros del lenguaje

Uans appona taim uas tri berres; mamma berre, pappa berre, e beibi berre. Live inne contri nire foresta. NAISE AUS. No mugheggia. Uanna dei pappa, mamma, e beibi go bice, orie e furghetta locche di dorra.
Bai ene bai commese Goldilocchese. Sci garra natingha tu du batte meiche troble. Sci puscia olle fudde daon di maute; no live cromma. Den sci gos appesterrese enne slipse in olle beddse.

Bob Belviso, citado en Espy (1975)

En el capítulo anterior hemos analizado la producción física de los sonidos del habla mediante una caracterización de los mecanismos articulatorios que existen en el tracto vocal humano. Ello ha sido posible gracias a algunos hechos bastante sorprendentes acerca de la naturaleza del lenguaje humano. Al hablar del tracto vocal en nuestra especie no hemos especificado si nos estábamos refiriendo, en concreto, al de un hombre corpulento, de dos metros de altura y 100 kilos de peso, o al de una mujer menuda, de metro cincuenta de estatura y 50 kilos de peso, aunque parece evidente que estos dos individuos, físicamente tan diferentes, deben tener inevitablemente tractos vocales de distinta forma y tamaño. De hecho, no hay dos tractos vocales físicamente idénticos y, por consiguiente, en términos puramente físicos, cada individuo pronunciará los sonidos de forma diferente. En otras palabras, potencialmente existen millones de formas físicamente distintas de decir una palabra tan simple como *yo*.

Además, un mismo individuo no pronunciará siempre una determinada palabra de forma idéntica en términos físicos. La pronunciación variará en función de si dicho individuo está gritando, está pidiendo su sexto *martini* o está resfriado. Dado este amplio espectro de diferencias potenciales en lo que concierne a la producción física real de un sonido del habla, ¿cómo conseguimos reconocer que en todos los casos se trata de la forma [d͡ʒo] y no de [go], [d͡ʒa], [a] o [ga], o de cualquier otra cosa? La respuesta a esta pregunta nos la da la fonología.

Fonología

La **fonología** es esencialmente la descripción del sistema y de los patrones que adoptan los sonidos de una lengua. Se basa, efectivamente, en una teoría de lo que cualquier hablante de dicha lengua conoce inconscientemente sobre los patrones sonoros de la misma. Debido a su carácter teórico, la fonología se ocupa de los aspectos mentales o abstractos de los sonidos de la lengua, y no de la articulación física concreta de los sonidos del habla. Si logramos conferir un sentido al texto humorístico de Bob Belviso que encabeza este capítulo, y que constituye una peculiar versión del comienzo del cuento de *Ricitos de Oro y los tres osos* en inglés, es porque hacemos uso de nuestro conocimiento fonológico acerca de las combinaciones de sonidos más probables que es posible encontrar en las palabras de dicha lengua, con objeto de solventar el problema que plantea la ortografía particularmente extraña de las palabras que integran esta cita (al final de este capítulo aparece una transcripción al inglés estándar y una traducción de la misma).

La fonología trata del diseño subyacente de cada tipo de sonido, del plano de cada uno de ellos que utilizamos como base invariable para generar todas las variantes de ese sonido que se producen como consecuencia de las diferentes articulaciones físicas que tienen lugar en función del contexto. Así, cuando pensamos que el sonido [t] en las palabras *tapa, estrella, escritor* y *siete* es «el mismo», lo que queremos decir realmente es que según la fonología del castellano todos ellos se representarían de la misma manera. En el habla real, esos sonidos [t] son realmente muy diferentes.

Sin embargo, todas estas diferencias en la manera de articular el sonido [t] en castellano tienen para nosotros una menor importancia que lo que distingue al conjunto de los sonidos [t] de otro conjunto de sonidos, como los que forman las distintas variedades del sonido [k], del [s] o del [b]. La razón es que esta última diferencia tiene consecuencias para el significado de las palabras en las que dichos sonidos aparecen. Por consiguiente, estos sonidos han de considerarse como significativamente distintos, independientemente del tracto vocal que los pronuncie, ya que permiten distinguir en cuanto a su significado las palabras *tara, bara, cara* y *sara*. Visto desde esta perspectiva, podemos afirmar que la fonología se ocupa del conjunto abstracto de los sonidos de una lengua, el cual nos permite apreciar las diferencias de significado que entrañan las secuencias de sonidos físicos que emitimos y oímos realmente.

Fonemas

Cada uno de estos sonidos que permiten distinguir entre diferentes significados en una lengua determinada se denomina **fonema**. Cuando analizamos las bases de la escritura alfabética en el capítulo 3, realmente estábamos trabajando con el concepto de fonema, ya que hacíamos referencia a un tipo de sonido único que llegaba a representarse mediante un único símbolo. Es en este sentido en el que se afirma que el fonema /t/ es un tipo de sonido, del cual son realizaciones o ejemplares todas las versiones de [t] articuladas al hablar. Conviene tener en cuenta que para indicar que nos estamos refiriendo a un fonema, esto es, a un segmento abstracto, colocamos el símbolo correspondiente entre barras oblicuas (así, /t/), mientras que utilizaremos los corchetes (como en [t]) para representar cada segmento fonético, esto es, producido físicamente.

Una propiedad esencial de un fonema es que funciona por oposición. Sabemos que en castellano existen los fonemas /p/ y /b/ porque suponen la única diferencia que existe entre dos formas con distinto significado como *pata* y *bata,* o como *pala* y *bala*. Esta propiedad constituye el test operativo básico para determinar el inventario de fonemas de una lengua. Si sustituimos un sonido por otro en una palabra determinada y se produce un cambio de significado, entonces los dos sonidos representan fonemas diferentes. Ahora ya podemos decir que las tablas de consonantes y vocales que hemos presentado en el capítulo 4 constituyen el inventario básico de los fonemas del castellano.

Los términos que utilizamos al crear dichas tablas pueden considerarse «rasgos» que distinguen cada fonema de los demás. Si un sonido presenta uno de esos rasgos, lo señalamos con un signo más (+); si no lo tiene, utilizamos un signo menos (–). Así, podemos caracterizar el fonema /p/ como [–sonoro, +bilabial, +oclusivo] y /k/ como [–sonoro, +velar, +oclusivo]. Cuando dos o más sonidos comparten algunos rasgos, en determinadas ocasiones se suelen describir como miembros de una clase natural de sonidos. Un corolario es que aquellos sonidos que tienen rasgos comunes se comportan fonológicamente de forma similar, mientras que si no comparten ningún rasgo tendrán un comportamiento diferente.

Por ejemplo, el fonema /ɲ/ tiene los rasgos [+sonoro, +palatal, +nasal], por lo que no puede pertenecer a la misma «clase natural» que /p/ y /k/. Aunque hay otros factores implicados, este análisis basado en rasgos nos puede llevar a sospechar que existe una buena razón fonológica por la que en castellano son relativamente frecuentes las palabras que empiezan con /pl-/ y /kl-/, pero son inusuales las que comienzan por /ɲl-/. ¿Podría deberse a que un sonido debe poseer un determinado conjunto de rasgos para que pueda aparecer al principio de una palabra delante de /l/? Si es así, entonces seguimos el camino correcto en nuestro empeño por lograr una caracterización en términos fonológicos de las secuencias de sonidos admisibles en una lengua.

Fonos y alófonos

Mientras que el fonema es la unidad abstracta o tipo de sonido (es decir, se encuentra «en la mente»), existen multitud de versiones diferentes del mismo que se producen de forma regular al hablar (es decir, que están «en la boca»). Podemos describir esas versiones diferentes como **fonos**. Los fonos son unidades fonéticas y se escriben entre corchetes. Cuando un conjunto de fonos constituyen versiones diferentes del mismo fonema, entonces se los suele denominar **alófonos** de ese fonema (el prefijo «alo-» significa «uno de los miembros de un conjunto de elementos estrechamente relacionados»).

Por ejemplo, el sonido [d] en la palabra *dar* se pronuncia normalmente con un bloqueo total de la corriente de aire que llega de los pulmones, algo que no sucede en el sonido [ð], que es el que realmente se pronuncia en una palabra como *hada*. Si se coloca el dorso de la mano frente a la boca al decir *dar*, y después al pronunciar *hada*, es posible comprobar físicamente la salida brusca del aire (la **explosión**) que acompaña al sonido [d] en posición inicial en *dar* (pero no en *hada*). En consecuencia, se trata de un fono, que representamos como [d]. En el caso de la palabra *hada* se produce normalmente una relajación parcial que evita que tenga lugar una oclusión total del tracto vocálico. En consecuencia, se trata de otro fono diferente, que representamos como [ð], ya que realmente consiste en un sonido interdental fricativo. Si el contacto de la lengua con los alvéolos es muy breve, entonces se produce lo que en el capítulo anterior hemos denominado aleteo o *flap*, de ahí que el sonido correspondiente se represente como [D] o como [ɾ]. Se trataría de otro fono. En la pronunciación de una palabra como *verdad*, la *d* final puede llegar a relajarse aún más que en los casos anteriores, de manera que la explosión puede llegar a no oírse y la consonante resultar casi muda. Se trata de un nuevo fono, que representamos como [d˺]. Hay otras variantes de la [d] además de [d], [ð], [D] y [d˺], que pueden representarse de forma muy precisa en una transcripción fonética particularmente detallada, lo que se conoce como transcripción fonética estrecha. Como quiera que todas estas variantes conforman un único conjunto de fonos, a menudo se hace referencia a ellas como los alófonos del fonema /d/.

La diferencia fundamental que existe entre fonemas y alófonos estriba en que al sustituir un fonema por otro se produce un cambio de significado (y no sólo de pronunciación), mientras que si se reemplaza un alófono por otro sólo aparece una pronunciación diferente (aunque quizás inhabitual) de la misma palabra.

Veamos brevemente otro ejemplo, en este caso relativo a una vocal. En inglés, existen una sutil diferencia de pronunciación del fonema /i/ en una palabra como *seed* («semilla») y *seen* («visto»). En el segundo caso, como consecuencia de la presencia de una consonante nasal [n] pospuesta, el sonido [i] se nasaliza. Cuando se hace una transcripción fonética estrecha, esta **nasalización** se suele representar colocando el diacrítico [˜], llamado tilde, sobre el símbolo en cuestión, en este caso [ĩ]. En consecuencia, existen al menos dos fonos, [i] e [ĩ], cuando se articula un mismo fonema, /i/. Son los alófonos de /i/ en inglés.

Es posible, desde luego, que en dos lenguas diferentes un mismo segmento fonético se trate de forma distinta. En inglés, una vocal nasalizada se considera una variante alofónica, ya que la existencia de la nasalización no supone una oposición significativa, de manera que tanto si pronunciamos [sin], como si decimos [sĩn] todo el mundo reconocerá la misma palabra: *seen*. En francés, por el contrario, la pronunciación [mɛ] (el símbolo ɛ representa una *e* abierta, cuyo lugar de articulación es cercano al de la *a*) es la que corresponde a la palabra *mets*, que significa «plato», pero si pronunciamos [mɛ̃] nos estaremos refiriendo a una palabra diferente, *main*, que significa 'mano'. De la misma forma, [so] es la pronunciación que corresponde a la palabra *seau*, que significa «cubo», la cual se opone a la pronunciación [sõ] que es corresponde a *son*, que significa «sonido». Es obvio que en estos casos la distinción es de caracter fonémico y que estamos ante fonemas diferentes.

Pares y conjuntos mínimos

Las distinciones fonémicas de una lengua se pueden identificar gracias a la existencia de pares y conjuntos de palabras. Cuando dos palabras como *poca* y *boca* son idénticas, excepto en un fonema, que aparece en la misma posición en ambas y que entra en oposición, se dice que estas dos palabras constituyen un **par mínimo**. Siendo más precisos, dichas palabras se consideran un par mínimo en la fonología del castellano (en árabe, por ejemplo, no existiría oposición entre estos dos sonidos) Otros ejemplos de pares mínimos en castellano son: *chino-pino*, *rayar-rallar*, *cocer-coser*, *forro-zorro*. Estos pares se utilizan frecuentemente a la hora de evaluar a quienes están aprendiendo el castellano como segunda lengua, con objeto de determinar si son capaces de entender la diferencia de significado que resulta de la oposición mínima de los sonidos.

Cuando las palabras de un determinado grupo se pueden diferenciar entre sí cambiando un único fonema (siempre en la misma posición de cada palabra), entonces decimos que dichas palabras constituyen un **conjunto mínimo**. Así, un conjunto mínimo basado en los fonemas vocálicos del castellano incluiría *pasar*, *pesar*, *pisar*, *posar*, y uno basado en los consonánticos podría estar formado por *bata*, *pata*, *data*, *chata*, *cata*, *gata*, *rata*, *mata*, *nata* y *lata*.

Fonotaxis

Los ejemplos de conjuntos mínimos propuestos anteriormente también permiten comprobar que cada lengua admite únicamente determinados patrones en lo que se refiere a los tipos de combinaciones de sonidos posibles. En castellano, el conjunto mínimo al que hacíamos referencia en el apartado anterior no incluye formas como *zata* o *fata*. Que sepamos, éstas no son palabras castellanas, pero podrían serlo. Es decir, nuestro conocimiento fonológico acerca de los patrones de sonidos característicos de las palabras castellanas nos llevarían a considerar como aceptables a estas formas, si con el tiempo llegaran a usarse. Una manera en la que dichas formas podrían surgir sería como abreviaturas (*Ayer estuve comprando en una zapatería tailandesa y me llevé tres pares de sandalias. ~ Sí, las zatas están muy bien de precio*). Mientras esto no suceda, representan simplemente vacíos «accidentales» en el vocabulario del castellano.

Sin embargo, no es accidental que formas como [fsig] o [rnig] no existan (ni probablemente existirán) en español. Se han formado violando alguna de las restricciones que condicionan la secuencia o la posición de los fonemas del castellano. El conjunto de estas restricciones se denomina **fonotaxis** de una lengua y obviamente forma parte del conocimiento fonológico que posee cada hablante. Debido a que estas restricciones operan sobre unidades de un tamaño superior al de un segmento simple, esto es, al de un fonema, debemos pasar a considerar la estructura básica de este tipo de unidades fonológicas superiores, las cuales se denominan **sílabas**.

Sílabas y grupos

Una **sílaba** ha de contener un sonido vocálico (o con características semejantes a las vocálicas). El tipo más común de sílaba en la mayoría de las lenguas conocidas cuenta también con una consonante (C) situada delante de la vocal (V) y se suele representar como CV. Técnicamente, los elementos básicos de una sílaba son el **ataque** (una o más consonantes que preceden a la vocal) y la **rima**. La rima consta de la vocal, que es el **núcleo**, y la consonante o consonantes que la siguen, llamadas **coda**.

Así, sílabas como *mi*, *la* o *no* tienen un ataque y un núcleo, pero no tienen coda. Se las denomina sílabas «abiertas». Las sílabas que cuentan con una coda, como sucede con *sol*, *pan*, *gas* o *pez*, se conocen como sílabas «cerradas». La estructura básica de los tipos de sílabas que podemos encontrar en palabras del castellano como *tras* (CCVC), *trans* (CCVCC), *sal* (CVC), *be* (CV), *y* (V), *en* (VC) o *ins* (VCC) es el que se muestra en el siguiente diagrama.

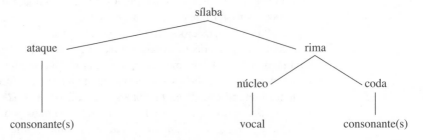

Tanto el ataque como la coda pueden constar de más de una consonante, lo que se conoce como **grupo consonántico**. Así, por ejemplo, la combinación /pr/ constituye un grupo consonántico (CC) que aparece como ataque en una sílaba como *pre-* en la palabra *preocupado*. La fonotaxis del castellano permite bastantes combinaciones CC en posición de ataque, como ocurre en *blanco*, *truco*, *flaco*, y *crema*. Conviene tener presente que la segunda consonante siempre es líquida (/r/ y /l/).

En realidad las lenguas pueden tener grupos consonánticos más largos en posición de ataque, como sucede en las palabras inglesas *stress* («estrés») y *spleen* («bazo»), en los que están formados por tres consonantes (CCC). La fonotaxis de estos grupos consonánticos del inglés en posición de ataque es fácil de describir. La primera consonante debe ser siempre /s/, la segunda, una oclusiva sorda (/p/, /t/, /k/), y la tercera, una consonante líquida o una glide (/l/, /r/, w/) . Es posible comprobar que esta descripción también resulta adecuada en el caso de palabras como *splash* ('salpicar'), *spring* ('primavera'), *strong* ('fuerte'), *scream* ('gritar') o *square* ('plaza', 'cuadrado'). ¿Se ajusta también esta descripción al caso de la segunda sílaba de una palabra como *exclaim* ('exclamar')? Sin lugar a dudas, siempre y cuando atendamos a la manera en que se pronuncia, /ɛk-sklejm/. Conviene tener en cuenta que estamos describiendo el ataque de una sílaba, no el comienzo de una palabra.

Las lenguas que cuentan con grupos consonánticos de este tipo son pocas. De hecho, la estructura silábica de la mayoría de las lenguas (como, por ejemplo, el japonés) es predominantemente CV. Además, también es un fenómeno bien conocido el hecho de que en inglés los grupos consonánticos largos se reducen habitualmente cuando se habla informalmente, especialmente si aparecen en mitad de una palabra. Este es sólo un ejemplo de un fenómeno que se suele describir normalmente como un efecto de **co-articulación.**

Efectos de co-articulación

En buena parte de lo discutido anteriormente, parece como si hubiésemos asumido que la pronunciación de los sonidos de la lengua, tal como aparecen en las sílabas y las palabras, tuviera lugar siempre de forma cuidadosa y explícita, casi como si ocurriese a cámara lenta. Sin embargo, la mayoría de las veces no sucede así. Casi todas nuestras conversaciones son espontáneas y ocurren a gran velocidad, por lo que los órganos articuladores se mueven sin solución de continuidad desde la posición correspondiente a un sonido hasta la característica del siguiente. Cuando un sonido se articula casi de manera simultánea al que lo precede, se habla de la existencia de una **co-articulación.** Dos efectos particularmente conocidos de la co-articulación son la asimilación y la elisión.

Asimilación

Cuando dos segmentos fónicos aparecen de forma secuencial y algún rasgo de uno de ellos pasa al otro o es «copiado» por él, estamos ante un proceso denominado **asimilación**. Si pensamos en términos de los procesos físicos implicados en la generación de los sonidos del habla, resulta razonable pensar que este fenómeno regular se produce simplemente porque permite que los órganos articuladores funcionen de una manera más rápida, sencilla y eficiente. Cuando aparecen de forma aislada, lo normal es que dos fonemas como /a/ e /i/ se pronuncien sin ningún ma-

tiz nasal. Sin embargo, en sílabas como *pan* o *pin*, y si estamos hablando informalmente, se produce una anticipación a la hora de disponer los articuladores con
objeto de pronunciar la consonante nasal, que hace que el sonido vocálico precedente se nasalice, de forma que, en una transcripción más precisa, deberíamos representarlo como [ã] e [ĩ]. En el caso del inglés, se trata de una característica muy
regular de la pronunciación de la mayoría de los hablantes. De hecho, es tan regular, que se podría postular una regla fonológica al respecto en los siguientes términos: «cualquier vocal se nasaliza siempre que ocupe una posición inmediatamente precedente a una consonante nasal».

Estos procesos de asimilación suceden en diferentes contextos, pero son característicos del habla cotidiana. Así, por ejemplo, una palabra como *un* se pronuncia, si está aislada, como [un]; sin embargo, si afirmamos que hemos visto *un
gato*, la influencia de la consonante velar inmediatamente posterior ([g]) hará que
la nasal alveolar [n] resulte velarizada, lo que se representa con el símbolo [ŋ].
También las vocales pueden sufrir algún proceso de asimilación. Así, en la mayoría de las palabras, si se pronuncian cuidadosamente, el acento recae en una de
ellas; no obstante, cuando hablamos de forma despreocupada, la vocal puede per-
derlo, quedando reducida a una semiconsonante. Es lo que normalmente sucede,
por ejemplo, con la conjunción *y*. Cuando aparece aisladamente, su pronunciación
es [i]; no obstante, en una locución como *callado y estudioso*, lo que pronunciamos realmente es [kaʎao jestudjoso].

Elisión

En el último ejemplo, en la primera palabra, y antes de la semiconsonante en la
que se ha transformado la [i], el sonido [ð] de *callado* ha desaparecido. Este sonido se suele omitir con mucha frecuencia en la pronunciación de las palabras ter-
minadas en *–ado*, es decir, cuando se encuentra situado entre dos vocales. La razón es que en este contexto particular simplemente optamos por no gastar energía
en realizar la oclusión característica del sonido [d]. No se trata de una cuestión de
pereza, sino de eficiencia. La omisión de un determinado segmento fónico, que estaría presente si la secuencia en cuestión se pronunciase de forma cuidadosa, se conoce técnicamente como **elisión**. Los grupos consonánticos, especialmente los que
están en posición de coda, tienden a perder una de las consonantes que las integran, normalmente la primera, como ocurre con la pronunciación [ostakulo] de
obstáculo, o [sustrato] de *substrato*. Obviamente, si se opta por hacerlo de manera cuidada y lenta, podemos pronunciar cada uno de los segmentos que integran
una palabra como *adscrito*, es decir, [adskrito], pero en una conversación informal
seguramente diremos [askrito]. Las vocales también pueden elidirse, especialmente cuando van seguidas por otra vocal, como es el caso de [alkol] , en lugar de [al-
kool], en la palabra *alcohol*; o de [albaka] por [albaaka] en el caso de *albahaca*.

El habla cotidiana

La asimilación y la elisión son procesos que es posible detectar en el habla de
cualquier persona y no se deben considerar como una forma de pereza o de descuido. De hecho, el intento deliberado por evitar estos patrones regulares de asimilación y de elisión típicos de una lengua determinada daría como resultado un

habla en extremo artificiosa. Nuestro objetivo a la hora de investigar este tipo de procesos fonológicos no ha sido llegar a postular un conjunto de reglas sobre la manera en que debería pronunciarse una lengua, sino procurar entender las regularidades y patrones que subyacen en el uso real de los sonidos de dicha lengua.

■ Ejercicios

1. ¿Qué diferencia existe entre un alófono y un fonema?
2. ¿En qué consiste un sonido nasalizado?
3. ¿Cuáles de las siguientes palabras podrían considerarse como pares mínimos del inglés? (puedes recurrir al diccionario):

> *ban, fat, pit, bell, tape, heat, meal, more, pat, pen, chain, vote, bet, far, bun, goat, heel, sane, tale*

4. ¿A qué nos referimos cuando hablamos de la fonotaxis de una lengua?
5. ¿Qué diferencia existe entre una sílaba abierta y una cerrada?
6. ¿Qué segmentos resultarán probablemente afectados por el proceso de elisión en la pronunciación informal de las siguientes palabras?

(a) azahar
(b) subscripción
(c) cansado
(d) transcrito

7.¿Qué prueba se utiliza para identificar los fonemas de una lengua?

■ Tareas de investigación

A. Explica qué son los diacríticos. Señala cuáles se han utilizado en este capítulo, indicando para identificar qué tipo de sonidos se han empleado.
B. Justifica si las dos formas que presenta el pronombre indefinido en inglés (*a* en *a banana* [«un plátano»] y *an* en *an apple* [«una manzana»]) se deben a alguna regla ortográfica del inglés escrito o, por el contrario, son el resultado de alguna regla fonológica del inglés hablado. ¿Qué tipo de ejemplos propondrías como evidencias para justificar tu respuesta?
C. Según Radford *et al*. (2006) la palabra *central* cuenta con un grupo consonántico (*-ntr-*) situado entre dos sílabas. ¿Cuál crees que es la mejor manera de dividir esta palabra en las dos sílabas que la constituyen: *ce + ntral, centr-al, cen-tral* o *cent-ral*? Justifica tu respuesta.
D. Los sonidos individuales se suelen describir como segmentos. ¿Qué serían, entonces, los elementos suprasegmentales?

■ Temas/proyectos de discusión

I. Trata de responder a las siguientes cuestiones:
(i) En todas las palabras que se enumeran a continuación existe un grupo consonántico en posición de ataque que cuenta con una /r/ en segundo lugar. ¿Crees que habría alguna manera (recurriendo a los rasgos de sonoridad, punto de articulación y modo de articulación) de describir el tipo de consonante que puede aparecer antes de la /r/ en estos grupos y que sirva para excluir las que no pueden hacerlo?

bravo, cráter, fresa, grillo, pregón, truco

(ii) Cuando la segunda consonante de un grupo de ataque es /l/, como sucede, por ejemplo en *blanco*, ¿qué rasgos ha de poseer la primera consonante?

II. Las palabras como *audible* y *estable* pueden convertirse en sus correspondientes antónimos añadiendo el prefijo *in-*, de forma que se generan palabras como *inaudible* e *inestable*. ¿Cómo describirías el particular proceso fonológico que tiene lugar cuando se pronuncian los antónimos de las siguientes palabras?

completo, decente, posible, responsable, maduro, grato, sano

(Para obtener información básica sobre esta cuestión puedes leer el capítulo 1 de Harris, 1994.)

III. Los procesos de elisión, lejos de constituir un indicio de una forma descuidada de hablar, cuentan con realizaciones plenamente aceptadas en una lengua. Este es el caso de las formas *vámonos* o *digámonos*. ¿Sabrías decir cuál es el segmento elidido? ¿Podrías formular una regla fonológica que describiera este proceso regular?

IV. La forma de plural en castellano tiene dos realizaciones posibles:

/s/ para formas como *camisa, hombre, regalo*
/es/ para formas como *camión, patrón, canción*

(i) Trata de proponer una regla que determine qué sonidos preceden a cada uno de dichas realizaciones.

(ii) ¿Cómo explicarías la coexistencia de ambos tipos de plural en algunas formas como:

zulú = zulús; *zulúes*
rubí = rubís; *rubíes*
tisú = tisús; *tisúes*

(iii) ¿Y qué dirías de otras alternancias como *club/clubs, clubes* o *bistec /bistecs, bistés*?

V. El plural inglés en –s presenta tres alternativas fonológicas diferentes, si bien extremadamente regulares. Se añade /s/ a palabras como *bat, book, cough* o *ship*. Se añade /z/ a términos como *cab, cave, lad, rag* y *thing*. Se añade /əz/ a palabras como *bus, bush, church, judge* o *maze*.

(i) ¿Serías capaz de identificar los grupos de sonidos que preceden de forma regular a cada una de las tres posibles pronunciaciones de la terminación de plural en inglés?
(ii) ¿Qué rasgos poseen en común cada uno de dichos grupos?

(Para obtener información básica sobre esta cuestión puedes leer el capítulo 4 de Finegan, 2004)

■ Transcripción/traducción del texto de Bob Belviso

El texto de Bob Belviso presenta una ortografía muy peculiar, que recuerda en gran medida la característica del italiano, a pesar de que todos los términos que lo integran son ingleses. Una propuesta tentativa de transcripción del mismo al inglés estándar sería la siguiente:

Once upon a time was three bears; mama bear, papa bear and baby bear. Live in the country near the forest. NICE HOUSE. No mortgage. One day papa, mama, and baby go beach, only they forget to lock the door.
By and by comes Goldilocks. She got nothing to do but make trouble. She push all the food down the mouth; no leave a crumb. Then she goes upstairs and sleeps in all the beds.

Una traducción del texto al castellano sería la que aparece a continuación:

Éranse una vez tres osos: mamá oso, papá oso y bebé oso. Vivían en el campo, cerca del bosque. BONITA CASA. Sin hipoteca. Un día papá, mamá y el bebé oso se fueron a la playa, pero olvidaron cerrar la puerta de la casa.
En esto llegó Ricitos de Oro. No sabía hacer otra cosa que causar problemas. Acabó con toda la comida que había, sin dejar una migaja. A continuación subió las escaleras y se acostó en todas las camas.

■ Lecturas adicionales

Una introducción alternativa a la fonología es la que se expone en el capítulo 7 de Fromkin *et al.* (2003) o en el capítulo 3 de O'Grady *et al.* (2005). Otros textos básicos son los de Carr (1999), Gussenhoven y Jacobs (1998), así como varios de los textos citados en el apartado de «Lecturas adicionales» del capítulo 4. Textos más especializados son los de Gussman (2002), McMahon (2002) y Roach (2001b). Si se busca un diccionario de términos técnicos, puede recurrirse a Crystal (2003a) o a Trask (1996a). Para más información acerca de los procesos de asimilación y elisión, véase Brown (1990). Para disponer de información adicional acerca de las reglas de asimilación, véase el capítulo 3 de Hudson (2000).

6 Las palabras: qué son y cómo se forman

Aunque la presencia de los holandeses en América fue pasajera en términos políticos, su legado lingüístico es enorme. Desde que ambos grupos entraron en contacto por vez primera, los americanos se apropiaron sin cesar de términos holandeses. Algunos ejemplos particularmente precoces serían los de *blunderbuss* («trabuco», literalmente «pistola de trueno»), que data de 1654; *scow* («lanchón, alijador»), en 1660; y *sleigh* («trineo») en 1703. A mediados del siglo XVIII se produjo un auténtico aluvión de términos holandeses hacia el inglés americano: *stoop* («andar encorvado»), *span* («palmo, lapso; abarcar»), *coleslaw* («ensalada de col»), *boss* («jefe»), *pit* (en el sentido de hueso de una fruta), *bedpan* («chata, silleta»), *bedspread* («cubrecama», que anteriormente había sido *counterpane*), *cookie* («galleta»), *waffle* («paja, palabrería»), *nitwit* («memo», del holandés coloquial *Ik niet weet*, que significa «no lo sé»), la interrogativa típica del inglés americano, *how come?* («cómo es que...», una traducción literal del holandés *hoekom*), *poppycock* («majadería», de *pappekak*, estiércol blando), *dunderhead* («zopenco»), y probablemente, también *caboodle* («lote»), en *kit and caboodle* («todo el lote», literalmente «el juego y el lote»). Dos americanismos particularmente persistentes proceden, asimismo, del holandés: *Santa Claus* (que deriva de *Sinter Klaas*, una forma familiar de *San Nicolás*), atestiguado por primera vez en 1773, y *yankee* (que deriva de *Janke*, un diminutivo de Juan equivalente al inglés *Johnny*, o bien de *Jan Kaas*, literalmente «Juan Queso», que en origen era un insulto no demasiado ofensivo).

Bryson (1994)

Hacia 1900, en Nuevo Berlín, Ohio, un dependiente llamado J. Murray Spangler inventó una máquina que denominó *escoba succionadora eléctrica*. Con el tiempo esta máquina llegó a hacerse muy popular y pudo haber sido conocida como una *espangler*. La gente podría haber terminado *espangleando* sus alfombras y visillos. El uso del término podría haberse extendido hasta llegar a designar a las personas que típicamente hablan con una voz monótona, como runruneando, de manera que a este tipo de personas se las hubiera conocido como *espangleristas* y a su forma de comportarse, como *espanglerismo*. Sin embargo, no sucedió nada de esto. Lo que ocurrió fue que Spangler vendió su invento a un hombre de negocios de la época llamado William H. Hoover, cuya *Hoover Suction Sweeper Company* produjo la primera «Hoover» (el nombre por el que se conoce familiarmente a la *aspiradora* en el ámbito anglosajón). Con el tiempo, no sólo la palabra *hoover* (con minúscula inicial) terminó volviéndose tan habitual como *vacuum cleaner* (un sinónimo de aspiradora que significa literalmente «limpiadora a vacío»), sino que en Inglaterra, en particular, la gente todavía dice que está *hoovering* «pasando la aspiradora» (y no *spangling*) sus alfombras.

Sin embargo, lo relevante de esta anécdota es que, aunque nunca antes hubiésemos oído hablar de Spangler, no hemos tenido ninguna dificultad en entender términos nuevos como *espangler*, *espanglear*, *espangleando*, *espanglerista* o *espanglerismo*. Es decir, somos capaces de entender rápidamente cualquier palabra nueva que se incorpora a nuestra lengua (un **neologismo**) y de aceptar sin mayores objeciones el uso de formas diferentes derivadas a partir de dicha palabra. Esta capacidad se debe, en parte, al hecho de que los procesos de formación de palabras en nuestra lengua son particularmente regulares. En este capítulo trataremos de analizar algunos de los procesos básicos que permiten crear nuevos términos.

Etimología

El estudio del origen y de la historia de las palabras se conoce como **etimología**. El término etimología, al igual que numerosos tecnicismos, deriva del latín, auque su origen es griego (*étymon* «forma original» + *logia* «estudio de»), y no debe confundirse con *entomología*, que también proviene del griego (*éntomon* significa «insecto»). Cuando se examina la etimología de palabras que no son tecnicismos, se advierte rápidamente que es posible incorporar nuevas palabras a una determinada lengua de diversas maneras. Debemos tener presente que estos procesos se han estado dando en la lengua durante mucho tiempo y que buena parte de las palabras usadas en la actualidad en una lengua cualquiera fueron consideradas en algún momento barbarismos. Así, hoy en día nos resulta difícil entender que a principios del siglo diecinueve se considerase una «innovación de mal gusto» con respecto a la lengua inglesa una palabra como *handbook* («manual», literalmente «libro de mano»), o el horror que manifestaba un periódico de Londres en 1909 ante la utilización de una palabra recién acuñada como *aviation* («aviación»). Todavía hoy muchos de los términos que se han incorporado recientemente a una lengua cualquiera suelen dar lugar a protestas por parte de mucha gente. No obstante, y en lugar de criticarlo como si se tratase de una degradación del idioma, deberíamos considerar el proceso constante de incorporación de nuevos términos al mismo y de aparición de nuevos significados de éstos últimos como un signo reconfortante de la vitalidad y de la creatividad con los que cualquier idioma se va remodelando en función de las necesidades, en constante evolución, de sus hablantes. Veamos algunos de estos procesos.

Acuñación

Uno de los procesos menos frecuentes a la hora de formar nuevas palabras es el de la **acuñación**, es decir, la invención de términos totalmente nuevos. En general, se suele tratar de nombres de marcas comerciales creados ex profeso para un determinado producto, pero que con el tiempo terminan convirtiéndose en términos de uso general (de ahí que acaben escribiéndose con minúscula inicial) que designan cualquier versión de dicho producto. Algunos ejemplos son *aspirina, vaselina* o *nailon*; otros más recientes son *rímel, kleenex* o *teflón*. Puede darse el caso de que el origen técnico de algunos de estos términos inventados no sea muy evidente (es el caso, por ejemplo, del *te*[tra]-*fl*[uor]-*ón*), pero poco después de acuñarse acabaron siendo palabras de uso cotidiano en la lengua.

Las palabras de nueva creación que derivan del nombre de una persona o de un lugar se denominan **epónimos**. Cuando en el primer apartado de este capítulo hacíamos referencia a una *hoover* (o incluso a una *espangler*) estábamos haciendo uso de un epónimo. Otros epónimos de uso frecuente son *sándwich* (que deriva del Conde de Sandwich, quien, en el siglo XVIII, fue el primero en pedir que se le sirviera el pan y la carne conjuntamente mientras jugaba a las cartas) o *jeans* (que proviene del topónimo Génova, la ciudad italiana donde se fabricó por vez primera este tipo de tejido). Algunos epónimos corresponden a tecnicismos y se basan en los nombres de los descubridores o los inventores de las cosas que designan, como sucede con *fahrenheit* (del científico alemán Gabriel Fahrenheit), *voltio* (del investigador italiano Alessandro Volta) o *vatio* (del inventor escocés James Watt).

Préstamo

Como señalaba Bill Bryson en la cita que encabeza este capítulo, una de las formas más comunes de introducir nuevas palabras en una determinada lengua es el proceso llamado, simplemente, **préstamo**, que consiste en tomar prestadas palabras de otras lenguas. A lo largo de su historia el castellano, como sucede también con el inglés, ha adoptado un gran número de palabras procedentes de otros idiomas diferentes. Entre otras pueden enumerarse las siguientes: *alcohol* (del árabe), *cruasán* (del francés), *bistec* (del inglés), *sable* (del alemán), *lila* (del persa), *piano* (del italiano), *tatuaje* (del tahitiano), *robot* (del checo), *yogurt* (del turco) o *cebra* (del bantú).

Es evidente que a su vez otras lenguas han tomado prestadas distintas palabras del castellano, como es el caso de *cigarro*, que ha pasado al francés (*cigare*), al italiano (*sigaro*) o al inglés *(cigar)*. *To cross the sierra* («atravesar la sierra») o *to have a siesta* («echarse una siesta») son también expresiones de uso común en inglés actual que incluyen términos tomados en préstamo del español. Por razones evidentes, son muy numerosas las lenguas que han tomado prestadas palabras del inglés. Como curiosidad pueden citarse las palabras japonesas *suupaa* o *suupaamaaketto* «supermercado» (de *supermarket*) y *taipuraitaa* «máquina de escribir» (de *typewriter*), o los términos húngaros *klub* («club») y *futbal* («fútbol»).

Un tipo especial de préstamo es el **préstamo en traducción** o **calco** en el que se traduce de forma literal los elementos de una palabra de una determinada lengua a la lengua que la toma prestada. Un ejemplo interesante es el de *rascacielos*, que es un calco del inglés *skyscraper* (literalmente «arañador del cielo»), como también lo son el francés *gratteciel*, que se traduce literalmente por «rasca el cielo», el holandés *wolkenkrabber* («rascanubes») o el alemán *Wolkenkratzer* («arañanubes»). El castellano *superhombre* es un calco de la palabra inglesa *superman*, que a su vez, parece ser un calco del alemán *Übermensch*. De hecho, la propia expresión que se utiliza en inglés para referirse a este tipo de palabras, *loan words* (literalmente «palabras préstamo») parece que es un calco del alemán *Lehnwort*. Hoy en día, los hablantes de castellano comen *perritos calientes*, los de inglés, *hot dogs*. El concepto americano de *boyfriend* («novio», literalmente, «chico amigo») pasó como un préstamo, con algunas modificaciones fonéticas, al japonés, *boyifurendo*, pero como un calco al chino, *nan pengyu* («macho amigo»).

Composición

En algunos de los ejemplos que acabamos de analizar anteriormente se han unido dos palabras separadas para producir una forma única. Así, en inglés, *boy* («chico») y *friend* («amigo») se combinan para producir *boyfriend* («novio»). Este proceso mediante el cual se combinan dos o más palabras para dar lugar a una tercera, que es nueva, se conoce técnicamente como **composición** y es particularmente común en lenguas como el inglés o el alemán, aunque mucho menos frecuente en otras como el castellano o el francés. No obstante, podemos encontrar fácilmente algunos ejemplos en español, como *sacacorchos*, *lavaplatos*, *abrelatas*, *quitanieves*, *lanzallamas*, *guardarropa* o *pisapapeles*. Aunque la mayor parte de las palabras compuestas son sustantivos, mediante el recurso de la composición también es posible crear otros tipos de palabras, como pueden ser los adjetivos, bien mediante la composición de dos adjetivos, como sucede en *albiceleste* o *blanquiverde*, o bien mediante la composición de un adjetivo y un nombre, como ocurre en *verdemar*. Del mismo modo, un sustantivo puede unirse a un adjetivo para dar lugar a un sustantivo compuesto, como sucede en *aguamarina*.

Esta forma de generar nuevos términos, que tan bien atestiguada está en los casos del inglés o del alemán, también aparece en lenguas totalmente distintas, como el hmong, que se habla en el Sureste asiático. En esta lengua se combina *hwj* («olla») y *kais* («caño») para producir *hwjkais* («tetera»). Las formas *pajkws* (de *paj* «flor» + *kws* «maíz» = «palomitas») y *hnabrauntawv* (*hnab* «bolsa» + *rau* «poner» + *ntawv* «papel» o «libro» = «maleta escolar») son de creación reciente.

Mezcla

Esta combinación de dos formas independientes para producir un nuevo término es también la base del proceso llamado **mezcla**. Sin embargo, y a diferencia de lo que sucede en la composición, en la mezcla se suele tomar únicamente el principio de una palabra y el final de otra. En algunas zonas de Estados Unidos, en lugar de la *gasolina* se emplea un producto que está hecho de *alcohol*, de ahí que el término «mezclado» que se utiliza para hacer referencia a él sea *gasohol*. Otro ejemplo, en este caso directamente del inglés, sería el que se emplea para denotar los efectos combinados del «humo» *smoke* y de la «niebla» *fog*, y que no es otro que *smog*. En los lugares donde este fenómeno es particularmente frecuente o abundante se suele bromear distinguiendo entre *smog*, *smaze* (que resulta de la mezcla de *smoke* y *haze*, «neblina») y *smurk* (que es el resultado de la mezcla de *smoke* y *murk*, «oscuridad»). Otros ejemplos más comunes son *bit* (de *binary* «binario» y *digit* «dígito»), *brunch* (de *breakfast* «desayuno» y *lunch* «almuerzo»), *telecast* (de *television* «televisión» y *broadcast* «programa»), *motel* (de «motor» y «hotel») y el *Chunnel* (de *channel*, «canal» y *tunnel*, «túnel»), que conecta Inglaterra y Francia.

La manera de conseguir dinero en diversos programas de televisión que adopta un formato maratoniano se denomina típicamente *telethon* (o *telemaratón*, en español), de *television* y *marathon*. *Infotainment* (de *information* «información» y *entertainment* «diversión») y *simulcast* (*simultaneous* y *broadcast*, «emisión simultánea») son también ejemplos recientes de las mezclas que se dan en el medio televisivo. Para describir la mezcla de lenguas encontramos términos como el *franglais* (francés/inglés) y el *spanglish* (español/inglés). En algunas mezclas se combinan los comienzos de las dos palabras que intervienen en la misma, como sucede con numerosos términos que se refieren a la tecnología de las comunicaciones. Así, para enviar información rápidamente podemos utilizar un *télex* (del inglés *teleprinter* «impresora a distancia»/*exchange* «intercambio») o en el caso de los ordenadores, un *módem* (de *modulator* «modulador»/*demodulator* «desmodulador»), claro que también podemos enviar un *fax*, aunque en este caso no se trataría de una mezcla, sino de un ejemplo de proceso que describiremos a continuación.

Apócope

La reducción de formas, que es evidente en las mezclas, es incluso más obvia en el proceso que llamamos **apócope**. Ocurre cuando una palabra formada por más de una sílaba (como *facsímil*) se reduce a una forma más corta *(fax),* lo que inicialmente sucede de forma habitual en el contexto de las conversaciones coloquiales. Aunque todavía se emplea, el término *fotografía* es mucho menos habitual que *foto*, su forma reducida. Otros ejemplos muy frecuentes son *fan* (de *fanático), tele* (de *televisión), cole* (de *colegio), moto* (de *motocicleta), cine* (de *cinematógrafo*) o *bici* (de bicicleta). También es usual recortar los nombres propios, como sucede en *Toni* (de *Antonio), Eli* (de *Elisa), Mari* (de *María*) o *Cris* (de *Cristina*).

Algo hay en el entorno escolar que invita al apócope, porque casi todas las palabras relacionadas con este ámbito se reducen: *mates, profe, natu, lite, boli...*

Un tipo especial de reducción da lugar a las palabras que se conocen técnicamente como **hipocorísticos**, que son formas diminutivas, abreviadas o infantiles que se usan como designación cariñosa, familiar o eufemística. Son hipocorísticos las formas apocopadas de los nombres propios que se han puesto como ejemplos anteriormente. La obtención de un hipocorístico puede seguir unas reglas particularmente precisas, como sucede en inglés británico o australiano, donde la palabra se reduce a una única sílaba y recibe la terminación *–y* o *–ie.* De esta manera se han creado palabras como *movie* («película», de *moving pictures*, literalmente «imágenes en movimiento») o *telly* («televisión», de *television*), así como *Aussie* («australiano»), *barbie* («barbacoa», de *barbecue*), *bookie* («corredor de apuestas», de *bookmaker*), *brekky* («desayuno», de *breakfast*) y *hankie* («pañuelo», de *handkerchief*).

Retroformación

Un tipo muy especializado de reducción es el que se conoce como **retroformación**. El caso típico es aquel en el que una palabra de una determinada clase (normalmente un nombre) se reduce para dar lugar a una palabra de otra clase diferente (normalmente un verbo). Un buen ejemplo de retroformación es el proceso por el que el nombre *televisión*, que fue el primero en utilizarse, dio lugar al verbo *televisar.* Otros ejemplos de palabras creadas por retroformación son los términos ingleses *donate* («donar», de *donation* «donación»), *opt* («optar», de *option* «opción»), *emote* («emocionar», de *emotion*, «emoción»), *enthuse* («entusiasmar», de *enthusiasm* «entusiasmo»), *liaise* («enlazar», de *liaison* «enlace») y *babysit* («cuidar de un niño», de *babysitter* «niñera ocasional»). De hecho, cuando en inglés se alude a este proceso empleando el verbo *backform* («retroformar»), como ocurre en *Did you know that «opt» was backformed from «option»?* («¿Sabes que en inglés «opt» se retroformó a partir de "option"»?, estamos llevando a cabo una retroformación.

Otra fuente bastante regular de verbos retroformados en inglés consiste en la utilización del patrón *worker* «trabajador» –*work* «trabajar». La hipótesis parece consistir en que si hay un nombre acabado en -*er* (o algo parecido a este sonido), entonces se puede crear a partir de dicho término un verbo por retroformación que designa la actividad desempeñada por el nombre-*er*. Por tanto un *editor*, debe *edit* («editar»), un *sculptor* debe *sculpt* («esculpir»), y los *burglars* («ladrones»), *peddlers* («vendedores») y *swindlers* («estafadores») deben *burgle* («robar»), *peddle* («vender») y *swindle* («estafar»).

Conversión

Un cambio en la función de una palabra, como, por ejemplo, el hecho de que un nombre comience a utilizarse como un verbo (sin que tenga lugar ninguna reducción o retroformación), es lo que se conoce normalmente como **conversión**. Otras maneras de designar este proceso tan habitual son «cambio de categoría» y «cambio funcional». En inglés existen diversos nombres, tales como *chair* («silla»), *butter* («mantequilla»), *bottle* («botella») o *vacation* («vacación»), que gracias al proceso de conversión pueden utilizarse como verbos, como muestran las siguientes frases: *Someone has to chair the meeting* («Alguien tiene que presidir la reunión»); *Have you buttered the toast?* («¿Has untado de mantequilla la tostada?»); *We bottled the home-brew last night* («Embotellamos la cerveza casera anoche»); *They're vacationing in France* («Están de vacaciones en Francia»). Las conversiones en castellano no son muy frecuentes, aunque existen algunos ejemplos, como el del sustantivo *conciencia*, que se suele usar habitualmente como verbo (ligeramente modificado), *concienciar(se)* (realmente es el único ejemplo conocido en castellano de un verbo creado a partir de un sustantivo terminado en –*encia*).

El proceso de conversión es particularmente productivo en inglés moderno, donde continuamente aparecen nuevos usos de las palabras. La conversión puede afectar a verbos, que se convierten en nombres, como es el caso de *guess* («suponer»), *must* («deber») y *spy* («espiar»), que han dado lugar, respectivamente, a *a guess* («una suposición»), *a must* («una imposición») y a *spy* («un espía»). Los verbos con partícula o frasales, como *to print out* («imprimir») o *to take over* («tomar posesión»), también se pueden convertir en nombres: *a printout* («una impresión») o *a take over* («una toma de posesión»). Una combinación de verbos compleja (*want to be*, «querer ser») cuenta con su correspondiente sustantivo, que además se utiliza frecuentemente: *He isn't in the group, he's just a wannabe* («Él no es del grupo, sólo es un quiero ser»).

Los verbos (como *see through*, «atravesar con la vista»; *stand up*, «estar de pie») también se pueden convertir en adjetivos, como sucede en *see-through material* («un material traslúcido», literalmente «que se ve a través») o *a stand-up comedian* («un humorista de sala», literalmente «que permanece de pie [durante la actuación]»). Del mismo modo, algunos adjetivos, como *dirty* («sucio»), *empty* («vacío»), *crazy* («loco») o *nasty* («antipático»), pueden convertirse en verbos, como *to dirty* («ensuciar»), *to empty* («vaciar»); o en nombres, como *a crazy* («un loco») y *a nasty* («un antipático»).

Algunos nombres compuestos han asumido funciones adjetivas o verbales, como puede ser el caso de una expresión como *ball park* («estadio de béisbol» y por extensión «área» o «campo» muy amplio), que puede funcionar como un adjetivo, en una expresión como *a ball-park figure* («cifra aproximada»), o como un verbo, cuando forma parte de las construcciones que se emplean para preguntar a alguien: *to ball-park an estimate of the cost* («dar un valor aproximado del coste»). Otros nombres de este tipo son *carpool* («viaje en coche compartido»), *mastermind* («cerebro de una operación»), *microwave* («microondas») y *quarterback* («lanzador de fútbol americano»), que también, y de forma regular, se usan como verbos. Otras formas, como *up* («arriba») y *down* («abajo»), también pueden usarse como verbos, como sucede en *They're going to up the price of oil* («Van a subir el precio del petróleo») o *We downed a few beers at the Chimes* («Bajamos unas cuantas cervezas en Chimes»).

Es importante tener en cuenta que algunas de estas formas convertidas pueden variar substancialmente de significado cuando cambian de categoría como consecuencia del proceso de conversión. Así, el verbo *to doctor* tiene a menudo un sentido negativo, «falsificar», que se asocia normalmente al nombre de donde procede, *a doctor* («un médico»). Un tipo similar de cambio de significado es el que está teniendo lugar con respecto al nombre *total* («el total de una operación aritmética») y el verbo *run around* («dar la vuelta»), que como tales no tienen sentido negativo. Sin embargo, una vez convertidos en otras categorías, si uno *total his car* (donde *total* es ahora un verbo) significa que uno ha destrozado completamente su coche y si su compañía de seguros le da además un *runaround* (ahora un sustantivo), entonces uno sabe que ésta le ha engañado, con lo cual el sentido negativo es doble.

Acrónimos

Algunas palabras nuevas, conocidas como **acrónimos**, se forman a partir de las letras iniciales (siglas) de un grupo de palabras. En algunos casos, para pronunciar algunos acrónimos se suele recurrir a pronunciar cada una de las siglas que los componen, como sucede en *CD* (*compact disk*, «disco compacto») o *VCR* (*video cassette recorder*, «grabadora de vídeo»). En el caso de otros acrónimos, se opta por pronunciarlos como palabras únicas, como es el caso de *OTAN* (Organización del Tratado del Atlántico Norte), *RENFE* (Red Nacional de Ferrocarriles Españoles) o *UNESCO* (United Nations Educational, Scientific and Cultural Organization «Organización de las Naciones Unidas para la Educación, la Ciencia y la Cultura»). En estos ejemplos se han mantenido las letras mayúsculas, pero otros muchos acrónimos se han transformado en términos habituales, que se escriben en minúscula, como sucede en el caso de *láser* (que proviene de *light amplification by stimulated emision of radiation*, «amplificación de la luz por emisión estimulada de radiación»), o *radar* (de *radio detecting and ranging*, «detección y localización por radio»).

Los nombres de las organizaciones a menudo se eligen de manera que su acrónimo constituya una palabra apropiada, como sucede en el caso de *MADD* (*mothers against drunk driving* «madres contra los conductores borrachos», cuyo acrónimo se pronuncia igual que *mad* «loco»), o *WAR* (*women against rape* «mujeres contra la violación», cuyo acrónimo es idéntico a la palabra *war* «guerra»). Algunos acrónimos de nueva creación se vuelven corrientes con tal rapidez, que muchos hablantes no tiene presente, de hecho, su naturaleza de acrónimo, ni en consecuencia, las partes de que están compuestos. Es lo que sucede, por ejemplo, con *pin* (del inglés *personal identification number,* «número de identificación personal»), como demuestra el hecho de que se usen habitualmente repitiendo uno de los elementos que lo constituyen, como sucede en una expresión como *He olvidado mi número pin* (el concepto «número» aparece por duplicado).

Derivación

En esta enumeración de los procesos que permiten la formación de nuevas palabras, no hemos mencionado hasta ahora el que, con mucho, es el más común de todos en lenguas como el castellano o el inglés. Dicho proceso se denomina **derivación** y se consigue haciendo uso de un gran número de pequeños «trozos» de la lengua en cuestión, que normalmente no figuran en los diccionarios como palabras independientes. Son los llamados **afijos** y unos pocos ejemplos particularmente familiares son los elementos *anti-, des-, pre-, -ción* o *-ero*, que aparecen en palabras como *antisocial, desagradecido, prejuzgar, luxación* o *cartero*.

Prefijos y sufijos

Si se examinan con mayor detenimiento los ejemplos anteriores, puede advertirse que algunos afijos han de añadirse al principio de una palabra (es el caso, por ejemplo, de *des-*). Este tipo de afijos se denominan **prefijos**. En cambio, otros han de añadirse al final de la palabra en cuestión (un ejemplo sería *-ción*) y se conocen como **sufijos**. Todas las palabras formadas mediante el proceso de derivación cuentan con prefijos, con sufijos o con ambos tipos de afijos. Así *desprender* tiene un prefijo, *des-*; *regional* cuenta con un sufijo, *-al*; mientras que *desnacionalizar* posee un prefijo, *des-*, y dos sufijos, *-al* e *-izar*.

Infijos

Hay un tercer tipo de afijos, muy común en algunas lenguas, llamados **infijos** y que, como el propio término sugiere, se incorporan dentro de las palabras. En castellano no son particularmente abundantes, aunque pueden citarse algunos ejemplos como *–ad-*, en *panadero*, o *–ic-*, en *carnicero*. En inglés tampoco son muy frecuentes, aunque es posible entender el principio general de funcionamiento de los infijos en ciertas expresiones que emplean eventualmente hablantes emocionalmente alterados en circunstancias fortuitas, como *Hallebloodylujah!* («¡Alemalditaluya!») y *Unfuckingbelivable!* («¡Injodidocreíble!»). En la película *Wish You Were Here*, el protagonista expresa su irritación (con otro de los personajes, que intenta ponerse en contacto con él) gritando: *Tell him I've gone to Singabloodypore!* («¡Dile que me he ido a Singamalditapur!»).

Podríamos considerar estas formas «insertadas» como una suerte de infijos del inglés. Sin embargo, otras lenguas pueden proporcionar ejemplos mucho mejores, como es el caso del kamhmu, un idioma que se habla en el Sureste asiático. Los siguientes ejemplos proceden de Merrifield *et al.* (1962):

	Verbo	Nombre	
(«taladrar»)	*see*	*s**rn**ee*	(«un taladro»)
(«cincelar»)	*toh*	*t**rn**oh*	(«un cincel»)
(«comer con cuchara»)	*hiip*	*h**rn**iip*	(«una cuchara»)
(«atar»)	*boom*	*h**rn**oom*	(«una cosa con la que atar»)

Si analizamos los ejemplos anteriores, es posible advertir la existencia de un patrón regular, que implica la adición del infijo -rn a los verbos para formar los correspondientes sustantivos. Si aceptamos que este patrón es universalmente válido en esta lengua y sabemos que la forma *krnap* es un sustantivo en kamhmu que significa «tenazas», entonces no debería resultar complicado deducir la forma del verbo correspondiente, que tendría el significado «coger con tenazas». Según Merrifield *et al.* (1962) sería *kap*.

Procesos múltiples

Aunque hemos analizado cada uno de los procesos de formación de palabras por separado, lo cierto es que en muchos casos es posible encontrar evidencias de que han actuado dos o más de ellos de forma simultánea en el proceso de creación de una determinada palabra. Por ejemplo, el término *deli* es una palabra que se usa con una frecuencia cada vez mayor en inglés americano. Inicialmente se trató de un préstamo del término alemán *delicatessen*, pero posteriormente dicho préstamo sufrió un apócope, que lo redujo a su extensión actual. De la misma manera, si alguien se queja de que los *problems with the project have snowballed*, es decir, que «los problemas con el proyecto han ido creciendo como una bola de nieve», sería posible rastrear el origen del último término de la oración de la siguiente forma: inicialmente se formó una nueva palabra, *snowball* («bola de nieve») por composición, mediante la unión de *snow* («nieve») y *ball* («bola»); este nuevo término compuesto sufrió posteriormente una conversión, de forma que acabó usándose como verbo. Un último caso lo constituyen algunas formas que primero empiezan siendo acrónimos, pero que posteriormente terminan sufriendo otros procesos, como sucede con el verbo *lasear*, que, en tanto que verbo, es el resultado de una retroformación a partir del sustantivo *láser*. En una expresión como *waspish attitudes* («comportamiento de *wasp*»), la forma WASP (*White Anglo-Saxon Protestant*, «protestante anglosajón blanco») ha perdido sus mayúsculas y ha ganado un sufijo (-*ish*) en un proceso que ha de caracterizarse como de derivación.

Un acrónimo que nunca parece haberse escrito con letras mayúsculas es el que se ha originado a partir de la expresión *young urban professional* («joven profesional urbano») a la que se añadió el sufijo -*ie*, como es característico en la formación de los hipocorísticos. El resultado fue la palabra *yuppie* (atestiguada por primera vez en 1984). La formación de esta nueva palabra, sin embargo, se vio favorecida por otro proceso bastante diferente, que se conoce como **analogía**, según el cual las palabras nuevas tienden a formarse de manera que terminen pareciéndose a otras palabras ya existentes. *Yuppie* se creó por analogía con otras dos palabras anteriores: *hippie* y *yippie* (esta última de mucha menor duración). El término *yippie* también tiene su origen en un acrónimo (*Youth International Party*, esto es «Partido Internacional de la Juventud»), pero se usaba normalmente para designar a los estudiantes que protestaban contra la guerra de Vietnam en los Estados Unidos. Un chiste hizo que *yippies* diera lugar a *yuppies*. Y el proceso continúa. Por analogía con la palabra *yap* («aullar»), se ha creado la palabra *yappies*, que designa a los jóvenes profesionales particularmente ruidosos.

Muchas de estas formas pueden, desde luego, tener una vida muy breve. Quizás la prueba más aceptada, en términos generales, de que una palabra nueva «ha entrado» con éxito en la lengua es que aparezca en un diccionario. Sin embargo, este hecho puede provocar protestas, como le sucedió a Noah Webster cuando publicó su primer diccionario en 1806, el cual fue criticado por recoger el uso de palabras como *advocate* («abogar») y *test* («comprobar») como verbos, y por incluir palabras tan «vulgares» como *advisory* («consultivo») y *presidential* («presidencial»). Parece que Noah tenía un sentido crítico más exacto que sus coetáneos para determinar qué palabras de nueva creación iban a perdurar en la lengua y cuáles no.

■ Ejercicios

1. ¿Cuál es el origen del término *Santa Claus*?

2. ¿Cuál de estas expresiones es un ejemplo de calco? ¿Cómo definirías los restantes?

    (a) *footobooru* (japonés)-*football* (inglés)
    (b) *tréning* (húngaro)-*training* (inglés)
    (c) *luna de miel* (castellano)-*honeymoon* (inglés)

3. El término *vaselina* fue en origen la marca de un producto, pero se ha convertido en una palabra de uso corriente. ¿Cuál es el término técnico que se utiliza para describir este proceso?

4. Identifica los afijos utilizados en la formación de las siguientes palabras:

    desesperación, reutilizable, desacuerdo, perdurabilidad.

    Indica si se trata de prefijos, de sufijos o de infijos.

5. ¿Serías capaz de identificar los procesos de formación de palabras que han tenido lugar para generar las formas destacadas en cursiva en las siguientes frases?

    (a) Laura *juerguea* cada sábado por la noche.
    (b) A Paco le preocupaba que pudiera tener *SIDA*.
    (c) David describió el nuevo juguete como *fantabuloso*.
    (d) Los viernes por la noche prefiero ir al *cine*, antes que quedarme en casa viendo la *tele*.

6. En la creación de cada una de las formas señaladas en cursiva existe más de un proceso implicado. ¿Serías capaz de identificarlos?

    (a) Acabo de ver el *telecupón*.
    (b) Alberto quiere ser un *futbolista*.
    (c) Sorprendía a todos que David fuera *pelirrojo*.
    (d) Les gustaba el *agridulce* de la comida china.

7. En kamhmu, la palabra *sal* significa «ponerse un adorno en la oreja». ¿Cuál crees que será la palabra que denote «un adorno para la oreja»?

■ Tareas de investigación

A. ¿Qué son los «inicialismos»? ¿Serías capaz de encontrar algún caso de «inicialismo» en este capítulo?

B. ¿A quién se debe el término «palabras *portmanteau*»? ¿Cuántos ejemplos de «palabras *portmanteau*» aparecen en este capítulo?

C. Haciendo uso de un diccionario que incluya información acerca de la etimología de los términos que figuran en él, indica cuáles de las siguientes palabras son préstamos, así como el idioma del que proceden. ¿Existe algún epónimo entre ellas?:

clon, robot, champú, eslogan, tomate, paraguas, sofá, aceite, ohmio

D. Cuando los hablantes de hmong (que proceden de Laos y de Vietnam) se asientan en los Estados Unidos, deben crear nuevas palabras para designar los nuevos objetos y experiencias con las que se enfrentan. Empleando la siguiente tabla de equivalencias (resultante del trabajo de Bruce Downing y Judy Fuller), trata de averiguar los términos del inglés que equivalen a las expresiones del hmong que se enumeran más abajo, indicando, con la ayuda de un diccionario, el correspondiente significado castellano:

chaw ('place')	*kho* ('fix')	*hlau* ('iron')	*cai* ('right')
dav ('bird')	*muas* ('buy')	*hniav* ('teeth')	*daim* ('flat')
hnab ('bag')	*nres* ('stand')	*looj* ('cover')	*mob* ('sickness')
kev ('way')	*ntaus* ('hit')	*ntoo* ('wood')	*nqaj* ('rail')
kws ('expert')	*tos* ('wait')	*ntawv* ('paper')	*tshuaj* ('medicine')
tsheb ('vehicle')	*zaum* ('sit')	*tes* ('hand')	

chawkhomob, kwshlau, chawnrestsheb, kwskhohniav, chowzaumtos, kwsntausntawv, davhlau, kwsntoo, hnabloojtes, kwskhotsheb, kevcai, kwstshuaj, kevkhomob, tshebnqajhlau, kevnqajhlau, daimntawvmuastshuaj

■ Temas/proyectos de discusión

I. La palabra compuesta *matarratas* está formada por un verbo *(mata)* y un nombre *(rata)*, mientras que *medianoche* está constituida por un adjetivo *(media)* y un nombre *(noche)*. En otras palabras, los términos compuestos pueden diferir en la categoría de los elementos que los componen. ¿Serías capaz de identificar las categorías a las que pertenecen los elementos que forman parte de los siguientes compuestos?

guardacostas, sietemesino, ropavejero, antediluviano, picapedrero, tiralíneas, tirachinas, sordomudo, coliflor, telaraña, sopicaldo, hojalata, vaivén, camposanto, sacacorchos, cortacésped, salpimentar, duermevela, quitapón, correveidile.

II. Hoy en día se tiende a tomar en préstamo muchas palabras del inglés, pero esta lengua a su vez, también ha tomado muchas palabras prestadas de otras lenguas diferentes.

(i) Con la ayuda de un buen diccionario de inglés (lo mejor sería uno etimológico) intenta averiguar qué palabras de esta lista son préstamos y de qué lenguas proceden:

advantage, assassin, caravan, cash, child, clinic, cobalt, cockroach, crime, have, laundry, measles, physics, pony, ranch, scatter, slogan, violent, wagon, yacht, zero.

(ii) Ahora busca las siguientes palabras en un diccionario de castellano: *aventa-jar, asesino, caravana, clínica, cobalto, rancho, eslogan, vagón, yate, cero.* ¿Podrías decir si estas palabras se tomaron en préstamo en la misma época en el caso del castellano y en el del inglés, o, por el contrario, pasaron de una de estas dos lenguas a la otra en una etapa posterior?

(c) Como seguramente sigues teniendo a mano los diccionarios empleados en los apartados anteriores, intenta descubrir el origen de los siguientes epó-nimos (como ya sabes, se trata de palabras derivadas de nombres de per-sonas o lugares):

birome, boicot, cárdigan, diesel, nicotina, sándwich, s*axófono, vatio*

III. Cuando se crean nuevas palabras por derivación empleando un sufijo como *–ble*, parece como si el proceso estuviese limitado por algún tipo de regla, puesto que existen resultados admisibles y otros que no lo son. Las pala-bras situadas en la columna de la izquierda son «aceptables», pero las que aparecen a la derecha no lo son. ¿Serías capaz de proponer la regla que pue-de haber detrás de la formación de nuevos adjetivos con el sufijo *–ble* en español?

temible	**sabible*
audible	**dormible*
reprobable	**morible*
demostrable	**lapizable*
creíble	**camable*
medible	**velable*
cambiable	**papelerable*
inflable	**desconocible*

Algo semejante sucede en el caso del inglés. Las palabras que aparecen en la co-lumna de la izquierda resultan aceptables, mientras que las que figuran en las dos columnas restantes no lo son, de ahí que vengan marcadas con un asterisco. A par-tir de estos ejemplos (y de cualquier otro que se te ocurra y que creas que pueda resultar relevante en este contexto), intenta determinar la regla (o reglas) que re-gula(n) en inglés la formación de nuevos adjetivos mediante la utilización del su-fijo *-able*:

breakable	*carable	*dieable
doable	*chairable	*disappearable
downloadable	*diskable	*downable
inflatable	*hairable	*pinkable
movable	*housable	*runable
understandable	*pencilable	*sleepable
wearable	*quickable	*smilable

(Para obtener información básica sobre esta cuestión puedes leer la sección 5.3 de los *Language Files*, 2004).

■ Lecturas adicionales

Una caracterización básica de los procesos implicados en la formación de palabras puede encontrarse en Bauer (1983), Coates (1999), Denning y Leben (1995), Plag (2003) o Stockwell y Minkova (2001). Si se busca un análisis más exhaustivo, conviene recurrir a Adams (2001), Marchand (1969) o al apéndice de Quirk *et al*. (1985). La revista *American Speech* publica de forma regular artículos sobre nuevas palabras; Algeo (1991) contiene una colección de términos obtenidos de los artículos de dicha revista. Otras colecciones de nuevos términos son las que figuran en Carver (1991), Green (1991) y Le May *et al*. (1988). Ya de forma más específica, puede consultarse a Epsy (1978) en lo concerniente a los epónimos; a Allan (1986), en lo relativo a los hipocorísticos; a McMillan (1980), en lo que atañe a la infijación en inglés, y a Aitchison (2003), en lo referente a la conversión.

7

Morfología

BAMBIFICACIÓN: La conversión mental de seres vivos de carne y hueso en personajes de dibujos animados que poseen actitudes burguesas y una moral judeocristiana.

Coupland (1991)

En el capítulo anterior se han discutido los procesos que intervienen en la formación de las palabras como si la unidad que denominamos «palabra» fuera algo regular y fácilmente identificable, incluso en aquellos casos, como *bambificación*, que no hemos visto nunca anteriormente. Esta asunción no parece del todo ilógica si lo que estamos examinando es un texto escrito en castellano, ya que las «palabras» que lo constituyen se corresponden, como, por otro lado, puede resultar bastante obvio, con los conjuntos de trazos de color negro que están separados unos de otros por espacios en blanco. Sin embargo, lo cierto es que el utilizar esta definición como punto de partida a la hora de caracterizar el lenguaje, en general, y las formas lingüísticas individuales, en particular, crea muchos problemas.

Morfología

En numerosas lenguas lo que parecen ser formas únicas a menudo resulta que contienen un gran número de elementos «parecidos a las palabras». Por ejemplo, si quisiéramos poner por escrito el significado que en español tiene una forma del swahili (una lengua que se habla en varios países del África oriental) como *nitakupenda*, deberíamos recurrir a varias palabras, en concreto, a una expresión compleja como *Yo te querré*. ¿Es, entonces, esta forma swahili una palabra única? Si realmente es una «palabra», entonces parece constar de varios elementos que en castellano son palabras separadas. La correspondencia aproximada que existe entre ambas formas sería la siguiente:

ni	*-ta*	*-ku*	*-penda*
yo	-rré	te	querer

Da la impresión de que esta «palabra» swahili difiere significativamente de lo que entendemos como una «palabra» castellana. Con todo, existe algún parecido entre ambas lenguas, ya que podemos encontrar elementos semejantes en las dos. Quizás una manera más adecuada de analizar las formas lingüísticas de lenguas diferentes sería recurrir a la noción de «elementos» del mensaje, con la idea de no tener que limitarnos únicamente a la identificación de «palabras».

Lo que acabamos de hacer anteriormente en el caso del castellano y el swahili constituye un ejemplo de la manera en que se pueden analizar las formas básicas de una lengua. Este tipo de análisis recibe la denominación de **morfología**. El término morfología, que significa literalmente «estudio de las formas», se usó originalmente en biología, pero desde mediados del siglo XIX también se ha venido empleando para describir un tipo de investigación lingüística cuyo objetivo es el análisis de los «elementos» básicos que se utilizan en una lengua determinada. Lo que hemos estado caracterizando como «elementos» del plano formal de un mensaje lingüístico es lo que técnicamente se conoce como «morfemas».

Morfemas

Lo cierto es que no tenemos por qué recurrir a lenguas tan distantes como el swahili para descubrir que las «palabras» pueden estar formadas por varios elementos. Así, podemos reconocer rápidamente que palabras del castellano como *cantas*, *cantante*, *cantaba* o *cantando* constan de un elemento *cant*, constante, y otros elementos que van variando: *-as*, *-ante*, *-aba* y *-ando*. Todos estos elementos son **morfemas**. La definición de morfema sería la siguiente: «una unidad mínima de significado o función gramatical». Por unidades de función gramatical entendemos los elementos que se usan, por ejemplo, para indicar el plural o el tiempo de presente.

Así, diremos que la palabra *reabrirá*, en una oración como *La policía reabrirá la investigación*, consta de tres morfemas. Una unidad mínima de significado es *abrir*, otra unidad mínima de significado es *re-* (que significa «de nuevo») y una tercera unidad mínima, en este caso, de función gramatical, es *-rá* (que indica tiempo futuro). Del mismo modo, la palabra *paneras* también cuenta con tres morfemas. Una unidad mínima de significado es *pan*, otra unidad mínima de significado es *-era* (que significa «relativo a») y una tercera unidad mínima, de función gramatical, sería *-s* (que indica plural).

Morfemas libres y ligados

A partir de estos dos ejemplos podemos proponer una primera distinción general entre los morfemas. Así, existirían **morfemas libres**, es decir, morfemas que pueden aparecer como palabras independientes, como *pan*. Por otro lado, existirían **morfemas ligados**, esto es, aquellos que no pueden aparecer de forma independiente, sino que han de ir unidos a otros elementos, como, por ejemplo, *re-*, *-era*, *-rá*, *-s*. Ya hemos estudiado este último grupo de morfemas en el capítulo 6, donde los denominamos afijos. Por tanto, todos los afijos del castellano (prefijos, sufijos e infijos) son morfemas ligados. Los morfemas libres pueden considerarse, en líneas generales, como el conjunto de las diferentes palabras individuales del castellano, como los sustantivos, adjetivos, verbos, etc., básicos. Cuando se utilizan junto con morfemas ligados se dice técnicamente que son **raíces**. Por ejemplo:

descamisado			*actualización*		
des	*camisa*	*do*	*actual*	*iza*	*ción*
prefijo	raíz	sufijo	raíz	sufijo	sufijo
(ligado)	(libre)	(ligado)	(libre)	(ligado)	(ligado)

Conviene tener presente que este tipo de descripciones llevan implícita una simplificación parcial de la realidad morfológica del castellano. Existen muchas palabras del castellano en las que el elemento que parece ser la raíz no es, de hecho, un morfema libre. Así, en palabras como *recibir*, *reducir* o *repetir* podemos reconocer el morfema ligado *re-*, pero los elementos *-cib(ir)-*, *-duc(ir)-* y *-pet(ir)*, no son palabras que puedan existir independientemente y, por consiguiente, no se trataría de morfemas libres. En ocasiones, estas formas se caracterizan como «raíces ligadas», con objeto de distinguirlas de las «raíces libres» como *camisa* o *actual*.

Morfemas léxicos y morfemas funcionales

Las unidades que hemos descrito como morfemas libres se dividen en dos categorías. La primera está constituida por el conjunto de nombres, adjetivos y verbos comunes que normalmente consideramos como portadores del «contenido» de los mensajes. Estos morfemas libres se llaman **morfemas léxicos** y como ejemplos de este tipo de morfemas pueden proponerse *chico*, *hombre*, *tigre*, *triste*, *largo*, *amarillo*, *sincero*, *abr(ir)*, *mir(ar)*, *segu(ir)*, *romp(er)*. Como quiera que siempre es posible añadir, con relativa facilidad, nuevos morfemas léxicos a una lengua, decimos que estos morfemas constituyen una clase «abierta» de palabras.

El otro grupo de morfemas libres lo integran los **morfemas funcionales** o **gramaticales**. Algunos ejemplos de esta clase serían *y*, *pero*, *cuando*, *en*, *cerca*, *debajo*, *el*, *que*, *lo*. Este conjunto está formado casi en su totalidad por palabras funcionales de la lengua, tales como conjunciones, preposiciones, artículos y pronombres. Debido al hecho de que casi nunca se pueden añadir nuevos morfemas gramaticales a una lengua, se dice que constituyen una clase «cerrada» de palabras.

Morfemas derivativos y morfemas flexivos

El conjunto de los afijos, que pertenecen a la categoría de los morfemas ligados, se puede dividir, asimismo, en dos subconjuntos. El primero, que también se ha tratado en el capítulo 6, estaría integrado por los **morfemas derivativos**. Estos morfemas se usan a menudo para formar nuevas palabras o para generar palabras de una categoría gramatical diferente a la de la raíz. Así, al añadir el morfema derivativo *-ción* a un verbo como *donar* se convierte en un nombre como *donación*. Del mismo modo, el sustantivo *calor* se transforma en el adjetivo *caluroso* gracias al morfema derivativo *-oso*. Una lista de morfemas derivativos incluiría sufijos como *-al*, en *nacional*; *-mente*, en *generalmente*; y *-miento*, en *casamiento*. También incluiría prefijos como *re-*, *pre-*, *ex-*, *dis-*, *in-* y muchos otros.

El segundo grupo de morfemas ligados lo integran los morfemas que se denominan **morfemas flexivos**. Este tipo de morfemas no se utiliza para generar nuevas palabras, sino para indicar diversos aspectos de la función gramatical de una determinada palabra. Los morfemas flexivos se utilizan para señalar si una palabra es plural o singular; femenina o masculina; si alude a un tiempo pasado, presente o futuro (o no lo hace); o si se trata de una forma superlativa. Mientras que una lengua como el inglés cuenta sólo con ocho morfemas flexivos (que en ocasiones se llaman «desinencias»), el castellano dispone de un número significativamente mayor e ilustraremos aquí sólo algunos ejemplos de cada tipo:

*Quiero dec**ir** alg**o** sobre l**as** herman**as** de Montse.*
*Reyes siempre est**á** cant**ando**.*

*Beatriz prefer**í**a estudi**ar** y siempre le**í**a.*
*Un**a** es divertid**ísima** y la otr**a** es tranquil**ísima**.*

A partir de estos ejemplos podemos deducir que algunos sufijos flexivos se unen a los nombres, en particular, los de género *(-o, -a)*. En cambio, otros se unen a los verbos, como *-o* (primera persona del singular del presente de indicativo), *-ir* (infinitivo de la tercera conjugación), *-á* (tercera persona del singular del presente de indicativo), *-ndo* (gerundio), *-ía* (tercera persona del pretérito imperfecto de indicativo). El sufijo *-ísima* (superlativo) se une a los adjetivos. El sufijo de número *(-s)* es común a las tres clases de palabras.

Nombre +   *-o, -a, -s*
Verbo +   *-o, -ir, -á, -ndo, -ía*
Adjetivo +   *-ísima*

Existe una cierta variabilidad en lo que concierne a la forma de estos sufijos flexivos. Así, por ejemplo, el de número aparece en ocasiones como *-es*, mientras que el de tercera persona del singular del presente de indicativo puede ser *-e* (si el verbo pertenece a la segunda o a la tercera conjugación).

Descripción morfológica

La diferencia que existe entre morfemas derivativos y flexivos es importante. Un morfema flexivo nunca cambia la categoría gramatical de una palabra. Por ejemplo, en inglés tanto *old* («viejo») como *older* («más viejo») son adjetivos, es decir, el sufijo flexivo *-er* (del inglés antiguo *-ra*) simplemente crea una versión diferente del adjetivo. Por el contrario, un morfema derivativo puede cambiar la categoría gramatical de una palabra. El verbo inglés *teach* («enseñar») se convierte en el sustantivo *teacher* («profesor») al añadir el morfema derivativo *-er* (del inglés antiguo *-ere*). Por tanto, un mismo sufijo, *-er*, puede ser un morfema flexivo, si es parte de un adjetivo, y también un morfema derivativo distinto, si forma parte de un nombre. El hecho de que tengan la misma forma *(-er)* no quiere decir que desempeñen la misma función.

Cuando una misma palabra contiene un sufijo derivativo y uno flexivo, siempre aparecen en este orden. En el ejemplo anterior del inglés, el sufijo derivativo *-er* se une en primer lugar a la raíz *teach*, y solo después lo hace el sufijo flexivo *-s* para formar el plural, *teachers* («profesores»).

Pertrechados con todos estos términos que designan los diferentes tipos de morfemas, estamos preparados para analizar la mayor parte de las oraciones de la lengua propia y listar los elementos que las componen. Por ejemplo, la oración castellana *La buenísima actuación de la corredora emocionó a sus entrenadores* contiene un total de veintiún morfemas:

La	*buen-*	*-ísim-*	*-a*	*actua-*	*-ción*
(funcional)	(léxico)	(flexivo)	(flexivo)	(léxico)	(derivativo)
de	*la*	*corr-*	*-ed-*	*-or-*	*-a*
(funcional)	(funcional)	(léxico)	(derivativo)	(derivativo)	(flexivo)
emocion-	*-ó*	*a*	*su-*	*-s*	
(léxico)	(flexivo)	(funcional)	(funcional)	(flexivo)	

entren-   *-ad-*   *-or-*   *-es*
(léxico)   (derivativo) (derivativo) (flexivo)

El siguiente diagrama permite recordar las diferentes categorías de los morfemas
que integran la oración anterior:

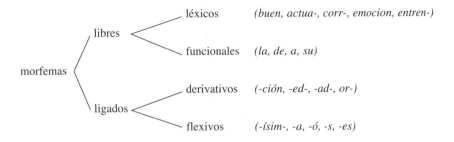

léxicos   *(buen, actua-, corr-, emocion, entren-)*

libres

funcionales   *(la, de, a, su)*

morfemas

derivativos   *(-ción, -ed-, -ad-, or-)*

ligados

flexivos   *(-ísim-, -a, -ó, -s, -es)*

Problemas de la descripción morfológica

Este diagrama tan sencillo oculta el hecho de que existen aún problemas significativos en el análisis de la morfología del castellano. Hasta ahora sólo hemos considerado ejemplos de palabras en las que los diferentes morfemas se pueden identificar fácilmente como elementos discretos. Así, el morfema flexivo *-s* se añade
a la palabra *serpiente* para formar el plural *serpientes*. Pero, ¿cuál es el morfema
flexivo que hace de *crisis* el plural de *crisis* en castellano, o que hace que *men*
(«hombres») sea el plural de *man* («hombre») en inglés? Algo parecido sucede en
el caso de *fui*. ¿Cuál es el morfema flexivo que hace que *fui* sea el pasado de *ir*,
cuando el pasado de un verbo como *cantar* es *canté*, una forma en la que puede
identificarse fácilmente el sufijo flexivo *-é*? Del mismo modo, si *-al* es el sufijo
derivativo que se añade a un sustantivo como *institución* para obtener el adjetivo
correspondiente, *institucional*, entonces, ¿podemos llevar a cabo el mismo análisis en el caso de otro adjetivo como *filial*? ¿Es raíz *fili-*? Por desgracia, la respuesta es «no».

Existen otras muchas cuestiones problemáticas, especialmente en el caso de
otras lenguas, aunque no siempre se dispone de una solución adecuada. Por ejemplo, la relación entre *hijo* y *filial* es un reflejo de la diferente evolución de las palabras a lo largo de su historia. La forma moderna *hijo* es el resultado de la evolución vulgar de la palabra latina *filius*. La forma moderna *filial* (del latín *filialis*,
con el mismo sentido) resulta de la conservación culta del adjetivo latino derivado del nombre anterior. Por consiguiente, no existe una relación de derivación directa en el castellano moderno, como tampoco la hay entre el nombre *boca* (del
latín *bucca*, «mejilla») y el adjetivo *oral* (del latín *oralis*, un derivado de *os*, *oris*
«boca»). Se sabe que la mayoría de las palabras del castellano deben su modelo
morfológico al latín y al griego, aunque también existen influencias de otras lenguas. Así, una descripción completa de la morfología de un idioma determinado
debería tener en cuenta tanto cuestiones de influencia histórica, como el efecto de
los elementos tomados en préstamo.

Morfos y alomorfos

Una manera de analizar las diferencias que existen entre los distintos morfemas flexivos consiste en proponer variaciones en las reglas de formación morfológica. Para hacerlo esbozaremos una analogía con algunos de los procesos ya estudiados en fonología (capítulo 5). De la misma manera que consideramos entonces a los «fonos» como la realización fonética real de los «fonemas», podemos proponer ahora la existencia de **morfos**, que serían las formas utilizadas realmente a la hora de generar morfemas. Así, la forma *mesas* consta de dos morfos, *mesa + s*, y constituye la realización de un morfema léxico (mesa) y de un morfema flexivo («plural»). Igualmente, la forma *camiones* consiste en dos morfos *(camión + es),* siendo la realización de un morfema léxico (camión) y un morfema flexivo («plural»). Consecuentemente, resulta posible usar dos morfos diferentes (-*s* y –*es*) como materialización del morfema flexivo «plural». De la misma manera que en fonología determinamos que existían distintos alófonos de un fonema concreto, podemos decir que hay **alomorfos** de un determinado morfema. Es decir, si un determinado grupo de morfos diferentes constituyen versiones del mismo morfema, se recurre al prefijo 'alo-' (que significa «uno dentro de un grupo estrechamente relacionado») para caracterizarlos como alomorfos de dicho morfema.

Tomemos el morfema «plural». Como puede comprobarse fácilmente, se puede añadir a bastantes morfemas léxicos para producir estructuras como «mesa+plural», «crisis+plural» y, en el caso del inglés que veíamos anteriormente, «man+plural». Ahora bien, las formas reales que adopta el morfema de «plural», que es único (esto es, los morfos que se utilizan en la práctica), son diferentes y, aun así, todos son alomorfos de un mismo morfema. En consecuencia, además de –*s* y de –*es*, existe un tercer alomorfo de plural, que sería un morfo cero, dado que la forma de plural coincide con la de singular, como sucede en el caso de *crisis* («crisis» + Ø). En el caso del inglés *men* («man» + plural) lo que se ha producido ha sido un cambio vocálico (æ → ɛ), que se correspondería con el morfo que da lugar al denominado plural «irregular» *men*.

En una lengua como el castellano tienen lugar, en la práctica, otros procesos morfológicos, como ocurre, por ejemplo, con los que atañen a los alomorfos del morfema «pretérito indefinido». Entre estos alomorfos no sólo figurarían aquellos que se consideran regulares, como -*é* o -*í*, sino los casos especiales que suponen las formas irregulares, como *fui*.

Otras lenguas

Cuando se analiza la morfología de algunas lenguas, resulta posible encontrar formas y patrones que se podrían describir sin mayor problema a partir de las categorías básicas de morfemas que hemos discutido anteriormente. El primero de los ejemplos que proponemos a continuación proviene del inglés; el segundo, del azteca. En ambos casos, a la raíz se une en primer lugar un morfema derivativo y seguidamente, un morfema flexivo:

Raíz	Derivativo	Flexivo		
dark [«oscuro»]	+-*en* [«hacer»]	+-*ed* [«pasado»]	=*darkened* [«oscureció»]	
mic [«morir»]	+*tia* [«causar»]	+*s* [«futuro»]	=*mictias* [«matará»]	

Sin embargo, en otras lenguas encontramos otros modelos diferentes. A continuación discutiremos algunos ejemplos que se han tomado de diversas lenguas descritas por Gleason (1955), con objeto de caracterizar las diferentes formas que utilizan las diferentes lenguas para poner de manifiesto distintos procesos y rasgos morfológicos.

Canurí

El primero grupo de ejemplos procede del canurí, una de las lenguas habladas en Nigeria.

	Adjetivo	*Nombre*	
(«excelente»)	*karite*	*-nəmkarite*	(«excelencia»)
(«grande»)	*kura*	*-nəmkura*	(«grandeza»)
(«pequeño»)	*gana*	*-nəmgana*	(«pequeñez»)
(«malo»)	*dibi*	*-nəmdibi*	(«maldad»)

A partir de estos ejemplos podemos deducir que el prefijo *nəm-* es un morfema derivativo que se puede utilizar para generar nombres a partir de adjetivos. Descubrir un rasgo morfológico regular de este tipo nos permite hacer predicciones cuando nos encontramos con otras formas de esa misma lengua. Por ejemplo, si la palabra canurí para «longitud» es *nəmkurugu*, entonces podemos estar razonablemente seguros de que «largo» se dirá *kurugu*.

Ganda

Cada lengua emplea diferentes medios para producir marcas flexivas en sus palabras. A continuación se recogen diversos ejemplos procedentes del ganda, una lengua hablada en Uganda:

	Singular	Plural	
(«doctor»)	*omusawo*	*abasawo*	(«doctores»)
(«mujer»)	*omukazi*	*abakazi*	(«mujeres»)
(«chica»)	*omuwala*	*abawalo*	(«chicas»)
(«heredero»)	*omusika*	*abasika*	(«herederos»)

De esta pequeña muestra de palabras del ganda puede deducirse que existe un prefijo, *omu-*, que se utiliza con los nombres singulares, y otro diferente, *aba-*, que se emplea con las formas de plural de esos mismos nombres. Si alguien nos dice que *abalenzi* es un plural ganda que significa «chicos», será posible deducir la forma singular, con el significado de «chico». Se trata, evidentemente, de *omulenzi*.

Ilocano

Los siguientes datos del ilocano, una lengua filipina, nos servirán para ilustrar una manera totalmente diferente de marcar el plural.

	Singular	Plural	
(«cabeza»)	*úlo*	*ulúlo*	(«cabezas»)
(«camino»)	*dálan*	*daldálan*	(«caminos»)
(«vida»)	*bíag*	*bibíag*	(«vidas»)
(«planta»)	*múla*	*mulmúla*	(«plantas»)

En estos ejemplos parece que en la forma plural se repite la primera parte de la forma singular. Así, cuando la primera parte de la forma singular es *bi-*, la forma plural empieza con *bibi-*. Este proceso se denomina técnicamente **reduplicación** y hay varias lenguas que emplean este mecanismo de repetición como un medio de marcar la flexión. Una vez que hemos comprendido cómo se diferencian las formas plurales de las singulares en ilocano, deberías ser capaz de deducir el singular de una forma plural como *taltálon* («campos»). Si se aplica el mecanismo que acabamos de describir, el resultado debería ser *tálon*.

Tagalo

A continuación se presentan algunos ejemplos particularmente sugerentes, proporcionados por Lisa Miguel, que habla tagalo, otra lengua de las Filipinas:

basa («leer»)   *tawang* («llamar»)   *sulat* («escribir»)
bumasa («¡lee!»)   *tumawag* («¡llama!»)   *sumulat* («¡escribe!»)
babasa («leerá»)   *tatawag* («llamará»)   *susulat* («escribirá»)

Si asumimos que la primera forma de cada grupo es una especie de raíz, entonces parece que la segunda forma de cada grupo se genera insertando un elemento *-um-* después de la primera consonante o, para ser más precisos, tras el ataque de la sílaba. Debe tratarse de un infijo (un elemento que se describió en el capítulo 6). En los elementos de la tercera fila puede advertirse que el cambio de forma ha supuesto, en todos los casos, una repetición de la primera sílaba. Por tanto, parece evidente que para marcar la referencia de futuro en tagalo se recurre a la reduplicación. Si sabemos que *lapit* es el verbo que significa «venir aquí» en tagalo, ¿cómo serán las formas correspondientes a «¡ven aquí!» y «vendrá aquí»? ¿No serán, acaso, *lumapit* y *lalapit*? Y si alguien dice *lalakad* («andará»), podemos inferir sin mayor problema cuál será la forma que correspondiente a «andar». Está claro que se trata de *lakad*.

Conforme hemos ido analizando todos estos procesos morfológicos diferentes, hemos ido pasando de la caracterización de la estructura básica de las palabras a la consideración de algunas de las cuestiones relacionadas tradicionalmente con la gramática. Nos ocuparemos con más detalle de todo lo que atañe a la gramática en el siguiente capítulo.

■ Ejercicios

1. ¿Cuáles son los morfemas funcionales que existen en la siguiente oración?

   El anciano se sentó en una silla y les contó historias de lobos.

2. (a) Identifica los morfemas ligados que existen en las siguientes palabras:

   previsión, acortado, infeliz, candente, constantemente

(b) ¿En cuáles de los siguientes ejemplos deberíamos considerar la «a» un morfema ligado?

a Madrid, agonía, atípico, asintomático

3. ¿Cuáles son los morfemas flexivos que existen en las siguientes expresiones?

(a) *las canciones de los cantantes*
(b) *está lloviendo*
(c) *una buenísima merienda*
(d) *la vaca saltó hacia la luna*

4. ¿Cuáles serían los alomorfos del morfema «plural» que existen en las siguientes palabras?

perros, patrones, ventanas, marroquíes, rubíes, lunes

5. Indican las formas que equivalen, en las diferentes lenguas mencionadas en la columna de la izquierda, a las traducciones castellanas que aparecen en la columna situada más a la derecha en la siguiente tabla.

ganda	*omuloŋgo*	«gemelo»	-	«gemelos» _____
ilocano	*tawtáwa*	«ventanas»	-	«ventana» _____
canurí	*nəmkəĵi*	«dulzor»	-	«dulce» _____
tagalo	*bili*	«comprar»	-	«comprará» _____
tagalo	*kain*	«comer»	-	«¡come!» _____

6. ¿En qué consiste la reduplicación?

■ Tareas de investigación

A. ¿En qué consiste la «supleción»? ¿Crees que en este capítulo aparecía algún de ejemplo de una forma supletiva del castellano o del inglés?
B. ¿Sabrías explicar qué es lo que sucede en el proceso morfológico que se conoce como «mutación vocálica» o, más comúnmente, «alternancia vocálica»? ¿Serías capaz de encontrar algún ejemplo de este proceso en el presente capítulo?
C. Haciendo uso de lo que has aprendido en este capítulo acerca del swahili, así como de la información que contiene la serie de ejemplos que aparecen a continuación, intenta traducir a esta lengua las expresiones (1-6) propuestas después de los ejemplos:

nitakupenda («yo te amaré»)
watanilipa («ellos me pagarán»)
tutaondoka («nosotros nos iremos»)
alipita («ella pasó»)
uliwapika («tú los cocinaste»)
walimpiga («ellos le pegaron»)

1. «Ella te ama»
2. «Yo los cocinaré»
3. «Tú pasarás»
4. «Nosotros le pagaremos»

5. «Ella me pegará»
6. «Ellos se fueron»

D. Haciendo uso de lo que has aprendido en este capítulo acerca del tagalo, así como de la información que contiene la serie de ejemplos que aparecen a continuación, traduce a esta lengua las formas verbales (1-10), propuestas después de los ejemplos:

basag («romper»)
bili («comprar»)
hanap («buscar»)
kain («comer»)

(«¡Escribe!») *sumulat*
(«¡Llama!») *tumawag*
(«fue escrito»)*sinulat*
(«fue llamado») *tinawag*
(«está escribiendo») *sumusulat*
(«está llamando») *tumatawag*
(«está siendo escrito») *sinusulat*
(«está siendo llamado») *tinatawag*

1. «¡compra!»
2. «fue comprado»
3. «fue roto»
4. «fue buscado»
5. «está buscando»
6. «está comiendo»
7. «está rompiendo»
8. «está siendo roto»
9. «está siendo buscado»
10. «está siendo comido»

■ Temas/proyectos de discusión

I. En inglés las formas plurales como *mice* («ratones») parecen tratarse de forma diferente a otras formas plurales como *rats* («ratas»). En el caso de que un lugar esté infestado de ratones o ratas, los hablantes de inglés aceptarían compuestos del tipo *mice-infested* o *rat-infested*, pero no **rats-infested*. Esto parece indicar que las formas con el afijo plural regular *(-s)* siguen una regla diferente al formar compuestos que las formas plurales irregulares del tipo *mice*. ¿Serías capaz de formular la regla (o reglas) que explique(n) todos los ejemplos que se presentan a continuación? El asterisco (*) delante de una palabra significa que no es una forma aceptable. Puedes ayudarte del diccionario para aclarar el significado de los términos compuestos y el de los sustantivos a partir de los cuales se han formado:

teethmarks
the feet-cruncher
lice-infested
a people-mover
clawmarks

the finger-cruncher
roach-infested
a dog-mover
*clawsmarks
*the fingers-cruncher
*roaches-infested
*a dogs-mover

(Para obtener información básica sobre esta cuestión puedes leer el capítulo 6 de Pinker, 1999).

II. En los siguientes ejemplos del turco (suministrados por Feride Erkü) cambia la forma del morfema flexivo que marca el «plural».

	Singular	Plural	
(«hombre»)	adam	adamlar	(«hombres»)
(«arma»)	_____	toplar	(«armas»)
(«lección»)	ders	_____	(«lecciones»)
(«lugar»)	yer	yerler	(«lugares»)
(«camino»)	_____	yollar	(«caminos»)
(«cerrojo»)	_____	kilitler	(«cerrojos»)
(«flecha»)	ok	_____	(«flechas»)
(«mano»)	el	_____	(«manos»)
(«brazo»)	kol	_____	(«brazos»)
(«campana»)	_____	ziller	(«campanas»)
(«amigo»)	_____	dostlar	(«amigos»)
(«manzana»)	elma	_____	(«manzanas»)

(i) ¿Serías capaz de completar esta tabla con las formas que faltan?

(ii) ¿Cuáles son los dos morfos de plural ejemplificados en la tabla anterior?

(iii) Ahora considera que *a* y *o* son vocales posteriores mientras que *e* e *i* son anteriores. ¿En qué condiciones se utilizan los dos morfos de plural?

(iv) ¿Cómo describirías los equivalentes del posesivo *tu* y las condiciones en que se utiliza recurriendo a las siguientes expresiones del turco?

dishin	(«tu diente»)
okun	(«tu flecha»)
kushun	(«tu pájaro»)
topun	(«tu arma»)
dersin	(«tu lección»)
kibritlerin	(«tus cerillas»)

(v) Mientras que en castellano la situación espacial se marca normalmente con preposiciones (por ejemplo, **en** *una casa*), el turco tiene postposiciones (es decir, *casa-**en***). Después de estudiar los siguientes ejemplos, deberías ser capaz de identificar los tres alomorfos del sufijo de «situación» en turco y postular las condiciones en que se utiliza.

	Nombre	Nombre+sufijo	
(«libro»)	*kitap*	*kitapta*	(«en un libro»)
(«silla»)	*koltuk*	*kolukta*	(«en una silla»)
(«habitación»)	*oda*	*odada*	(«en una habitación»)
(«restaurante»)	*lokanta*	*lokantada*	(«en un restaurante»)
(«casa»)	*ev*	*evde*	(«en una casa»)
(«lugar»)	*yer*	*yerlerde*	(«en lugares»)
(«mano»)	*el*	*ellerimde*	(«en mis manos»)
(«camino»)	*yol*	*yollarta*	(«en caminos»)

(vi) El turco tomó en préstamo del francés la palabra *randevu*, que significa «cita». ¿Cómo crees que se dirá en turco «en una cita»?

(Puedes encontrar más ejemplos en Gleason, 1955.)

III. La idea de posesión se expresa normalmente en castellano mediante un sintagma preposicional (con la preposición *de* delante del nombre del poseedor) que va pospuesto al sustantivo que denota lo poseído. Sin embargo, y como puede comprobarse en los siguientes ejemplos, en basari, una lengua del oeste de África que se habla en Ghana, esta idea se construye de otra manera (los ejemplos se han adaptado de Jackson, 1985).

(«jefe») *uboti*
(«esposa») *unimpu*
(«granja») *kusaau*

uninja botiu	(«jefe del hombre»)
uninja nimpuu	(«la esposa del hombre»)
unimpu ubo	(«una esposa»)
uninja-nee nimpuu ubo	(«una esposa de este hombre»)
kusaau kubo	(«una granja»)
uninja saaku	(«la granja del hombre»)
uninja saaku kubo	(«la granja de un hombre»)

(i) ¿Serías capaz de describir la manera en que se expresa la posesión en esta lengua?

(ii) Si la palabra basari para «mortero», es *kukuntuu*, ¿cómo traducirías *uninja-nee nimpuu kuntuuku*?

■ Lecturas adicionales

Una introducción adicional a la morfología es la que se presenta en el capítulo 3 de Fromkin *et al.* (2003) o en el capítulo 4 de O'Grady *et al.* (2005). El capítulo 5 de los *Language Files* (2004) contiene ejercicios adicionales sobre la morfología de numerosas lenguas. Para obtener más información acerca de la relación entre los morfemas y los morfos, véase Brown y Miller (1991). Libros de textos específicos sobre morfología son los de Bauer (2003), Carstairs-McCarthy (2002), Haspelmath (2002), Katamba (1994), Matthews (1991) y Payne (1997). Si quieres aprender más sobre el turco, consulta el libro de Lewis (2000). Por su parte, Spencer y Zwicky (2001) presentan en su libro una revisión exhaustiva de la investigación que se está llevando a cabo actualmente en el campo de la morfología.

8 Sintagmas y oraciones: la gramática

Querida Ann Landers:

Hace poco mi marido se presentó como candidato a un cargo público. Fue a la emisora local de radio para grabar un anuncio que sería emitido posteriormente. El texto lo había escrito alguien de la emisora.

Una de las oraciones de dicho texto decía: «Me and my familly will be moving to this town [«Mi familia y yo nos mudaremos a esta ciudad»]». Cuando oí esto en directo, di un respingo. Mi marido dijo: «Así es como lo escribieron. A mí tampoco me sonaba bien».

Inmediatamente fui a la emisora y me quejé, pero me dijeron que era yo la que estaba equivocada. Entonces llamamos por teléfono a un licenciado por la Northwestern University, especialista en inglés, pero nos dijo que tanto «I», como «me» eran aceptables.

¿Acaso soy una ignorante? Me enseñaron a analizar las oraciones que me resultaran dudosas. El resultado es «Me will be moving». ¿Cree usted que eso es inglés correcto?
Le ruego que me dé una solución.

De alguien que se siente como una tonta.

Citado en Lakoff (1990)

Ya hemos considerado dos de los niveles a los que puede describirse una lengua. Hemos descrito las expresiones lingüísticas como secuencias de sonidos que pueden representarse fonéticamente y caracterizarse según una serie de rasgos constituyentes. Por ejemplo:

$$\text{lost}\widehat{\text{ʃ}}\text{ikoskansados}$$

anterior cerrada   oclusiva velar sorda   oclusiva dental sonora

También hemos descrito esa misma expresión lingüística como una secuencia de morfemas, como sucede en:

l	*-o*	*-s*	*chic*	*-o*	*-s*	*cans*	*-ad*	*-os*
funcional	flexivo	flexivo	léxico	flexivo	flexivo	léxico	derivativo	flexivo

Mediante este tipo de descripciones podemos caracterizar todas las palabras y sintagmas de una lengua según su fonología y su morfología.

Gramática

Sin embargo, todavía no hemos dado cuenta del hecho de que todas estas palabras sólo se pueden combinar siguiendo un número limitado de patrones. Sabemos que un sintagma como *los chicos cansados* es una expresión correctamente construida en castellano, mientras que no lo serían dos sintagmas como:

*chicos los cansados
* cansados chicos los

(Delante de cada una de estas estructuras mal formadas se coloca un asterisco [*], que es la forma convencional de indicar que dicha estructura no es aceptable en la lengua en cuestión o que es agramatical).

A partir de estos ejemplos puede deducirse que el castellano cuenta con reglas precisas que regulan la manera en que se combinan las palabras para formar los sintagmas. Así, el artículo *(los)* debe preceder al adjetivo *(cansados)* si éste va delante del nombre *(chicos),* o debe preceder a este último si el adjetivo va pospuesto. En consecuencia, para que un sintagma de este tipo sea gramatical, el orden que deben seguir los elementos que lo constituyen sería: artículo + adjetivo + nombre o artículo +nombre + adjetivo (pero no *nombre + artículo + adjetivo o *adjetivo + nombre + artículo).

La **gramática** puede definirse como el procedimiento que permite describir la estructura de los sintagmas y de las oraciones, de tal manera que podamos caracterizar todas las secuencias que son gramaticales en una determinada lengua y distinguirlas de aquellas que resultan agramaticales. Esta es la definición de gramática que asumimos de forma implícita cuando comparábamos la gramática del castellano o la del inglés con la del swahili, el tagalo o el turco. Como indicábamos en el capítulo 7, cada una de estas lenguas construyen los sintagmas y las oraciones que son gramaticales de una manera diferente. El estudio de la gramática cuenta, en este sentido, con una larga tradición.

La gramática tradicional

Los términos como «artículo», «adjetivo» y «nombre», que empleamos *chicos* para etiquetar las categorías gramaticales de las palabras que forman un sintagma como *los chicos cansados*, provienen de una tradición gramatical que tiene sus orígenes en la descripción de lenguas como el latín clásico y el griego. Como quiera que existían antiguas descripciones gramaticales, particularmente arraigadas, en estas lenguas, debió de parecer en su momento lo más apropiado adoptar las categorías ya existentes en dichas descripciones y aplicarlas al análisis de otras lenguas derivadas del latín, como el castellano, o de lenguas mucho más alejadas, como el inglés. Después de todo, el latín y el griego eran las lenguas relacionadas con la enseñanza, la religión, la filosofía y el «conocimiento», de ahí que su gramática se considerase como un modelo para la restantes lenguas. Los términos más conocidos derivados de esta tradición son los que aún hoy empleamos para describir las partes de la oración.

Las partes de la oración

La siguiente oración permite ilustrar los diferentes términos técnicos que se utilizan para describir cada una de sus partes. Seguidamente se propondrá una definición lo más simple posible de cada uno de ellos:

Los	*chicos,*	*ya*	*cansados,*	*veían*	*a*
ARTÍCULO	NOMBRE	ADVERBIO	ADJETIVO	VERBO	PREPOSICIÓN

los	*payasos*	*y*	*aplaudían*	*con*	*poca*	*fuerza*
ARTÍCULO	NOMBRE	CONJUNCIÓN	VERBO	PREPOSICIÓN	ADJETIVO	NOMBRE

Los **nombres** son las palabras que utilizamos para referirnos a personas *(chico)*, objetos *(casa)*, seres vivos *(perro)*, lugares *(bosque)*, cualidades *(dureza)*, fenómenos *(terremoto)* e ideas abstractas *(amor)* como si todos ellos fueran «cosas».

Los **artículos** son palabras *(el, un)* que se emplean junto con los nombres para construir sintagmas nominales que permiten clasificar las «cosas» denotadas por dichos nombres *(Puedes tomarte* **un** *plátano o* **una** *manzana)* o identificarlas como algo ya conocido *(Me tomaré* **la** *manzana)*.

Los **adjetivos** son las palabras que normalmente se emplean junto a los nombres para dar más información sobre las cosas a las que se refieren dichos nombres *(gente* **feliz***,* **grandes** *objetos, experiencia* **extraña***)*.

Los **verbos** son las palabras que utilizamos para referirnos a diversos tipos de acciones *(ir, hablar)* y estados *(ser, estar)*, que involucran a personas o cosas en diversos sucesos *(Jessica* **está** *enferma y* **tiene** *dolor de garganta, de manera que no* **puede hablar** *ni* **ir** *a ninguna parte)*.

Los **adverbios** son las palabras que se utilizan para proporcionar una información adicional acerca de las acciones, estados y sucesos denotados generalmente por los verbos *(lentamente, pronto)*. Algunos adverbios *(casi, muy)* también se utilizan con adjetivos para modificar la información que éstos aportan sobre las cosas *(Los objetos* **muy** *grandes se mueven* **lentamente***, Me pasó una cosa* **muy** *extraña* **ayer***)*.

Las **preposiciones** son palabras *(a, en, sobre, tras, por, con, sin)* que se emplean junto a los nombres para construir sintagmas que ofrecen información de carácter temporal (**a** las cinco, **por** la mañana), locativo *(**en** la mesa, **tras** la ventana)* o de otra índole *(**con** un cuchillo, **sin** aliento)* acerca de las acciones y las cosas.

Los **pronombres** son las palabras *(yo, mí, ellos, esto, tú)* que se utilizan en lugar de los sintagmas nominales y que normalmente se refieren a personas o cosas previamente conocidas *(**Ellos me** dijeron que **esto te** pertenecía)*.

Las **conjunciones** son las palabras *(y, pero, si, aunque)* que utilizamos para conectar e indicar las relaciones entre sucesos *(El marido de Ana era muy agradable* **y** *la ayudaba mucho* **cuando** *no podía hacer nada* **porque** *estaba embarazada)*.

Unas definiciones simples de este tipo son útiles para identificar la mayoría de las formas que existen en lenguas como el castellano o el inglés, aunque nunca resultan totalmente apropiadas. Una manera diferente de caracterizar las partes de la oración pasaría por concentrarse en algunas de sus restantes propiedades. Por ejemplo, un nombre puede definirse como una forma que siempre va detrás de un artículo *(el, una)* y que puede flexionarse para señalar género *(-a, -o)* y número *(-s)*. Desde luego, no todos los nombres poseen estas características (piénsese en *información* o en *crisis)*. Además es poco probable que estas propiedades sirvan para describir los nombres de otras muchas lenguas. Como se discutirá más adelante, es preciso establecer, por tanto, una manera alternativa de analizar los nombres y las restantes partes de la oración, si se pretende realizar un análisis estructural apropiado.

Concordancia

Además de los términos utilizados para designar las partes de la oración, el análisis gramatical tradicional también nos ha legado otras categorías, como «número», «persona», «tiempo», «voz» o «género». Estas categorías pueden discutirse por separado, pero el papel que desempeñan a la hora de describir la estructura de una lengua se entiende mejor si nos centramos en el fenómeno de la **concordancia**. Por ejemplo, decimos habitualmente que el verbo *pasea* «concuerda» con el nombre *niño* en una oración como *El niño pasea a su perro.*

En este ejemplo concreto la concordancia se basa, en parte, en la categoría de **número**, esto es, en el hecho de que el nombre sea singular o plural, pero también en la categoría de **persona**, que supone una distinción entre la primera persona (que se refiere al hablante), la segunda persona (que denota al oyente) y la tercera persona (que se refiere al resto de los sujetos). Las diferentes formas de los pronombres también se describen normalmente en términos de persona y número, con lo que tenemos una primera persona del singular *(yo)*, una segunda persona del singular *(tú)*, una tercera persona del singular *(él, ella, ello)*, una primera persona del plural *(nosotros, nosotras)*, etc. Así, en el caso particular de la oración *El niño pasea a su perro*, tenemos un nombre, *niño*, que puede reemplazarse por un pronombre personal de tercera persona del singular *(él)*, de ahí que el verbo, *pasea*, no se use en infinitivo *(pasear)*, ni en primera persona del singular *(paseo)*, sino también en tercera persona del singular *(pasea)*. Decimos, en consecuencia, que el verbo *pasea* concuerda con el nombre *niño*.

Además, la forma del verbo también debe describirse en términos de otra categoría, la de **tiempo**. En este caso el verbo *(pasea)* está en presente, de manera que se distingue de las formas de pasado *(paseaba, paseó)*. Esta oración está además en **voz activa**, puesto que describe lo que hace el niño (es decir, él lleva a cabo la acción denotada por el verbo). Una forma alternativa habría sido la **voz pasiva**, que se emplearía para describir lo que le sucede al niño (es decir, no es él quien realiza la acción denotada por el verbo), como ocurriría en oraciones como *El niño es paseado por su perro*, o *Sólo el niño es paseado*.

Por último, contamos la categoría de **género**, que nos permite describir la concordancia que existe entre *niño* y *paseado* en el ejemplo anterior (masculino). En lenguas como el inglés resulta obligatorio describir esta relación a partir del **género natural**, que deriva básicamente de una distinción biológica entre el macho y la hembra. La concordancia entre, por ejemplo, *boy* y *his*, en una oración como *The boy loved his dog* («El niño quería a su perro»), se basa en la distinción que hace el inglés del hecho de referirse a entidades de sexo masculino (*he* «él», *his* «su» masculino), a entidades de sexo femenino (*her* «ella», *her* «su» femenino), o a entidades o animales en los casos en los que el sexo es irrelevante (*it, its* «ello, su»).

El género gramatical

El tipo de distinción biológica de la que hace uso una lengua como el inglés es totalmente diferente de la que emplean lenguas que utilizan el **género gramatical**. Mientras que en el primer caso el género se basa en el sexo (macho o hembra), en lo que concierne al género gramatical los nombres se agrupan de acuerdo con una clase de género (masculino y femenino) que no tiene por qué estar relacionada con el sexo. En este último caso, los artículos y los adjetivos toman normalmente formas diferentes para concordar con el género del nombre.

En castellano, por ejemplo, tenemos dos géneros gramaticales, masculino y femenino, que podemos ilustrar con los sintagmas *el sol* y *la luna*, respectivamente. El alemán utiliza tres géneros: masculino (*der Mond* «la luna»), femenino (*die Sonne* «el sol») y neutro (*das Feuer* «el fuego»). Las diferentes formas de los artículos, tanto en castellano como en alemán, se corresponden con las diferencias de género que existen entre los nombres.

Conviene recalcar una vez más que la distinción de género no se basa en estos casos en una diferencia de sexo. Una chica joven es biológicamente una «hembra», pero el nombre alemán *das Mädchen*, que se emplea para hacer referencia a ella, es gramaticalmente neutro. La expresión francesa *le livre* («el libro») es masculina gramaticalmente, pero no diríamos que los libros son de sexo masculino en términos biológicos. En consecuencia, la categoría gramatical del género es muy útil cuando se aplica a la descripción de numerosas lenguas (incluyendo el latín), pero quizá no sea tan apropiada en el caso de otras, como el inglés.

El análisis tradicional

Normalmente no se suele tener en cuenta lo «apropiadas» que pueden resultar las categorías analíticas para una lengua determinada. En los libros de gramática tradicional del inglés, por ejemplo, encontramos a menudo tablas como la que se incluye a continuación, construidas por analogía con tablas semejantes creadas para el latín. Las formas del verbo latino *amare* («amar», *«to love»* en inglés) son las que figuran a la derecha.

	Primera persona del singular	*I love*	*amo*
	Segunda persona del singular	*you love*	*amas*
Tiempo presente,	Tercera persona del singular	*he loves*	*amat*
voz activa	Primera persona del plural	*we love*	*amamus*
	Segunda persona del plural	*you love*	*amatis*
	Tercera persona del plural	*they love*	*amant*

Conviene tener en presente que, si bien cada forma del verbo latino es diferente de acuerdo con las categorías de persona y número, las formas del inglés son, con excepción de una, todas iguales. Ciertamente puede tener sentido recurrir a todas estas categorías descriptivas cuando analizamos una lengua como el latín, pero resulta un sistema descriptivo un tanto inútil en el caso del inglés. La influencia del latín, sin embargo, va más allá de las meras etiquetas descriptivas.

El enfoque prescriptivo

Una cosa es adoptar etiquetas gramaticales (por ejemplo, nombre o verbo) para caracterizar las palabras de las oraciones inglesas y otra totalmente diferente es afirmar que la estructura de las oraciones inglesas debería ser similar a la estructura de las oraciones latinas. Sin embargo, esto fue lo que plantearon algunos gramáticos de renombre, sobre todo en la Inglaterra del siglo XVIII, los cuales establecieron una serie de reglas para el uso «correcto» o «conveniente» del inglés. Considerar la gramática como un conjunto de reglas para el uso correcto de una lengua es algo que todavía sigue vigente hoy en día y puede caracterizarse como el **enfoque prescriptivo** del análisis gramatical. Algunos ejemplos de esas reglas prescriptivas para el inglés son las siguientes:

(1) No debes romper un infinitivo.
(2) No debes acabar una oración con una preposición.

De acuerdo con este tipo de reglas, cualquier profesor tradicional de inglés considerará incorrectas oraciones como *Who did you go with?* (literalmente, «¿Quién fuiste con?»), en lugar de *With whom did you go?* («¿Con quién fuiste?») (evitando, así, que la oración termine con la preposición *with*); o *Mary runs faster than me* («Mary corre más rápido que mí», literalmente), en lugar de *Mary runs faster than I* («Mary corre más rápido que yo»). Y, en consecuencia, sería cierto que habría que reemplazar *Me and my familiy,* por *My family and I*, como recomendaba Ann Landers en la cita que encabezaba este capítulo.

De hecho, esta «corrección lingüística», esta «etiqueta en el uso del idioma», puede ser una parte importante de la educación que uno recibe. Si socialmente se considera que alguien que escribe bien es aquel que obedece este tipo de reglas prescriptivas, entonces lo normal es que quien no las siga sea considerado como alguien «de bajo nivel cultural». Sin embargo, resulta más productivo tratar de reflexionar sobre el posible origen de este tipo de reglas y de preguntarse si son aplicables a una lengua como el inglés. Veamos un ejemplo: «No debes romper un infinitivo».

El infinitivo del Capitán Kirk

El infinitivo en inglés tiene la forma *to* + verbo, como es el caso de *to go* («ir»), y puede utilizarse junto con un adverbio como *boldly* («audazmente»). Pues bien, resulta que al principio de cada episodio de la serie de televisión *Star Trek*, el capitán Kirk utilizaba la expresión *To boldly go...* («Ir audazmente...»). Este es un ejemplo de lo que supone romper un infinitivo. El profesor de inglés del capitán Kirk debería haberle enseñado a decir *To go boldly* o *Boldly to go*. Si el capitán Kirk hubiera sido un viajero del espacio romano, hubiera utilizado las expresiones *ire* («ir») y *audacter* («audazmente»), pero, al decir *Ire audacter* no hubiera tenido nunca la oportunidad de romper el infinitivo *(ire),* ya que los infinitivos latinos no están constituidos por dos palabras, sino por una. No hay nada que romper en latín.

En consecuencia, resulta plenamente razonable que una gramática latina afirme que no se pueden romper los infinitivos, pero, ¿es apropiado trasladar esta idea al inglés, donde el infinitivo consta de dos palabras, *to* y *go*? Si es característico que al usar el inglés escritores y hablantes produzcan formas como *to boldly go* («ir audazmente»), *to solemnly swear* («jurar solemnemente»), o *to never ever say goodbye* («no llegar a decir siquiera adiós»), lo deseable es poder decir que hay estructuras en inglés que difieren de las que encontramos en latín, y no tener que aceptar, en cambio, que estas formas inglesas son «malas» por estar violando supuestamente una regla gramatical latina.

El enfoque descriptivo

En principio, puede resultar útil recurrir a una descripción gramatical bien consolidada, como la del latín, para estudiar determinadas lenguas, como el castellano o el italiano. En el caso de otras lenguas, como el inglés, este recurso se revela, cuando menos, apropiado. Pero puede llegar a ser totalmente contraproducente en el caso de muchas lenguas no europeas. Este último extremo se hizo evidente para aquellos lingüistas que quisieron describir la estructura de las lenguas indias de Norteamérica a finales del siglo XIX. Las categorías y las reglas que eran apropiadas para la gramática latina no parecían servir en el caso de las lenguas indias. La consecuencia fue que durante el siglo pasado se terminó adoptando un enfoque completamente diferente. Los lingüistas han pasado a recoger datos y ejemplos de las lenguas en las que están interesados, para a continuación intentar describir las regularidades estructurales que se desprenden de dichos datos las cuales caracterizan a las lenguas cuando se usan y no la manera en que se supone que deberían usarse. A esta forma de proceder se la conoce como **enfoque descriptivo**.

El análisis estructural

Un tipo de enfoque descriptivo es el **análisis estructural**, cuyo principal interés consiste en determinar la distribución de las distintas formas en una lengua determinada. El método de análisis implica la utilización de «marcos de prueba» *(test-frames)*, que suelen ser oraciones con posiciones vacías, como, por ejemplo:

La _____ hace mucho ruido
Oímos una _____ ayer

En castellano existen numerosas formas que pueden ocupar estas posiciones y dar lugar a oraciones gramaticales (por ejemplo: *música, explosión, niña, grabación,* etc.). Por consiguiente, podemos sugerir que, puesto que todas estas formas pueden ocupar la misma posición vacía en el mismo marco de prueba, seguramente se trata de ejemplos de una misma categoría gramatical. La etiqueta que le damos a esta categoría gramatical es, claro está, la de «nombre».

Sin embargo, hay otras muchas formas que no pueden ocupar las posiciones vacías existentes en los marcos de prueba anteriores. Algunos ejemplos serían *esto, el perro, un coche,* etc. (es decir, oraciones como **La esto hace mucho ruido* u *Oímos una un perro ayer* resultan agramaticales). Para estas formas son necesarios otros marcos de prueba, que podrían ser los siguientes:

_____ hace mucho ruido

Oímos _____ ayer

Entre las formas que casan adecuadamente con estos marcos se encuentran *esto*, *el perro*, *un viejo coche*, *el profesor con acento gallego* y otras muchas. De nuevo, resulta razonable inferir que estas formas son seguramente ejemplos de una misma categoría gramatical. La etiqueta más común para designarla es «sintagma nominal».

Si tenemos en cuenta que una palabra como *ella* (o *la* en el segundo marco) llena adecuadamente los espacios vacíos de los marcos de prueba del segundo grupo, pero no los del primero *(*La ella hace mucho ruido)*, podremos mejorar la definición de pronombre que propusimos anteriormente. Si tradicionalmente se caracterizaba a los pronombres como «las palabras que se emplean en lugar de los nombres», podemos afirmar ahora que resulta más exacto definirlos como «las palabras que se emplean en lugar de los sintagmas nominales» (y no simplemente de los nombres). Se puede elaborar una descripción de las características estructurales de las oraciones de una lengua (o por lo menos de algunas de ellas) desarrollando un conjunto de marcos de prueba como los que hemos visto y determinando cuáles son las formas capaces de ocupar las posiciones vacías que hay en ellos.

Análisis de constituyentes inmediatos

Otro enfoque que tiene el mismo objetivo descriptivo que el análisis estructural es el que se denomina **análisis de constituyentes inmediatos**. La técnica empleada en este caso se ha diseñado con objeto de lograr mostrar la forma en que los constituyentes (o componentes) de menor tamaño de las oraciones se unen para formar constituyentes mayores. Para ello, un paso crucial consiste en determinar la manera en la que las palabras se agrupan para constituir sintagmas. En el siguiente ejemplo podemos identificar ocho constituyentes (en el nivel «palabra»): *Su padre llevó una pistola a la boda.* ¿Cómo se agrupan estos ocho constituyentes para formar los correspondientes constituyentes en el nivel «sintagma»? ¿Sería apropiado unirlos de la siguiente manera?

llevar una   padre llevó   pistola a   a la   boda su

Normalmente, estas combinaciones no se consideran sintagmas en español. Los constituyentes que sí parecen corresponderse con sintagmas serían combinaciones del tipo *Su padre*, *una pistola*, *la boda*, que son sintagmas nominales; *a la boda*, que es un sintagma preposicional; y *llevó una pistola*, que es un sintagma verbal.

Este análisis de la estructura de constituyentes de la oración puede representarse mediante diferentes tipos de diagramas. Uno particularmente sencillo es el que muestra la distribución de los constituyentes en diferentes niveles.

Su	padre	llevó	una	pistola	a	la	boda

Como se ilustra a continuación, este tipo de diagrama puede utilizarse para mostrar qué elementos pueden ser sustituidos por otros en cada uno de los niveles de la estructura de constituyentes. Una de las ventajas que presenta este tipo de análisis es que muestra de forma bastante inequívoca que los nombres propios, como *Olga*, y los pronombres, como *ella*, pueden emplearse en lugar de sintagmas nominales completos, a pesar de tratarse de palabras únicas.

Su	padre	llevó	una	pistola		a	la	boda
La	mujer	guardó	una	gran	serpiente	en	una	caja
Olga		vio	Friends			en	televisión	
Ella		abrió	eso			cuidadosamente		

Oraciones etiquetadas y encorchetadas

Otro tipo de diagrama diferente está diseñado para mostrar la manera en que se pueden distinguir los constituyentes de la estructura de una oración mediante corchetes etiquetados. El primer paso consiste en colocar adecuadamente los corchetes (uno a cada lado) para aislar cada uno de los constituyentes apropiados; seguidamente se van poniendo corchetes adicionales alrededor de cada combinación de constituyentes apropiada. Así, por ejemplo:

$$\Big[\ [\ [\ El\ ]\ [\ perro\ ]\ ]\ \Big[\ [\ enterraba\ ]\ [\ [\ un\ ]\ [\ hueso\ ]\ ]\ \Big]\ \Big]$$

Mediante este procedimiento se logra mostrar simultáneamente los diferentes constituyentes de la oración en el nivel de «palabras» [*el*], en el nivel de «sintagmas» [*el perro*] o [*enterraba un hueso*], y en el nivel de «oraciones» [*el perro enterraba un hueso*].

Resulta evidente que podemos etiquetar cada constituyente con un término gramatical abreviado, como *Art* (= artículo), *N* (= nombre), *SN* (= sintagma nominal), *V* (= verbo) o *SV* (= sintagma verbal). En el siguiente diagrama se han colocado estas etiquetas junto a los corchetes que delimitan el principio y el final de cada constituyente. El resultado es un análisis encorchetado y etiquetado de la estructura de constituyentes de la oración.

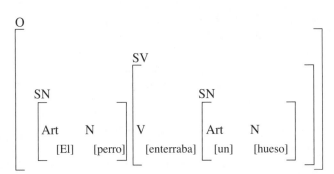

Al hacer este tipo de análisis no nos hemos limitado a etiquetar cada constituyente, sino que también hemos puesto de manifiesto su **organización jerárquica**. En esta jerarquía la oración (O) está en un nivel más alto que el sintagma nominal (SN), un elemento al que contiene. A su vez, el sintagma nominal (SN) está en un nivel más alto que el nombre (N), al que también contiene. Asimismo, resulta posible advertir que la oración (O) contiene un sintagma verbal (SV), el cual incluye, a su vez, un verbo (V) y otro sintagma nominal (SN). Volveremos a este importante concepto de la organización jerárquica de la estructura gramatical en el próximo capítulo.

Sin embargo, y antes de continuar, deberíamos advertir que el análisis de constituyentes no sólo sirve para describir las oraciones castellanas, sino que también podemos emplearlo para analizar una frase de una lengua con una estructura significativamente diferente de la del español.

Una oración en gaélico

A continuación se recoge un ejemplo de oración en gaélico escocés, que podríamos traducir como *El niño vio el perro negro*:

Chunnaic	*an*	*gille*	*an*	*cu*	*dubh*
ver	el	niño	el	perro	negro

Una diferencia muy evidente entre la estructura de esta oración gaélica y su correspondiente traducción al castellano es el hecho de que el verbo aparece en la primera posición de la oración. Otra característica particularmente notable es que al usar un adjetivo es preciso situarlo detrás del sustantivo al que califica. Podemos representar estas consideraciones estructurales mediante el siguiente diagrama:

El diagrama pone de evidencia que la estructura de la oración gaélica es V SN SN, lo que difiere significativamente de la estructura que tenía la oración castellana que hemos analizado previamente, SN V SN.

Evidentemente, el objetivo de este tipo de análisis no es simplemente dibujar diagramas que parezcan muy complejos para impresionar a nuestros amigos. El objetivo es hacer explícito, gracias al diagrama, lo que creemos que es la estructura de las oraciones consideradas gramaticales en una lengua determinada. También nos permite describir claramente las oraciones como combinaciones de sintagmas que, a su vez, lo son de palabras. Si a continuación examinamos descripciones como la anterior de oraciones de otras lenguas, como el gaélico, el japonés o el inglés, podremos advertir claramente las diferencias estructurales que existen entre ellas. En un nivel muy aplicado, puede ayudarnos a entender, por ejemplo, por qué un español que está aprendiendo inglés genera sintagmas como *the wine white* («el vino blanco») en lugar de *the white wine*. Lo que sucede simplemente es que está haciendo uso de una organización de constituyentes que es posible en español, pero no en inglés.

■ Ejercicios

1. Indica los términos que se suelen emplear tradicionalmente para designar las categorías a las que pertenecen las palabras utilizadas en la siguiente oración (por ejemplo, *niño* = nombre):

   El niño frotó la lámpara mágica y repentinamente apareció un genio delante de él.

2. ¿Qué diferencia existe entre el género gramatical y el género natural?

3. ¿Qué reglas prescriptivas, discutidas en el texto, encaminadas a lograr un uso «correcto» del inglés, se están violando en las siguientes oraciones? ¿Cuál sería la forma «correcta» de las mismas?

   (a) *The old theory consistently failed to fully explain all the data.*
   («La teoría precedente fallaba sistemáticamente a la hora de explicar exhaustivamente todos los datos.»)

   (b) *I can't remember the name of the person I gave the book to.*
   («No puedo recordar el nombre de la persona a quien le di el libro»)

4. ¿Qué problema presenta la definición tradicional de pronombre (especialmente en el caso del inglés)?

5. A partir del significado de las siguientes palabras gaélicas, intenta traducir las oraciones que aparecen a continuación:

   mor («grande»)
   beag («pequeño»)
   bhuail («pegar»)
   duine («hombre»).

   (a) *Bhuail an gille beag an cu dubh*

   (b) *Chunnaic an cu an duine mor*

6. Haz un análisis encorchetado y etiquetado de la oración: *El ladrón robó una maleta.*

7. La mayoría de los intentos modernos por caracterizar la estructura de las oraciones están basados en un determinado enfoque. ¿Cómo se llama dicho enfoque? ¿A qué principio general se adhiere?

■ Tareas de investigación

A. En este capítulo hemos hablado acerca de la «corrección» de la gramática. ¿En qué crees que consistirá el fenómeno de la hipercorrección?

B. ¿Qué es el aspecto? ¿Se emplea en la descripción gramatical del inglés? ¿Y en la del español?

C. El análisis estructural de las oraciones básicas del castellano (SN V SN) se describe normalmente como Sujeto Verbo Objeto o SVO. El orden básico de la oración en gaélico (V SN SN) se describe, en cambio, como Verbo Sujeto Objeto o VSO.

(i) Después de analizar los siguientes ejemplos (basados en Inoue, 1979), ¿cómo describirías el orden básico de las oraciones del japonés? ¿Cómo SVO, como VSO o como otro diferente?

(1). *Jakku-ga   gokkoo-e   ikimasu*
Jack   escuela a   ir
(«Jack va a la escuela»)

(2). *Kazuko-ga   gakkoo-de   eigo-o   naratte   imasu*
Kazuko   escuela a   inglés   aprender   estar
(«Kazuko está aprendiendo inglés en la escuela»)

(3). *Masuda-ga   tegami-o   kakimasu*
Masuda   carta   escribir
(«Masuda escribe una carta»)

(4). *Jon-ga   shinbun-o   yomimasu*
John   periódico   leer
(«John lee un periódico»)

(5). *Kore-ga   Jakku-ga tateta   uchi   desu*
esta   Jack   construir   casa   es
(«Esta es la casa que Jack construyó»)

(ii) Utilizando las formas *tabemashita* («comió»), *ringo* («manzana») y -ni («en»), ¿cuál sería la traducción al japonés de dos oraciones como *Kazuko se comió una manzana* y *John está en la escuela*?

D. A continuación se recogen algunos ejemplos de oraciones de dos lenguas diferentes. Las del primer grupo (1) proceden del latín, mientras que las del segundo grupo (2) provienen del amuzgo, una lengua de México (los ejemplos se han adaptado a partir de Merrifield *et al.*, 1962).

1. *puellae aquilas portant*   «las niñas llevan las águilas»
feminae columbas amant   «las mujeres aman las palomas»
puella aquilam salvat   «las niña salva al águila»
femina parvam aquilam liberat   «la niña libera al águila pequeña»
magna aquila parvam   «el águila grande lucha con la
    columbam pugnat   paloma pequeña»

2. *macei'na tyocho kwi com*   «el niño está leyendo un libro»
kwil'a yonom kwi w'aa   «los hombres están construyendo una casa»
nnceihnda yusku kwi com we «la mujer comprará un libro rojo»

kwil'a yonom ndee meisa «los hombres están fabricando tres mesas»
macei'na kwi tyocho com t'ma «un niño está leyendo el libro grande»

(i) Haciendo uso de lo que has aprendido acerca del latín, traduce con exactitud a esta lengua la oración *Las palomas aman a la niña pequeña*.

(ii) ¿Cómo se escribiría en amuzgo *Una mujer grande está leyendo el libro rojo*?

(ii) En lo que se refiere al orden básico de los constituyentes de la oración, ¿cuál de las lenguas siguientes se parece más al amuzgo: inglés, gaélico, japonés o latín?

(iv) Estudia la estructura básica de constituyentes de las oraciones de cada lengua y después descríbela a partir de los constituyentes del nivel de «sintagma».

■ Temas/proyectos de discusión

I. En este capítulo se ha mencionado de pasada la categoría gramatical del tiempo, poniéndose algún ejemplo de la distinción entre los tiempos pasado y presente. El inglés no tiene una forma verbal para el tiempo futuro, aunque sí dispone de numerosas formas para hacer referencia a este tiempo (estas formas también aparecen en otras lenguas, como el castellano, que sí dispone de formas verbales de futuro). Lee las oraciones siguientes junto con sus traducciones y decide qué referencias temporales se utilizan en ellas. Trata de justificar a continuación si las etiquetas «pasado», «presente» y «futuro» son apropiadas para describir las formas que se utilizan en cada una de ellas. Intenta describir cómo se forma el «tiempo futuro» en inglés.

1. *We may forgive, but we shall never forget.*
   Podemos perdonar, pero nunca olvidaremos.
   («Perdonaremos, pero no olvidaremos»)

2. *We'll leave if you want.*
   («Nos iremos si quieres»)

3. *Jenny is arriving at eight o'clock in the morning.*
   Jenny está llegando a las ocho de la mañana.
   («Jenny llegará a las ocho de la mañana»)

4. *Your plane leaves at noon tomorrow.*
   («Tu avión sale mañana a mediodía»)

5. *They were about to leave when I arrived.*
   («Estaban a punto de irse cuando yo llegué»)

6. *We're going to visit Paris next year.*
   Estamos yendo a visitar París el año que viene.
   («Vamos a visitar París el año que viene»)

7. *She said Jim was leaving next week.*
   Ella dijo que Jim se estaba yendo la semana próxima.
   («Ella dijo que Jim se iba la próxima semana»)

8. *I wish I had a million dollars.*
   Deseo que yo tuviera un millón de dólares.
   («Me gustaría tener un millón de dólares»)

9. *The president is to visit Japan in May.*
   El Presidente está para visitar Japón en mayo.
   («El Presidente va a visitar Japón en mayo»)

10. *Water will freeze at zero degrees Centigrade.*
    El agua se congelará a cero grados centígrados.
    («El agua se congela a cero grados centígrados»)

(Para obtener información básica sobre esta cuestión puedes leer la sección acerca del «Futuro» en Hurford, 1994.)

II. Según el enfoque descriptivo, «agramatical» significa simplemente «formado incorrectamente» en términos puramente estructurales. Sin embargo, el término «agramatical» se emplea, asimismo, con un significado más general. Indica cuáles de las siguientes oraciones crees que deberían considerarse «agramaticales» en inglés y explica las razones que, según tu opinión, justifican tu respuesta:

1. *There's hundreds of students waiting outside.*
   («Hay cientos de estudiantes esperando fuera»)

2. *Who's there? It's me and Lisa.*
   («¿Quién está ahí? Somos Lisa y yo»)

3. *Ain 't nobody gonna tell me what to do.*
   («Nadie va a decirme lo que tengo que hacer»)

4. *You wasn't here when he come looking for you.*
   («Tú no estabas cuando vino buscándote»)

5. *I hate lobsters anymore.*
   («No soporto la langosta en absoluto»)

6. *Are y'all coming to see us soon?*
   («¿Vais a volver pronto a visitarnos?»)

7. *That chair's broke, so you shouldn't ought to sit on it.*
   («Esa silla está rota, por lo que no deberías sentarte en ella»)

8. *I can't remember the name of the hotel that we stayed in it.*
   («Soy incapaz de recordar el nombre del hotel en el que estuvimos»)

9. *I never seen anything.*
   («No he visto nada»)

10. *If you'd have come with, we'd have had more fun.*
    («Si hubieras venido con nosotros, nos lo habríamos pasado mucho mejor»)

(Para obtener información básica sobre esta cuestión puedes consultar el capítulo 7 de Napoli, 2003.)

III. ¿Podrías elaborar un único diagrama, siguiendo el formato de un análisis de constituyentes inmediatos, que incorporase todos los constituyentes de las oraciones siguientes? ¿Qué problemas tendrías que resolver?

Un amigo me prestó el coche en Junio. Llegaron ayer.
Mis padres compraron dos billetes en Navidades. Susana se fue.
Vimos esta película durante el verano. El caco la robó el año pasado.

IV. En el caso de las oraciones que se ofrecen a continuación, los diferentes tipos de descripción gramatical que hemos considerado en este capítulo se limitarían a proponer una caracterización de su forma y de su organización estructural. ¿Es esto lo que todo el mundo considera una «gramática»? ¿Habría algo más que decir sobre dichas oraciones?

1. *Yo no sé nada sobre esto.*
2. *Tú no estabas aquí cuando él viene buscándote.*
3. *Habían cientos de estudiantes aquí.*
4. *Me se ha perdido un billete de diez talegos.*
5. *Pienso de que es verdad.*
6. *Hemos visto cinco de rojos.*
7. *El libro está detrás mío.*

■ Lecturas adicionales

Una introducción alternativa a las categorías gramaticales es Hurford (1994) o el capítulo 5 de Brinton (2000). Gramáticas de referencia del inglés moderno son las de Biber *et al.* (1999), Huddleston y Pullum (2002) y Quirk *et al.* (1985). Una gramática del castellano, autorizada por la Real Academia Española de la Lengua, es decir, que contiene aspectos normativos, es la de E. Alarcos Llorach: *Gramática de la Lengua Española*, Espasa Calpe, Madrid, 1994. También puede consultarse la gramática de Juan Alcina Franch y José Manuel Blecua: *Gramática Española*, Ariel, Barcelona, 1988. Una práctica guía acerca del uso actual del inglés es la de Swan (2005). Para aprender inglés pueden utilizarse los manuales de Celce-Murcia y Larsen-Freeman (1999), Downing y Locke (2002) o el de Yule (1998). Para la cuestión más específica de la gramática prescriptiva, véase Bryson (1990), Cameron (1995) o el capítulo 15 de Lakoff (1990). En lo concerniente a la cuestión del género gramatical, véase Corbett (1991). Para todo lo relativo al análisis estructural de constituyentes, véase Brown y Miller (1991), donde también es posible encontrar un apartado dedicado específicamente a la estructura de la oración en gaélico.

9 Sintaxis

Después de una conferencia sobre cosmología y sobre la estructura del sistema solar, una menuda y anciana señora se acercó a William James y le dijo que estaba equivocado si pensaba que la Tierra giraba alrededor del Sol.
—Yo tengo una teoría mejor –dijo la anciana.
—¿Y cuál es, señora? –le preguntó James cortésmente.
—Que vivimos en un trozo de tierra que está en equilibrio sobre la concha de una tortuga gigante.
—Si su teoría es correcta, señora, –preguntó James– ¿sobre qué se apoya esa tortuga?
—Es usted un hombre muy inteligente, señor James. Es una pregunta muy buena, –contestó ella– pero yo tengo la respuesta. La primera tortuga está apoyada sobre la concha de una segunda tortuga mucho mayor.
—Pero, ¿dónde se apoya esa segunda tortuga? –insistió James pacientemente.
La dama respondió, triunfante:
—No siga por ahí, señor James, siempre hay una tortuga debajo.

Adaptado de Ross (1967)

En el capítulo anterior comenzamos revisando las categorías y los conceptos característicos de la gramática tradicional, para terminar ocupándonos de los métodos más específicos que se emplean actualmente para describir la estructura de los sintagmas y de las oraciones. Cuando nos interesamos por la estructura de las oraciones de una lengua determinada y por la manera en que se organizan los constituyentes que las integran, estamos estudiando lo que se conoce técnicamente como la **sintaxis** de esa lengua. La palabra «sintaxis» es de origen griego y significaba literalmente «juntar» o «combinar». Tal como vimos en el capítulo 8, en los primeros intentos de descripción sintáctica lo que se buscaba fundamentalmente era caracterizar de la manera más precisa posible la secuencia o «la disposición ordenada» de los elementos en la estructura lineal de la oración. Y aunque éste sigue siendo uno de los principales objetivos de cualquier análisis sintáctico, los estudios más recientes en el campo de la sintaxis han optado por utilizar nuevos enfoques, capaces de caracterizar adecuadamente los tipos de «combinaciones» que pueden detectarse en la estructura de las oraciones.

Gramática generativa

Desde los años cincuenta, especialmente a partir de los estudios llevados a cabo por el lingüista norteamericano Noam Chomsky, se ha intentado postular un tipo especial de gramática que esté compuesto por un sistema particularmente explícito de reglas que especifiquen las combinaciones de elementos básicos que dan lugar a oraciones correctamente formadas en cada lengua. En principio, este sistema explícito de reglas sería muy parecido a los que se utilizan en el análisis matemático. El propio Chomsky parece ser partidario de la idea de que la estructura fundamental de una lengua puede expresarse en términos matemáticos: «Consideraré que una lengua es un conjunto (finito o infinito) de oraciones» (1957: 13). Casi nadie describiría una lengua de esta forma, pero resulta ser una buena definición, que conviene tener presente mientras tratamos de examinar con más detalle la manera en la que puede analizarse la sintaxis (y sólo la sintaxis) de una lengua.

Este enfoque matemático es el que permite entender el significado del propio término «generativo» cuando se utiliza para caracterizar este tipo de gramáticas. Dada una expresión algebraica determinada, como $3x+2y$, podemos dar a x y a y un valor entero cualquiera. El resultado es que esta simple expresión algebraica es capaz de «generar» un número de valores infinito, siempre que nos atengamos a las reglas más sencillas de la aritmética. Cuando los valores son $x = 5$ e $y = 10$, el resultado es 35; si son $x = 2$ e $y = 1$, el resultado es 8. Y así, sucesivamente. Los resultados obtenidos derivan de forma directa y completamente predecible de la aplicación de la regla explícita anterior. El conjunto de estos resultados, que es infinito, se «genera» como consecuencia de la aplicación de dichas reglas. Si las oraciones de una lengua pueden considerarse como un conjunto comparable al de los números, entonces debería existir también un conjunto de reglas explícitas cuya aplicación diera lugar a todas esas oraciones. Un conjunto de reglas explícitas de este tipo es lo que se denomina una **gramática generativa**.

Estructuras sintácticas

Cualquier gramática generativa ha de ser capaz de definir las estructuras sintácticas de una lengua. La gramática generará todas las estructuras sintácticas correctamente formadas (es decir, las oraciones) de dicha lengua y ninguna que no lo esté. Este criterio se suele denominar «todas y sólo» (*todas* las oraciones gramaticales y *sólo* las oraciones gramaticales).

Una gramática de este tipo estará formada por un número finito (es decir, limitado) de reglas, pero que será capaz de generar un número infinito de estructuras correctamente formadas. De esta forma, la gramática podrá dar cuenta de la productividad del lenguaje (es decir, de nuestra capacidad de crear oraciones completamente nuevas, pero, a la vez, plenamente gramaticales).

Una gramática de este tipo también debería ser capaz de explicar las causas de otros dos fenómenos particularmente importantes. En primer lugar, la razón por la que dos oraciones que son diferentes superficialmente están estrechamente relacionadas. En segundo lugar, la razón por la que dos oraciones superficialmente parecidas son, de hecho, diferentes.

Estructura profunda y superficial

Dos oraciones superficialmente distintas serían, por ejemplo, las siguientes:

Nacho consiguió un trofeo
El trofeo fue conseguido por Nacho.

Según la terminología tradicional, la primera es una oración activa, que se centra en lo que *Nacho* hizo, y la segunda es una pasiva, que presta especial atención al *trofeo* y a lo que sucedió con él. Se puede decir que ambas oraciones difieren en su **estructura superficial**, es decir, en el hecho de que poseen una estructura sintáctica diferente. Sin embargo, esta diferencia en la forma superficial enmascara el hecho de que ambas oraciones están muy estrechamente relacionadas, o que son, incluso, idénticas en un nivel un poco menos superficial.

Este otro nivel subyacente, donde estarían representados los componentes básicos compartidos por las dos oraciones (sintagma nominal + verbo + sintagma nominal), se denomina **estructura profunda**. La estructura profunda es un nivel abstracto de organización, en el que están representados todos los elementos que determinan la interpretación estructural. Una misma estructura profunda pueda dar lugar a numerosas estructuras superficiales alternativas, como *Fue Nacho el que consiguió el trofeo* o *¿Consiguió Nacho el trofeo?* Por tanto, la gramática debe ser capaz también de mostrar la manera en que una única representación abstracta subyacente puede convertirse en diferentes estructuras superficiales.

Ambigüedad estructural

Supongamos que tenemos dos estructuras profundas diferentes que aluden a dos sucesos distintos: «Ana tenía un paraguas y con él pegó a un hombre» y «Ana pegó a un hombre que llevaba un paraguas». Estas dos ideas diferentes pueden, de hecho, expresarse recurriendo a una misma estructura superficial: *Ana pegó a un hombre con un paraguas*. Esta oración constituye un ejemplo del fenómeno que se denomina **ambigüedad estructural**. Una oración que es ambigua en este sentido cuenta con dos interpretaciones subyacentes, que han de representarse de forma diferente en la estructura profunda.

Groucho Marx sabía lo divertida que puede ser la ambigüedad estructural. En la película *Animal Crackers*, primero dice *One morning I shot an elephant in my pyjamas* («Una mañana disparé a un elefante en pijama»), para añadir seguidamente *How he got into my pyjamas I'll never know* («Cómo llegó a ponerse el pijama, es algo que nunca sabré»). En la interpretación «seria», la estructura profunda de la primera oración sería algo así como «Una mañana disparé a un elefante (mientras yo estaba) en pijama». En la interpretación alternativa (¡ja, ja!), la estructura profunda de dicha oración sería algo así como «Una mañana disparé a un elefante (mientras él estaba) en pijama». En definitiva, bajo una misma estructura superficial subyacen dos estructuras diferentes.

Los sintagmas también pueden ser estructuralmente ambiguos, como sucede en expresiones del tipo *hombres y mujeres mayores*. La interpretación subyacente puede ser tanto «hombres mayores + mujeres mayores» como «hombres (sin especificar su edad) + mujeres mayores». La gramática tendrá que ser capaz de poner de manifiesto y mostrar, finalmente, las diferencias estructurales que existen entre estas representaciones subyacentes.

Recursividad

Las reglas de una gramática de este tipo precisan también de una propiedad crucial como es la de la **recursividad**, es decir, la capacidad de poder aplicarlas más de una vez a la hora de generar una determinada estructura. Consideremos, por ejemplo, el sintagma preposicional *sobre la mesa*, que describe una localización y que forma parte de la oración *La pistola estaba sobre la mesa*. Resulta posible repetir este tipo de sintagma empleando palabras diferentes (*tras la ventana*) mientras que la oración siga teniendo sentido (añadamos ahora *del dormitorio*). En consecuencia, para generar una oración como *La pistola estaba sobre la mesa, tras la ventana del dormitorio* debemos poder repetir cuantas veces queramos la regla que da lugar a un sintagma preposicional.

Por otro lado, también debemos poder colocar las oraciones unas dentro de otras. Por ejemplo, cuando construimos una oración como *Catalina sabía que María leyó «Fausto»*, hemos introducido la oración *María leyó «Fausto»* dentro de *Catalina sabía (algo)*. A su vez, ambas oraciones pueden incluirse dentro de una tercera, como ocurriría en el caso de *Juan creía que Catalina sabía que María leyó «Fausto»*. En principio, la recursividad puede no terminar nunca, por lo que iríamos obteniendo variantes cada vez más complejas de oraciones compuestas de esta clase.

En pocas palabras, una gramática de este tipo tendrá que ser capaz de aprehender el hecho de que una oración puede tener otra oración dentro de ella o de que un sintagma puede repetirse tantas veces como sea necesario. Conviene tener presente que la recursividad de este tipo no sólo es una característica de la gramática, sino que también puede ser parte esencial de una hipótesis sobre el cosmos, como ocurría con el papel de las tortugas en la idea que la anciana, en la cita que encabeza este capítulo, tenía de la estructura del Universo.

Los símbolos utilizados en la descripción sintáctica

Habida cuenta de que ya hemos discutido algunos de los conceptos más relevantes de la sintaxis, conviene analizar seguidamente algunas de las maneras mediante las que se representa el análisis sintáctico. En el capítulo 8 han aparecido algunos de los símbolos que se utilizan como abreviaturas de las categorías sintácticas. Algunos de ellos son O (= oración), N (= nombre), Art (= artículo), SN (= sintagma nominal), etcétera. Existen otros tres símbolos que se emplean habitualmente en las descripciones sintácticas.

El primero de ellos es una flecha (→), que se puede interpretar como «consta de». Normalmente aparece de la siguiente forma:

SN → Art N

Esta es una manera sencilla y breve de decir que un sintagma nominal (por ejemplo, *el libro*) consta de un artículo (*el*) y un nombre (*libro*).

El segundo símbolo utilizado son los paréntesis ( ). Los elementos que aparecen dentro de estos paréntesis se consideran constituyentes opcionales. Así, por ejemplo, podemos caracterizar un objeto como *el libro* o como *el libro verde*. Ambos son ejemplos de la categoría sintagma nominal (SN). Cuando queramos formar un sintagma nominal en español siempre tendremos que incluir un artículo (*el*) y un nombre (*libro*), pero no resulta obligatorio incluir un adjetivo (*verde*). Se trata de un constituyente opcional de un sintagma nominal correctamente formado en castellano. Podemos representar esta peculiaridad de la sintaxis del español de la siguiente manera:

SN → Art N (Adj)

Esta notación abreviada expresa la idea de que un sintagma nominal consta obligatoriamente (→) de un artículo (Art) y de un nombre (N), pero que también puede contener un adjetivo (Adj), que ocupará una posición específica. El adjetivo es opcional. Usando esta notación podemos generar cosas como *el libro, el libro verde, un gato, un gato grande, una novela, una aburrida novela* y un largo etcétera de sintagmas nominales parecidos.

El tercer símbolo utilizado son las llaves { }. Indican que sólo se puede seleccionar uno de los elementos incluidos en su interior. Las llaves se utilizan cuando se puede elegir entre más de un constituyente diferente. Por ejemplo, en el capítulo 8 afirmamos que un sintagma nominal puede consistir en una expresión como *el perro* (artículo + nombre), o como *él* (pronombre), o como *Sultán* (nombre propio). Si utilizamos las abreviaturas «Pro» (para pronombre) y «NP» (para nombre propio), es posible captar esta peculiaridad del castellano mediante tres reglas diferentes, como se hace en (1). Sin embargo, resulta más sencillo escribir una única regla, como se lleva a cabo en (2), haciendo uso para ello de las llaves (la información es la misma en ambos casos). En (3) se ofrece una notación alternativa a (2) que también emplea las llaves:

(1)

SN → Art N
SN → Pro
SN → NP

(2)

$$\text{SN} \quad \rightarrow \quad \left\{ \begin{array}{l} \textbf{Art N} \\ \textbf{Pro} \\ \textbf{NP} \end{array} \right\}$$

(3)

SN → {Art N, Pro, NP}

Es importante recordar que, si bien dentro de las llaves aparecen tres constituyentes, sólo se puede seleccionar uno de ellos en cada ocasión.

Ahora ya podemos presentar una lista que resume los símbolos y las abreviaturas utilizados con mayor frecuencia en las descripciones sintácticas:

O: Oración
N: nombre
Pro: pronombre
NP: nombre propio
V: verbo
Adj: adjetivo
Art: artículo
Adv: adverbio
Prep: preposición
SN: sintagma nominal
SV: sintagma verbal

SP: sintagma preposicional
Conj: conjunción

* = secuencia agramatical
→ = consta de
( ) = constituyente opcional
{ } = uno y sólo uno de estos constituyentes puede ser seleccionado

Diagramas de árbol

En el capítulo 8 examinamos diversas formas de describir la estructura de las oraciones que, básicamente, se centraban en la secuencia lineal de sus constituyentes. Sin embargo, a continuación plantearemos que resulta posible reflejar algunos
aspectos de la organización jerárquica de dichas estructuras recurriendo a los diagramas. Una manera de lograr una representación aún más explícita de la organización jerárquica de una determinada estructura, como la que se muestra a continuación a la izquierda en el formato habitual que hace uso de etiquetas y de
corchetes, consiste en recurrir a los **diagramas de árbol**, como el que se muestra
a la derecha de esa misma ilustración:

Si bien se trata de un tipo especial de «árbol», dado que sus «ramas» no crecen
hacia arriba, sino hacia abajo, este tipo de representación diagramática contiene
toda la información gramatical que es posible encontrar en los otros tipos de análisis, como el que figuraba a la izquierda de la imagen. Asimismo, muestra de forma más explícita el hecho de que existen diferentes niveles de análisis sintáctico.
Es decir, tenemos un nivel de análisis en el que se representan determinados constituyentes, por ejemplo, SN; y otro nivel diferente, más bajo, en el que se representan otro tipo de constituyentes diferentes, como N. Este tipo de organización
jerárquica se puede ilustrar mediante un diagrama de árbol de una oración completa, en cuya cúspide aparece el símbolo O:

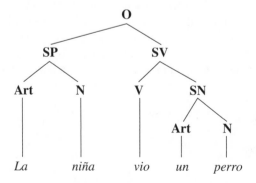

Si empezamos a describir este diagrama por arriba, lo que encontramos es la oración (O), que se divide en dos constituyentes (SN y SV). A su vez, el constituyente SN se divide en dos constituyentes adicionales (Art y N). Finalmente, se selecciona una palabra que cumple con el requisito de pertenecer a la categoría adecuada: Art *(la)* y N *(niña)*.

Reglas de estructura sintagmática

Podemos considerar este diseño de diagrama arbóreo de dos formas diferentes. Por un lado, lo podemos tratar simplemente como una representación estática de la estructura de la oración que figura en la parte inferior del mismo. Un corolario sería que para cada oración del castellano podría dibujarse un árbol de este tipo.

Un tratamiento alternativo consistiría en considerar el diagrama como un formato «dinámico», en el sentido de que representaría una manera de generar no sólo esa oración concreta, sino muchas otras con una estructura similar. Este enfoque alternativo resulta particularmente atractivo, ya que permite generar un número muy elevado de oraciones mediante un conjunto reducido de reglas. Estas reglas se denominan normalmente **reglas de estructura sintagmática**. Como su propio nombre indica, estas reglas postulan que la estructura de un determinado tipo de sintagma consiste en una serie de constituyentes específicos que han de aparecer en un orden concreto. Las reglas de estructura sintagmática permiten presentar la información que contiene el diagrama de árbol con un formato alternativo, como hicimos anteriormente cuando enumeramos algunos de los símbolos empleados para denotar los diferentes constituyentes de la oración. En suma, la información que contiene el diagrama de árbol que aparece a continuación a la izquierda puede expresarse también en forma de regla de estructura sintagmática, como se hace a la derecha del mismo:

$$SN \rightarrow Art\ N$$

Esta regla se lee de la siguiente manera: «un sintagma nominal consta de un artículo seguido de un nombre».

La primera de las reglas que integran el siguiente conjunto de sencillas reglas de estructura sintagmática (necesariamente incompletas) establece que «una oración consta de un sintagma nominal y un sintagma verbal». La segunda de estas reglas afirma que «un sintagma nominal puede estar formado por un pronombre, por un nombre propio, o bien estar constituido por un artículo, un adjetivo (que es un constituyente opcional) y un nombre». Y así, sucesivamente.

O   →   **SN SV**
SN →   **{Art (Adj) N, Pro, NP}**
SV →   **V SN (SP) (Adv)**
SP →   **Prep SN**

Reglas léxicas

Las reglas de estructura sintagmática generan estructuras. Para que dichas estructuras se conviertan en algo aceptable en castellano es preciso contar con **reglas léxicas**, que especifican las palabras que pueden emplearse cuando hacemos referencia a un constituyente determinado, como puede ser N. A continuación, se ofrecen algunos ejemplos de reglas léxicas. La primera postula que «un nombre propio puede explicitarse como *María*, como *Catalina* o como *«Fausto»* (se trata de un ámbito particularmente limitado).

NP → *{María, Catalina, «Fausto»}*
N → *{niña, perro, niño}*
Art → *{un, una, el }*
Pro → *{tú, él}*
V → *{seguía, leyó, vio}*
Adj → *{pequeño, loco}*
Prep → *{con, hacia, a}*
Adv → *{recientemente, ayer}*

Podemos recurrir a estas reglas para generar las oraciones gramaticales que proponemos más abajo, de la 1 a la 7, pero nunca darán lugar a las oraciones agramaticales que figuran en 8 a 10:

1. *El niño seguía a la niña.*
2. *Un niño ayudó a la niña.*
3. *El perro vio una niña.*
4. *María ayudó a Catalina recientemente.*
5. *Catalina vio un perro ayer.*
6. *Un pequeño perro seguía a María.*
7. *El pequeño niño leyó «Fausto» con un perro loco recientemente.*
8. **Niño la Catalina vio.*
9. **Ayudó una chica.*
10. **Pequeño perro con niña.*

Una forma de visualizar la manera en que las reglas de estructura sintagmática dan lugar a la forma básica de estas oraciones consiste en dibujar el diagrama de árbol correspondiente a una de ellas, por ejemplo, a la 7.

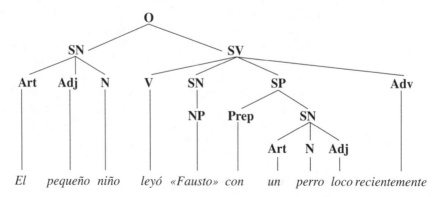

El restringido conjunto de reglas de estructura sintagmática y de reglas léxicas que se ha descrito hasta el momento constituye tan sólo una pequeña muestra de lo que podría ser una auténtica gramática de estructura sintagmática del castellano, que sería mucho más compleja y que estaría integrada por muchas más partes. Sin embargo, todavía no hemos incorporado a nuestra gramática la recursividad.

La recursividad, de nuevo

Las reglas de estructura sintagmática, tal y como las hemos postulado, carecen de elementos recursivos. Cada vez que hemos comenzado a crear una oración O sólo hemos logrado crear una oración simple (estructura oracional). Pero realmente necesitamos poder incluir estas estructuras oracionales unas dentro de otras. En la gramática tradicional estas «estructuras oracionales» se denominan «cláusulas» o «proposiciones». Sabemos, por ejemplo, que *María leyó «Fausto»* es una oración. Resulta posible situar esta oración dentro de otra que comience por *Catalina sabía que* [*María leyó «Fausto»*]. Si seguimos aplicando la recursividad hasta la saciedad, podemos colocar esa nueva oración dentro de una tercera que comience por *Juan creía que* [*Catalina sabía que* [*María leyó «Fausto»*]] y así, hasta el infinito. En las oraciones anteriores se ha hecho uso de un nombre propio y de dos verbos nuevos, de forma que resulta preciso ampliar el conjunto de reglas léxicas que postulamos inicialmente para incluir dos reglas adicionales: NP → {*Juan*} y V → {*creía, sabía*}. Después de verbos como *creer* y *saber* la palabra *que* da entrada a lo que se denomina «sintagma complemento».

María leyó «Fausto».
Catalina sabía que María leyó «Fausto».
Juan creía que Catalina sabía que María leyó «Fausto».

Sintagmas complemento

La palabra *que,* tal y como se emplea en estos ejemplos, se denomina **complementizador** (C). El papel de *que,* en tanto que complementizador, consiste en introducir un **sintagma complemento** (SC). Por ejemplo, en la segunda oración (*Catalina sabía...*) resulta posible identificar un SC, que contiene un *que* junto con *María leyó «Fausto»*. Como quiera que sabemos que *María leyó «Fausto»* es una oración (O), podemos definir un SC en los siguientes términos: «un sintagma complemento consta de un complementizador y de una oración», o de forma más breve, SC → C O.

Analizando esa misma oración puede advertirse que el sintagma complemento (SC) sucede al verbo *sabía*, lo que significa que el SC forma parte de un sintagma verbal (SV), como ocurre, de hecho, en *sabía que María leyó «Fausto»*. En consecuencia, debería existir una regla adicional, que postulara que «un sintagma verbal consta de un verbo y de un sintagma complemento», o de forma más breve, SV → V SC.

Si consideramos todas estas reglas en conjunto, podremos percatarnos de la manera en que la recursividad toma cuerpo en la gramática:

O → SN SV
SV → V SC
SC → C O

Conviene tener presente que el símbolo O aparece en el extremo izquierdo, pero vuelve a figurar nuevamente en el derecho, lo que nos permitiría comenzar de nuevo y volver a pasar una vez más por todas las reglas subsiguientes (con lo que podríamos empezar el proceso una tercera vez y así, sucesivamente). En teoría, este hecho implica que se podría construir una oración «infinita» a base de un número no finito de oraciones. Sin embargo, una aplicación más práctica consiste en poder dibujar un diagrama de árbol como el que figura a continuación, el cual representa de forma bastante clara la estructura sintáctica de una oración francamente compleja.

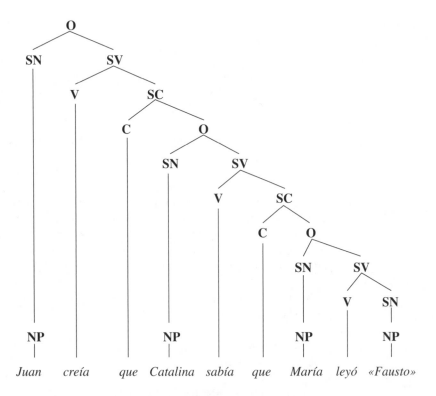

Reglas transformacionales

Las reglas de estructura sintagmática (en ausencia de reglas léxicas) pueden considerarse como una representación de la estructura «subyacente» o profunda de las oraciones del castellano. Una característica de estas estructuras subyacentes es que siempre generan las oraciones con un orden de palabras fijo. Por ejemplo, si aplicamos las reglas enunciadas anteriormente, los adverbios siempre estarán al final de las oraciones de las que formen parte. Esto sería adecuado para la primera de las oraciones que se enuncian a continuación, pero, ¿cómo obtendríamos la segunda?

1. *María leyó «Fausto» ayer.*
2. *Ayer María leyó «Fausto».*

Podemos pensar que el elemento *ayer* ha sido «desplazado» al principio de la primera oración con objeto de generar la segunda. Para hacerlo, necesitamos de un conjunto de reglas que indiquen cómo cambiar o mover los diferentes constituyentes en las estructuras generadas por las reglas de estructura sintagmática. Son las llamadas **reglas transformacionales**. Esencialmente, lo que hacen estas reglas es tomar una parte de la estructura, es decir, una «rama» del «árbol», y llevarla hasta otro lugar diferente del diagrama arbóreo. Como se indica a continuación, empleamos el símbolo ⇒ para señalar que se está haciendo uso de una regla transformacional con objeto de derivar una nueva estructura a partir de una estructura básica preexistente.

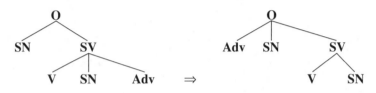

María leyó «Fausto» ayer.   Ayer María leyó «Fausto».

Resulta evidente que deberíamos especificar qué constituyentes pueden moverse, desde qué posición pueden hacerlo y a qué posición se desplazan.

La manera en que operan las reglas transformacionales se pone característicamente de manifiesto a la hora de generar estructuras interrogativas (2) en inglés a partir de las correspondientes estructuras enunciativas (1):

(1) *You will help Cathy.*
(«Tú ayudarás a Cathy.»)

(2) *Will you help Cathy?*
(«¿Ayudarás tú a Cathy?»)

Si se quiere describir apropiadamente cómo tiene lugar este proceso, resulta necesario ampliar el inventario de reglas de estructura sintagmática propuesto anteriormente con objeto de dar cabida a los **verbos auxiliares** (Aux), como es el caso de *will* en estas dos oraciones. La nueva regla se formularía de la siguiente manera: O → SN Aux SV. Aunque existen otros verbos auxiliares en inglés, la correspondiente regla léxica, en su formulación más simplificada, podría ser la siguiente: Aux → {*can, should, will*}.

Haciendo uso de todos estos componentes, ya podemos formular la regla transformacional que da lugar al tipo de oración interrogativa básica del inglés ejemplificada en (2): SN Aux SV ⇒ Aux SN SV. El cambio estructural que se produce puede representarse mediante un diagrama arbóreo, como se hace a continuación (a la izquierda aparece el árbol correspondiente a la estructura original; a la derecha, el que corresponde a la estructura derivada):

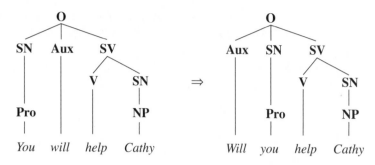

Empleando las reglas postuladas anteriormente también podríamos generar preguntas como *Can John see it?* («¿Puede verlo Juan?»), *Should Mary follow the small boy?* («¿Debería María perseguir al niño pequeño?») y otras muchas. Todas estas estructuras representan variaciones de una misma estructura profunda.

Como puede suponerse, el análisis sintáctico depende de otros muchos conceptos y reglas (por ejemplo, apenas si nos hemos ocupado de las estructuras superficiales). Sin embargo, habiendo explorado algunos de los métodos y cuestiones básicos de dicho análisis con objeto de poder caracterizar apropiadamente la «estructura» de una lengua, debemos tratar a continuación de encontrar un lugar para el análisis del «significado» en el estudio del lenguaje.

■ Ejercicios

1. ¿En qué consiste el criterio «todas y sólo» que utiliza la gramática generativa?

2. ¿Podrías decir por qué estas expresiones son *ambiguas* desde el punto de vista estructural?

   (a) Una profesora de historia americana.
   (b) Es peligroso encontrarse con pájaros volando
   (c) Los padres de la novia y el novio estaban esperando

3. ¿Representan las reglas de estructura sintagmática la estructura profunda o la estructura superficial de las oraciones?

4. ¿Cuál de las siguientes expresiones estaría generada por la regla de estructura sintagmática SN → Art (Adj) N?

   (a) *una radio*
   (b) *el joven estudiante*
   (c) *un nuevo estudiante*
   (d) *el piloto*

5. ¿Cuál de las siguientes estructuras se generaría aplicando la regla transformacional SN Aux SV ⇒ Aux SN SV

   (a) *John will follow Mary.* («Juan seguirá a María»)
   (b) *Can George see the small dog?* («¿Puede Jorge ver el perro pequeño?»)
   (c)*You knew that Cathy helped the boy.* («Tú sabías que Catalina ayudó al chico»)
   (d) *Should you believe that Mary saw it?* («¿Crees que María lo vio?»)

6. Completa estos diagramas de árbol etiquetados haciendo uso de las reglas de estructura sintagmática que hemos utilizado en este capítulo

(a)

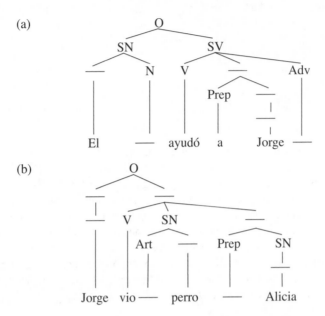

(b)

7. ¿Serías capaz de proponer, para cada una de las siguientes oraciones, otra que tenga la misma estructura profunda, pero diferente estructura superficial?

(a) Laura fue arrestada por la policía.
(b) Alguien robó mi bicicleta.
(c) Ayer vinieron mis hermanos a comer.
(d) Le recomendé que bajara el volumen.

■ **Tareas de investigación**

A. ¿Qué diferencia existe entre «competencia» y «actuación» en lo concerniente al estudio de la sintaxis?

B. ¿Qué quiere decir la expresión «una estructura embebida» (o «incrustada»)? ¿Serías capaz de encontrar algún ejemplo de estructura embebida entre los que se han propuesto en el presente capítulo?

C. A continuación se enumeran algunas de las reglas de estructura sintagmática y de las reglas léxicas de una lengua llamada efé, hablada en diferentes lugares del este de África.

O → SN SV   N → {*oge, ika, amu*}
SN → N (Art)   Art → *ye*
SV → V SN   V → {*xa, vo*}

(i) Teniendo en cuenta las reglas anteriores, indica cuál de las siguientes oraciones (1-10) es agramatical y señala dicha agramaticalidad con el correspondiente asterisco (*):

1. *Oge xa ika*
2. *Ye amu vo oge*
3. *Ika oge xa ye*
4. *Oge ye vo ika ye*
5. *Amu xa oge*
6. *Vo oge ika*
7. *Amu ye vo ika*
8. *Ye ika xa ye oge*
9. *Xa amu ye*
10. *Oge ye xa amu*

(ii) ¿Podrías utilizar estas reglas para escribir cuatro oraciones diferentes en efé?

D. A continuación se enumeran algunas sencillas reglas de estructura sintagmática y reglas léxicas del gaélico escocés:

O → V SN SN   SN → {Art N (Adj), NP}
Art → *an*
N → {*cu, gille*}   Adj → {*beag, mor*}
NP → {*Tearlach, Calum*}   V → {*chunnaic, bhuail*}

De acuerdo con estas reglas sólo dos de las siguientes oraciones deberían ser consideradas como correctamente formadas. Identifica, en primer lugar, las oraciones
incorrectamente formadas, usando el símbolo *. En segundo lugar, elabora diagramas de árbol etiquetados para las dos oraciones correctamente formadas.

1. *Calum chunnaic an gille.*
2. *Bhuail an beag cu Tearlach.*
3. *Bhuail an gille mor an cu.*
4. *Chunnaic Tearlach an gille.*

■ Temas/proyectos de discusión

I. Existe un principio en sintaxis que se denomina «dependencia de la estructura»,
el cual se utiliza frecuentemente para demostrar que las reglas de la lengua dependen de la estructura jerárquica y no de la posición lineal. Por ejemplo, alguien que estuviese aprendiendo inglés podría creer que las preguntas del tipo
(ii) se forman simplemente moviendo la segunda palabra de la correspondiente
oración enunciativa del tipo (i) hasta la primera posición de la pregunta (ii).

(i) a. *Shaggy **is** tired.* («Shaggy está cansado»)
b. *You **will** help him.*(«Tú le ayudarás»)

(ii) a. ***Is** Shaggy tired?* («¿Está Shaggy cansado?»)
b. ***Will** you help him?* («¿Le ayudarás tú?»)

Utilizando las oraciones 1 a 4 que se consignan a continuación, intenta decidir
si esta regla de posición lineal sería adecuada para formar las preguntas en inglés. Si consideras que no es así, ¿cuál sería entonces la regla adecuada?

1. *Are the exercises in this book too easy?*
(«¿Son los ejercicios de este libro demasiado fáciles?»)

2. *Is the cat that is missing called Blackie?*
(«¿Se llama Blackie el gato que falta?»)

3. *Will the price of the new book you've ordered be really expensive?*
(«¿Será desmedido el precio del nuevo libro que has pedido?»)

4. *Was the guy who scoreds, the winning goal in the final playing for love or money?*
(«El tipo que marcó el gol de la victoria en la final, ¿estaba jugando por dinero o por amor?»)

(Para obtener información básica sobre esta cuestión puedes leer el capítulo 4 de Fromkin *et al.*, 2003.)

II. El proceso que permite derivar una oración pasiva (como *«Fausto» fue leído por María*) a partir de la correspondiente estructura activa (*María leyó «Fausto»*) podría formalizarse mediante la siguiente regla transformacional:

$$\text{(activa) } SN_1 \text{ V } SN_2: \Rightarrow SN_2 \text{ ser } V\text{-}ido \text{ por } SN_2 \text{ (pasiva)}$$

(Conviene tener en cuenta que el tiempo, presente o pasado, del verbo V de la estructura activa [por ejemplo, *leyó*] determina el tiempo del verbo *ser* que aparece en la estructura pasiva (por ejemplo, *fue leído*).

¿Cuáles de las siguientes oraciones activas pueden transformarse en las correspondientes oraciones pasivas empleando la regla transformacional formulada anteriormente? ¿Qué es lo que impide la aplicación de dicha regla en los casos restantes?

1. Los gatos cazaron los ratones.
2. Blancanieves besó la mejilla del príncipe.
3. Él quiere estos.
4. Pilar prestó algo de dinero a Olga.
5. El equipo jugó mal.
6. El árbol cayó con estrépito.
7. El director del banco rió.
8. La rana resultó ser un príncipe.

III. Cada una de las siguientes frases inglesas termina con lo que se suele denominar «coletilla» (en inglés, *tag question*). Cuando se analizan estas oraciones, se tiene la impresión de que el proceso que permite generar la coletilla es muy regular. ¿Podrías enunciar una regla transformacional simple que pudiera utilizarse para añadir coletillas a estas estructuras oracionales simples?

1. *She was a dancer, wasn't she?*
(«Ella era una bailarina, ¿era no ella?»)
«Ella era una bailarina; lo era, ¿no?»

2. *Zee is a good swimmer, isn't he?*
(«Zee es un buen nadador, ¿es no él?»)
«Zee es un buen nadador; lo es, ¿no?»

3. *You are ready, aren't you?*
(«Tú estás listo, ¿estás no tú?»)
«Estás listo; lo estás, ¿no?»

4. *They can come, can't they?*
(«Ellos pueden venir, ¿pueden no ellos?»)
«Ellos pueden venir; pueden, ¿no?»

5. *Maghna would help, wouldn't she?*
(«Maghna ayudaría, ¿no lo haría ella?»)
«Maghna ayudaría; lo haría, ¿no?»

6. *You have eaten, haven't you?*
(«Tú has comido, ¿no has tú?»)
«Tú has comido; lo has hecho, ¿no?»

■ Lecturas adicionales

Una introducción alternativa a la sintaxis es la contenida en el capítulo 5 de Finegan (2004) o en el capítulo 6 de Hudson (2000). Los libros de texto de Fabb (1994), Morenberg (2003) y Thomas (1993), además de tener un carácter introductorio, cuentan con numerosos ejercicios. Otros manuales de fácil lectura son los de Brown y Miller (1991), Burton-Roberts (1997), Miller (2002) y Tallerman (1998). Para cuestiones más teóricas, véase Borsley (1995) o Green y Morgan (2001). Una buena revisión de los primeros trabajos de Chomsky es la de Lyons (1991), mientras que Radford (1997, 2004) se ocupa de sus trabajos posteriores. Para una revisión más general de sus ideas, véase Chomsky (2002).

10 Semántica

La expresión *Departamento de Incendios* parece como si aludiera al departamento encargado de provocarlos, ¿no es cierto? Sería mejor denominarlo «Departamento de Extinciones», puesto que, de hecho, a la policía no la denominamos «Departamento del Crimen». De la misma manera, «Brigada de Narcóticos» suena como si se tratase de una organización mafiosa. Y algo semejante ocurre con «Grupo de Explosivos», que suena a organización terrorista. Lo mismo resulta válido en el caso de *botas de agua*. ¿No parece como si la expresión aludiese a unas botas hechas de este líquido? ¿Y por qué razón el médico debería recetar pastillas para el dolor? ¡Si ya me duele algo! ¡Necesito pastillas para el alivio!

Carlin (1997)

La semántica es el estudio del significado de las palabras, los sintagmas y las oraciones. El análisis semántico busca centrarse preferentemente en el significado convencional de las palabras, y no tanto en lo que cada hablante ha pretendido decir con ellas en un momento determinado (como le ocurre a George Carlin). Esta estrategia técnica de análisis del significado hace hincapié en lo objetivo y lo general, y evita lo subjetivo y lo particular. La **semántica** lingüística se ocupa del significado convencional que transmiten, cuando se usan, las palabras, los sintagmas y las oraciones de una lengua determinada.

Significado conceptual y significado asociativo

Cuando investigamos el significado de las palabras de una lengua concreta, nuestro interés se centra normalmente en la caracterización del significado **conceptual** de las mismas y no tanto en su significado **asociativo**. El significado conceptual engloba aquellos componentes básicos y esenciales del significado que están implicados en el uso literal de una palabra. En castellano, algunos de estos componentes básicos incluirían, en el caso de una palabra como *aguja*, elementos como «afilado, fino, acero, instrumento». Estos componentes formarían parte del significado conceptual de *aguja*. Sin embargo, cada persona puede añadir diferentes tipos de asociaciones o connotaciones a dicha palabra, como puede ser «dolor», «enfermedad», «sangre», «drogas», «hilo», «punto» o «difícil de encontrar», y estas asociaciones suelen diferir de una persona a otra, por lo que no se consideran una parte del significado conceptual de *aguja*. De forma parecida, algunas personas asocian a la expresión *bajo en calorías*, que se emplea para caracterizar algunos productos, el sentido de «bueno para la salud», si bien no forma parte del significado conceptual básico de dicha expresión, a saber, «que libera una cantidad pequeña de calor o de energía». Los poetas, los novelistas, los publicitarios y los enamorados son, sin duda, los más interesados en utilizar los términos de forma que evoquen determinados significados asociativos, y los críticos literarios escriben con frecuencia acerca de este aspecto particular del uso del lenguaje. No obstante, en este capítulo nos centraremos en la caracterización de los elementos constitutivos del significado conceptual.

Rasgos semánticos

Una razón obvia por la cual el análisis del significado conceptual básico puede resultar útil para el estudio del lenguaje estriba en que permite explicar las razones por las que nos resultan «raras» las siguientes oraciones:

Las hamburguesas comieron niño.
La mesa escucha la radio.
El caballo está leyendo el periódico.

Rápidamente nos percatamos de que la singularidad de estas oraciones no deriva de su estructura sintáctica, ya que, de acuerdo con las reglas sintácticas básicas que regulan la formación de las oraciones en castellano (como las que hemos discutido en el capítulo 9), las anteriores están bien construidas:

SN	V	SN
Las hamburguesas	*comieron*	*niño*

Desde el punto de vista sintáctico, esta oración es correcta, pero semánticamente resulta extraña. Si tenemos en cuenta que la oración *El niño comió hamburguesas* es perfectamente aceptable también desde el punto de vista semántico, ¿cuál será el origen del rechazo que sentimos ante la primera? La respuesta está relacionada con los componentes del significado conceptual del nombre *hamburguesas*, que difieren de forma significativa de los del nombre *niño* y que impiden que se pueda utilizar como sujeto del verbo *comer*. Los tipos de nombres que pueden ser sujetos de este verbo deben denotar entidades que sean capaces de «comer». El nombre *hamburguesas* carece de esta propiedad (que sí tiene *niño*).

Podemos conseguir que esta observación sea de aplicabilidad general si logramos determinar el elemento o rasgo fundamental del significado que ha de tener un nombre para que pueda ser utilizado como sujeto del verbo *comer*. Este componente puede ser algo tan general como «ser animado». Podemos recurrir a esta propiedad para describir parte del significado de las palabras, indicando si la poseen (+) o si carecen de ella (–). Así, el nombre *niño* poseería el rasgo +*animado* (= denota un ser animado), mientras que el rasgo que posee la palabra *hamburguesa* es –*animado* (= no denota un ser animado).

Este sencillo ejemplo permite ilustrar el procedimiento de análisis del significado mediante **rasgos semánticos**. Rasgos como +*animado*, –*animado*, +*humano*, –*humano*, +*hembra*, –*hembra*, por ejemplo, pueden considerarse como rasgos básicos responsables de las diferencias que existen entre los significados de cada palabra en una lengua concreta. Si nos pidieran que determinásemos los rasgos distintivos cruciales de los significados de las palabras españolas *mesa*, *caballo*, *niña*, *mujer*, *niño*, *hombre*, podríamos hacerlo mediante el siguiente esquema:

	mesa	caballo	niña	mujer	niño	hombre
animado	–	+	+	+	+	+
humano	–	–	+	+	+	+
hembra	–	–	+	+	–	–
adulto	–	+	–	+	–	+

A partir de un análisis de rasgos como éste, podemos decir que en español una parte del significado básico de una palabra como *niña* consta, cuando menos, de los componentes [+*humano*, +*hembra*, –*adulto*]. También podemos caracterizar de esta manera el rasgo que un nombre ha de tener forzosamente para poder ser el sujeto de un determinado verbo, añadiendo para ello rasgos semánticos al análisis sintáctico:

El _____ está leyendo el periódico.

    N [+*humano*]

Por tanto, este enfoque nos ofrece la posibilidad de predecir los nombres que hacen que una determinada oración sea semánticamente inaceptable. En el caso de la oración anterior, algunos de dichos nombres serían *mesa, caballo* o *hamburguesa*, ya que todos carecen del rasgo [+*humano*].

La estrategia de análisis que acabamos de esbozar supone una manera de comenzar a estudiar los componentes conceptuales del significado de una palabra, pero también plantea algunos problemas. En el caso de numerosas palabras de la lengua puede que no sea tan fácil extraer nítidamente los componentes que constituyen su significado. Por ejemplo, puede resultar complicado determinar los componentes o rasgos que podrían utilizarse para distinguir nombres como *consejo, amenaza* o *advertencia*. Parte del problema parece radicar en que esta estrategia de análisis implica concebir las palabras de una determinada lengua como una suerte de «contenedores» de componentes del significado. Parece evidente que el significado de las palabras incluye más cosas que estos tipos de rasgos básicos.

Papeles semánticos

En lugar de pensar en las palabras como «contenedores» de significado, podemos considerar los «papeles» que cumplen dentro de la situación descrita por una oración. Si la oración se refiere a un suceso simple, como *El niño lanzó la pelota*, entonces el verbo describirá la acción (*lanzar*) y los sintagmas nominales presentes en la oración describirán los papeles desempeñados por las entidades (personas o cosas) implicadas en la acción a la que alude el verbo. Dichos sintagmas nominales pueden desempeñar únicamente un reducido número de **papeles semánticos** (también denominados «papeles temáticos»).

Agente y tema

En la oración anterior, el sintagma nominal *el niño* desempeña uno de dichos papeles, en tanto que denota «la entidad que realiza la acción», lo que se conoce técnicamente con el nombre de **agente**. Otro papel lo cumple *la pelota*, en tanto que denota «la entidad que está implicada o afectada por la acción», lo que se llama en términos técnicos el **tema** (o en ocasiones el «paciente»). El papel de tema también lo puede desempeñar una entidad *(la pelota)* en los casos en los que el objetivo de la oración es describir dicha entidad (y, por consiguiente, no realiza ninguna acción), como sucede en *La pelota era roja.*

Agentes y temas constituyen los papeles semánticos más comunes. Aunque los agentes suelen ser típicamente humanos *(El niño)*, también pueden ser entidades no humanas que provocan determinadas acciones, como sucede con los sintagmas nominales que denotan fuerzas de la naturaleza *(El viento arrastró la pelota)*, máquinas *(El coche atropelló la pelota)* o animales *(El perro cogió la pelota)*; todos afectan a *la pelota*, que desempeña el papel de tema.

El tema de una oración suele ser típicamente una entidad no humana, aunque también puede ser humano *(El niño)*, como sucede en la oración *(El perro persiguió al niño)*. Además, la misma entidad física puede desempeñar dos papeles semánticos diferentes, como sucede en la oración *El niño se vio a sí mismo en el espejo*. Aquí *el niño* es el agente y *a sí mismo* (= el niño) es el tema.

Instrumento y experimentador

Si un agente emplea otra entidad para realizar una determinada acción, dicha entidad desempeña el papel de **instrumento**. En oraciones como *El niño cortó la cuerda con una cuchilla usada* o en *Él pintó la puerta con un rotulador*, los sintagmas nominales *una cuchilla usada* y *un rotulador* desempeñan el papel semántico de instrumento.

Cuando un sintagma nominal se emplea para denotar una entidad en tanto que la persona que siente algo, percibe una cosa o experimenta un estado concreto, dicho sintagma está cumpliendo el papel de **experimentador**. Si uno *ve, sabe* o *disfruta* algo, no tiene, de hecho, que realizar ninguna acción (por tanto, no puede ser un agente). Desempeña el papel de experimentador. En una oración como *El niño se siente triste*, el experimentador *(el niño)* es el único papel semántico que existe. Si alguien pregunta, *¿Has oído tú ese ruido?*, el experimentador es *tú* y el tema, *ese ruido*.

Ubicación, origen, objetivo

Otros papeles semánticos designan el lugar que una determinada entidad ocupa con relación a la descripción de un hecho concreto. El lugar en el que se encuentra dicha entidad *(en la mesa, en la habitación)* cumple el papel de **ubicación**. El lugar desde donde se mueve dicha entidad *(desde Madrid)* es el **origen** y el lugar al que se mueve *(hasta Barcelona)*, el **destino**, como ocurre en la oración *Fuimos en coche desde Madrid hasta Barcelona*. Cuando hablamos de transferir dinero *desde la cuenta corriente hasta la cartilla de ahorros*, el origen es *la cuenta corriente*, mientras que el destino es *la cartilla de ahorros*.

Todos estos papeles semánticos pueden ilustrarse mediante el siguiente ejemplo. Conviene tener presente que una misma entidad (por ejemplo, *María* o *la mesa*) puede desempeñar diferentes papeles semánticos:

María	vio	un mosquito	en la pared.
EXPERIMENTADOR		TEMA	UBICACION
Ella	cogió	una revista	de la mesa.
AGENTE		TEMA	ORIGEN
Ella	aplastó	el bicho	con la revista.
AGENTE		TEMA	INSTRUMENTO
Ella	devolvió	la revista	a la mesa.
AGENTE		TEMA	DESTINO
«Ya la he leído»,	dijo	María.	
		AGENTE	

Relaciones léxicas

Además de analizar las palabras como «contenedores» de significado o como elementos que desempeñan un determinado «papel» en un suceso concreto, también podemos analizar las «relaciones» que mantienen unas con otras. En el habla cotidiana es frecuente que expliquemos el significado de algunas palabras a partir de este tipo de relaciones. Si, por ejemplo, nos preguntan por el significado de la palabra *ocultar*, podríamos responder sencillamente que equivale a *esconder*. Del mismo modo, podemos afirmar que el significado de *superficial* es «lo contrario a *profundo*», o que el de *amapola* es «un tipo de flor». Cuando respondemos de esta manera, no estamos caracterizando el significado de una palabra en virtud de los rasgos que lo componen, sino a partir de las relaciones que dicha palabra establece con otras. Este procedimiento se ha utilizado también para describir semánticamente las lenguas y se denomina análisis de las **relaciones léxicas**. De hecho, acabamos de poner tres ejemplos de tres relaciones léxicas diferentes: sinonimia *(ocultar/esconder)*, antonimia *(superficial/profundo)* e hiponimia *(amapola/flor)*.

Sinonimia

Dos o más palabras que poseen significados estrechamente relacionados se denominan **sinónimos.** En general, los sinónimos pueden sustituirse mutuamente en una oración, aunque esto no siempre es posible. Si las circunstancias son las apropiadas, podemos considerar que dos preguntas como *¿Qué respondió?* y *¿Qué replicó?* poseen, en esencia, el mismo significado. Otros ejemplos de sinónimos habituales son los pares *grande–amplio, esconder–ocultar, coche-automóvil, réplica–respuesta, mechero–encendedor, cercano–próximo* o *comprar-adquirir*.

Sin embargo, conviene tener presente que la idea «el mismo significado», que solemos utilizar al hablar de la sinonimia, no equivale necesariamente a la idea «exactamente igual». Existen muchas ocasiones en las que una palabra resulta apropiada en una oración determinada, mientras que su sinónimo sonaría extraño. Por ejemplo, mientras que la palabra *respuesta* es perfectamente adecuada en una oración como *Ana acertó sólo tres respuestas en la prueba de tipo test*, su sinónimo, *réplica*, resultaría raro en este contexto. Las formas sinónimas también pueden diferenciarse en términos de formalidad. La oración *Mi padre adquirió un automóvil amplio* parece mucho más formal que una versión más coloquial, como *Mi papá compró un coche grande*, en la que cuatro de los términos se han sustituido por formas sinónimas, a pesar de que ambas poseen un significado virtualmente idéntico.

Antonimia

Dos términos con significados opuestos se denominan **antónimos** y como ejemplos pueden proponerse los siguientes pares: *rápido–lento, grande–pequeño, largo–corto, rico–pobre, feliz–triste, caliente–frío, casado-soltero, viejo–joven, macho–hembra, verdadero–falso, vivo–muerto.*

Normalmente, los antónimos se dividen en dos grandes clases: aquellos que son graduables (esto es, que pueden considerarse como elementos contrarios situados en puntos opuestos de una escala) y los que son no graduables (los contrarios directos). Los **antónimos graduables**, como el par *rápido–lento*, se pueden utilizar en construcciones comparativas, como *más rápido que–más lento que.* Asimismo, la negación de uno de los miembros del par graduable no tiene por qué implicar automáticamente el otro miembro del par. Por ejemplo, si decimos *Mi coche no es viejo* no estamos diciendo necesariamente *Mi coche es nuevo.*

Los **antónimos no graduables**, también llamados «pares complementarios», no se emplean habitualmente en construcciones comparativas (la expresión *más hembra que* sonaría extraña) y la negación de uno de sus miembros sí implica la afirmación del otro miembro del par. Por ejemplo, *Esta persona no está muerta* implica necesariamente que *Esta persona está viva.* Por tanto, los pares *macho–hembra, casado-soltero* y *verdadero–falso* también deben considerarse como antónimos no graduables, mientras que los restantes miembros de la lista anterior serían antónimos graduables.

Aunque este «test de negatividad» es un procedimiento que permite, en principio, identificar los antónimos no graduables que existen en una determinada lengua, conviene evitar describir cada miembro de un par de antónimos de este tipo como «la palabra que posee un significado contrario a la otra». Considérese, por ejemplo, el caso de los contrarios *atar–desatar.* La palabra *desatar* no quiere decir «no atar». En realidad significa «hacer lo contrario de atar». Este tipo de antónimos se denomina **reversos**. Otros ejemplos muy comunes de reversos son *entrar–salir, envolver–desenvolver, alargar–acortar, elevar–bajar* y *vestir–desvestir.*

Hiponimia

Cuando el significado de una forma está incluido en el significado de otra, la relación que existe entre ambas se caracteriza como **hiponimia.** Algunos ejemplos típicos son los pares *amapola–flor, perro–vertebrado, zanahoria–hortaliza, tulípero–árbol.* El concepto de «inclusión» que se utiliza en este caso está vinculado a la idea de que si cualquier objeto es una *amapola*, entonces necesariamente es también una *flor*; por tanto, el significado de *flor* está incluido en el significado de *amapola.* Diremos que *amapola* es un hipónimo de *flor.*

Cuando tratamos de analizar las relaciones de hiponimia que existen entre diversas palabras, lo que realmente estamos asumiendo es que en su significado es posible encontrar algún tipo de relación jerárquica. De hecho, podríamos representar esquemáticamente las relaciones que existen entre un conjunto de palabras como *vertebrado, hormiga, áspid, tulípero, zanahoria, escarabajo, animal, perro, flor, caballo, invertebrado, ser vivo, pino, planta, podenco, amapola, serpiente, árbol* y *hortaliza*, recurriendo para ello a un diagrama jerárquico como el siguiente:

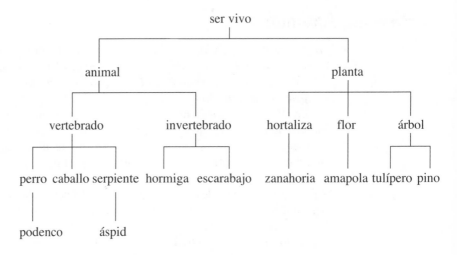

Según este esquema, podemos concluir que «*caballo* es un hipónimo de *vertebra-do*» o que «*hormiga* es un hipónimo de *invertebrado*». En estos dos casos, *vertebrado* e *invertebrado* se denominan los términos **supraordenados** (o de nivel superior). También podemos decir que dos o más términos que comparten el mismo término supraordenado son **co-hipónimos**. Así *caballo* y *perro* son co-hipónimos y el término supraordenado correspondiente es *vertebrado*.

En la base de la relación de hiponimia está la idea de «ser un tipo de», como sucede cuando damos el significado de una palabra como *áspid* diciendo «un *áspid* es un tipo de *serpiente*». En algunas ocasiones lo único que sabemos acerca del significado de una palabra es que se trata de un hipónimo de algún otro término. Es decir, es posible que sobre el significado de *áspid* no sepamos otra cosa que se trata de un tipo de *serpiente* o sobre el significado de *tulípero*, que se trata de un tipo de árbol.

Merece la pena remarcar el hecho de que no sólo pueden ser hipónimos las palabras que se refieren a «cosas». Los términos que denotan acciones, como *cortar, pinchar, disparar* y *apuñalar*, pueden considerarse como co-hipónimos del término supraordenado *herir*.

Prototipos

Aunque los términos *canario, paloma, pato, flamenco, loro, pelícano, gaviota, gorrión* y *perdiz* son todos co-hipónimos del término supraordenado *pájaro*, no se los puede considerar a todos por igual como el mejor ejemplo de la categoría «pájaro». Para muchos investigadores, el ejemplo más característico de la categoría «pájaro» es *gorrión*. Este concepto de «el ejemplo más característico» es lo que se denomina **prototipo**. La idea de prototipo ayuda a explicar el significado de algunas palabras, como *pájaro*, no a partir de los rasgos que las componen (por ejemplo, «tiene alas», «tiene pico», etc.), sino a partir de su semejanza con el ejemplo más evidente de la categoría a la que pertenecen. Así, incluso los hablantes nativos del castellano pueden llegar a cuestionarse si *avestruz* y *pingüino* deberían considerarse hipónimos de *pájaro* (técnicamente lo son), mientras que no tienen problema alguno para decidir que *petirrojo* o *pichón* sí lo son. Estos dos últimos «pájaros» se parecen en mayor medida al prototipo que los dos anteriores.

Dada la etiqueta categorial *mueble*, podemos reconocer con mayor rapidez una *silla* como un ejemplo más adecuado de dicha categoría que un *banco* o un *taburete*. Dada la etiqueta *ropa*, las personas reconocen más rápidamente a *blusa* que a *calcetín* como miembros de la categoría denotada por dicha etiqueta. Dada la etiqueta *hortaliza*, la gente acepta antes como miembro de dicha categoría a *zanahoria* que a *patata* o a *tomate*. Es evidente que existe algún patrón general involucrado en el proceso de categorización que está implicado en la noción de prototipo, el cual determina nuestra interpretación del significado de las palabras. No obstante, es ésta un área donde la experiencia individual provoca variaciones sustanciales a la hora de interpretar los significados, como sucede cuando la gente discute sobre si *tomate* o *aguacate* son frutos u hortalizas. Lo que parece ocurrir es que en función del contexto estas dos palabras se tratan como co-hipónimos tanto de *fruto* como de *hortaliza*.

Homófonos y homónimos

Cuando dos o más formas que se escriben de manera diferente se pronuncian, sin embargo, del mismo modo, se dice que son **homófonas**. Algunos ejemplos son los pares *hola–ola*, *baca–vaca*, *uno–huno*.

El término **homonimia** se usa cuando una forma (escrita o hablada) posee dos o más significados que no se encuentran relacionados. Algunos ejemplos de homónimos son los pares *banco* (de un parque)–*banco* (institución financiera), *aterrar* (asustar)–*aterrar* (echar tierra), *corte* (efecto de cortar)–*corte* (conjunto de personas que rodean al rey) o *apostar* (poner en un sitio)–*apostar* (jugar dinero).

Resulta tentador pensar que los dos tipos de *banco* han de estar relacionados semánticamente, pero no lo cierto es que no es así. Los homónimos son palabras que tienen significados distintos y una historia que también es diferente, pero que accidentalmente han llegado a tener exactamente la misma forma.

Polisemia

El que dos o más palabras tengan formas idénticas y posean significados relacionados es lo que se conoce técnicamente como **polisemia**. La polisemia puede definirse como el hecho de que una determinada forma (escrita o hablada) tenga diversos significados que están relacionados por extensión. Un ejemplo de polisemia es la palabra *cuello*, que puede usarse para hacer referencia a una parte del cuerpo o a la parte estrecha de una botella. Otros ejemplos serían *pie* (de persona, de una lámpara, de una montaña) o *correr* (las personas lo hacen y el agua también; los colores pueden correrse).

La distinción entre homonimia y polisemia no siempre está clara, de forma que en ocasiones resulta conveniente recurrir al diccionario para determinar si los diferentes usos de una determinada palabra se ajustan a las características de un fenómeno u otro. Si una palabra posee varios significados (polisemia), entonces habrá una única entrada en el diccionario para la misma, dentro de la cual se enumerarán cada uno de ellos. Si las dos palabras se tratan como homónimas, entonces lo normal es que cada una cuente con una entrada propia. Así, cuando se examina el diccionario, lo habitual es que los diferentes significados de las palabras *cuello*, *pie* y *correr* se traten como casos de polisemia (existe una única entrada para cada una de estas palabras), mientras que los de *banco*, *aterrar*, *corte* y *apostar* se consideren homónimos (existen dos o más entradas para cada una de estas palabras).

Resulta evidente que una forma puede distinguirse de otra como homónima, pero tener luego varios usos polisémicos. Las palabras *fallo* (= resolución, sentencia) y *fallo* (= acción y efecto de fallar una cosa) son homónimas. Pero el tipo de *fallo*, en tanto que «acción y efecto de fallar una cosa» es polisémico, ya que puede referirse a la propia acción de fallar *(El tiro de Juan fue un fallo)*, a la ausencia de algo en el sitio que le correspondía *(Hay dos fallos en esta fila de árboles)* o a un punto débil de algo o de alguien *(El fallo de Pedro es que no sabe estar callado)*. Así, la pregunta *¿Cuál ha sido el fallo?* puede tener varias interpretaciones.

Juegos de palabras

Estas tres últimas relaciones léxicas constituyen la base de numerosos juegos de palabras, especialmente de los utilizados para hacer chistes. En inglés existe una nana muy conocida que comienza por *Mary had a little lamb (María tenía un corderito)*, lo que induce a quien la escucha a pensar en un pequeño animalito. Sin embargo, se ha creado una versión humorística de la misma, cuyo comienzo es *Mary had a little lamb, some rice and vegetables (María tenía* [e incluso *se comió*] *un pequeño corderito, algo de arroz y verdura)* lo que lleva a pensar en una pequeña cantidad de carne. La polisemia de *lamb* permite ambas interpretaciones. Lo que confiere sentido en inglés al chiste *Why are trees often mistaken for dogs (¿Por qué los árboles se confunden a veces con los perros?)* es la homonimia de la respuesta: *Because of their bark*, dado que *bark* significa indistintamente *ladrido* y *corteza*. Y cuando preguntamos *Why is 6 afraid of 7?* («¿Por qué el seis le tiene miedo al ocho»?) la gracia de la respuesta, *Because 789* («Porque seis-siete-ocho», si bien la clave se encuentra en que *eight* «ocho» y *ate* «se comió» son homófonos, de forma que la respuesta también podría traducirse como «Porque el siete se comió al nueve») resulta evidente si somos capaces de identificar los homófonos implicados en la misma.

Metonimia

La relación que mantienen entre sí los diferentes significados que encontrábamos en el caso de la polisemia se basaba fundamentalmente en la similitud. Así, el *cabeza* de familia se parece a la *cabeza* de una persona, encargada de regir el resto del cuerpo. Existe, sin embargo, otro tipo de relación entre las palabras que descansa simplemente en la conexión que mantienen en nuestra experiencia cotidiana. Esta conexión puede basarse en una relación de continente–contenido *(botella–cerveza, lata–zumo)*, en una relación parte-todo *(ruedas–coche, techo-casa)* o en una relación elemento representativo-símbolo *(rey–Corona, el Presidente–la Moncloa)*. Cuando uno de los términos se emplea para hacer referencia al otro, hablamos de **metonimia.**

Nuestra familiaridad con la metonimia es lo que hace realmente que una oración como *Él se bebió toda la botella* nos resulte comprensible, aunque literalmente sea absurda (uno se bebe el líquido contenido en la botella, pero no el objeto de vidrio en sí). También nos parece correcto decir *La Casa Blanca anunció...* o *Downing Street protestó...*, sin sorprendernos por el hecho de que los edificios parezcan hablar. Utilizamos la metonimia cuando hablamos de *tener un techo sobre la cabeza, contestar al teléfono, echarle una mano a alguien* o *necesitar alas*. Numerosos casos de metonimia se han vuelto enormemente convencionales, por lo que resultan muy fáciles de interpretar. Sin embargo, otros muchos dependen de nuestra habilidad para inferir lo que el hablante está pensando. La metonimia *Me ha costado cinco verdes* resultaba más fácil de entender si se estaba al corriente del color del antiguo papel moneda español; *Apenas se oyen las cuerdas*, es más fácil de comprender si se está familiarizado con la música de orquesta, y *Prefiero el cable*, si se tiene la posibilidad de elegir la manera mediante la cual se desea recibir los programas de televisión. Darle un sentido a estas expresiones depende a menudo del contexto, de nuestros conocimientos previos y de las inferencias que seamos capaces de hacer. Nos ocuparemos de todas estas cuestiones en el próximo capítulo.

Colocación

Un último aspecto de nuestro conocimiento de las palabras no tiene ninguna relación con los factores que hemos visto hasta ahora. Lo cierto es que habitualmente sabemos que determinadas palabras tienden a aparecer junto a otras concretas. Si preguntáramos a mil personas lo que piensan cuando les decimos *martillo*, más de la mitad respondería *clavo*. Si dijéramos *mesa*, la mayoría de las personas respondería *silla,* y si proponemos *mantequilla, aguja* o *sal*, casi todo el mundo diría *pan, hilo* y *pimienta*, respectivamente. Una de las formas en las que parece que organizamos nuestro conocimiento sobre las palabras consiste simplemente en tener en cuenta su **colocación**, es decir, la frecuencia con que aparecen conjuntamente.

En los últimos años la **lingüística de corpus** se ha venido ocupando preferentemente del análisis de la co-ocurrencia de las palabras, determinando qué palabras suelen aparecer juntas y con qué frecuencia lo suelen hacer. Un corpus es una gran colección de textos, hablados o escritos, que se suele almacenar informáticamente en forma de base de datos. Quienes se dedican a la lingüística de corpus pueden utilizar estas bases de datos para determinar la frecuencia con la que aparecen las palabras o las frases, así como los tipos de colocaciones que resultan más habituales.

Como ejemplo, puede resultar ilustrativo el análisis de las 84 apariciones (sólo se hará referencia aquí a una pequeña parte de las mismas) en un determinado corpus del sintagma *true feelings* («sentimientos verdaderos») llevado a cabo por Sinclair (2003: 148). Tras examinar las clases de verbos que se usaban con este sintagma (por ejemplo, *deny* [«negar, rechazar»], *try to communicate* [«tratar de transmitir»], el investigador concluyó que «los hablantes de inglés emplean una locución con el sintagma *true feelings* cuando quieren indicar que no desean expresar algún tipo de emoción profunda que hayan podido experimentar».

1 more accustomed to denying our *true feelings,* avoiding reflection and («más acostumbrados a rechazar nuestros *verdaderos sentimientos*, evitando reflexionar y»)
2 We try to communicate our *true feelings* to those around us, and we are («tratamos de comunicar nuestros *verdaderos sentimientos* a los que nos rodean y estamos»)

3 the ability to express our *true feelings* and creativity because we are («la capacidad de expresar nuestros *verdaderos sentimientos* y nuestra creatividad, porque estamos»)

4 we appease others, deny our *true feelings,* and conform, I suspected the («tratamos de aplacar a los otros, negamos nuestros *verdaderos sentimientos* y conformanos, creo»)

5 more of us in there, of our *true feelings,* rather than just ranting on («más de nostros en ello, de nuestros *verdaderos sentimientos*, que simplemente despotricar sobre ello»)

Este tipo de investigaciones proporciona nuevas evidencias que parecen corroborar la idea de que nuestra comprensión del significado de las palabras y de las oraciones se encuentra relacionada con la naturaleza de los contextos en los que se suelen emplear. En el capítulo siguiente analizaremos algunos aspectos adicionales del papel desempeñado por el contexto.

■ Ejercicios

1. ¿En qué sentido se usa el término «prototipo» en semántica?

2. ¿Cómo describiríais, utilizando rasgos semánticos, la singularidad de las siguientes oraciones?

    (a) *El televisor se bebió mi agua.*
    (b) *Su perro escribe poesía.*

3. Identifica los papeles semánticos que desempeñan los sintagmas nominales que existen en la siguiente oración:

    Con su nuevo palo de golf, Julia lanzó la pelota desde la arena al área de hierba junto al hoyo y de repente se sintió la mejor.

4. ¿Cuál es la relación léxica básica que existe entre los siguientes pares de palabras?

    (a) *profundo/superficial*
    (b) *baúl/cofre*
    (c) *aya/haya*
    (d) *mesa/mueble*
    (e) *soltero/casado*
    (f) *correr/desplazarse*

5. ¿Cuáles de los siguientes ejemplos de antónimos son graduables, cuáles no graduables y cuáles reversos?

    (a) *ausente/presente*
    (b) *aparecer/desaparecer*
    (c) *fallar/acertar*
    (d) *justo/injusto*
    (e) *llenar/vaciar*
    (f) *alto/bajo*

6. ¿Cuáles de las palabras que aparecen subrayadas en las oraciones siguientes se pueden considerar ejemplos de polisemia? ¿Y de metonimia?

(a) *Ayer vimos una lluvia de estrellas.*
(b) *La librería tienen algunos nuevos títulos en Lingüística.*
(c) *Sí, me encantan. Me comí una caja entera el domingo.*
(d) *Tuve que cambiar el codo de esta tubería.*
(e) *La pluma es más poderosa que la espada.*

■ Tareas de investigación

A. ¿Qué relación existe entre el médico inglés Peter Mark Roget y el estudio de las relaciones léxicas?

B. En este capítulo hemos discutido el fenómeno de la metonimia, pero no el de la metáfora. ¿Qué diferencia existe entre estas dos formas de utilizar las palabras?

C. ¿En qué consiste el fenómeno conocido como «presencia de marca»? ¿Cuáles de los siguientes elementos podrían caracterizarse como el miembro «no marcado» del par?

pequeño–grande, corto–largo, salvaje–doméstico, barato–caro, cercano–lejano, muchos–pocos, temprano–tarde, peligroso–seguro, bueno–malo, fresco–pasado, fácil–difícil, fuerte–débil, gordo–delgado, amplio–estrecho, lleno–vacío.

D. ¿Cuál de los siguientes pares de términos pueden considerarse como ejemplos de «antónimos recíprocos» (que también se conocen como «inversos»)?

arriba-abajo, dormido-despierto, hermano-hermana, comprar-vender, médico-paciente, seco-húmedo, entrada-salida, seguido-precedido, esposo-esposa, verdadero-falso

■ Temas/proyectos de discusión

I. Una forma de identificar la estructura semántica de las oraciones consiste en comenzar por el verbo, en tanto que elemento central, y definir a continuación los papeles semánticos que ese verbo requiere (en ocasiones se denomina a esto «asignación theta»). Por ejemplo, un verbo como *matar* requiere un agente y un tema, como ocurre en una oración como *El gato* [agente] *mató al ratón* [tema]. Un verbo como *dar* requiere un agente, un tema y un objetivo, como sucede en una frase como *La niña* [agente] *dio las flores* [tema] *a su madre* [objetivo]. Podemos representar lo anterior de la siguiente manera:

MATAR [*Agente* ____*Tema*]
DAR [*Agente* ____ *Tema, Objetivo*]

(i) ¿Cómo definiríais, según el modelo anterior, el conjunto de papeles semánticos, correspondiente a los siguientes verbos?

romper, construir, morir, comer, temer, suceder, besar, gustar, ocupar, ofrecer, poner, recibir, parecer, enviar, robar, probar, enseñar, comprender, querer, escribir.

(ii) ¿Se trata de papeles obligatorios u opcionales?

(Para obtener información básica sobre esta cuestión puedes consultar el capítulo 10 de Brinton, 2000.)

II. Todas las palabras de la siguiente lista tienen en común el hecho de tener como elemento supraordenado a *equipo de mesa:*

vaso, copa, mantelería, plato, cubertería, mantel, tenedor, cucharilla, servilleta, vajilla, cuchara, salero, sopera, botella, cuchillo, paleta, trinchador, sacacorchos.

Trata de responder a las siguientes cuestiones:

(i) ¿Cómo conseguirías averiguar el elemento prototípico para el término «equipo de mesa»?

(ii) ¿Resultaría útil para ello la creación de un diagrama jerárquico que ilustrase las relaciones de hiponimia que pueda haber entre estas palabras?

(iii) ¿Resultaría útil crear una lista que incluyera a algunos (o a la totalidad) de estos términos, asignándole a cada uno de ellos valores comprendidos entre 5 (= «un ejemplo excelente de equipo de mesa») y 1 (= «no se trata realmente de un ejemplo de equipo de mesa»), para pedir a continuación a diferentes personas que asignen un valor concreto sobre dicha escala a cada uno de los términos seleccionados?

(iv) ¿Crees que la palabra que obtuviese el valor más elevado podría considerarse el prototipo?

(Para obtener información adicional sobre esta cuestión, puedes consultar el capítulo 1 de Ungerer y Schmid, 1996.)

III. Un ejemplo muy conocido de oración sintácticamente correcta, pero semánticamente incorrecta, es la sugerida por Noam Chomsky (1957): *Colorless green ideas sleep furiously* («Las incoloras y verdes ideas duermen furiosamente»).

(i) ¿Qué fallos de significado contiene esta oración?

(ii) ¿Es posible lograr una interpretación de la misma?

(iii). ¿Qué podrías decir de la publicidad de unos grandes almacenes que anunciasen *Venta blanca llena de color esta semana*?

IV. Hay algunos aspectos del español contemporáneo que parecen particularmente redundantes (o así lo creen algunos). Un ejemplo sería *Usted recibirá un regalo gratis*. Quienes opinan que se trata de un caso de redundancia aducen que siendo algo un *regalo* debe ser necesariamente *gratis*.

(i) ¿Estás de acuerdo con esta opinión?

(ii) ¿Contienen las siguientes oraciones expresiones redundantes? ¿Podría haber alguna razón que las justificase?

Deberíamos avisarles de antemano.
Haré de esto mi primera prioridad.
Aquello fue una sorpresa inesperada.

¿Podrías repetirlo otra vez?
Aquello ya lo habían oído antes.
Aprovechamos aquella oferta barata.
Hubo un consenso general.
Estaban en cercana proximidad.
Y aquello fue su conclusión final.

■ Lecturas adicionales

El capítulo 6 de Finegan (2004) y el capítulo 5 de Fromkin *et al.* (2003) constituyen también introducciones de reducida extensión a la cuestión de la semántica. Un libro de texto introductorio es el de Hurford y Heasley (1983). Libros de texto alternativos son los de Cruse (2004), Hofmann (1993), Kearns (2000), Kreidler (1998), Löbner (2002), Lyons (1996) y Saeed (2003). Un tratamiento más pormenorizado de la cuestión es el que hacen Frawley (1992) y Lyons (1977). Ya de forma más específica, Aitchison (2003) se ocupa de las bases del significado conceptual; Leech (1974), de los papeles semánticos; Palmer (1994), de las relaciones léxicas; Cruse (1986) y Murphy (2003), de la antonimia; y Jones (2002), de los prototipos. Para obtener información adicional acerca de las colocaciones y de la lingüística de corpus, véase McEnery y Wilson (2001), Meyer (2002) o Sinclair (1991, 2003).

11 Pragmática

A finales de la década de los años sesenta, dos turistas americanos, ya mayores, que habían estado visitando Escocia, contaban que durante una de sus excursiones habían llegado a un pueblo en el que había una gran catedral en ruinas. Mientras contemplaban los restos, advirtieron la presencia de un niño de corta edad y le preguntaron acerca del momento en que la catedral había sido dañada de aquella terrible manera. El niño contestó que *durante la guerra*. Teniendo en cuenta que estaban en la década de los sesenta, su interpretación inmediata fue que debía estar refiriéndose a la II Guerra Mundial, que había concluido hacía sólo veinte años. Sin embargo, pronto se percataron de que el estado de las ruinas parecía indicar que llevaban así mucho más tiempo, de manera que le preguntaron al niño que a qué guerra se refería. El niño respondió que *a la guerra contra los ingleses*, que, como lograron averiguar, había concluido formalmente en 1745.

Brown (1998)

En el capítulo anterior nos hemos centrado en el significado conceptual y en las relaciones que mantienen entre sí las palabras. Sin embargo, hay otros aspectos del significado que dependen en mayor medida del contexto y de la intención comunicativa de quienes intervienen en una determinada conversación. En la anécdota que refiere Gill Brown, los turistas americanos y el niño escocés parecen estar utilizando la palabra *guerra* para denotar un significado básico que es esencialmente el mismo. Sin embargo, el niño empleaba la palabra para hacer referencia a algo que resulta inesperado para los turistas, lo que explica el malentendido inicial. Parece evidente que la comunicación no sólo depende del reconocimiento de las palabras que integran los enunciados, sino también del reconocimiento de lo que los hablantes quieren decir mediante esos enunciados. El estudio de lo que los hablantes desean comunicar (es decir, el «significado para el hablante») se denomina **pragmática**.

Significado invisible

En muchos sentidos, la pragmática es el estudio del significado «invisible», en otras palabras, de la manera en que reconocemos lo que alguien quiere decir, incluso cuando en la práctica no llegue a decirlo (o a escribirlo). Para que esto sea posible, los hablantes (y quienes escriben) deben ser capaces de tener en cuenta un buen número de presuposiciones y de expectativas a la hora de comunicarse. La investigación de estas presuposiciones y expectativas nos da algunas pistas de la forma en que logramos comunicar más cosas de lo que realmente decimos.

Imaginemos que estamos entrando en un aparcamiento y que vemos un gran anuncio como el que aparece en la ilustración. Conocemos lo que significa cada una de esas palabras y sabemos lo que significa el anuncio en su conjunto. Sin embargo, normalmente no pensamos que esta señal esté anunciando un sitio donde uno puede aparcar a su «vigilante cubierto» (es decir, coges a un vigilante, lo cubres con algo y lo llevas a este lugar, que es donde puedes aparcarlo). Otra alternativa sería que el cartel estuviese indicando un lugar donde algunos vigilantes que ya han sido cubiertos te aparcarán el coche.

Las palabras utilizadas en este anuncio permiten ambas interpretaciones, pero, sin embargo, lo que normalmente entendemos es que podemos aparcar nuestro coche en ese lugar, que está a cubierto y que cuenta con un vigilante que cuidará de él. Por tanto, ¿cómo decidimos lo que significa verdaderamente el cartel (conviene advertir que en él ni siquiera se menciona la palabra coche)? Para ello, es preciso tener presente no sólo el significado de las palabras, sino también el contexto en el que aparecen, así como ciertos conocimientos previos acerca del aspecto que debería tener un mensaje que resultase plausible en dicho contexto. Con estos tres elementos, solemos lograr una interpretación razonable de lo que quiso transmitir quien diseñó el anuncio. Dicho de otro modo, la interpretación que hacemos del «significado» del mismo no se basa únicamente en el de las palabras que lo componen, sino en nuestras asunciones acerca de lo que quiso comunicar su autor.

Veamos otro ejemplo, tomado de un anuncio aparecido en un periódico; en este caso, trataremos de nuevo de pensar no sólo en lo que significan las palabras, sino también en lo que intentan comunicar: REBAJAS, BEBÉS Y NIÑOS. Teniendo presente el contexto normal de nuestra sociedad, asumimos, de entrada, que esta tienda no debe dedicarse al negocio de la venta de niños al contado, sino que está anunciando ropa infantil. La palabra *ropa* no aparece en el anuncio, pero podemos (y debemos) evocarla a la hora de interpretarlo. Resulta evidente que desempeñamos un papel activo en la consecución de una interpretación adecuada de lo que leemos u oímos.

Contexto

Al analizar los dos ejemplos anteriores hemos resaltado la influencia que tiene el contexto. Evidentemente, existen diferentes tipos de contextos. Una clase de contexto es el **contexto lingüístico**, que también se denomina **co-texto**. El co-texto de una palabra es el conjunto de palabras que aparecen junto a ella en la misma oración o en el mismo sintagma. Este co-texto que rodea a una determinada palabra condiciona, en gran medida, nuestras asunciones acerca de su posible significado. En el capítulo anterior vimos que la palabra *banco* es una forma homónima, de manera que posee más de un significado. ¿Cómo sabemos normalmente a cuál de estos significados se alude en una oración concreta? Lo habitual es que lo sepamos gracias al contexto lingüístico. Si la palabra *banco* se usa en una oración en la que también aparecen palabras como *madera* o *hierba,* no tendremos muchos problemas para decidir de qué tipo de banco se trata. De forma similar, si oímos a alguien decir *Voy al banco a cobrar un cheque,* sabremos, gracias también al contexto lingüístico, que se refiere a un tipo de *banco* diferente al del caso anterior.

De forma más general, podemos afirmar que sabemos cómo interpretar una palabra gracias a su **contexto físico**. Si en cualquier ciudad observamos la palabra *BANCO* escrita sobre la pared de un edifico, la situación física de la palabra influirá en nuestra interpretación de la misma. Aunque esto puede resultar manifiestamente obvio, conviene tener presente que el «contexto» que permite interpretar el significado de una palabra o de una oración no consiste en la situación física real «de ahí fuera». Antes bien, el contexto relevante es nuestra representación mental de aquellos aspectos de la entidad que está físicamente «ahí fuera» que empleamos para lograr una interpretación correcta de la misma. Nuestra comprensión de buena parte de lo que leemos u oímos está vinculada a este tipo de procesamiento de determinados aspectos del contexto físico, en particular, de los relacionados con el tiempo y el espacio en los que encontramos las expresiones lingüísticas.

Deixis

Algunas palabras muy comunes en la lengua no pueden interpretarse, en modo alguno, a menos que se conozca el contexto del hablante, especialmente el contexto físico. Se trata de palabras como *aquí*, *allá*, *éste*, *aquél*, *ahora*, *después*, *ayer*; así como de la mayoría de los pronombres personales: *yo, tú, él, ella, nosotros, ellos, ellas, a mí, a vosotros*, etc. En algunos casos, y si no sabemos previamente quién es el que está hablando, lo hace, sobre quién, en qué lugar y en qué momento y resulta virtualmente imposible entender algunas oraciones, como sucede, por ejemplo, en un caso como *Tú tendrás que traer esto otra vez mañana, porque ella no está aquí ahora.*

Fuera de contexto, esta oración resulta extremadamente vaga. Contiene muchas expresiones *(tú, esto, mañana, ella, aquí, ahora)* cuya interpretación depende de nuestro grado de conocimiento del contexto físico inmediato en el que se han emitido (como, por ejemplo, que se trata de un mensajero que tendrá que volver el día 15 de febrero al número 65 de la calle Mayor con el paquete que lleva rotulado en el envoltorio «Precaución, flores. Manéjese con cuidado», el cual va dirigido a María Sánchez). Expresiones como *mañana* y *aquí* son ejemplos particularmente obvios de elementos del lenguaje que sólo podemos entender a partir del significado pretendido por el hablante. Estas expresiones se conocen con el nombre técnico de **expresiones deícticas**, de la palabra griega **deixis**, que significa «señalar» a través del lenguaje.

La deixis se utiliza para hacer referencia a cosas *(eso, esto, estas cajas)* y a personas *(al él, ellos, esos idiotas);* en este último caso suele hablarse de **deixis personal**. Las palabras o las locuciones empleadas para señalar un lugar *(aquí, allí, allá)* serían ejemplos de **deixis espacial**, mientras que aquéllas que se usan para señalar un punto temporal *(ahora, entonces, ayer, la semana pasada)* serían ejemplos de **deixis temporal**.

Todas estas expresiones deícticas han de interpretarse en función de la persona, el lugar o el tiempo que el hablante tenga en mente. Solemos hacer una distinción general entre lo que se marca como cercano al hablante *(esto, aquí, ahora)* y lo que se marca como distante *(aquello, allí, después)*. También es posible señalar si un movimiento se dirige hacia el lugar que ocupa el hablante *(venir)* o hacia un lugar diferente a aquel en el que dicho hablante se encuentra situado *(ir)*. Si uno está buscando a alguien y ese alguien aparece, pero lo hace moviéndose hacia donde uno se encuentra, se suele decir *¡Aquí viene!* En cambio, si se está alejando de uno, normalmente se dirá *¡Allá va!*. El mismo efecto deícitico permite explicar que, en función de la situación, sea posible decirle a alguien *¡Vete a la cama!* o *¡Vente a la cama!*

De hecho, también podemos utilizar la deixis para bromear. El propietario del bar que pone un gran anuncio en la puerta diciendo *Cerveza gratis mañana* (para conseguir que vuelvas al día siguiente) siempre podrá decir que todavía no ha llegado el día de la cerveza gratis.

Referencia

Al analizar la deixis hemos asumido que resulta fácil utilizar las palabras para referirse a las personas, los lugares y los momentos en el tiempo. Sin embargo, las palabras, por sí mismas, no hacen referencia a nada en particular, sino que son los hablantes los que se refieren a algo cuando las utilizan. Se define la **referencia** como el acto mediante el cual un hablante (o quien escribe) utiliza el lenguaje para hacer que un oyente (o quien lo lee) pueda identificar una determinada entidad. Para referirse a algo, es decir, para llevar a cabo un acto de referencia, podemos recurrir a los nombres propios *(Chomsky, María, Milú),* a otro tipo de nombres que forman parte de sintagmas *(un escritor, mi amigo, el gato)* o a los pronombres *(él, ella, ello)*. A menudo, asumimos que las palabras que usamos para identificar a alguien o a algo lo hacen de forma unívoca, pero resulta más correcto decir que para cada palabra o para cada sintagma existe un «rango de referencia». Una misma palabra, como *María, amigo* o *él*, puede utilizarse para hacer referencia a numerosas entidades reales. Como se apuntó anteriormente, una expresión como *la guerra* no identifica directamente nada por sí sola, dado que su referente depende de quién la esté usando en cada momento.

De la misma manera, podemos referirnos a determinadas cosas aunque no estemos seguros de cómo denominarlas. En este caso, solemos emplear expresiones del tipo *esa cosa de color azul* o *esa cosa tan repulsiva*, o incluso podemos llegar a inventarnos un nombre para designarlas. Así, por ejemplo, a un hombre que siempre pasaba muy rápido y haciendo mucho ruido con su motocicleta por el barrio donde vivo, los vecinos lo llamaban el *señor Kawasaki*. En este caso, se ha recurrido al nombre de una marca de motocicletas para hacer referencia a una determinada persona.

Inferencia

De forma similar a como sucede en el caso del «señor Kawasaki», el éxito de cualquier acto referencial depende en mayor medida de la habilidad del oyente para reconocer lo que queremos decir, que del conocimiento «de diccionario» que pueda poseer dicho oyente acerca de la palabra que hayamos empleado. Así, por ejemplo, en un restaurante un camarero puede preguntar a otro: *¿Dónde está sentada la ensalada verde?*, y oír como respuesta: *Está sentada al lado de la puerta*. Si estás estudiando Lingüística, seguro que le preguntas a alguien: *¿Puedo consultar tu Chomsky?*, y es probable que recibas entonces como respuesta algo así: *Claro, está en el estante de abajo del todo*. Estos ejemplos dejan claro que podemos utilizar nombres asociados a cosas *(ensalada)* para referirnos a personas, y nombres de persona *(Chomsky)*, para referirnos a cosas. El proceso clave en estos casos se llama **inferencia**. Por inferencia entendemos cualquier tipo de información adicional que utiliza el oyente para lograr relacionar lo que se le ha dicho con lo que se le ha querido decir. En este último ejemplo, el oyente tiene que realizar la siguiente inferencia: «si X es el nombre del autor de un libro, entonces X puede emplearse para identificar un ejemplar del libro escrito por dicho autor». Un tipo parecido de inferencia es el que se lleva a cabo para entender a quien afirma cosas como *Picasso está en este museo*, *Hemos visto un Shakespeare en Londres* o *Lleva puesto un Calvin Klein*.

Anáfora

Al hablar solemos distinguir entre el hecho de introducir nuevos referentes (*un cachorro*) y el hecho de hacer referencia con posterioridad en el discurso a referentes mencionados previamente (*el cachorro, lo*):

*Estuvimos viendo una película de vídeo muy divertida acerca de un niño que bañaba a **un cachorro** en un pequeño recipiente.*
***El cachorro** comenzó a removerse y a agitarse, y el niño se puso perdido de agua. Cuando **lo** dejó libre, saltó fuera del recipiente y salió corriendo.*

En este tipo de relación referencial la segunda expresión referencial (y cualquiera posterior) constituye un ejemplo de **anáfora** (literalmente, «llevar hacia atrás»), mientras que la primera mención es lo que se conoce como **antecedente**. Así, en el ejemplo anterior, *un cachorro, un niño* y *un pequeño recipiente* son antecedentes, mientras que *el cachorro, el niño, lo* y *el recipiente* constituyen expresiones anafóricas.

Se puede definir la anáfora como cualquier referencia posterior que se hace a una entidad ya mencionada en el discurso. Normalmente utilizamos la anáfora en los textos para mantener la referencia a lo largo del mismo. Así, en el ejemplo anterior, la conexión entre el antecedente y la expresión anafórica resulta de la utilización de un pronombre *(lo)* y de la repetición del nombre precedido por el artículo definido *el (el cachorro),* aunque también puede resultar del uso de otros nombres que estén relacionados con el antecedente mediante inferencia, como sucede en los siguientes ejemplos:

*Encontramos **una casa** para alquilar, pero **la cocina** era muy pequeña.*
*Cogí **un autobús** y le pregunté **al conductor** si llegaba hasta el centro de la ciudad.*

En el primer ejemplo, es preciso realizar la inferencia «si X es una casa, entonces X tiene cocina» para poder interpretar la conexión existente entre el antecedente *una casa* y la expresión anafórica *cocina*. En el segundo ejemplo, es preciso realizar una inferencia del tipo «si X es un autobús, entonces X tiene conductor» para poder establecer la conexión que existe entre *un autobús* y *al conductor*. En un contexto en el cual ambos interlocutores fueran capaces de establecer este tipo de inferencias, sería plausible una queja como la siguiente: *Estaba esperando que llegara el autobús, pero ella pasó de largo sin detenerse.* Cuando el antecedente es *autobús*, lo esperable es que el pronombre empleado en la segunda proposición sea *él*. Sin embargo, el hecho de que se emplee el pronombre *ella* implica, obviamente, que se ha llevado a cabo una inferencia acerca del conductor, que debe ser una mujer.

Hasta ahora hemos utilizado el término «inferencia» para describir lo que hace el oyente (o el lector). Cuando hablamos de una presunción hecha por el hablante (o por quien escribe), normalmente hablamos de una «presuposición».

Presuposición

Cuando un hablante utiliza expresiones referenciales como *éste, él* o *Shakespeare*, lo normal es que presuponga que el oyente conoce cuál es el referente al que está aludiendo. En general, los hablantes diseñan sus mensajes sobre la base de suposiciones de todo tipo respecto a lo que sus oyentes conocen. Está claro que algunas de estas asunciones pueden ser erróneas, pero en la mayoría de los casos resultan correctas. Denominamos **presuposición** a todo aquello que un hablante (o quien escribe) asume como correcto o como conocido por su oyente (o lector).

Si alguien nos dice *Tu hermano te está esperando fuera*, la presuposición es obvia: tú tienes un hermano. Del mismo modo, en una pregunta como *¿Por qué llegas tarde?*, subyace la presuposición de que, efectivamente, has llegado tarde. Y si alguien nos pregunta *¿Cuándo dejaste de fumar?*, existen, al menos, dos presuposiciones: que uno solía fumar y que uno lo ha dejado de hacer. Este tipo de preguntas, con presuposiciones subyacentes, se puede convertir en un recurso particularmente útil durante los interrogatorios judiciales. Si el fiscal le dice al acusado *De acuerdo, señor Pérez, ¿a qué velocidad iba cuando se saltó el semáforo en rojo?,* se presupone que el señor Pérez se saltó realmente el semáforo en rojo. Si el acusado contesta únicamente indicando a cuántos kilómetros por hora iba en ese momento, está aceptando que dicha presuposición es correcta.

Una de las pruebas utilizadas para determinar las presuposiciones que subyacen a una determinada oración consiste en negarla y comprobar si la presuposición continúa siendo verdadera. Tomemos, por ejemplo, la oración *Mi coche es una bañera*, y ahora veamos su versión negativa, *Mi coche no es una bañera*. Aunque estas dos oraciones tienen significados opuestos, la presuposición subyacente (*yo tengo un coche*) es verdadera en ambos casos. Esto es lo que se denomina prueba de la «constancia bajo negación» para la identificación de las presuposiciones. De la misma manera, si alguien dice *Antes lamentaba haberme casado con él, pero ahora ya ni lo lamento*, la presuposición (*me casé con él*) permanece constante, incluso aunque la forma verbal cambie de afirmativa a negativa.

Actos de habla

Hasta ahora hemos estado considerando algunas formas de interpretar el significado de los enunciados a partir de lo que el hablante pretende transmitir con ellos. Lo que no hemos analizado todavía es el hecho de que normalmente también sabemos qué es lo que hacen los hablantes para que «tengamos en cuenta» (o «interpretemos la función de») lo que están diciendo. Hablando en términos muy generales, como usuarios de la lengua somos capaces de reconocer el tipo de «acto» realizado por un hablante al emitir un enunciado. Para describir acciones como «preguntar», «ordenar», «exigir» o «informar», recurrimos al término **acto de habla**. Un acto de habla puede definirse como la acción que lleva a cabo un hablante cuando hace uso de un determinado enunciado. Cuando afirmamos *Estaré allí a las seis,* no nos estamos limitando a hablar, sino que estamos escenificando un determinado acto de habla, el de «prometer».

Actos de habla directos e indirectos

Resulta muy normal que utilicemos determinadas estructuras sintácticas para satisfacer funciones específicas, como se recoge en la siguiente tabla:

	Estructura	Función
¿Te has comido la galleta?	Interrogativa	Pregunta
¡Cómete la galleta (por favor)!	Imperativa	Orden (petición)
Te has comido la galleta	Enunciativa	Afirmación

El hecho de utilizar una estructura interrogativa, como *¿Has...?, ¿Están...?* o *¿Puedes...?,* para hacer una pregunta se suele denominar **acto de habla directo**. Por ejemplo, cuando un hablante no sabe algo y le pregunta al oyente para obtener la información de la que carece, normalmente llevará a cabo un acto de habla directo, como puede ser: *¿Puedes montar en bicicleta?*

Comparemos ahora el enunciado anterior con éste otro: *¿Puedes pasarme la sal?* En este caso, normalmente no entenderíamos el enunciado como una pregunta acerca de la capacidad de nuestro interlocutor de hacer algo. De hecho, no utilizamos esta estructura para preguntar acerca de nada, sino para pedir algo. Es decir, estamos empleando una forma sintáctica asociada normalmente con la función de preguntar para satisfacer una función diferente, la de solicitar. Este es un ejemplo de lo que normalmente denominamos un **acto de habla indirecto**. Siempre que una de las estructuras sintácticas anteriores se use para realizar una función diferente a la que se menciona en la tabla a su derecha, el resultado es un acto de habla indirecto.

Así, *Te has dejado la puerta abierta* posee una estructura enunciativa y, en tanto que acto de habla directo, se usaría para afirmar algo. Sin embargo, si se lo decimos a alguien que acaba de entrar en la habitación donde estamos (y hace bastante frío fuera), lo más probable es que lo hagamos con la intención de que cierre la puerta. Hemos optado por no usar una estructura imperativa, sino una enunciativa, para pedir algo. En consecuencia, se trata de otro ejemplo de acto de habla indirecto.

Cuando una persona no es capaz de percibir que se trata de un acto de habla indirecto, los efectos pueden resultar extraños. Es lo que ocurre, por ejemplo, en la siguiente escena, en la que un turista camina por una ciudad extraña llevando sus maletas y, al parecer, perdido, por lo que detiene a un transeúnte y le pregunta:

TURISTA: *Perdóneme, ¿sabe dónde está el Hotel Senator?*
TRANSEÚNTE: *Sí, claro que lo sé* (y se va).

En este caso, el turista utiliza una forma asociada normalmente a las preguntas *(¿Sabe...?)* y el transeúnte contesta literalmente a la pregunta que se le hace *(Sí...)*. Es decir, en lugar de atender a una petición, el transeúnte responde a una pregunta, tratando un acto de habla indirecto como si fuera directo. La incapacidad de reconocer los actos de habla indirectos puede dar lugar a algunas interacciones grotescas.

En general, la principal razón por la que recurrimos a los actos de habla indirectos parece deberse a que en nuestra sociedad resulta más educado o más cortés plantear determinadas acciones, como las peticiones, de forma indirecta *(¿Le importaría abrirme la puerta para que pudiese pasar?)* y no en forma directa *(¡Ábreme la puerta!)*. La causa exacta por la que se considera más cortés la primera expresión se encuentra en asunciones sociales particularmente complejas.

Cortesía

La cuestión de la cortesía se puede enfocar de diferentes formas. Una manera consiste en relacionarla con el hecho de tener tacto, y de ser modesto y agradable con los demás. En el estudio de la cortesía lingüística, el concepto más relevante es el de *aspecto* (*face*, en inglés). En pragmática, el **aspecto** de uno es la imagen pública que uno tiene. Es decir, se trata del concepto de carácter emocional y social que cada persona tiene de sí misma y que espera que los demás reconozcan en él. La **cortesía** puede definirse como el hecho de tener en consideración el aspecto de otra persona.

El decir algo que represente una ofensa para la autoestima de otra persona se denomina **acto de ofensa al aspecto**. Por ejemplo, si usamos un acto de habla directo para pedirle a alguien que haga algo *(¡Dame ese papel!)*, estamos actuando como si tuviéramos más poder que la otra persona en términos sociales. Si en realidad carecemos de ese poder (uno no es, por ejemplo, un oficial del ejército o el guardián de una prisión), entonces estamos cometiendo un acto de ofensa al aspecto. Un acto de habla indirecto en forma de pregunta *(¿Podrías pasarme ese papel, por favor?)* elimina la presunción de poder social. Formulada en estos términos, da la impresión de que le estuviésemos preguntando a la otra persona acerca de su capacidad para hacer lo que le pedimos. Esto hace de nuestra solicitud algo menos ofensivo o amenazante para con el aspecto de la otra persona. Cualquier afirmación encaminada a rebajar el nivel de amenaza hacia el aspecto de otro individuo se denomina **acto de respeto al aspecto**.

Aspecto negativo y aspecto positivo

Todos contamos con un aspecto negativo y con un aspecto positivo (adviértase que «negativo» no significa «malo», sino sólo lo contrario de «positivo»). El **aspecto negativo** consiste en la necesidad de ser independientes y de sentirnos libres de cualquier imposición. Por contra, el **aspecto positivo** consiste en la necesidad de sentirnos vinculados con algo o con alguien, de pertenecer a algo, de ser miembros de un grupo. Así, un acto de respeto al aspecto que enfatice el aspecto negativo de una persona pondrá de manifiesto nuestra preocupación ante una determinada imposición *(Siento molestarle, pero...; Sé que está muy ocupado, pero...)*. Un acto de respeto al aspecto que enfatice el aspecto positivo de una persona irá encaminado a mostrar solidaridad y dirigirá la atención hacia un interés común *(Hagamos esto juntos...; Usted y yo tenemos el mismo problema, de forma que...)*.

La noción de lo que es un lenguaje apropiado a la hora de poner de manifiesto la cortesía es algo que difiere sustancialmente de una cultura a otra. Si uno ha crecido en una cultura que valora el hecho de ser directo como una forma de mostrar solidaridad y, en consecuencia, recurre a un acto de habla directo *(¡Dame esa silla!)* para pedirle algo a otra persona cuya cultura tiende, en cambio, a lo indirecto y a evitar cualquier tipo de imposición, será considerado por esta última como un maleducado. Del mismo modo, la primera persona tenderá a pensar que la segunda muestra una gran vaguedad o que no está segura de si realmente quiere una cosa o, por el contrario, sólo está preguntando acerca de ella *(¿Estás usando esta silla?)*. Sea como fuere, lo que se ha malinterpretado en ambos casos es algo de carácter pragmático; por desgracia, se ha comunicado mucho más de lo que se ha dicho realmente.

Para poder comprender la manera en que logramos comunicarnos, tenemos que entender la forma en que interpretamos no sólo lo que el hablante dice, sino lo que «quiere decir». En el siguiente capítulo analizaremos otros aspectos de este proceso.

■ Ejercicios

1. ¿Cuáles son las expresiones deícticas que existen en la siguiente oración (por ejemplo, *yo* = deixis personal)?

   Yo estoy ocupado ahora, por tanto tú no puedes quedarte aquí. Vuelve más tarde.

2. ¿Cuáles son las expresiones anafóricas que existen en la siguiente frase?

El doctor Foster le dio a María unas pastillas después de que ella le dijera que le dolía la cabeza y le recomendó que se tomara las pastillas tres veces al día hasta que el dolor desapareciera.

3. ¿Qué tipo de inferencia se hace al interpretar las siguientes oraciones?

   (a) Profesor: *Traed vuestro Platón a clase mañana.*
   (b) Camarero: *El pollo asado se ha marchado sin pagar.*
   (c) Enfermera: *La hernia de la habitación número 5 quiere hablar con el médico.*
   (d) Dentista: Mis once y media ha llamado para decir que no vendrá, por lo que podré almorzar más temprano.

4. ¿Cuál es una presuposición obvia que hace el hablante al emitir los siguientes enunciados?:

   (a) *¿Dónde compraste la cerveza?*
   (b) *Tu reloj está roto.*
   (c) *Lamentamos haber comprado este coche.*
   (d) *El rey de Francia es calvo.*

5. Supongamos que alguien se coloca justo delante del televisor que estás mirando, de modo que optas por decirle alguna de las siguientes expresiones:

   (a) *¡Lárgate de ahí!*
   (b) *Estás en medio*
   (c) *¿Tendría la amabilidad de sentarse?*
   (d) *Por favor, quítese de en medio.*

   Trata de determinar cuál de ellas constituiría un acto de habla directo y cuál, uno indirecto.

6. ¿En cuáles de los siguientes ejemplos se está apelando al aspecto positivo? ¿Y al negativo?

   (a) *Si tienes tiempo, vamos a celebrar una fiesta en casa de Yuri el próximo sábado.*
   (b) *Vayamos a la fiesta que se celebra en casa de Yuri el próximo sábado. Todo el mundo está invitado.*

■ Tareas de investigación

A. ¿Qué crees que quiere decir la siguiente afirmación: «Un contexto es un constructo psicológico» (Sperber y Wilson, 1995)?

B. ¿Por qué razón resulta necesario el concepto de «proyección deíctica» para analizar las siguientes expresiones deícticas?

   1. Aviso en la puerta de la oficina: *Vuelvo dentro de una hora.*
   2. Contestador automático: *No estoy ahora.*
   3. Anuncio para zapatillas de deporte: *Sólo hazlo.*
   4. Viendo una carrera de caballos: *¡Oh, no, voy el último!*
   5. Contestando al teléfono: *¡Oh, eres tú!*

6. En un mapa/directorio: USTED SE ENCUENTRA AQUÍ.

7. En un coche que no arranca: *Quizá me he quedado sin gasolina.*

8. Señalando una silla vacía en clase: *¿Dónde está ella hoy?*

C. ¿Cuál de los siguientes enunciados contienen «verbos performativos»? ¿En qué te has basado para dar tu respuesta?

1. *Lo siento.*

2. *Dijo que lo sentía.*

3. *Me apuesto contigo 20 €*

4. *Ella ganó la apuesta.*

5. *Tengo un Mercedes.*

6. *Debes tener un montón de dinero.*

D. Las siguientes expresiones se han encontrado en diversos anuncios comerciales:

Rebajas del hogar.
Grandes ofertas en la vuelta al colegio.
Liquidación de música clásica.
Oferta de muebles.
Rebajas del Día de la Madre.
Rebajas por liquidación.
Aparcamiento de saldo.

(i) ¿Qué se vende en cada caso y qué palabras añadirías (si lo sabes) al anuncio para hacerlo más inteligible?

(ii) ¿Cuál es la estructura subyacente de cada expresión? Por ejemplo, «Oferta de muebles » significa que «alguien está vendiendo muebles»). Crees que esta estructura sería adecuada en el caso «Garaje de saldo» y de las restantes expresiones?

■ Temas/proyectos de discusión

I. Asumamos que te encuentras en una situación en la que le preguntas a uno de tus padres si puedes ir a la discoteca y te encuentras con una de las dos respuestas que se recogen a continuación:

Sí, por supuesto, puedes ir.
Si quieres, puedes ir.

(i) ¿Crees que ambas respuestas tienen el mismo «significado» o que su «significado» es diferente?

(ii) Consideremos a continuación la siguiente situación, descrita por Tannen (1986):

Una mujer de origen griego estaba explicando la manera en que se comunicaba con su padre (y posteriormente, también con su marido). Cada vez que quería hacer algo, como, por ejemplo, ir a bailar, tenía que pedirle permiso a su padre. Él nunca le decía que no. Sin embargo, a partir de la forma en que le daba permiso ella sabía colegir si realmente quería decir sí o, por el contra-

rio no estaba de acuerdo. Si él decía algo como: «Sí, claro que puedes ir», entonces ella sabía que estaba de acuerdo con su propuesta. Si, en cambio, decía algo como «Si quieres, puedes ir», entonces ella comprendía que no estaba de acuerdo con su idea y, en consecuencia, no iba.

(a) ¿Por qué crees que «él nunca decía que no» (cuando realmente estaba comunicando una negativa en algunos casos)?

(b) ¿De qué manera analizarías los dos actos de habla que suponen los dos tipos de respuestas a los que se alude en el pasaje citado anteriormente?

(c) ¿Te has encontrado en tu vida con alguna situación parecida, en la que «se comunica más de lo que se dice»?

(Para obtener información básica sobre esta cuestión puedes leer el capítulo 4 de Tannen, 1986.)

II. Lo que se considera un comportamiento educado puede variar sustancialmente de una cultura a otra. Lakoff (1990) describe tres tipos diferentes de comportamiento educado: *distancia*, *deferencia* y *camaradería*. Lee las descripciones básicas de cada uno de ellos que se ofrecen a continuación.

La cortesía de «distancia» es el análogo en el humano civilizado de las estrategias territoriales características de otros animales. Un animal marca una frontera física (como hacen los perros al orinar) para indicar a sus congéneres: «De aquí no se pasa». Nosotros, en tanto que animales que usamos símbolos, creamos barreras simbólicas. Las culturas del distanciamiento incorporan la lejanía a su lenguaje.

Mientras que la cortesía de «distancia» asume que, en líneas generales, los participantes son iguales, la deferencia funciona rebajando el nivel de uno de ellos (o de ambos). Mientras que la cortesía de «distancia» ha sido una característica de las clases media y alta en la mayor parte de Europa durante mucho tiempo, la deferencia es característica de muchas sociedades asiáticas. Y también era el modo de interacción preferido en la mayoría de las sociedades cuando una mujer tenía que dirigirse a un hombre.

Una tercera estrategia (la «camaradería») ha surgido recientemente en nuestra cultura y parte de unos supuestos diferentes: relacionarse e interactuar son cosas positivas en sí mismas y la franqueza es el mejor signo de cortesía. En un sistema de camaradería, la manifestación de la franqueza y de la simpatía tiene prioridad por encima de todo. No existe la reserva, no hay nada tan terrible que no pueda ser dicho.

(i) Intenta decidir cuál de estos tipos de cortesía o de comportamiento educado te es más familiar.

(ii) ¿Te has encontrado alguna vez con alguno de ellos?

(iii) ¿Qué tipo de lenguaje crees que es característico de cada uno de ellos?

(Para obtener información básica sobre esta cuestión puedes leer el capítulo 2 de Lakoff, 1990.)

III. La referencia anafórica se define normalmente a partir de referencias posteriores dentro de un texto y se ilustra mediante pronombres. Pero existen otras maneras mediante las cuales se puede satisfacer una referencia posterior (por ejemplo, repitiendo determinados sintagmas nominales o determinados nombres). Lee los siguientes párrafos y trata de identificar todos las referencias anafóricas que contengan.

(a) *El 13 de abril de 1990, en una taberna en Mercedes, Tejas, un murciélago mordió el dedo índice de uno de los clientes, de 22 años de edad. El hombre, que no recibió atención médica, parecía estar bien, hasta que el 30 de mayo la mano afectada empezó a fallarle. Sólo seis días después moría de rabia, habiendo experimentado mientras tanto muchos de sus síntomas. Antes de entrar en coma, el tejano sufrió episodios de rigidez y una parada respiratoria; alucinaciones; una extrema dificultad al tragar (tanta, que rechazaba los líquidos), espasmos frecuentes en la cara, la boca y el cuello; babeo continuo; y, finalmente, desorientación acompañada de fiebre alta.*

(b) *El caballo del año, Holy Bull, tuvo que retirarse después de sufrir una rotura de ligamentos durante el Handicap Donn del sábado. Cigar, que estaba disputando la primera posición con el favorito en el momento del incidente, continuó hasta ganar la carrera. Cigar pagó 10 dólares por la victoria. El jockey de Cigar, Jerry Biley, dijo haber oído «un pum», ya que su caballo y Holy Bull iban juntos. El veterinario, el Dr. Peter Hall dijo del campeón, «Ha sufrido un tirón en los ligamentos del tobillo, pero la lesión no es grave. El caballo está fuera de peligro, aunque probablemente no pueda volver a correr nunca más».*

(i) ¿Qué tipo de problemas surgen en un ejercicio como éste?

(ii) ¿Cómo tratarías de resolverlos?

(El texto (a) se ha tomado del número de junio de 1992 de *Scientific American*, mientras que el (b) es un extracto del *The Daily Racing Form* de febrero de 1995.)

IV. Los siguientes ejemplos se han adaptado a partir de los utilizados por Beebe *et al.* (1990). Constituyen una suerte de «escenarios», ideados para el estudio de los actos de habla de «rechazo».

1. Eres el propietario de una librería. Uno de tus mejores empleados te pide hablar en privado.

Empleado: *Como usted sabe, hace poco más de un año que trabajo aquí y sé que usted está contento conmigo. Yo realmente estoy encantado de trabajar aquí, pero para ser honesto, lo cierto es que necesito un aumento de sueldo.*

Tú: _____

El empleado: *Entonces, creo que tendré que buscarme otro trabajo.*

2. Estás comiendo en casa de un amigo.

Amigo: *¿Quieres otro trozo de pastel?*
Tú: _____
Amigo: *Venga, ¿sólo un trocito?*
Tú: _____

3. Una amiga te invita a cenar, pero tú no soportas a su marido.

Amiga: *¿Qué te parecería venir a cenar a casa el domingo por la noche?*
Tú: _____
Amiga: *Bueno, otro día será.*

(i) ¿Cuál sería tu respuesta en las circunstancias descritas anteriormente? Completa, para ello, el espacio que se ha dejado en blanco en cada diálogo.

(ii) Plantea esta misma cuestión a otras personas y anota las respuestas que te sugieran.

(iii) ¿Serías capaz de idear otras situaciones distintas, pero siguiendo un patrón similar, y pedirle a otras personas que escriban lo que ellos dirían?

(iv) ¿Qué gama de expresiones se utiliza, en consecuencia, para los actos de habla de rechazo? ¿Por qué crees que existe tanta variedad al respecto?

■ Lecturas adicionales

Como introducciones básicas a la pragmática podemos citar las de Cutting (2002), Grundy (2000), LoCastro (2003), Verschueren (1999) y Yule (1996). Otros libros de texto alternativos son los de Green (1996), Levinson (1983), Mey (2001) y Thomas (1995). Para obtener información adicional sobre la cuestión del contexto, véanse los artículos contenidos en Malmkjær y Williams (1998); sobre la referencia y la deixis, véase la parte 4 de Cruse (2004); sobre la anáfora, los libros de Cornish (1999) o de Fox (1993); sobre los actos de habla, el volumen de Geis (1995); sobre el aspecto, el de Goffman (1967); y sobre la cortesía, el de Watts (2003). Para una revisión exhaustiva acerca de la investigación de carácter pragmático, véase Horn y Ward (2004).

12 Análisis del discurso

Hay dos tipos de favores: los grandes favores y los pequeños favores. Se puede medir el tamaño del favor por la pausa que hace una persona después de que la hayas pedido «Hazme un favor». Pequeña pausa-pequeño favor. «¿Me haces el favor de alcanzarme el lápiz?». Ninguna pausa. Un gran favor es del tipo, «¿Podrías hacerme el favor de...?» Pasan ocho segundos. «Sí, dime. ¿De qué se trata?» «... Bueno...». Cuanto más tiempo se tarda en decirlo, mayor es el esfuerzo que va a suponer dar satisfacción a lo que se pide.

Los humanos son la única especie conocida que hace favores. Los animales no hacen favores. Un lagarto no va a una cucaracha y le dice, «¿Podrías hacerme el favor de estarte quieta un momento? Me gustaría comerte viva». Eso sí que es un gran favor, incluso sin pausa.

Seinfeld (1993)

En el estudio del lenguaje algunas de las cuestiones más interesantes surgen al plantearse no tanto la naturaleza de sus componentes, cuanto la forma en que se usa, incluso aunque se trate de algo aparentemente tan marginal como la manera en que emplean las pausas, tal y como sugiere Jerry Seinfeld. En el capítulo anterior discutimos algunas de estas cuestiones cuando nos ocupamos de la pragmática, ya que nos preguntamos entonces por la manera en que los usuarios de una lengua logran interpretar lo que otros usuarios de dicha lengua pretenden transmitir. Si tratamos de profundizar en estas cuestiones y nos empezamos a plantear la forma en que conseguimos entender lo que leemos, o la manera en que logramos reconocer qué textos están correctamente construidos y en cuáles las palabras ocupan una posición incorrecta o son incoherentes, o cómo llegamos a comprender a hablantes que comunican más de lo que dicen, y cómo, en definitiva, participamos en esa actividad tan compleja llamada conversación, entonces estaremos llevando a cabo lo que se conoce como **análisis del discurso**. El término «discurso» se define habitualmente como «lo que hay del lenguaje más allá de la oración», de forma que el análisis del discurso se ocuparía típicamente del estudio del lenguaje en todo lo relativo al texto y a la conversación.

Interpretando el discurso

Cuando nos centramos en la descripción de una lengua determinada, lo más frecuente es que intentemos caracterizar de la manera más exacta posible las formas y las estructuras propias de dicha lengua. Sin embargo, en tanto que usuarios del lenguaje, somos capaces de algo más que de distinguir simplemente las formas y las estructuras correctas, de las incorrectas. Por ejemplo, somos capaces de procesar adecuadamente fragmentos como los que constituyen los titulares periodísticos, del tipo *Chocan dos trenes; dos muertos*. En este caso concreto, sabemos, en particular, que hay una relación causa-efecto entre lo que describen las dos partes que constituyen el titular. También podemos darle un sentido a anuncios como *Sin zapatos, prohibida la entrada*, que pueden aparecer en los escaparates de las tiendas en verano, entendiendo que existe una relación condicional entre las dos partes del texto («Si usted entra descalzo en la tienda, el personal de la misma no le atenderá»). Asimismo, tenemos la capacidad de procesar adecuadamente textos escritos en una lengua determinada que parecen incumplir muchas de las reglas propias de dicha lengua. El siguiente ejemplo es una redacción hecha por un estudiante de Arabia Saudí que estaba aprendiendo castellano; contiene todo tipo de errores, pero aun así puede entenderse con cierta facilidad:

> *Mi ciudad*
> *La mía natal fue en una pequeña ciudad, muy cerca de Riad capital de Arabia Saudí. La distante entre mi ciudad y Riad 7 kilómetros exactamente. El nombre de ésta Almasani que significa en castellano «granjas». Toma este nombre de la profesión de la gente. En mi infancia yo recuerdo la vivir de la gente. Era muy sencilla, mayoría de la gente era granjero.*

Este ejemplo puede servir para ilustrar un aspecto fundamental de la manera en que reaccionamos ante un lenguaje que contiene formas agramaticales. En lugar de optar simplemente por rechazar el texto en tanto agramatical, intentamos, en cambio, encontrarle un sentido, es decir, procuramos alcanzar una interpretación razonable de lo que pretendía transmitir quien lo había escrito (de hecho, la mayoría de las personas afirman entender el texto «Mi ciudad» sin mayor problema). Este esfuerzo por interpretar (y ser interpretado) y la manera en que lo conseguimos son los dos elementos claves de los que se ocupa el análisis del discurso. Para lograr interpretar algo, y también para hacer que nuestros mensajes sean interpretables, seguramente nos basamos en nuestro conocimiento acerca de las formas y de las estructuras lingüísticas; pero, en tanto que usuarios de esa lengua, lo cierto es que nuestros conocimientos van mucho más allá de todo eso.

Cohesión

Sabemos, por ejemplo, que los textos deben tener una cierta estructura, la cual depende de factores que difieren significativamente de los que son relevantes en lo concerniente a la estructura de una única oración. Algunos de estos factores pueden describirse mediante el término **cohesión**, que alude a los vínculos y conexiones que existen dentro de un texto. En el siguiente ejemplo pueden identificarse algunos de estos tipos de **vínculos cohesivos**:

> *Una vez mi padre compró un Porsche descapotable. Lo consiguió ahorrando cada céntimo que podía. Aquel coche valdría una fortuna hoy en día. Sin embargo, él lo vendió para pagarme los estudios universitarios. Yo algunas veces pienso que me hubiera ido mejor si hubiera tenido el descapotable.*

Uno de los tipos de conexiones que es posible advertir en este texto consiste en el hecho de que determinadas palabras logran que exista una referencia constante a lo largo del mismo a unas personas o cosas determinadas: *padre-él-él; Porsche desca-*

potable-lo-lo; mi-me-yo-me. También hay conexiones entre determinados sintagmas, como *Porsche descapotable–aquel coche–el descapotable*, y algunas conexiones más generales, creadas por términos que comparten un elemento de significado, como, por ejemplo «dinero», en el caso de *compró–ahorrando–céntimo–valdría-fortuna–vendió–pagar*; o «tiempo», en el caso de *una vez–hoy en día–algunas veces*. Asimismo, existe un conector, *sin embargo*, que marca la existencia de una relación entre lo que sucedió antes y lo que ocurrió después. El tiempo de los verbos en las primeras cuatro oraciones está en pasado, contribuyendo a crear una conexión entre los sucesos denotados por dichos verbos, mientras que la alusión a un suceso que transcurre en un momento distinto (el presente) se indica por el tiempo de presente del verbo de la proposición principal de la última oración.

El análisis de los vínculos cohesivos que existen dentro de un texto nos proporciona algunas pistas acerca de la manera en que los escritores tratan de estructurar lo que quieren decir, convirtiéndose así en factores cruciales a la hora de juzgar si algo está bien escrito o no. Con todo, se ha sugerido que las convenciones en lo concerniente a lo que es una estructura cohesionada difieren de una lengua a otra, lo que podría ser la causa de algunas de las dificultades que surgen a la hora de traducir los textos.

Sin embargo, la cohesión por sí misma no es suficiente para que podamos darle un sentido a lo que leemos. De hecho, resulta bastante fácil crear un texto muy cohesionado, que cuente con numerosas conexiones entre las oraciones que lo integran, y que, sin embargo, sea muy difícil de interpretar. En el texto siguiente, por ejemplo, existen numerosas conexiones, como *Porsche–el coche, rojo–ese color, le–ella, cartas–una carta,* etcétera:

Mi padre compró un Porsche descapotable. El coche que llevaba la policía era rojo. Ese color no le sienta bien. Ella consta de tres cartas. Sin embargo, una carta no es tan rápida como una llamada de teléfono.

Analizando un ejemplo como éste, queda claro que «el grado de cohesión» que percibimos cuando interpretamos un texto normal no se basa únicamente en las conexiones existentes entre las palabras que lo integran. Tiene que haber otro factor que nos permita distinguir los textos cohesionados que tienen sentido, de los que no lo tienen. Dicho factor se denomina habitualmente «coherencia».

Coherencia

La clave para entender el concepto de **coherencia** («cada elemento concuerda con todos los restantes») no se encuentra en las palabras o en las estructuras de la lengua, sino que está relacionada con algo inherente a las personas. Somos nosotros los que «damos sentido» a lo que leemos y a lo que escuchamos, los que intentamos conseguir una interpretación de la realidad que case con nuestra experiencia acerca de cómo es el mundo. De hecho, lo más probable es que nuestra capacidad de dar sentido a lo que leemos sea tan sólo una pequeña parte de esa capacidad más general que nos permite dar sentido a lo que percibimos o experimentamos en relación con el mundo real. Seguramente, al leer el último texto que hemos puesto como ejemplo, te habrás dado cuenta de que continuamente intentabas lograr que encajara con alguna situación o experiencia previa que hubieses tenido, de forma que los detalles (el coche rojo, la mujer, la carta) cuadraran. Si nos lo propusiéramos, seguramente conseguiríamos encontrar una forma de incorporar todos los elementos dispares que aparecen en el texto dentro de una única interpretación coherente. Para ello, sería preciso rellenar todos los huecos que existen manifiestamente en dicho texto y crear conexiones significativas que realmente no vienen expresadas por las palabras y por las oraciones que lo conforman. Este mecanismo no está restringido a la interpretación de textos «anómalos», sino que, de una forma u otra, parece que es necesario para que podamos interpretar cualquier discurso.

Ciertamente, está involucrado en la interpretación de nuestras conversaciones cotidianas. Continuamente nos relacionamos mediante conversaciones en las que una gran parte de lo que queremos decir no viene dado por lo que decimos realmente. Quizás es la facilidad con la que solemos anticipar las intenciones de los demás la que hace que todo este complejo proceso nos parezca tan poco notable. Un buen ejemplo de todo esto lo constituye el siguiente diálogo, adaptado de Widdowson (1978):

Ella: *El teléfono.*
Él: *Estoy en el baño.*
Ella: *Vale.*

Es obvio que en este fragmento de discurso no existen vínculos cohesivos.¿Cómo logra, entonces, cada una de estas personas darle un sentido a lo que dice la otra? Está claro que utilizan la información que contienen las oraciones verbalizadas, pero es obvio también que hay algo más que interviene en el proceso de interpretación. Se ha sugerido que este tipo de intercambios se explica mejor si se analizan desde la perspectiva de las acciones que, de forma convencional, realizan los hablantes implicados en los mismos. Así, utilizando los conceptos derivados del estudio de los actos de habla (discutidos en el capítulo 12), podemos caracterizar esta breve conversación de la siguiente manera:

Ella le pide a él que realice una acción.
Él declara la razón por la que no puede satisfacer su petición.
Ella acepta realizar la acción por sí misma.

Si éste es un análisis plausible de lo que sucede el diálogo anterior, entonces resulta evidente que gran parte del conocimiento que los usuarios del lenguaje tienen acerca de la manera en que funciona una conversación no tiene un carácter simplemente «lingüístico». Actualmente, una cantidad creciente de estudios relacionados con el discurso tiene por objeto tratar de dilucidar los diferentes componentes implicados en este tipo de conocimiento.

Eventos de habla

Cuando analizamos lo que sabemos acerca del modo de participar en una conversación o en cualquier otro **evento de habla** (por ejemplo, debates, entrevistas o diferentes tipos de discusiones), nos damos cuenta rápidamente de que existe una gran diversidad en cuanto a lo que la gente dice y hace en diferentes circunstancias. Si queremos comenzar a describir las causas de esta variación, resulta preciso tener en cuenta varios criterios. Por ejemplo, es conveniente especificar los papeles que desempeñan el hablante y el oyente (u oyentes), así como la relación que existe entre ellos, es decir, si son amigos, desconocidos, hombres, mujeres, jóvenes, viejos, de igual o de diferente estatus, etc. Todos estos factores influirán en lo que se dice y en cómo se dice. Asimismo, será necesario describir el tema de la conversación y el contexto en que tiene lugar. En los capítulos 19 y 20 se discutirán algunos de los efectos que tienen estos factores sobre la manera en que se usa la lengua. Pero incluso si logramos describir todos estos factores, aún no habremos analizado la estructura real de la conversación en sí. En tanto que usuarios de una lengua, inmersos en una cultura determinada, resulta evidente que disponemos de un conocimiento bastante profundo de cómo funciona una conversación.

Análisis conversacional

En términos sencillos, una conversación puede describirse como una actividad donde, en la mayor parte de los casos, dos o más personas **se turnan** para hablar. Por lo general, sólo una persona habla cada vez y se tiende a evitar el silencio entre los turnos (aunque no todas las culturas coinciden en esto). Si dos o más interlocutores intentan hablar al mismo tiempo, normalmente uno de ellos deja de hacerlo, como sucede en el siguiente ejemplo, en el que A se calla hasta que B ha terminado:

A: *¿No sabías* [*adón-*
B: [*Pero él debería haber estado allí a las dos.*
A: *Sí, pero tú sabías adónde iba él.*

(El símbolo [se utiliza convencionalmente para indicar el momento en el que los dos discursos se vuelven simultáneos o solapantes.)

Durante la mayor parte del tiempo quienes participan en la conversación se mantienen a la espera, hasta el momento en que quien está hablando indica que ha terminado de hacerlo, lo que normalmente se señala mediante un **punto final**. La persona que estaba hablando puede indicar que ha finalizado su turno de varias maneras: preguntando algo, por ejemplo; o haciendo una pausa al final de una estructura sintáctica completa, como un sintagma o una oración. Otros participantes en la conversación pueden indicar entonces, también de diferentes formas, que quieren tomar la palabra. Para ello, pueden empezar a emitir pequeños sonidos, en general, repetidos, cuando la persona que habla todavía lo está haciendo; o, más frecuentemente, pueden realizar movimientos con el cuerpo o alterar su expresión facial, lo que se interpreta como que tienen algo que decir.

Pedir la palabra

Algunos de los trabajos más interesantes en esta área del análisis del discurso han revelado la existencia de diferentes expectativas en lo concerniente a los estilos de conversación, así como distintas estrategias de participación en las interacciones conversacionales. Algunas de estas estrategias parecen ser la causa de algo que, en ocasiones, quienes intervienen en una conversación describen como «descortesía» (cuando un hablante interrumpe a otro) o timidez (cuando un hablante está esperando una oportunidad para tomar la palabra y no parece que surja ninguna).

Puede suceder, en cambio, que estos interlocutores tildados de «descorteses» o de «tímidos» simplemente estén utilizando convenciones para **pedir la palabra** ligeramente diferentes a las habituales o a las esperadas.

Una de dichas estrategias, de la que pueden abusar los «charlatanes» o aquellos acostumbrados a subir al estrado (como los profesores o los políticos), consiste en señalar el menor número posible de los puntos finales habituales en cualquier conversación. Hasta cierto punto, todos recurrimos a esta estrategia, normalmente en situaciones en las que tenemos que ir pensando lo que queremos decir mientras lo estamos diciendo. Normalmente se espera que el punto final venga marcado simultáneamente por un final de oración y por una pausa. Una forma de mantener el «turno de palabra» consistiría, en consecuencia, en evitar que estos dos indicadores aparezcan juntos. En otras palabras, se trataría de no hacer pausas al final de las oraciones; de que las oraciones fluyeran en íntima unión, recurriendo para ello al uso de conectores, como *y, y entonces, por tanto, pero*; de hacer las pausas en momentos en los que el mensaje está claramente incompleto; y de «rellenar» dichas pausas, siempre que sea posible, con marcadores de duda, tales como *eh, mmm, ah, uh*.

Adviértase en el siguiente ejemplo que las pausas (marcadas con puntos suspensivos [...]) se encuentran situadas antes y después de los verbos, y no al final de las oraciones, dificultando que se pueda colegir el sentido de lo que la persona está diciendo hasta que no se ha escuchado la parte situada tras cada pausa:

A: *Este es su restaurante favorito, porque a ellos les... gusta la comida francesa y cuando estuvieron... en Francia no se podían creer que... ya sabes que ellos comían... que ellos comen mejor en su casa.*

Y en este otro ejemplo, el hablante X produce **pausas llenas** (con sonidos como *humm, er, ya sabes*) una vez que ha estado casi a punto de perder su turno de palabra debido a su primera breve vacilación:

X: *Bien, esta película realmente es...* ⌈*no es tan buena como*
Y: ⌊*Cuándo-*
X: *Me refiero a que sus restantes... hmm sus últimas películas eran mucho más ... eh realmente más de tipo romántico y que eran más que que él era ... ya sabes ... hmmm ... mejor haciendo dramas.*
Y: *Entonces, ¿cuándo hizo ésta?*

En sí mismas, este tipo de estrategias no deben considerarse como indeseables o dominantes. Aparecen en el habla conversacional de la mayoría de las personas y forman parte de lo que hace que una conversación funcione. Reconocemos estos sutiles indicadores como formas de organizar los turnos de intervención en la conversación y de negociar la intrincada cuestión de la interacción social a través del lenguaje. De hecho, una de las características más notables del discurso conversacional es que, por norma general, resulta muy «cooperativo». Este hecho se suele formular como uno de los principios de la conversación.

El principio de cooperación

Un supuesto que subyace a la mayoría de los intercambios conversacionales parece ser el de que los participantes en los mismos han de cooperar unos con otros.

Este principio, junto con cuatro máximas que cada interlocutor confía en que sean respetadas por el otro, fue descrito por primera vez por el filósofo Grice (1975). Se denomina **principio de cooperación** y se suele formular en los siguientes términos: «Haz que tu contribución a la conversación que mantienes sea la que se espera que sea, que se produzca en el momento en que haya de producirse y de manera que tenga el propósito o se produzca en el sentido consensuado que demande el intercambio comunicativo en el que estés participando» (Grice, 1975: 45). Este principio se apoya en cuatro **máximas**, que a menudo se denominan «máximas griceanas»:

La máxima de la **cantidad**: Haz que tu contribución a la conversación sea tan informativa como sea necesario, pero ni más informativa, ni menos informativa de lo que sea preciso.
Máxima de la **calidad**: No menciones aquello que creas falso o aquello sobre lo que carezcas de las pruebas suficientes.
Máxima de la **relación**: Asegúrate de que lo que digas sea pertinente.
Máxima del **modo**: Sé claro, breve y ordenado.

No deja de ser cierto que en determinadas ocasiones podemos presenciar intercambios conversacionales en los que el principio de cooperación parece no estar operando. Sin embargo, esta caracterización general de las expectativas que tenemos habitualmente cuando conversamos permite explicar algunos de los rasgos que caracterizan, de forma regular, la manera en que las personas dicen las cosas. Supongamos, por ejemplo, que durante la pausa para el almuerzo una mujer le pregunta a otra si le gusta el bocadillo que se está comiendo y que ésta le responde:

Bueno, un bocadillo es un bocadillo.

En términos lógicos esta respuesta carecería de valor comunicativo, dado que afirma algo que resulta obvio, de ahí que no informe de nada en absoluto. Sin embargo, si la mujer que responde a la pregunta de su interlocutora está siendo cooperativa y se está ajustando a la máxima de la cantidad, esto es, a ser «tan informativa como sea necesario», entonces su interlocutora debe asumir que su amiga le está comunicando algo. Teniendo la oportunidad de valorar la calidad del bocadillo, la amiga ha optado por una respuesta en la que no se explicita valoración alguna, lo que implica que no se ha formado una opinión sobre el bocadillo, ni positiva, ni negativa. En otras palabras, lo que, en esencia, su amiga le ha comunicado es que el bocadillo no es ni bueno ni malo.

Atenuadores retóricos

Los **atenuadores** constituyen un tipo de expresiones que empleamos para manifestar que somos conscientes de la necesidad de seguir las máximas que permiten ser participantes cooperativos en una determinada conversación. Los atenuadores pueden definirse como palabras o locuciones que se utilizan para indicar que no estamos completamente seguros de que lo que estamos diciendo sea suficientemente correcto o completo, tal como exigen dichas máximas. Para ello, podemos recurrir a expresiones como *una suerte de* o *una clase de*, que son atenuadores que restringen la exactitud de nuestras afirmaciones, como ocurre en descripciones como *Su pelo era algo así como largo* o *La cubierta del libro era algo así como amarilla* (en lugar de decir *Era amarilla*). Estos atenuadores limitan la máxima de la calidad. Otros ejemplos de este tipo de atenuadores serían las expresiones que se enumeran a continuación, que los interlocutores sitúan, en ocasiones, al comienzo de sus intervenciones en la conversación:

Según tengo entendido...
Bueno, corrígeme si me equivoco, pero ...
No estoy completamente seguro, pero ...

Asimismo, también solemos tener cuidado de indicar que lo que estamos diciendo es algo que *pensamos* o que *creemos* (y no que *sabemos*), que es *posible* o *probable* (pero no *cierto*) y que *podría* o *debería* (pero no que *deba*) suceder. De ahí la diferencia que existe entre decir que *Juan es culpable* y afirmar *Creo que es posible que Juan sea culpable*. En el primer caso quien nos esté escuchando asumirá que tenemos razones de que peso para afirmar la culpabilidad de Juan.

Implicaturas

A la hora de analizar la manera en que funcionan los atenuadores, realmente estamos asumiendo que los hablantes suelen comunicar más información de la que realmente explicitan verbalmente. Del mismo modo, cuando analizamos lo que la mujer del ejemplo anterior quería decir al afirmar que *un bocadillo es un bocadillo*, concluimos que en sus palabras iba implícito un juicio acerca de dicho bocadillo, en el sentido de que era de una calidad tal que no merecía la pena perder el tiempo hablando sobre él. Teniendo presentes tanto el principio cooperativo, como las máximas en las que se apoya, podemos tratar de averiguar la manera en que las personas deciden que hay algo más «implícito» en lo que su interlocutor está diciendo. Considérese el siguiente ejemplo:

Carlota: *¿Vendrás a la fiesta de esta noche?*
Laura: *Mañana tengo un examen.*

A primera vista, la afirmación de Laura no constituye una respuesta a la pregunta de Carlota, puesto que no dice «sí» o «no». Sin embargo, Carlota interpretará inmediatamente la afirmación de su amiga como si hubiera dicho «no» o «lo más probable es que no». ¿Cómo podemos caracterizar esta capacidad de inferir un significado a partir de una oración que, literalmente, significa otra cosa? Parece que dicha capacidad depende, al menos parcialmente, de la asunción de que Laura está siendo informativa y de que lo que dice es pertinente, es decir, de que está respetando las máximas de cantidad y de relación (para valorar este hecho en su justa medida, basta con imaginar la reacción de Carlota si Laura hubiera dicho algo parecido a «Las rosas son rojas, ya sabes»). Dado que la respuesta de Laura contiene información pertinente, Carlota puede inferir que «un examen mañana» implica, por lo general, «tener que estudiar durante la noche del día anterior» y que «estudiar durante la noche del día anterior» excluye «irse de fiesta esa misma noche». Así, la respuesta de Laura no es únicamente una declaración acerca de lo que hará al día siguiente, sino que también contiene una **implicatura** (un significado subyacente adicional), relacionada con las actividades de la noche anterior.

Conviene remarcar que para describir la implicatura conversacional que existe en la afirmación de Laura tenemos que recurrir a una gran diversidad de conocimientos previos (sobre los exámenes, el estudio y las fiestas), que tienen que ser comunes a todos los que participan en la conversación. Una parte fundamental del análisis del discurso consiste, así, en investigar la manera en que hacemos uso de esos conocimientos previos para lograr una interpretación correcta de que lo que escuchamos o leemos.

Conocimientos previos

Un ejemplo particularmente apropiado de los procesos implicados en la utilización de los conocimientos previos es el que proporcionan Sanford y Garrod (1981), en cuyo experimento ofrecían a diversos lectores un texto de breve extensión, si bien no lo hacían de golpe, sino que dejaban transcurrir un cierto tiempo entre una oración y la siguiente. El texto comenzaba con las dos oraciones siguientes:

El pasado viernes Juan se dirigía hacia el colegio.
Estaba realmente preocupado por la clase de matemáticas.

La mayoría de las personas a las que se les pedía que leyeran estas dos oraciones indicaban que, para ellas, Juan era probablemente un estudiante. Como este dato no se afirmaba explícitamente en el texto, debía tratarse de una inferencia. Para otros lectores, otras inferencias adicionales eran que Juan iba andando o que iba en autobús. Resulta evidente que estas inferencias derivan de nuestro conocimiento convencional, propio de nuestra cultura, sobre lo que supone «ir al colegio», de ahí que ningún lector sugiriera que Juan iba nadando o en barca, pues, si bien ambas interpretaciones son físicamente posibles, resultan, en cambio, poco probables.

Un aspecto interesante de las inferencias que hacían los distintos participantes en este experimento es que, si bien eran tratadas inicialmente como interpretaciones probables o posibles, se descartaban, sin embargo, rápidamente si no casaban con alguna información posterior. La siguiente oración del texto propuesto por Sanford y Garrod (1981) era:

La semana anterior había tenido problemas para controlar la clase.

Cuando se encontraba con esta oración, la mayoría de los lectores decidía que Juan no era un estudiante, sino un profesor, y que no estaba muy contento. Muchos sugirieron que probablemente iba en coche hacia la escuela. En ese momento se les proponía la siguiente frase del texto:

Era injusto que el profesor de matemáticas le hubiera dejado a cargo de la clase.

De repente, Juan vuelve a tener un estatus de estudiante, descartándose rápidamente la inferencia de que pueda ser un profesor. La oración final del texto contenía una sorpresa:

Después de todo, algo así no forma parte de las obligaciones del portero.

Este tipo de texto y la forma de presentarlo, oración por oración, es, desde luego, artificial. Pero la manera en que se lleva a cabo su interpretación, tal como la hemos ido detallando, nos ha proporcionado algunos datos acerca de la forma en que «construimos» las interpretaciones de lo que leemos, recurriendo, para ello, a mucha más información de la que contienen las palabras que integran el texto leído. Es decir, lo que hacemos en realidad es recrear el asunto sobre el que versa el texto, basándonos en nuestra experiencia previa de cómo suceden habitualmente los acontecimientos. Para caracterizar este fenómeno, los investigadores recurren, a menudo, al concepto de «esquema» o de «guión».

Esquemas y guiones

Un **esquema** es un término general que designa una estructura de conocimiento convencional que existe en la memoria. Cuando tratábamos de dar sentido al texto anterior, hacíamos uso, por ejemplo, de nuestro conocimiento convencional acerca de lo que es una clase de un colegio, es decir, recurríamos a un «esquema de una clase». Disponemos de multitud de esquemas, que utilizamos para interpretar nuestras experiencias, o lo escuchamos o leemos. Si oímos a alguien que describe lo que le ha sucedido durante su visita al supermercado, no necesitaremos que nadie nos explique lo que es un supermercado, ni tampoco lo que es posible encontrar en él. En otras palabras, contamos previamente con un «esquema de un supermercado» (la comida repartida en estantes, los estantes organizados por pasillos, la presencia de carritos de la compra y de cestas, la existencia de cajas registradoras, y todo tipo de características convencionales de este tipo de establecimientos), que forma parte del conjunto de nuestros conocimientos previos.

Parecido al esquema es lo que se conoce como **guión** o *script*. En esencia, un guión es un esquema dinámico. Es decir, en lugar de estar compuesto por una serie de rasgos fijos característicos, el guión está formado por una serie de acciones convencionales, que se suceden unas a otras. Así, por ejemplo, contamos con guiones como «ir al dentista» o «ir al cine». Cada uno de nosotros dispone de una versión diferente del guión «ir a comer a un restaurante», que será el que activemos para darle sentido al siguiente discurso:

Tratando de no estar demasiado tiempo fuera de la oficina, Susana se fue al bar más cercano, se sentó y pidió un sándwich de aguacate. Había bastante gente, pero el servicio era rápido, así que dejó una buena propina cuando se marchó. Al llegar a la oficina comprobó que las cosas no iban bien.

Tomando como base el guión «ir a comer a un restaurante», podríamos decir varias cosas sobre la escena y los sucesos descritos en este breve texto. Por ejemplo, aunque el texto no aluda explícitamente a esta información, podemos asumir que Susana ha abierto una puerta para poder marcharse al restaurante, que en dicho restaurante había mesas, que se ha comido el sándwich que pidió, que después de comérselo ha pagado la cuenta, etc. El hecho de que este tipo de información se ponga de manifiesto cuando las personas intentan recordar un determinado texto constituye una evidencia adicional de la existencia de los guiones. También es un buen indicativo de la misma el hecho de que nuestra comprensión de lo que leemos no provenga directamente de las palabras y de las oraciones que se disponen sobre la página, sino de la interpretación que hacemos, en nuestra mente, de lo que leemos.

De hecho, en ocasiones llega a obviarse información relevante en textos que contienen instrucciones para algo, dado que se asume que todo el mundo «se sabe el guión». Como ejemplo, puedes probar a analizar detalladamente las siguientes instrucciones, que acompañan a un bote de jarabe para la tos:

Llenar el vasito graduado hasta la línea
y repetir cada dos o tres horas.

Esta claro que uno no tiene que limitarse a ir llenando el vasito graduado cada dos o tres horas, ni tampoco se tiene que echar el jarabe para la tos por el cuello o en el pelo. Se supone que «te sabes el guión» y que te *beberás* el contenido del vasito graduado cada dos o tres horas.

Resulta evidente que nuestra comprensión de lo que leemos no sólo depende de lo que vemos en la página (es decir, de las estructuras lingüísticas), sino también de lo que tenemos en la mente mientras las vamos leyendo (esto es, de las estructuras cognitivas). Para comprender mejor las relaciones que existen entre ambos factores resulta preciso examinar en detalle la manera en que funciona el cerebro humano.

■ Ejercicios

1. ¿Cuál es la diferencia fundamental que existe entre cohesión y coherencia?

2. ¿Cómo señalan los hablantes los puntos finales que existen al final de cada turno de palabra?

3. ¿Cómo se denomina las cuatro máximas griceanas?

4. ¿A qué denominamos atenuadores en el análisis del discurso?

5. ¿A cuál de las máximas griceanas parece prestar una especial atención el siguiente hablante?

   Puedo estar equivocado, pero me pareció ver un anillo de casado en su dedo.

6. ¿Cómo describirías este breve diálogo en función de las acciones que realizan los interlocutores?

   Conductor: *Mi coche necesita una nueva revisión a fondo.*
   Mecánico: *Estaré ocupado todo el día con este otro coche.*

7. ¿A qué crees hace referencia el término «cambio de turno» en una conversación?

8. Cuando se estudia la comprensión del discurso, ¿a qué se denomina guión?

■ Tareas de investigación

A. ¿A qué se hace referencia en el contexto del análisis del discurso con el término «intertextualidad»?

B. ¿Qué diferencia existe en el análisis conversacional entre una respuesta «preferida» y una «no preferida»?

¿Cómo calificarías las respuesta de «ella» en los siguientes ejemplos? ¿Como «preferidas» o como «no preferidas»?

(i) ÉL: *¿Te vienes a tomar café?*
ELLA: *Bueno... esto... me encantaría... pero... ¿sabes?... se supone... se supone que tendría que acabar esto... ya sabes*

ii) ÉL: *A mí ella me parece muy atractiva.*
ELLA: *Bueno, eh..., no estoy muy segura... quizá tengas razón... pero, ¿sabes?... otra gente probablemente no lo tendría tan claro... ya sabes... todo ese maquillaje... lo siento, pero no creo que sea para tanto.*

C. Recurriendo a todo lo que has aprendido acerca del principio de cooperación y de las máximas en que se sustenta, trata de describir la manera en que se emplea *o algo así* (por dos veces) en el siguiente fragmento de la conversación que mantienen dos mujeres acerca de sus compañeros de instituto (Overstreet, 1999):

JULIA: *No recuerdo que entre los chicos de nuestra clase hubiese ningún gay.*
CRISTINA: *Juan Fernández y.. y .. José García. Me parece... bueno, no estoy segura, pero me dijeron que José García iba vestido... iba con una pinta de travesti o algo así.*
JULIA: *Estás de broma.*
CRISTINA: *No.. bueno, no, en serio. Era un viejo,... un viejo chisme, la verdad es que no sé si era cierto.*
JULIA: *Tiene gracia.*
CRISTINA: *O que iba vestido de mujer o algo así.*
JULIA: *¡Juan! ¡Juan Fernández es gay!*

D. A continuación se incluye un fragmento de la novela *El ruido y la furia* de William Faulkner:

> *A través de la cerca, entre los huecos de las flores ensortijadas, yo los veía dar golpes. Venían hacia donde estaba la bandera y yo los seguía desde la cerca. Luster estaba buscando entre la hierba junto al árbol de las flores. Sacaban la bandera y daban golpes. Luego volvieron a meter la bandera y se fueron al bancal y uno dio un golpe y otro dio un golpe. Después siguieron y yo fui por la cerca y se pararon y nosotros nos paramos y yo miré a través de la cerca mientras Luster buscaba entre la hierba.*

(i) Identifica los principales vínculos cohesivos que existen en este primer párrafo de la novela.

(ii) ¿Qué crees que estaban golpeando «ellos»?

■ Temas/proyectos de discusión

I. En el análisis del discurso se suele distinguir entre la información que es «novedosa» (es decir, que es tratada como tal por parte del lector o del oyente) y la información ya «dada» (es decir, la que el lector o el oyente tratan como algo ya conocido). A continuación se incluye el texto de una receta para preparar salsa de pan. Léela cuidadosamente y trata de identificar la manera en que se presenta la información «dada» (por ejemplo, intenta pensar sobre el modo en que pondrías en práctica las instrucciones a las que se hace referencia en el apartado «Modo de hacerlo» y en cuántas cosas se supone que tienes que tener y usar, pero que no se mencionan en ningún lugar):

Ingredientes:

1 cebolla pequeña
2 clavos
1 taza de leche
75 g de picatostes
25 g de mantequilla
sal y pimienta

Modo de hacerlo:

Pele la cebolla y clave en ella los dos clavos. Hiérvala a fuego lento junto con la leche y la mantequilla durante al menos 20 minutos. Saque la cebolla, vierta la leche sobre los picatostes y deje que se empapen. Vuelva a calentar antes de servir.

(Para obtener información básica sobre esta cuestión puedes consultar el capítulo 5 de Brown y Yule, 1983.)

II. Según Deborah Schiffrin, «el análisis de los marcadores de discurso forma parte de un análisis más general que se ocupa de la coherencia del discurso» (1987: 49). Trata de determinar la forma en que se emplean los marcadores de discurso (señalados en negrita) en el siguiente fragmento de una conversación:

*Creo en eso. Sea lo que sea lo que ha de suceder, termina sucediendo. Creo... que... **bueno, ya sabes**, se trata del destino. **Porque** eh mi marido tenía un hermano que murió en accidente de tráfico **y** en el mismo coche iba otro tipo, sí, en el mismo coche, que no sufrió ni un rasguño. Y en serio cre... no creo que puedas evitar tu destino, y creo que mucha gente piensa así. **Lo cierto** es que creo que alguien nos puso aquí para un cierto número... de años o lo que sea **y** se supone que así debe ser. **Porque** es como cuando nos casamos, se supone que íbamos a casarnos... bueno... como unos cinco meses después. A mi marido le avisaron de que tenía que ir a filas **y** nos casamos. **Y** mi padre murió la semana... una semana después de que nos casáramos. Mientras estábamos de luna de miel. **Y** simplemente creo que el que lo hiciéramos fue una señal, porque si no, él no habría podido ir a la boda. **Así** que, bueno, **ya sabes** parece que así, que así son las cosas.*

(i) ¿Crees que los marcadores de discurso contribuyen a hacer el discurso más coherente?

(ii) ¿Se volvería el discurso menos coherente si se omitiese alguno de ellos?

(iii) Teniendo en cuenta los ejemplos que aparecen en el fragmento precedente, ¿cómo definirías los marcadores de discurso?

(iv) ¿Crees que la palabra *como*, que se emplea dos veces en este fragmento, debería considerarse un marcador de discurso?

(Para obtener información básica sobre esta cuestión puedes consultar el capítulo 3 de Schiffrin, 1987.)

III. El siguiente es un ejercicio para tratar de descubrir de qué forma puede verse alterada nuestra interpretación de lo que leemos en función de cuáles sean nuestras expectativas con respecto al tema en cuestión. Lee el texto que aparece a continuación e intenta responder a las preguntas que se plantean seguidamente (el texto se ha adaptado de Anderson *et al.*, 1977):

Un preso planea su huida.
Lentamente Rocky se levantó de la colchoneta, planeando su huida. Dudó un momento y pensó. Las cosas no estaban yendo muy bien. Lo que más le preocupaba era estar atrapado, especialmente porque su defensa no había sido buena. Reflexionó sobre su situación. Una llave lo mantenía cogido, pero pensó que se podría liberar.

(i) ¿Dónde está Rocky?;

(ii) ¿Está solo?

(iii) ¿Qué le ha sucedido?

Cuando hayas contestado a las preguntas anteriores, reemplaza el título que encabeza el fragmento por este otro: «Un luchador arrinconado». Lee de nuevo el texto y contesta a las mismas preguntas.

(v) ¿Has respondido de la misma manera?

(vi) ¿Cómo podrías utilizar esta demostración para tratar de convencer a alguien de que el significado de los textos que leemos no reside únicamente en los textos en sí mismos?

IV. Intenta identificar los mecanismos de cohesión que aparecen en el siguiente fragmento:

Era viernes por la mañana. Había dos caballos en el prado. Merche echó a correr y alcanzó al más cercano. Parecía estar tranquilo. Sin embargo, al volverse para devolverlo al establo, el poderoso animal se encabritó y salió corriendo. Todo sucedió en un instante. El animal corría libremente por la pradera y la chica se quedó sentada en el barro. En general, quiero a los caballos, pensó, pero a veces mataría a alguno.

Además de los elementos de cohesión que hayas podido encontrar, ¿qué factores de los que influyen en la interpretación de cualquier texto serías capaz de identificar?

V. ¿Qué aspectos del siguiente fragmento de una conversación te parece que podrían calificarse de rasgos característicos de este tipo de lenguaje cotidiano?

A: *Bueno, realmente no han sido unas vacaciones... más bien una... una... no sé..., más una expedición.*

B: *¿Por qué?*   ⌈*¿Qué ha*
                              ⌊*Oh, supongo porque lleva- acabamos llevando*
tanto...   ⌈*equipaje y*
C: ⌊*Esto me recuerda un viaje que hice... eh... hace dos años...*
sí, creo que, eso es, en el verano y... no he vuelto a salir...
B: *Pero ¿dónde fuisteis?*
A: *Ah, seguimos el río y los pl-la idea, ya ves, era llegar al nacimiento, ya sabes, ... y...*
simplemente evitar las... las carreteras, en fin...   ⌈*a menos que...*
C: ⌊*¿Y lo conseguisteis?*
A: *¿El qué?*
B: ⌈*Llegar*
C: ⌊*Encontrar el nacimiento... del río*
A: *Ah, sí perdón... pero acabamos... yendo por carreteras... porque... simplemente... tardábamos demasiado.*

VI. Algunos lingüistas consideran que el análisis del habla, tal como tiene lugar en una conversación, es una forma deficiente de descubrir las principales propiedades del lenguaje. Según estos lingüistas, el habla de las conversaciones está llena de vacilaciones, errores, repeticiones y lapsus de atención, de ahí que su análisis difícilmente nos permita caracterizar de forma clara y adecuada los elementos más relevantes que constituyen el lenguaje. Tanto es así, que, según estos lingüistas, el estudio del lenguaje debería restringirse al análisis de las oraciones generadas por los propios lingüistas.

(i) ¿Qué te parece este planteamiento?

(ii) Puede que estés convencido de que estos lingüistas tienen razón. O puede que no. ¿Qué tipo de pruebas utilizarías para justificar tu opinión?

■ Lecturas adicionales

El capítulo 9 de Finegan (2004) constituye una introducción alternativa, también de breve extensión, a la expuesta en este libro al tema del análisis del discurso. Como textos introductorios pueden recomendarse los de Cutting (2002) y Nunan (1993). Otros manuales que se ocupan de esta cuestión son los de Cameron (2001), Johnstone (2002) y Renkema (2004). Un tratamiento más detallado de este tema puede encontrarse en las obras de Chafe (1994) y Schiffrin (1994). Ya de forma más específica puede consultarse a Halliday y Hasan (1976) en lo concerniente a la cohesión; a Tannen (1984), en lo relativo a los estilos conversacionales; a Hutchby y Wooffitt (1998) o a Psathas (1995), en lo concerniente al análisis conversacional; a Grice (1989), en lo que atañe a las máximas y a las implicaturas; y el capítulo 7 de Brown y Yule (1983) en lo que concierne a los esquemas y los guiones. Revisiones particularmente exhaustivas de la cuestión del análisis del discurso son las de Schiffrin *et al.* (2001) y Wetherell *et al.* (2001).

El lenguaje y el cerebro

Una vez tuve como paciente a una mujer que había sufrido un infarto en el hemisferio cerebral derecho. En ese momento había caído al suelo, al ser incapaz de andar debido a la parálisis que le había ocasionado el infarto en la pierna izquierda. Estuvo dos días completos tirada en el suelo, pero no porque nadie la auxiliara, sino porque se los pasó tratando de convencer a su esposo, con manifiesta despreocupación, de que se encontraba bien y de que a su pierna no le pasaba nada. Sólo al tercer día consiguió el marido traerla al hospital, con objeto de que recibiese el tratamiento adecuado. Cuando le pregunté que por qué era incapaz de mover su pierna izquierda y la ayudé a que se incorporase para que pudiese comprobarlo por sí misma, me dijo con indiferencia que debía tratarse de la pierna de alguna otra persona.

Flaherty (2004)

En los capítulos anteriores hemos analizado con cierto detalle las distintas propiedades del lenguaje a las que recurrimos las personas para producir y entender mensajes lingüísticos. ¿Dónde se encuentra ubicada esta capacidad para utilizar el lenguaje? La respuesta obvia es «en el cerebro». Sin embargo, no puede ser en cualquier parte del cerebro. Por ejemplo, no puede ser en el lugar que resultó dañado por el infarto cerebral en el caso que describe Alice Flaherty, puesto que, si bien la mujer era incapaz de reconocer su propia pierna, lo cierto es que podía hablar acerca de ella. La capacidad para hablar no se había visto afectada, por lo que resulta evidente que debe estar localizada en alguna otra parte del cerebro.

Neurolingüística

El estudio de las relaciones entre el lenguaje y el cerebro recibe el nombre de **neurolingüística.** Aunque se trata de un término relativamente reciente, su ámbito de estudio puede retrotraerse al siglo XIX. Desde siempre, se ha intentado determinar la localización del lenguaje en el cerebro, pero sólo un hecho accidental proporcionó una pista adecuada acerca de esta cuestión.

En septiembre de 1848, cerca de Cavendish, en Vermont, un capataz de obras llamado Phineas P. Gage era el responsable de una brigada de obreros encargada de volar las rocas que existían en una zona en la que se estaba tendiendo una nueva línea de ferrocarril. Phineas introducía una barra de hierro en el agujero destinado a la carga explosiva, cuando la pólvora explotó accidentalmente. La explosión hizo que la barra de hierro, de metro y medio de longitud, atravesase la parte superior de su pómulo izquierdo y saliera por la frente, aterrizando a unos 45 metros de distancia. Todo el mundo pensó que Phineas no lograría recuperarse de una lesión de este tipo. Sin embargo, un mes más tarde Phineas era capaz de moverse sin mayores dificultades, sin que aparentemente manifestara secuelas sensoriales y sin que, al parecer, hubiera perdido la capacidad de hablar.

Las evidencias clínicas eran palmarias: una barra de metal de grandes dimensiones había atravesado la parte frontal del cerebro del señor Gage sin que se hubiese visto afectada su capacidad lingüística. Se trataba de un prodigio desde el punto de vista médico. La cuestión clave de esta sorprendente historia es que si la capacidad de hablar está localizada en el cerebro, es evidente que no radica en su parte frontal.

Partes del cerebro

Desde la época de Phineas se han realizado diversos descubrimientos acerca de las áreas específicas del cerebro que están relacionadas con las funciones lingüísticas. Actualmente sabemos que las partes más relevantes en este sentido se encuentran localizadas en diversas áreas situadas por encima de la oreja izquierda. Para poder describirlas con mayor detalle necesitamos examinar más de cerca la materia gris. Así pues, tomemos una cabeza, quitémosle el pelo, el cuero cabelludo, los huesos del cráneo, desconectemos el tronco del encéfalo (que une el cerebro a la médula espinal) y cortemos el cuerpo calloso, que conecta los dos hemisferios cerebrales. Si obviamos algunos materiales diversos que nos podemos encontrar, nos quedaremos básicamente con dos partes: el hemisferio derecho y el hemisferio izquierdo. Si dejamos a un lado momentáneamente el hemisferio derecho, y colocamos el izquierdo de forma que tengamos una visión lateral del mismo, estaremos viendo algo parecido a lo que se muestra en la siguiente ilustración (adaptada de Geschwind, 1991).

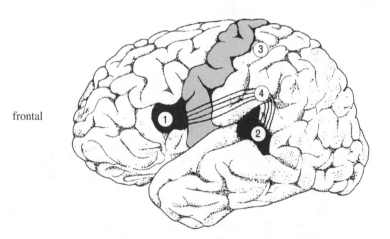

frontal

Las áreas sombreadas del dibujo indican la situación general de las principales regiones corticales relacionadas con la generación y la recepción del lenguaje. Conviene tener presente que hemos tenido constancia de su existencia después de examinar, mediante las correspondientes autopsias, los cerebros de personas que, cuando vivían, sufrieron algún tipo de discapacidad lingüística de carácter específico. Es decir, hemos tratado de determinar el lugar en el que se localizan las capacidades lingüísticas de los hablantes normales a partir de las áreas que se encuentran dañadas en personas que padecían trastornos lingüísticos identificables.

El área de Broca

La zona señalada con un (1) en la ilustración anterior es lo que se conoce técnicamente como la «zona anterior del córtex del habla» o, más comúnmente, el **área de Broca**. Paul Broca fue un cirujano francés que descubrió en la década de los años sesenta del siglo XIX que las lesiones en esta parte concreta del cerebro estaban relacionadas con una dificultad particularmente acentuada a la hora de hablar. También comprobó que una lesión similar en el área homóloga del hemisferio derecho no tenía los mismos efectos. Este descubrimiento se utilizó inicialmente para argumentar que la capacidad para el lenguaje debería estar radicada en el hemisferio izquierdo; posteriormente, estas evidencias se han interpretado en el sentido de que el área de Broca desempeña un papel crucial en la producción del habla.

El área de Wernicke

La zona señalada con un (2) en el esquema anterior corresponde a la «zona posterior del córtex del habla», o **área de Wernicke**. Carl Wernicke fue un médico alemán que descubrió en la década de los años setenta del siglo XIX que varios de los pacientes que tenían dificultades para comprender el lenguaje presentaban una lesión en esta parte del cerebro. Este descubrimiento confirmó la idea de que el lenguaje se encontraba localizado en el hemisferio izquierdo y llevó a proponer que el área de Wernicke debería desempeñar un papel crucial en la comprensión del habla.

El córtex motor y el fascículo arcuato (o arqueado)

La zona señalada con un (3) en el dibujo anterior corresponde al **córtex motor**, que, en general, controla el movimiento de los músculos (es decir, el movimiento de las manos, los pies, los brazos, etc.). En las proximidades del área de Broca se encuentra la parte del córtex motor que controla el movimiento de los músculos articulatorios de la cara, la mandíbula, la lengua y la laringe. Las evidencias de que esta área está implicada específicamente en la articulación física de los sonidos del habla provienen del trabajo llevado a cabo en la década de los años cincuenta del siglo pasado por los neurocirujanos Penfield y Roberts (1959). Estos investigadores descubrieron que si se aplicaban mínimas descargas eléctricas a zonas concretas del cerebro podían identificarse aquellas áreas en las que la estimulación eléctrica interferiría con la producción normal del habla.

La zona señalada con un (4) en el esquema anterior corresponde a un haz de fibras nerviosas denominado el **fascículo arcuato (o arqueado)**. Éste fue también uno de los descubrimientos de Wernicke y actualmente sabemos que establece una conexión crucial entre el área de Wernicke y el área de Broca.

La hipótesis localista

Una vez identificados estos cuatro componentes, resulta tentador concluir que cada aspecto específico del lenguaje radica en una determinada zona del cerebro. Esta hipótesis recibe el nombre de **hipótesis localista** y postula que la actividad cerebral implicada en la recepción auditiva de una palabra, en su comprensión y en su emisión sigue siempre un patrón determinado. Así, la palabra sería oída y comprendida en el área de Wernicke. A continuación, la señal correspondiente se transferiría a través del fascículo arcuato hasta el área de Broca, donde se llevarían a cabo las operaciones previas necesarias para poder emitirla. Finalmente, se enviaría una señal al área motora, con objeto de poder articular físicamente la palabra en cuestión.

Esta es una versión particularmente simplista de lo que probablemente sucede en realidad, aunque resulta consistente con gran parte de lo que sabemos actualmente acerca de los rudimentos del procesamiento lingüístico por parte del cerebro. Probablemente resulta más correcto interpretar todo lo concerniente a las rutas de procesamiento lingüístico cerebrales como una suerte de metáfora que, como podría esperarse, puede acabar resultando inadecuada conforme se incremente lo que sepamos acerca de las funciones cerebrales. La metáfora de las «rutas» podría parecer particularmente apropiada para la era electrónica, ya que hace referencia al proceso, ahora muy familiar, de enviar señales a través de circuitos electrónicos. Anteriormente, en la era dominada por la tecnología mecánica, Sigmund Freud recurrió ingeniosamente a la metáfora de la «máquina de vapor» para explicar algunos aspectos de la actividad cerebral, de forma que caracterizó la represión como algo «que aumenta la presión» hasta dar lugar a un «escape» súbito. Y en una época todavía anterior, la metáfora que utilizó Aristóteles para describir la actividad del cerebro fue la de una esponja fría, que permitía reducir la temperatura de la sangre.

De alguna forma, nos vemos forzados a utilizar metáforas, fundamentalmente porque somos incapaces de obtener evidencias físicas directas de los procesos lingüísticos que ocurren en el cerebro. Como no tenemos acceso directo al mismo, hemos de basarnos, por lo general, en lo que podemos descubrir mediante métodos indirectos. La mayor parte de estos métodos intentan determinar la manera en que funciona el sistema a partir de los indicios que proporciona su disfunción.

Cuando las palabras se tienen «en la punta de la lengua»

Diversos investigadores han puesto de manifiesto que, como usuarios del lenguaje, experimentamos en algunas ocasiones dificultades para conseguir que el cerebro y el habla funcionen de forma coordinada (aunque es cierto que unos días las cosas van mejor y otros días, peor). Estas pequeñas dificultades de producción pueden servir de indicio sobre la manera en que puede estar organizado el conocimiento lingüístico dentro del cerebro.

Existe, por ejemplo, el fenómeno al que solemos aludir como «**en la punta de la lengua**». Sucede cuando notamos que una palabra parece resistirse, de forma que, aunque la sabemos, dicha palabra parece no querer salir. Los estudios que se han realizado acerca de este fenómeno han demostrado que normalmente los hablantes disponen de un esquema fonológico de esa palabra particularmente preciso, de forma que son capaces de decir correctamente cuál es el sonido inicial de la palabra que no consiguen recuperar y la mayoría podría decir, incluso, el número de sílabas de que consta. El fenómeno de «en la punta de la lengua» suele suceder con términos o nombres poco frecuentes. Esto nos sugiere que el «almacenamiento de las palabras» podría organizarse, en parte, sobre la base de alguna información de carácter fonológico y que algunas palabras se recuperan a partir de este «lugar de almacenamiento» con mayor facilidad que otras.

Cuando se producen errores en el proceso de recuperación de una palabra, a menudo se advierte que existe un gran parecido fonológico entre la palabra que deseábamos recuperar y la que emitimos finalmente. Por ejemplo, la gente responde a veces que *secante*, *sexteto* o *sexto* son los nombres que recibe un determinado instrumento de navegación *(sextante)*. O por poner otro ejemplo, en ocasiones se dice *medicación trascendental* en lugar de *meditación trascendental*. Este tipo de errores recibe algunas veces el nombre de **malapropismos**, un término que deriva del nombre de uno de los personajes de una obra de Sheridan, el señor Malaprop, quien cometía constantemente de este tipo de errores. Otro personaje cómico conocido por sus malapropismos era Archie Bunker, quien en una ocasión sugirió que *We need a few laughs to break up the monogamy* («Necesitamos unas pocas risas para acabar con la monogamia»), en lugar de la expresión esperada en este caso, *We need a few laws to break up the monogamy* («Necesitamos unas pocas leyes para acabar con la monogamia»).

Lapsus linguae

Un tipo parecido de error es el que se denomina generalmente *lapsus linguae* o tropiezo de la lengua. Se produce cuando decimos *llévate la buchara a la coca* (en lugar de *llévate la cuchara a la boca*) o *canciona esta canta* (en lugar de *canta esta canción*), o bien cuando afirmamos *abre la llave con la puerta* o *coge por la bolsa el asa*. Este tipo de lapsus también se conoce por el nombre de **espunerismos**, en honor del reverendo William A. Spooner, pastor anglicano en la Universidad de Oxford. Spooner se hizo especialmente popular por cometer este tipo de errores. Muchos de los que se le atribuyen implicaban el intercambio de los sonidos iniciales de dos palabras, como cuando se dirigió a un grupo de campesinos como *noble tons of soil* («nobles montones de tierra»), en lugar de *noble sons of toil* («nobles hijos del trabajo»), o como cuando describió a Dios como *a shoving leopard to his flock* («un leopardo que arrea a su rebaño»), en lugar de decir *a loving shepherd to his flock* («un amante pastor de su rebaño»), o como cuando reconvino a un estudiante que había faltado a sus clases diciéndole *You have hissed all my mystery lectures* («Has silbado todas mis lecciones de misterio»), en lugar de *You have missed all my history lectures* («Has faltado a todas mis clases de historia»).

La mayoría de los *lapsus linguae* cotidianos no son, sin embargo, tan divertidos. A menudo son simplemente el resultado de que un sonido pasa de una palabra a la siguiente, como sucede en *najas cegras* (por *cajas negras*), o a que el sonido inicial de una palabra se utiliza con antelación al comienzo de la palabra que la precede, como ocurre en *rúmero romano* (por *número romano*), una *chopa de champán* (por una *copa de champañán*) o la *plave más plana* (por *la llave más plana*). Este último ejemplo se parece al lapsus por inversión, que sería el caso de *tapatos de zacón*, que seguramente no te harán *sentor mejir* si tienes *un ollo de gajo*. Estos dos últimos ejemplos, en los que se han intercambiado los sonidos finales de la palabra, pertenecen a un tipo de lapsus menos frecuente que aquel que afecta a los sonidos iniciales de las mismas.

Se ha afirmado que los errores de este tipo no se producen nunca al azar, puesto que en ningún caso se genera una secuencia fonológicamente inaceptable, de ahí que podrían indicar la existencia de diferentes estadios en el proceso de regulación de la articulación de las expresiones lingüísticas. Aunque los *lapsus linguae* se consideran normalmente errores en la articulación, también se ha sugerido que podrían ser el resultado de «errores del cerebro» que se producen en el momento en que éste está tratando de organizar los mensajes lingüísticos.

Lapsus del oído

Otro tipo de errores, menos documentados en general, podría proporcionar indicios de la manera en que el cerebro intenta conferir sentido a la señal auditiva que recibe. Se los denomina **lapsus del oído** y es lo que sucede cuando, por ejemplo, creemos oír *latita azul* y nos preguntamos a continuación por qué alguien estará buscando algo así en una oficina (en realidad, el hablante ha dicho *la tinta azul*). Un tipo parecido de malentendido podría explicar la causa de la extrañeza que refería un niño de una escuela dominical: «La gente estaba cantando algo sobre un corderito que gritaba los recados de todo el mundo». El origen de estos lapsus resultó ser un versículo litúrgico, que decía realmente: *Cordero de Dios, que quitas los pecados del mundo*. Podría ser también que algunos malopropismos (como, por ejemplo, el sugerido anteriormente, *medicación trascendental*) tuvieran su origen en un lapsus del oído.

Algunos de estos simpáticos ejemplos de errores nos pueden proporcionar indicios acerca del funcionamiento normal del cerebro humano durante el procesamiento lingüístico. Sin embargo, otros problemas que comprometen la producción y la comprensión del lenguaje son el resultado de disfunciones cerebrales mucho más graves.

Afasia

Si has experimentado este tipo de lapsus en alguna ocasión, podrás hacerte una idea de la clase de experiencias que viven algunas personas de forma permanente. Estas personas sufren diferentes tipos de trastornos del lenguaje, los cuales se denominan habitualmente afasias. La afasia se define como una disfunción del lenguaje causada por una lesión cerebral localizada, que conlleva normalmente dificultades para entender y/o producir formas lingüísticas.

La causa más frecuente de la afasia es el infarto cerebral (que sucede cuando uno de los vasos sanguíneos del cerebro se obtura o se rompe), aunque las lesiones traumáticas en la cabeza, provocadas por golpes violentos o accidentes, pueden dar lugar a efectos similares. Dichos efectos pueden tener una intensidad variable, que va desde una leve disminución de la capacidad lingüística, hasta una reducción grave de la misma. A menudo, se da el caso de que un individuo afásico presente diversos trastornos lingüísticos interrelacionados, de forma que las dificultades de comprensión pueden derivar en dificultades de producción. Consecuentemente, la clasificación de los tipos de afasia se basa normalmente en los síntomas primarios de carácter lingüístico que manifiesta el individuo afectado.

Afasia de Broca

La **afasia de Broca** es un tipo grave de disfunción lingüística, que también se conoce como «afasia motora». Se caracteriza por una reducción sustancial del discurso, una articulación distorsionada y lenta y, a menudo, la presencia de dificultades a la hora de hablar. Característicamente, el paciente sólo suele utilizar morfemas léxicos (por ejemplo, nombres y verbos). Esta omisión particularmente frecuente de los morfemas funcionales (es decir, de artículos o preposiciones) y de los morfemas flexivos (como, por ejemplo, la -*s* de plural o la terminación -*ndo* del gerundio) ha llevado a caracterizar este tipo de afasia como un tipo de **discurso agramatical**, que es aquel en el que están ausentes los marcadores gramaticales.

Un ejemplo del tipo de discurso producido por alguien cuya afasia no era demasiado grave es el siguiente. Se trata de la respuesta dada por el paciente a una pregunta que se le hizo acerca de lo que había desayunado esa mañana:

Yo huevos y comer y beber café desayuno.

Sin embargo, este tipo de disfunción puede ser muy grave y manifestarse como un discurso particularmente vacilante, interrumpido por largas pausas, las cuales se han marcado mediante puntos suspensivos en el ejemplo que se indica a continuación:

Mi mejilla... muy molesto... primero hombro... doler todo aquí.

A algunos pacientes les puede resultar muy dificultosa, incluso, la articulación de palabras individuales, como sucede en este caso, en el que el individuo trata de hacer referencia a un tipo concreto de barco:

Un volente... ya sabes qué quiero decir... len... volente... (era un *velero*).

En una afasia de Broca la comprensión es, por lo general, mejor que la producción.

Afasia de Wernicke

El tipo de disfunción lingüística que implica la existencia de dificultades en la comprensión auditiva se denomina, en ocasiones, «afasia sensorial», pero se conoce habitualmente como **afasia de Wernicke**. Quien sufre esta disfunción puede, en realidad, producir un discurso particularmente fluido, que, sin embargo, es casi imposible de entender. Se suelen utilizar términos muy generales, incluso cuando se está respondiendo a preguntas muy concretas sobre algo determinado, como sucede en el ejemplo siguiente: *Yo no puedo hablar de todas las cosas que hago y parte de la parte que yo puedo ir bien, pero no puedo decir de la otra gente.*
También resulta muy común el hecho de tener dificultades para encontrar las palabras adecuadas. Este fenómeno se suele denominar **anomia.** Para tratar de compensar las dificultades que surgen a la hora de elegir la palabra adecuada, estos pacientes recurren a diversas estrategias, tales como tratar de describir los objetos a los que quieren aludir o hacer referencia a su utilidad, como cuando se afirma *en la cosa para poner en ella cigarros* (queriendo aludir a un *cenicero*).

En el siguiente ejemplo (tomado de Lesser y Milroy, 1993), el hablante recurre a diversas estrategia, al comprobar que no es capaz de dar con la palabra que designa el objeto que aparece representado en el dibujo que se le ha ofrecido (se trata de una cometa, *kite* en inglés):

It's blowing, on the right, and er there's four letter in it, and I think it begins with a C – goes – when you start it then goes right up in the air – I would I would have to keep racking my brain how I would spell that word – that flies, that that doesn't fly, you pull it round, it goes up in the air.

(«Está volando, a la derecha, y eh tiene cuatro letras y creo que empieza con una C, va, cuando uno empieza entonces va hacia la derecha por el aire —tendría, tendría que seguir devanándome los sesos cómo deletrearía esa palabra— que vuela, que que no vuela, lo reanimas, sube por el aire»).

Afasia de conducción

Otro tipo de afasia, mucho menos frecuente, es la que se asocia a la lesión del fascículo arqueado (o arcuato) y que se denomina **afasia de conducción**. Los individuos que sufren esta disfunción pueden pronunciar ocasionalmente de forma incorrecta alguna palabra, aunque normalmente no tienen problemas de articulación. Hablan fluidamente, pero suelen hacerlo entrecortadamente, con pausas y dudas. La comprensión de las palabras habladas es normalmente correcta. Sin embargo, la tarea de repetir una palabra o una frase (dicha por otra persona) les crea grandes dificultades, de manera que generan formas como *vaysse* o *fosk* cuando han de repetir palabras como *base* «base» o *wash* «lavar». Lo que sucede en estos casos es que aquello que se oye y se comprende correctamente no se transfiere adecuadamente al área encargada del control de la producción del habla.

Conviene remarcar que muchos de estos síntomas (por ejemplo, las dificultades para encontrar la palabra adecuada) pueden aparecer en todos los tipos de afasia. También pueden presentarse en disfunciones más generales, que son el resultado de otro tipo de trastornos cerebrales, como ocurre en el caso de la demencia o del Alzheimer. También se da la circunstancia de que las dificultades a la hora de hablar pueden ir acompañadas de dificultades a la hora de escribir. Del mismo modo, las lesiones que afectan a la comprensión auditiva suelen venir acompañadas de dificultades para leer. Las disfunciones lingüísticas que hemos descrito son, en su mayoría, el resultado de una lesión en el hemisferio izquierdo. Que existe una dominancia del hemisferio izquierdo para el lenguaje también lo confirma otro método utilizado en la investigación de las relaciones entre el cerebro y el lenguaje.

Escucha dicótica

La dominancia del hemisferio izquierdo en lo concerniente al procesamiento de las sílabas y las palabras viene avalada por una técnica experimental denominada **prueba de la escucha dicótica**. Se trata de una técnica que se basa en el hecho, generalmente aceptado, de que cualquier cosa que se experimente en la parte derecha del cuerpo se procesa en el hemisferio izquierdo del cerebro y viceversa. Como ponía de manifiesto el caso descrito por Flaherty (2004) al comienzo de este capítulo, un infarto cerebral que afecte al hemisferio derecho puede dar lugar a la parálisis de la pierna izquierda. Por tanto, una asunción básica de este método será la de que una señal recibida por el oído derecho irá al hemisferio izquierdo y una señal recibida por el izquierdo irá al hemisferio derecho.

Teniendo esto presente, es posible realizar un experimento en el que a un sujeto equipado con unos auriculares se le presenten dos señales sonoras diferentes de forma simultánea, cada una por un auricular distinto. Por ejemplo, a través de uno de los auriculares le pueda llegar la sílaba *ga* o la palabra *perro*, y por el otro, y exactamente al mismo tiempo, la sílaba *da* o la palabra *gato*. Cuando se le pregunta por lo que ha oído, normalmente el sujeto identifica mejor lo que ha escuchado por el oído derecho. Esto es lo que se ha dado en llamar la **ventaja del oído derecho** para los sonidos característicos del lenguaje. El proceso que se supone responsable de este fenómeno puede comprenderse mejor recurriendo a la siguiente ilustración (se trata de una visión posterior de la cabeza).

IZQUIERDA   DERECHA

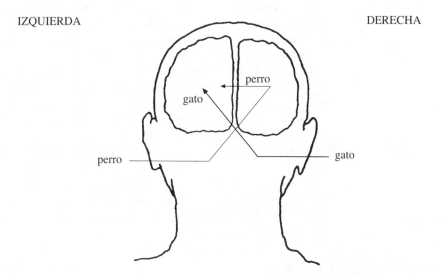

Lo que parece suceder durante este experimento es que la señal lingüística recibida a través del oído izquierdo se envía en primer lugar al hemisferio derecho, desde donde tiene que ser remitida al hemisferio izquierdo (donde se localizan los centros del lenguaje) para poder ser procesada. Esta ruta indirecta lleva más tiempo que la que sigue una señal lingüística recibida por el oído derecho que va directamente al hemisferio izquierdo. La primera señal en ser procesada gana.

El hemisferio derecho parece ser el principal responsable del procesamiento de muchos otros estímulos de naturaleza no lingüística. En la prueba de la escucha dicótica se puede demostrar que se reconocen mejor los sonidos no verbales (por ejemplo, la música, las toses, los ruidos de tráfico o el canto de los pájaros) cuando penetran por el oído izquierdo, lo que implica que son procesados más rápidamente a través del hemisferio derecho. En consecuencia, si queremos caracterizar las especializaciones del cerebro humano, diremos que el hemisferio derecho se encarga en primera instancia de los sonidos no verbales (entre otras cosas), mientras que el izquierdo se ocupa de los sonidos del lenguaje (entre otras cosas, también).

Sin embargo, conviene remarcar que investigaciones más recientes en esta área han indicado que la especialización de los dos hemisferios podría estar más relacionada con el tipo de «procesamiento» que con el tipo de «material» procesado. La distinción fundamental parece encontrarse en la diferencia que existe entre el procesamiento analítico, como el que implica el reconocimiento de los sutiles matices que encierran sonidos, palabras y estructuras sintagmáticas que se organizan formado secuencias que se suceden a gran velocidad, y que sería llevado a cabo por el «cerebro izquierdo», y el procesamiento holístico, como el que implica el reconocimiento de las estructuras más generales del lenguaje y de la experiencia, que sería responsabilidad del «cerebro derecho».

El periodo crítico

La aparente especialización del hemisferio izquierdo para el lenguaje se describe, a menudo, como una dominancia lateral o **lateralización** (preeminencia de uno de los lados). Como quiera que los niños no nacen teniendo un dominio completo de un lenguaje articulado, se cree de forma generalizada que el proceso de lateralización empieza durante la primera infancia, coincidiendo con el periodo en el que se produce la adquisición del lenguaje. Durante la infancia existe un periodo durante el cual el cerebro humano está más predispuesto a «recibir» y aprender una determinada lengua. Es lo que se denomina el **periodo crítico**.

Aunque para algunos podría empezar antes, la mayoría de los investigadores considera que el período crítico para la adquisición de la primera lengua se extiende desde el momento del nacimiento hasta la pubertad. Si, por cualquier motivo, un niño no adquiere el lenguaje durante este periodo, le será prácticamente imposible adquirirlo más adelante. Recientemente, debido a unas circunstancias ciertamente desgraciadas, hemos tenido la oportunidad de comprobar lo que sucede cuando el período crítico transcurre en ausencia de los estímulos lingüísticos apropiados.

Genie

En 1970 una niña llamada «Genie» fue admitida en un hospital infantil de Los Ángeles. Tenía trece años y había pasado la mayor parte de su vida atada a una silla, encerrada en una pequeña habitación. Su padre odiaba cualquier tipo de ruido y le había pegado cada vez que había tratado de emitir un sonido. En la casa no había radio ni televisión y su único contacto con otro ser humano era el que mantenía con su madre, quien tenía prohibido pasar más de unos pocos minutos al día con ella, y que se ocupaba en alimentarla. Genie había pasado toda su vida en un estado de privación física, sensorial, social y emocional casi completa.

Tal y como se podía esperar, Genie no era capaz de usar el lenguaje cuando ingresó en el hospital. Sin embargo, en muy poco tiempo empezó a responder a las palabras que le dirigían las personas con las que se relacionaba e intentó imitar sus sonidos y comunicarse con ellas. Su sintaxis siguió siendo muy simple, pero el hecho de que lograra desarrollar una cierta capacidad para hablar y de que lograse comprender un gran número de palabras inglesas puede considerarse como una prueba en contra de la hipótesis de que el lenguaje no puede ser adquirido en absoluto después del periodo crítico. Sin embargo, el hecho, asimismo, de que Genie manifestara una menor capacidad a la hora de construir un discurso gramaticalmente complejo parece corroborar la idea de que hay una parte del hemisferio izquierdo del cerebro que únicamente está preparada para aceptar un programa lingüístico durante la infancia y de que si no se le suministra dicho programa, como sucedió en el caso de Genie, la capacidad lingüística se bloquea.

En el caso de Genie se pudo demostrar, gracias a diferentes pruebas, que su capacidad para el lenguaje no radicaba en el hemisferio izquierdo. Cabe preguntarse, en consecuencia, cómo fue capaz de comenzar a aprender el inglés, incluso en la forma tan limitada en que lo hizo. Las pruebas a las que se la sometió parecían indicar también otro hecho notable, a saber, que Genie estaba utilizando el hemisferio derecho de su cerebro para controlar todas las funciones relacionadas con el lenguaje. En pruebas de escucha dicótica, mostró una ventaja del oído izquierdo particularmente manifiesta, tanto para las señales lingüísticas como para las no lingüísticas. Estos descubrimientos, corroborados, asimismo, por otros estudios acerca de la función del hemisferio cerebral derecho, plantean la posibilidad de que nuestra capacidad para el lenguaje no se encuentre restringida únicamente a una o dos áreas específicas del cerebro, sino que se base en conexiones más complejas que abarquen la totalidad del mismo.

Por lo demás, conforme Genie fue desarrollando el lenguaje, se vio que pasaba por muchos de los mismos «estadios» iniciales que se han observado en el proceso de adquisición del lenguaje por parte de los niños normales. En el capítulo siguiente veremos cuáles son esos estadios.

■ Ejercicios

1. ¿Cuál es la denominación por la que se conoce habitualmente la zona posterior del córtex del habla?

2. Si decimos «gira a la izquierda en la redonda» en lugar de «gira a la izquierda en la rotonda», ¿estaríamos ante un *espunerismo* o ante un malapropismo?

3. ¿Qué es una afasia?

4. ¿Qué tipo de afasia se caracteriza por un discurso como el siguiente: *hablar... dos veces...leer escu... esca, cri, bir, ir, escribir...*?

5.¿Qué ocurre en una prueba de escucha dicótica?

6. ¿En qué consiste el denominado período crítico?

7. ¿Cuáles son los nombres que normalmente reciben los cuatro componentes del cerebro que se cree que pueden estar relacionados con las funciones del lenguaje?

8. ¿Qué especializaciones cerebrales se han descubierto en lo concerniente al reconocimiento de los diferentes tipos de sonidos (en la mayoría de las personas)?

9. ¿Por qué razón el caso de Genie es tan notable con respecto a las hipótesis acerca de la especialización lingüística de las áreas del cerebro humano?

■ Tareas de investigación

A. ¿A qué se hace referencia exactamente cuando se alude al «efecto bañera» (en inglés «bathtub effect») a la hora de describir las características de algunos errores del habla? ¿Crees que algunos de los ejemplos de errores del habla que aparecen en este capítulo podrían constituir también ejemplos de este tipo de efecto?

B. ¿Cuál es la característica más relevante de la afasia de jerga? Este tipo de afasia, ¿se encuentra asociada a la afasia de Broca o a la de Wernicke?

C. ¿En qué consiste el paragramatismo?

D. ¿De qué manera contribuyen las técnicas de «imagen cerebral», como el TAC (tomografía axial computerizada) o la TEP (tomografía por emisión de positrones) al estudio de las relaciones entre el cerebro y el lenguaje?

■ Temas/proyectos de discusión

I. Se hizo leer a un afásico las palabras que figuran en la columna de la izquierda. El enfermo pronunció en voz alta lo que se recoge en la columna de la derecha.

comercio – «negocios»
albaricoque – «melocotón»
montura – «estribo»
victoria – «triunfo»
binoculares – «telescopio»
aplauso – «audiencia»
elemento – «sustancia»
anécdota – «narrador»

(i) ¿Es posible encontrar algún patrón regular en los errores cometidos por el paciente?

(ii) ¿Nos proporciona este tipo de fenómenos algún indicio acerca de la forma en que almacenamos las palabras en el cerebro?

(Para obtener información básica sobre esta cuestión puedes consultar el volumen de Allport, 1983, de donde proceden los ejemplos anteriores).

II. La historia de Genie está llena de episodios interesantes. El siguiente extracto procede de Rymer, 1993, quien cita a Susan Curtiss, una lingüista que estudió de cerca su caso.

Genie era la comunicadora no verbal más capaz que me he encontrado nunca, —me dijo Curtiss—. El ejemplo más evidente de ello que recuerdo es el siguiente: debido a la particular obsesión que manifestaba al respecto, se fijaba y codiciaba cualquier cosa de plástico que tuviera una persona. Un día estábamos paseando, creo que por Hollywood. Yo parecería seguramente una idiota, puesto que iba haciendo signos operativos para tratar de que ella se relajara un poco, ya que siempre estaba en tensión. Llegamos a la esquina de un cruce muy transitado y el semáforo se puso en rojo, por lo que tuvimos que pararnos. De repente, oí el sonido (es un sonido único) de alguien vaciando un monedero. Se trataba de una mujer que conducía uno de los coches que había parado en el cruce. La mujer había vaciado su monedero, había salido del coche y había atravesado corriendo la calle para darle el monedero a Genie y volver corriendo al coche. Un monedero de plástico. Genie no había dicho una palabra.

¿Qué explicación le darías a este suceso?

(Para obtener información básica sobre esta cuestión puedes consultar el capítulo 17 de Rymer, 1993.)

III. Se ha afirmado que en el caso de los malapropismos existe un patrón de similitud de sonidos entre la palabra errónea y la correcta. A continuación se enumeran algunos ejemplos de malapropismos en inglés, tomados de Fay y Cutler (1977), los cuales se han utilizado para corroborar una afirmación como la anterior.

Error	*Palabra correcta*
below («abajo»)	before («antes»)
emanate («emanar»)	emulate («emular»)
photogenic («fotogénico»)	photographic («fotográfico»)
conclusion («conclusión»)	confusion («confusión»)
single («sencillo»)	signal («señal»)
musician («músico»)	magician («mago»)
technology («tecnología»)	terminology («terminología»)
equivocal («ambiguo»)	equivalent («equivalente»)
participate («participar»)	precipitate («precipitar»)
area («área»)	error («error»)
radio («radio»)	radiator («radiador»)
apartment («apartamento»)	appointment («cita»)

(i) ¿Podrías identificar las características similares (por ejemplo, sonido inicial, número de sílabas, sonido final, etc.) que tienen en común estos pares de formas erróneas y palabras correctas?

(ii) ¿Existe alguna discrepancia?

IV. A continuación se presentan dos ejemplos de discursos producidos por hablantes de castellano. Trata de identificar los errores que contiene cada uno de ellos.

(i) *A mi mujer, bueno, le tuvieron que hacer la innecesaria y le sacaron el féretro muerto.*

(ii) *Bueno, estaba buscando un plado tonto, oh no, ¿un qué? Quiero decir un plato hondo, ¿qué es lo que he dicho? Qué raro, ¿no?*
¿Cuál es su causa?

V. Los siguientes fragmentos discursivos fueron producidos por hablantes agrupados por diferentes tipos de afasia. ¿Podrías indicar razonadamente el tipo de afasia que sufría cada uno de ellos?

(i) nido... niño, no niña... hombre... no, niño... y chica... oh dios... armario... niño, caer... bote... galletas... cabeza... cara... ventana...

(ii) bueno, es un... es un lugar, y es una... chica y un chico, y tienen evidentemente algo que se hace, algo... algo... hecho... sólo está empezando.

(iii) Creo que tengo decir esto poco despacio. Lo siento mucho. He olvidado lo que son estas cosas. Ella, ella quería empezar, hacer algo para, eh, ella quería hacerse un vestido.

■ Lecturas adicionales

Introducciones alternativas al análisis de las relaciones entre el lenguaje y el cerebro, también de carácter breve, son, por ejemplo, el capítulo 2 de Fromkin *et al.* (2003) o el capítulo 14 de O'Grady *et al.* (2005). Un libro de texto de naturaleza igualmente introductoria es el de Obler y Gjerlow (1998). Otros libros de texto son los de Caplan (1987, 1996) y Lesser y Milroy (1993). El manual de Stremmer y Whitaker (1998) constituye una revisión exhaustiva de todo lo relativo a la neurolingüística. Acerca específicamente del caso de Phineas Gage puede consultarse a Damasio (1994), mientras que en lo concerniente a las partes que constituyen el cerebro puede leerse el volumen de Springer y Deutsch (1997). Sobre la afasia, véase Goodglass (1993), y sobre las técnicas de imagen cerebral, véase Posner y Raichle (1994). Para lo relativo a los *lapsus linguae*, véase Cutler (1982) o Poulisse (1999); para los lapsus de oído, véase Bond (1999). El artículo de Buckingham (1992) supone una conexión entre la investigación acerca de los lapsus y la que se viene realizando sobre la afasia. El trabajo original acerca del período crítico y la lateralización está recogido en Lenneberg (1967), mientras que para lo concerniente a la escucha dicótica, véase Kimura (1973). Para obtener información adicional acerca del caso de Genie puede leerse a Curtiss (1977) o a Rymer (1993).

14 Adquisición de la primera lengua

Niño: Quiero otra una cuchara, papi.
Padre: Quieres decir que quieres la otra cuchara.
Niño: Sí, yo quiero otra una cuchara, por favor, papi.
Padre: ¿Puedes decir «la otra cuchara»?
Niño: Otra... una... cuchara.
Padre: Di «otra».
Niño: Otra.
Padre: «Cuchara».
Niño: Cuchara.
Padre: «Otra cuchara».
Niño: Otra... cuchara. ¿Me das otra una cuchara?

Braine (1971)

Una de las cosas que más llama la atención en relación con el proceso de adquisición de la primera lengua es la significativa velocidad a la que transcurre. Bastante antes de que el niño entre en la escuela primaria, ya se ha convertido en un usuario de la lengua extremadamente competente, un usuario que emplea un sistema que le permite hablar sobre sí mismo o comunicarse con otros individuos de una manera que ningún otro animal ni ningún ordenador pueden llegar a emular. La velocidad a la que transcurre el proceso de adquisición y el hecho de que normalmente pueda caracterizarse como una experiencia común a todos los niños, con independencia de las diferencias que puedan existir entre los ambientes en que crecen, y que se produce, además, sin necesidad de una enseñanza explícita, constituyen evidencias que apoyan la tesis de que los seres humanos cuentan con algún tipo de predisposición innata para adquirir el lenguaje. Podemos concebir esta predisposición como una «facultad del lenguaje», con la que cada recién nacido humano parece venir equipado. No obstante, esta facultad innata por sí sola no es suficiente.

Requisitos básicos

Durante los dos o tres primeros años de vida un niño necesita interactuar con otros usuarios de la lengua para lograr que la facultad lingüística general de que dispone se vuelva operativa para una determinada lengua, como, por ejemplo, el castellano. Ya hemos discutido anteriormente, a propósito del caso de Genie (capítulo 13), el hecho de que un niño que no oiga nunca una determinada lengua, o al que no se le permita nunca usarla, no llegará a aprenderla. También hemos remarcado la importancia que tiene la transmisión cultural en el proceso de aprendizaje (capítulo 2), en el sentido de que la lengua que aprende el niño no la hereda genéticamente, sino que la adquiere mientras se desenvuelve en un ambiente en el que se usa habitualmente dicha lengua.

Otro requisito importante para que el proceso de adquisición de la primera lengua tenga éxito consiste en que el niño debe ser físicamente capaz de enviar y recibir señales lingüísticas sonoras. Todos los niños «hacen gorgoritos» y balbucean durante los primeros meses de vida, pero aquellos que nacen con sordera congénita dejan de hacerlo al cabo de seis meses. Por tanto, para que un niño llegue a hablar una lengua determinada debe ser capaz de oír a quienes utilizan dicha lengua. Sin embargo, el simple hecho de oír los sonidos de una lengua tampoco parece ser suficiente. Existen evidencias de que si a un niño normal, pero nacido de padres sordos, se le da la oportunidad de ver y oír programas de televisión y de radio conforme crece, no llegará a desarrollar la capacidad de hablar o comprender la lengua en cuestión. En un caso documentado de este tipo, lo que el niño terminó aprendiendo hacia los tres años de edad (y particularmente bien) no fue el inglés, sino a usar la lengua de signos americana, que era el sistema que empleaban sus padres para comunicarse entre sí. El requisito crucial parece ser, por consiguiente, la oportunidad de interactuar con los demás a través del lenguaje.

El programa de adquisición

Todos los niños normales desarrollan el lenguaje más o menos al mismo tiempo y pasando por las mismas etapas. Puesto que aprenden a sentarse, a ponerse de pie, a usar las manos y a realizar otras actividades físicas siguiendo un programa de desarrollo que se encuentra biológicamente determinado, parece razonable pesar que el programa de adquisición del lenguaje cuente con una base biológica semejante. Este programa biológico se encuentra íntimamente ligado al proceso de maduración del cerebro del niño.

La idea fundamental a este respecto es que el niño podría disponer de una capacidad biológica para distinguir determinados aspectos de los estímulos lingüísticos que recibe en los diferentes estadios que va atravesando durante sus primeros años de vida. Así, por ejemplo, al mes de vida un niño es capaz de distinguir entre dos sonidos como [ba] y [pa]. Lo que precisa esta capacidad de adquisición es un tipo de «estímulo» lo suficientemente constante a partir del cual poder extraer las regularidades que caracterizan a una lengua determinada. Según este punto de vista, los niños pequeños adquirirían activamente el lenguaje extrayendo las regularidades de lo que oyen y aplicando esas regularidades a lo que dicen.

El habla del cuidador

En condiciones normales, el proceso de adquisición del lenguaje por parte del niño se ve ciertamente favorecido por el típico comportamiento que manifiestan hacia él los niños de mayor edad y los adultos que existen en su entorno doméstico. Los adultos, como mamá, papá, la abuela y el abuelo, no suelen dirigirse al niño como si estuviera participando en una conversación normal entre adultos. Es decir, no suelen decirle cosas como: *Bueno, Antoñito, ¿deberíamos invertir en papeleras o apostar por los futuros a corto plazo?* En cambio, sí parecen ser muy frecuentes expresiones del tipo: *Sí, bonito, ahora papá empujará el tutú.* Este estilo discursivo tan característico extremadamente simplificado, que adoptan quienes pasan mucho tiempo interactuando con niños pequeños se denomina **habla del cuidador**.

Entre las características más relevantes que distinguen este tipo de habla (también llamada «maternés» o «discurso dirigido al niño») se encuentra un frecuente uso de las preguntas, a menudo enunciadas con una entonación exagerada, así como un volumen anormalmente elevado al hablar y un *tempo* más lento al hacerlo, de forma que el discurso presenta pausas más prolongadas. En las primeras etapas, este tipo de habla también incorpora muchas de las formas asociadas al balbuceo. Pueden ser palabras particularmente simplificadas (por ejemplo, *nene*, *pete*), o formas alternativas de las mismas, que se caracterizan por sonidos y sílabas muy simples que se repiten, las cuales hacen referencia a objetos del entorno del niño (por ejemplo, *nonon, tete, pipí, guauguau*).

Del análisis del habla del cuidador parece deducirse que se trata de un tipo de estructura conversacional que asignaría un papel interactivo al niño pequeño, antes incluso de que éste pueda ser un participante activo en la conversación. Si reinterpretamos un extracto de una conversación entre una madre y su hijo (que tiene un año y once meses de edad) como un fragmento de un auténtico diálogo entre dos interlocutores, dicha estructura se vuelve aparente. Conviene advertir que la madre reacciona a los actos y las vocalizaciones del niño como si se tratase de respuestas a sus propias expresiones (el ejemplo se ha tomado de Bruner, 1983):

MADRE: *¡Mira esto!*
NIÑO: (toca con el dedo unos dibujos)
MADRE: *¿Qué son?*
NIÑO: (vocaliza una secuencia de balbuceos y sonríe)
MADRE: *Sí, son unos conejitos*.
NIÑO: (vocaliza de nuevo, y sonríe, levantando su cara hacia su madre)
MADRE: (se ríe) *Sí, son conejitos*.
NIÑO: (vocaliza de nuevo y sonríe)
MADRE: *Sí, conejitos* (se ríe).

El habla del cuidador también se caracteriza porque sus oraciones poseen una estructura simple y por la elevada frecuencia de las repeticiones. Estos patrones simplificados que genera el interlocutor adulto constituirán pistas particularmente útiles acerca de la organización básica de las estructuras de la lengua que se emplea en las conversaciones, si, como se supone, el niño está intentado deducir la naturaleza del sistema que permite relacionar sonidos y palabras. Asimismo, suele ser una observación común el hecho de que el habla de quienes interactúan regularmente con niños va cambiando y se va volviendo más elaborada a medida que el niño empieza a utilizar un lenguaje cada vez más complejo. Se han identificado diferentes etapas en el proceso de adquisición de la primera lengua.

Gorgoritos y balbuceos

La primera fase del desarrollo del lenguaje, en la que se emplean ya sonidos que recuerdan a los que caracterizan el habla adulta, se suele designar como la **fase de los gorgoritos**. Durante los primeros meses de vida, el niño va adquiriendo progresivamente la capacidad de generar secuencias que contienen sonidos semejantes a los vocálicos, en particular, vocales cerradas parecidas a [i] y [u]. A los cuatro meses de edad el niño comienza desarrollar la capacidad de poner en contacto de forma regular la parte posterior de la lengua con la parte posterior del paladar, de manera que empieza a ser capaz de generar sonidos semejantes a las consonantes velares [k] y [g], de ahí que este tipo de producción se denomine precisamente «gorgorito». Por su parte, los estudios que tratan de evaluar las capacidades perceptivas del niño parecen concluir que a la edad de cinco meses los bebés son capaces ya de captar las diferencias que existen entre las vocales [i] y [a], y de discriminar entre dos sílabas como [ba] y [ga].

Entre los seis y los ocho meses de edad el niño comienza a ser capaz de sentarse y de producir distintos sonidos vocálicos y consonánticos, así como diversas combinaciones de los mismos, como *ba-ba-ba-* y *ga-ga-ga*. La producción de sonidos en esta etapa se denomina **balbuceo**. En el último periodo de esta fase, alrededor de los nueve o los diez meses de edad, se pueden reconocer patrones de entonación en las combinaciones de consonantes y vocales que emite el niño, así como variaciones en las combinaciones generadas, como *ba-ba-pa-pa*.. Los sonidos nasales se vuelven, asimismo, más frecuentes y resulta inevitable que los padres interpreten determinadas secuencias silábicas, como *ma-ma-ma* y *pa-pa-pa*, como versiones infantiles de «mamá» y «papá», de ahí que ellos mismos se las repitan frecuentemente al niño.

A medida que los niños empiezan a ser capaces de mantenerse en pie, hacia los diez u once meses de vida, van adquiriendo también la capacidad de utilizar sus vocalizaciones para expresar emociones y para poner énfasis sobre algo. Esta última parte de la etapa del balbuceo se caracteriza por la presencia de combinaciones silábicas más complejas (*ma-pa-ga-ba*), una mayor frecuencia de los juegos sonoros y los primeros intentos por imitar a los adultos. Este tipo de «pre-lenguaje» familiariza al niño con el papel social que desempeña el habla, ya que los padres tienden a reaccionar al balbuceo, aunque sea incoherente, como si, constituyera de hecho, la forma en que el niño contribuye a una genuina interacción social.

No obstante, conviene ser cautos con relación a este último extremo. Normalmente quienes se ocupan del análisis del lenguaje infantil suelen prestar especial atención en sus trabajos a la edad del niño que están estudiando. Del mismo modo, también se cuidan mucho de señalar que existe una variación sustancial entre los niños estudiados en lo concerniente al momento en que aparecen los rasgos característicos de cada una de las etapas que comprende el desarrollo lingüístico. Por tanto, siempre debemos tratar como aproximadas y sujetas a variación en cada niño concreto las afirmaciones acerca de los diferentes períodos del desarrollo, como las del tipo «hacia los seis meses» o «hacia la edad de dos años».

La etapa de la palabra única

Entre los doce y los dieciocho meses de vida, los niños empiezan a hablar utilizando diversos enunciados formados por una sola unidad que ya puede reconocerse con cierta facilidad. Este periodo, llamado la **etapa de la palabra única**, se caracteriza porque al hablar se emplean los términos simples que se refieren a objetos cotidianos, como «leche», «galleta», «gato», «vaso». Algunos términos pueden pronunciarse ligeramente modificados, como *papo* en lugar de *zapato*. Sin embargo, una forma como *notaki* puede aparecer en circunstancias que sugieren que el niño está generando realmente una variante de *no está aquí*, de ahí que la etiqueta «una palabra», que caracteriza a esta etapa, puede llevar en determinadas circunstancias a confusión. Dado que términos como «unidad-única» o «forma-única» pueden ser más precisos, en ocasiones se emplea el término **holofrástico** (una forma única funcionando como un sintagma o una oración) para caracterizar a aquellos enunciados que pueden analizarse como una palabra, como un sintagma o como una oración.

Aunque parece que muchos de estos enunciados holofrásticos se utilizan para nombrar objetos, también pueden emitirse en circunstancias que sugieren que el niño ha ampliando, de hecho, su uso. Una cama vacía puede evocar el nombre de la hermana que normalmente duerme en esa cama, incluso si la persona nombrada está ausente. Durante esta etapa el niño puede ser capaz de referirse a *Mónica* y a *cama*, pero todavía no está preparado para unir ambas formas y construir un sintagma más complejo. Pero bueno, ya es mucho para alguien que sólo puede andar en un *tacataca* y que tiene que bajar las escaleras de espaldas.

La etapa de las dos palabras

Dependiendo de lo que se considere como ocurrencia conjunta de dos palabras diferentes, la **etapa de las dos palabras** puede comenzar entre los dieciocho y los veinte meses, una vez que el vocabulario del niño supera los cincuenta elementos. Hacia los dos años de vida, aparecerán distintas combinaciones de palabras, del tipo *nena silla, mami come, gato malo*. La interpretación que el adulto suele hacer de estas combinaciones está muy ligada, desde luego, al contexto en que se dicen. Una frase como *nena silla* puede interpretarse como una expresión de posesión (= ésta es la silla de la niña), como una petición (= pon a la niña en la silla) o como una afirmación (= la niña está en la silla), dependiendo de cuál sea el contexto.

Sea lo que sea lo que el niño intenta comunicar mediante este tipo de expresiones, las consecuencias funcionales relevantes son que el adulto se comporta como si la comunicación existiera de hecho. Es decir, el niño no sólo habla, sino que recibe respuestas que normalmente le confirman que la expresión que ha utilizado ha funcionado. Asimismo, si hacia los dos años de edad, el niño es capaz de producir entre doscientas y cuatrocientas palabras diferentes, logra entender cinco veces más, por lo que normalmente su cuidador principal lo tratará como un interlocutor válido a la hora de conversar.

Habla telegráfica

Entre los dos y los dos años y medio de edad, el niño empezará a producir un mayor número de expresiones que podrían ser calificadas como locuciones formadas por varias palabras. La característica más notable de estas expresiones deja de ser el número de palabras que las constituyen y pasa a ser el hecho de que la forma de dichas palabras comienza a variar. Sin embargo, antes de que estudiemos este notable avance, debemos hacer notar que existe una etapa que se suele describir como de **habla telegráfica**. Esta fase se caracteriza por la presencia de secuencias de palabras (morfemas léxicos) que forman sintagmas u oraciones, como *Este zapato todo mojado, David quiere pelota, gato bebe leche* o *esta mano daño*. Resulta evidente que en esta etapa el niño ha desarrollado ya una cierta capacidad para construir oraciones, por lo que puede ordenar las palabras correctamente. Al mismo tiempo que tiene lugar esta etapa de habla con formato telegráfico, empieza a aparecer la flexión gramatical en algunas palabras y comienzan a utilizarse las preposiciones más simples (como *en*).

Hacia los dos años y medio de vida, el vocabulario del niño se amplía rápidamente y éste habla cada vez más, coincidiendo con el aumento de la actividad física que implica correr y saltar. Hacia los tres años de edad, el vocabulario ha aumentado hasta alcanzar varios cientos de palabras y la pronunciación se parece cada vez más a la propia de los adultos. Llegados a este momento, merece la pena considerar el tipo de influencia que ejercen los adultos en el desarrollo del habla infantil, si es que ejercen alguna.

El proceso de adquisición

Como quiera que el repertorio lingüístico del niño va aumentando con el tiempo, a menudo se asume que se le está «enseñando» de alguna forma la lengua que va aprendiendo. Este planteamiento no se ajusta con exactitud a lo que realmente está haciendo el niño. La gran mayoría de los niños no recibe instrucciones sobre cómo se habla su lengua. Tampoco debemos imaginarnos una cabecita vacía que se va llenando gradualmente con palabras y frases. Una visión mucho más realista del proceso consiste en pensar que el niño está elaborando activamente posibles formas de usar la lengua a partir de lo que se le va diciendo. La producción lingüística de los niños parece ser, en esencia, una cuestión de ir probando construcciones y de ir determinado si funcionan o no.

Por otro lado, simplemente no es posible que los niños adquieran el lenguaje básicamente a través de la imitación del habla de los adultos. Desde luego, no es infrecuente oír a los niños repetir a su manera lo que dicen las personas mayores en determinadas circunstancias y resulta también evidente que buena parte del vocabulario que van adquiriendo lo aprenden de lo que escuchan a su alrededor. Sin embargo, es evidente, asimismo, que los adultos no generan muchos de los tipos de expresiones que aparecen característicamente en el habla infantil. En el siguiente extracto de una conversación (tomado de Clark, 1993), puede observarse cómo el niño crea un verbo totalmente nuevo (*to Woodstock*) que casa con el contexto en el que se produce dicha conversación.

NOAH [recogiendo un perro de peluche]: *This is Woodstock*. («Este es Woodstock [un personaje de la serie de *Snoopy*, creada por el dibujante Schultz]»), [y acerca el juguete a la cara de Adam].
ADAM: *Hey Woodstock, don't do that*. («Eh, Woodstock, no hagas eso») [Noah insiste].
ADAM: *I'm going home so you won't Woodstock me* («Me voy a casa, así no me *woodstockearás* más»).

Del mismo modo, resulta poco probable que las «correcciones» que hacen los adultos condicionen sustancialmente la manera en que habla el niño. Muchos fragmentos de conversaciones, particularmente divertidas, que tienen lugar entre adultos y niños ponen claramente de manifiesto lo infructuoso de los intentos de los primeros por corregir el habla de los segundos. Un ejemplo típico podría ser la cita que encabeza este capítulo *(otra una cuchara)*. Incluso cuando se intenta corregir al niño de forma sutil, éste preferirá seguir usando la forma idiosincrásica que ha construido, a pesar de que el adulto le repita una y otra vez la forma correcta. Merece la pena advertir cómo, en el siguiente diálogo (citado en Cazden, 1972), el niño, que cuenta con cuatro años de edad, ni está imitando el habla del adulto, ni aceptando sus correcciones:

NIÑO: *My teacher **holded** the baby rabbits and we patted them* («Mi profesora **sostenió** los conejitos en la mano y nosotros los acariciamos»).
MADRE: *Did you say your teacher **held** the baby rabbits?* («¿Quieres decir que tu profesora **sostuvo** los conejitos?»).
NIÑO: *Yes* («Sí»).
Madre: *What did you say she did?* («¿Qué has dicho que hizo ella?»).
NIÑO: *She **holded** the baby rabbits and we patted them* («Ella **sostenió** los conejitos y nosotros los acariciamos»).
MADRE: *Did you say she **held** them tightly?* («¿Has dicho que ella los **sostuvo** con fuerza?»).
NIÑO: *No, she **holded** them loosely* («No, ella los **sostenió** con cuidado»).

Un factor que parece ser crucial en el proceso de adquisición del lenguaje por parte de los niños es el uso real de las combinaciones de sonidos y palabras, tanto en interacción con los demás, como cuando juegan en solitario. Un niño de dos años, al que se le grabó mientras estaba solo en la cama, hablaba mientras jugaba consigo mismo, emitiendo sin cesar palabras y frases: *I go dis way ... way bay ... baby do dis bib ... all bib ... bib... dere* («yo voy eto aquí... aquí... qui...bebé... hacer... eto... bibi... to... bibi... bibi... lli») (descrito en Weir, 1966). Este tipo de juegos verbales parece constituir un factor importante para el desarrollo del repertorio lingüístico del niño. Diferentes estudios se han ocupado de dicho desarrollo, más allá de la etapa telegráfica, centrándose en los elementos lingüísticos que empiezan a aparecer de forma regular en la corriente continua de habla que surge de esa pequeña caja parlante.

El desarrollo de la morfología

Hacia los dos años y medio de edad, el niño supera la etapa del habla telegráfica y comienza a incorporar algunos de los morfemas flexivos que indican las funciones gramaticales de los nombres y de los verbos que utiliza. El primero en aparecer en inglés es normalmente la forma *–ing*, en expresiones como *cat sitting* («gato sentado») y *mommy reading book* («mamá leyendo libro»).

Posteriormente, el niño empieza a marcar los plurales regulares con la forma *-s*, como sucede en *boys* («niños») y *cats* («gatos»). La adquisición de la marca de plural viene acompañada frecuentemente de un proceso de **sobregeneralización**. El niño sobregeneraliza la regla evidente según la cual para formar el plural de una palabra en inglés se le ha de añadir la terminación *-s*, de ahí que hable también de los *foots* y los *mans* (variantes regulares incorrectas de «pies» y «hombres», por cuanto los plurales correctos de estas formas son *feet* y *men*). Cuando el niño aprende a utilizar la pronunciación alternativa del morfema de plural que se utiliza en *houses* (es decir, la terminación [-əz]), también acabará sobregeneralizando su uso, con lo que aparecerán formas como *boyses* («niñoses») o *footses* («pieses»). Al mismo tiempo que aparece esta sobregeneralización, y por un tiempo limitado, algunos niños se empiezan, asimismo, a emplear de forma bastante apropiada los plurales irregulares, como *men*, si bien suelen aplicar también a dichas formas la regla general de formación de los plurales, de manera que generan expresiones como *some mens* («algunos hombres») y *two feets* («dos pieses»), o incluso *two feetses*. No mucho tiempo después el niño comenzará a usar la flexión del posesivo '*s*, en expresiones como *girl's dog* («el perro de la niña») y *mummy's book* («el libro de mamá»).

Por esta misma época, el niño empieza a hacer uso de diferentes formas del verbo *to be* («ser»), como *are* y *was*. Merece la pena destacar la aparición de una forma como *was* («fue», del verbo *ser*) que suele coincidir en el tiempo con la aparición de formas como *went* («fue», del verbo *ir*) o *came* («vino»), puesto que se trata de formas irregulares de pasado, las cuales uno esperaría oír con posterioridad a las formas regulares. Sin embargo, la utilización de las formas verbales irregulares precede generalmente a la aplicación de la regla de derivación de las formas regulares mediante la desinencia flexiva -*ed*. Una vez que las formas regulares del pasado (por ejemplo, *walked* «paseó»; *played* «jugó») empiezan a hacerse frecuentes en el habla del niño, las formas irregulares pueden desaparecer temporalmente y ser sustituidas por versiones sobregeneralizadas, como g*oed* («irió») y *comed* («vinió»). Durante un cierto período de tiempo es posible también que la desinencia –*ed* se añada a cualquier forma verbal, dando lugar a cosas tan extrañas como *walkeded* («caminababa») y *wented* («fuiba»). Sin embargo, y como sucedía en el caso de las formas plurales, el niño descubre (generalmente hacia los cuatro años), qué formas son regulares y cuáles son irregulares.

Finalmente, aparece la marca regular de la tercera persona del singular de los verbos en presente (-*s*), aplicándose en primer lugar a los verbos de sentido pleno (*comes* «viene»; *looks* «mira») y, posteriormente, a los auxiliares (*does, has*).

En la secuencia de aprendizaje que hemos descrito se dan, desde luego, muchas variaciones. Cada niño en particular puede producir formas «correctas» un día y formas «extrañas», al siguiente. Las evidencias sugieren que lo que realmente está haciendo el niño es tratar de averiguar la manera correcta de utilizar el sistema lingüístico, pero que lo hace a la vez que lo está usando como un medio para comunicarse e interactuar con los demás, y no en respuesta a las correcciones que se le van haciendo. Para el niño, el hecho de utilizar formas como *goed* («irió») o *foots* («pieses») constituye simplemente una manera de lograr comunicar lo que quiere decir durante un estadio particular de su desarrollo. Los preocupados padres que insisten en que el niño no ha podido oír nada semejante en casa están reconociendo implícitamente que la «imitación» no es el mecanismo principal que impulsa el proceso de adquisición del lenguaje.

El desarrollo de la sintaxis

Los estudios encaminados a determinar las estructuras sintácticas que emplean los niños pequeños han proporcionado evidencias semejantes en contra de la tesis de que la adquisición del habla por parte de los niños se basa en la «imitación». Por ejemplo, en un experimento de este tipo se pidió a un niño de dos años que repitiese de la manera más fiel posible lo que oía. Cuando en una ocasión oyó decir a un adulto una estructura del tipo *the owl who eats candy runs fast* («el búho que come caramelos corre mucho»), lo que repitió realmente el niño fue lo siguiente: *owl eat candy and he run fast* («el búho come caramelos y corre mucho»). Está claro que el niño entiende lo que el adulto le está diciendo. Simplemente, tiene su propia forma de expresarlo.

Los estudios sobre el desarrollo de la sintaxis en el habla infantil son muy numerosos. Sin embargo, nos ceñiremos al análisis del aprendizaje de dos estructuras que la mayoría de los niños que tienen el inglés como lengua materna parece adquirir de manera regular, a saber, la formación de preguntas y la utilización de la negación. En ambos casos pueden distinguirse tres etapas claramente identificables. La edad que tienen los niños al pasar por ellas puede variar bastante, pero la norma parece ser que la primera etapa tenga lugar entre los 18 y los 26 meses; la segunda etapa, entre los 22 y los 30 meses; y la tercera, entre los 24 y los 40 meses (el hecho de que solapen los períodos en los que los niños se encontrarían en alguna de estas etapas es una consecuencia natural de la diferente velocidad con la que los distintos niños desarrollan habitualmente este tipo (y otros diferentes) de estructuras.

Generando preguntas

En lo que respecta a la formación de las preguntas en inglés, la primera etapa supone recurrir a dos procedimientos diferentes. El primero consiste en añadir simplemente una palabra *wh-* (*where* «dónde», *who* «quién») al comienzo de la expresión en cuestión; un recurso alternativo sería proferir la parte final de dicha expresión en un tono más elevado. Así, por ejemplo:

Where kitty? («¿Dónde gatita?»)
Where horse go? («¿Dónde caballo va?»)
Doggie?↑ («¿Perrito?»)
Sit chair?↑ («¿Sienta silla?»)

En la segunda etapa se llegan a generar expresiones más complejas, pero se continúa utilizando la estrategia de elevar la entonación hacia el final de la pregunta. También conviene remarcar que durante esta etapa los niños empiezan a utilizar una mayor número de palabras *wh-*, como sucede en los siguientes ejemplos:

What book name? («¿Qué nombre libro?»)
Why you smiling? («¿Por qué tú sonriendo?»)
You want eat?↑ («¿Tú quieres comer?»)
See my doggie?↑ («¿Ve mi perrito?»)

En la tercera etapa se satisface ya el requisito, típico del inglés, de invertir en las preguntas las posiciones relativas del sujeto y del verbo con respecto a su situación en la correspondiente oración afirmativa (*I can go* [«Puedo ir»] → *Can I go?* [«¿Puedo ir?»]), si bien las palabras *wh-* no siempre sufren esta inversión. De hecho, los niños que empiezan a ir al colegio, y que tienen, por tanto, alrededor de cinco años de edad, pueden preferir todavía formar preguntas con *wh-* (especialmente las negativas) sin el tipo de inversión que realizan característicamente los adultos. Al margen de que ocasionalmente no se realice dicha inversión y de los continuos problemas que manifiestan con la morfología verbal, lo cierto es que las preguntas que se construyen en esta tercera etapa se parecen significativamente al modelo adulto, como se pone de manifiesto en los siguientes ejemplos:

Can I have a piece? («¿Puedo tomarme un trozo?»)
Will you help me? («¿[Auxiliar-futuro] tú ayudar mí?»)
What did you do? («¿Qué [auxiliar-pasado] tú hacer?»)
Did I caught it? («¿[Auxiliar-pasado] yo cogí ello?»)
How that opened? («¿Cómo esto abrió?»)
Why kitty can't stand up? («¿Por qué gatita no puede ponerse de pie?»)

Generando negaciones

En el caso de la negación en inglés, la estrategia que se sigue en la primera etapa parece ser bastante sencilla, por cuanto consiste en colocar las partículas negativas *no* o *not* al principio de la expresión que se desea negar, como sucede en los siguientes ejemplos:

no mitten («no guante»)
not a teddy bear («no un osito»)
no fall («no caer»)
no sit here («no sentar aquí»)

En la segunda etapa, junto con las formas *no* y *not* también empiezan a utilizarse con mayor frecuencia formas negativas adicionales, como *don't* («no» negando el auxiliar en presente) y *can't* («no poder»), las cuales se colocan delante del verbo, y no al principio de la oración, como sucedía en la etapa anterior. Esta peculiaridad puede advertirse en los siguientes ejemplos:

He no bite you («Él no morder a ti»).
That not mommy («Esa no mamá»).
I don't want it («No lo quiero»).
You can't dance («Tú no puedes bailar»).

En la tercera etapa se advierte la incorporación de otras formas auxiliares, como *didn't* («no» negando el auxiliar en pasado) y *won't* («no» negando el auxiliar en futuro), mientras que desaparecen las formas características de la primera etapa. Una adquisición particularmente tardía es la forma *isn't* (la negación del verbo «ser» en tercera persona del presente), con lo que algunas formas de la segunda etapa (con *not*, en lugar de *isn't*) se siguen utilizando durante bastante tiempo. Algunos ejemplos de esta tercera etapa serían los siguientes:

I didn't caught it («No cogí esto»).
She won't let go («Ella no dejará ir»).
He not taking it («Él no cogiendo esto»).
This not ice cream. («Esto no helado»).

El estudio del proceso secuencial que sigue la utilización de las formas negativas por parte de los niños ha puesto de manifiesto algunos ejemplos particularmente simpáticos de algunos que hacen uso de sus propias reglas para formar oraciones negativas. Un conocido ejemplo (tomado de McNeill, 1966) muestra también la inutilidad de la «corrección» explícita en que se empeñan algunos adultos:

NIÑO: *Nobody don't like me* («Nadie no me quiere»).
MADRE: *No, say «nobody likes me»* («No, di "Nadie me quiere"»).
NIÑO: *Nobody don't like me* («Nadie no me quiere»).
MADRE: *No, now listen carefully; say «nobody likes me»* («No, escucha bien; di "nadie me quiere"»).
NIÑO: *Oh! Nobody don't likes me* («¡Vale! Nadie no me quiere»).

El desarrollo de la semántica

La mayoría de las anécdotas que los padres refieren acerca de las primeras expresiones usadas por sus hijos (para gran vergüenza de éstos cuando ya tienen una cierta edad) concierne a ejemplos de usos no habituales de determinadas palabras. Una vez alguien avisó a un niño de que las moscas traían gérmenes a casa y le preguntó después qué eran los «gérmenes». La respuesta fue «algo con lo que juegan las moscas». No siempre es posible determinar con tanta precisión el significado que los niños adjudican a las palabras que utilizan.

Parece que durante la etapa holofrástica muchos niños utilizan su limitado vocabulario para hacer referencia a un gran número de objetos dispares. Por ejemplo, existe constancia de que un niño en particular utilizó *guau-guau* para referirse, en primer lugar, a un perro; después, a un trozo de piel con ojos de cristal; posteriormente, a unos gemelos de camisa; y, finalmente, incluso a un termómetro de baño. La palabra *guau-guau* parecía venir a significar aproximadamente «objeto con piezas brillantes». A menudo, los niños amplían el uso de *guau-guau* para referirse a gatos, caballos y vacas.

Este proceso se denomina **sobreextensión** y su patrón más habitual consiste en ampliar el significado de una palabra, con objeto de poder emplearla para denotar otros objetos que se parecen al designado convencionalmente por dichas palabras en virtud de una similitud en cuanto a forma, sonido y tamaño, y en menor medida, en función de si se mueven de forma parecida o tienen una textura semejante. Así, la palabra *pelot*a se sobreextiende a todos los tipos de objetos redondos, incluyendo globos, pomos de puertas o la Luna. O, por poner otro ejemplo, si *tictac* se utilizaba inicialmente para denotar un reloj, con el tiempo podría llegar a emplearse para hacer referencia a una báscula de baño que contase con un dial redondo. Finalmente, es de suponer que, atendiendo al criterio del tamaño, la palabra *mosca*, que empezó a utilizarse en un primer momento para hacer referencia al insecto, pueda terminar utilizándose para designar manchas de suciedad o incluso migas de pan. Del mismo modo, y debido aparentemente a la similar textura, la expresión *ticas*, que inicialmente se empleaba para designar unas tijeras, pasó después a utilizarse para designar todo tipo de objetos metálicos. En las primeras etapas del mismo, el desarrollo de la semántica, en lo concerniente al uso que hace el niño de las palabras, consiste habitualmente en un proceso de sobreextensión, al que sigue un proceso gradual de reducción de las posibilidades de aplicación de cada término conforme el niño va aprendiendo más palabras.

Aunque la sobreextensión durante la producción está bien documentada en el habla infantil, no es un proceso del que se haga uso necesariamente para comprender lo que se oye. Así, mientras que un niño de dos años puede emplear la apalabra *manzana* para referirse a varios objetos redondos, como tomates o pelotas, no parece tener dificultad alguna cuando ha de escoger *una manzana* de entre varios de dichos objetos redondos.

Una característica interesante de la semántica de los niños pequeños es la forma en que tratan algunas relaciones léxicas. Hablando en términos de hiponimia, el niño casi siempre utiliza el término que representa el nivel «medio» en un conjunto de hipónimos como sucede con *animal–perro–caniche*. Parecería más lógico que aprendiera el término más general *(animal)*, pero todas las pruebas indican que el niño primero utilizará *perro* con un significado sobreextendido, que se aproxima en gran medida al significado de *animal*. Este fenómeno puede tener relación con una tendencia similar que se observa en los adultos cuando hablan con niños pequeños, a saber, la de hacer referencia, por ejemplo, a *flores* en lugar de utilizar el término más general *plantas* o el más específico *geranios*.

También parece que las relaciones de antonimia se adquieren bastante mas tarde (a partir de los cinco años). En un estudio llevado a cabo en un gran número de guarderías, cuando se les preguntaba a los niños *¿Qué árbol tiene más manzanas?*, todos señalaban al mismo manzano repleto de frutos que cuando se les preguntaba *¿Qué árbol tiene menos manzanas?* Parecía como si los niños pensaran que la respuesta correcta era señalar al árbol de mayor tamaño, sin tener en cuenta la diferencia existente entre las palabras *más* y *menos*. La distinción entre otros pares de antónimos, como *antes* y *después,* o *comprar* y *vender*, también parece una adquisición más tardía.

A pesar del hecho de que el niño todavía está aprendiendo diversos aspectos de su lengua materna durante los últimos años de la infancia, se asume normalmente que hacia los cinco años ha completado la mayor parte del proceso básico de adquisición básica de la misma. De acuerdo con algunos estudios, el niño está en este momento preparado para empezar a aprender una segunda lengua. Sin embargo, en la mayoría de los sistemas educativos el aprendizaje de una lengua extranjera no comienza hasta mucho más adelante. La pregunta que siempre se hace con relación a este asunto es la siguiente: si la adquisición de la primera lengua fue tan fácil y tuvo lugar de una manera fundamentalmente automática, ¿por qué la adquisición de la segunda lengua resulta tan difícil? Trataremos de responder a esta cuestión en el próximo capítulo.

■ Ejercicios

1. ¿Podrías mencionar cuatro características distintivas del habla de los cuidadores?

2. ¿Durante qué etapa generan típicamente los niños por primera vez secuencias silábicas semejantes a *mamá* y *papá*? ¿A qué edad lo hacen?

3. ¿A qué edad aproximadamente comienzan típicamente los niños a generar combinaciones silábicas variadas, como *ma-pa-ga-ba*?

4. Según las características de las etapas que se atraviesan normalmente en la adquisición del inglés como primera lengua, ¿cuál sería el orden de aparición de las siguientes flexiones: *-ed, -ing, -'s* (posesivo)*, -s* (plural)?

5. Las dos frases siguientes las emitieron dos niños de diferente edad. ¿Cuál crees que corresponde al de mayor edad? Razona tu respuesta.

(a) *I not hurt him* («Yo no pegué él»).
(b) *No the sun shining* («No el sol brillar»).

6. ¿Cuál es el término que se utiliza para describir el proceso por el que un niño emplea una palabra como *pelota* para referirse a una manzana, un huevo, una uva y una pelota?

7. ¿Qué relación crees que existe entre las palabras aprendidas y las palabras producidas en el caso de un niño de veinticuatro meses? ¿En qué etapa consideras que se encontrará?

■ Tareas de investigación

A. En el análisis del lenguaje infantil, ¿de qué manera puede emplearse la LME o «longitud media del enunciado» (en inglés, MLU [*mean length of utterance*]) para decidir si un enunciado (como, por ejemplo, *Papá comer manzana roja*) es más o menos complejo que otro (como, por ejemplo, *Papá come manzanas rojas*)?

B. ¿Qué tipo de técnicas se han usado para estudiar la capacidad de percepción del discurso hablado por parte de niños muy pequeños?

C. Enumera algunas de las diferencias fundamentales que existen entre una caracterización conductista y una innatista de la adquisición de la primera lengua.

D. A continuación se recogen algunos ejemplos de discurso hablado correspondientes a tres niños diferentes.

Niño X: *You want eat?* («¿Tú quieres comer?»)
I can't see my book («Yo no puedo ver mi libro»).
Why you waking me up? («¿Por qué tú despertar mí?»)

Niño Y: *Where those dogs goed?* («¿Dónde aquellos perros fuiban?»)
You didn't eat supper («Tú no [auxiliar-pasado] comer cena»).
Does lions walk? («¿[Auxiliar] leones anda?»)

Niño Z: *No picture in there* («No foto en allí»).
Where momma boot? («¿Dónde mamá pegó?»)
Have some? («¿Tener algunos?»)

(i) Intenta determinar cuál es el niño que se halla en la etapa inicial, cuál en la intermedia y cuál en la etapa más avanzada del proceso de adquisición del lenguaje.

(ii) Trata de describir aquellas características de las emisiones de cada niño que hayas empleado como pruebas para justificar tu respuesta.

■ Temas/proyectos de discusión

I. Cuando se discutió anteriormente lo concerniente al proceso de desarrollo de la semántica, se prestó una especial atención al uso de los nombres. En los ejemplos siguientes un niño pequeño (su edad se indica mediante dos cifras separadas por un punto y coma (;), de forma que la primera hace referencia al año y la segunda, al mes) parece estar usando los verbos de una manera que no se basa aparentemente en la forma en que lo hacen los adultos, de ahí que la «imitación» sea una explicación poco plausible de su comportamiento.

(2;3) *I come it closer so it won't fall* («Yo lo llevo más cerca, así que no se caerá») (= *bring it closer* [aproximar]).
(2;6) *Mommy, can you stay this open?* («Mamá, ¿puedes mantener esto abierto?») (= *keep this open* [mantener esto abierto]).
(2;8) *Daddy, go me round* («Papá, llévame a dar una voltereta») (= *make me go round* [hazme dar una voltereta]).
(2;9) *I'm gonna fall this on her* («voy a dejar arrojar esto sobre ella») (= *drop this on her* [dejar caer esto sobre ella]).
(2;11) *¿How would you flat it?* («¿Cómo aplastado esto?») (= *flatten it* [aplastar esto]).
(3;1) *I'm singing him* («Estoy cantándole») (= *making him sing* [haciendo que él cante]).

(i) ¿Crees que existe algún patrón común a estos ejemplos?

(ii) ¿Podrías aventurar una razón por la que el niño prefiere estas palabras, y no otras, para describir el tipo de acciones a las que hace referencia?

(Para obtener información básica sobre esta cuestión puedes consultar el capítulo 6 de Clark, 2003.)

II. ¿Con cuál de las siguientes metáforas, que buscan caracterizar el proceso de adquisición de la lengua materna (y que se han tomado de Valian, 1999) estarías más de acuerdo? Razona tu respuesta:

a. Según la metáfora de la copia, «el niño va ajustando progresivamente su manera de hablar a la de la comunidad lingüística a la que pertenece» y «la clave del proceso parece encontrarse en el papel activo que desempeña el input lingüístico».

b. Según la metáfora de la comprobación de la hipótesis, «el niño genera diferentes hipótesis acerca de las estructuras que existen en la lengua que está aprendiendo, para comprobar, seguidamente, su validez», de manera que «el niño no se limitaría a copiar el input lingüístico».

c. Según la metáfora del disparador, «el niño ni copia el input lingüístico, ni lo evalúa», sino que lo que sucede realmente es que «un determinado fragmento de dicho input elicita el valor paramétrico correcto», asumiendo que el niño posee un conocimiento innato de un reducido conjunto de posibles valores paramétricos.

(Para obtener información básica sobre esta cuestión puedes consultar el texto de Valian, 1999.)

III. A continuación puedes leer lo que opina Chomsky (1983) sobre esta cuestión:

Durante toda su existencia, desde que nace hasta que muere, un organismo pasa por una serie de cambios programados genéticamente. Es evidente que el desarrollo del lenguaje constituye simplemente uno más de esos cambios predeterminados. El lenguaje depende de la dotación genética, que es del mismo tipo que la que especifica la estructura de nuestro sistema circulatorio o visual, o la que determina que tengamos brazos en lugar de alas.

(i) ¿Estás de acuerdo con este punto de vista?

(ii) ¿Qué tipo de pruebas utilizarías para apoyar esta opinión?

(Para obtener información básica sobre esta cuestión puedes consultar a Goodluck, 1991, o a Gallaway y Richards 1994.)

IV. Los niños pequeños no siempre utilizan las palabras que aprenden de la misma manera que los adultos. En los siguientes ejemplos de situaciones y expresiones ¿serías capaz de discernir los patrones de utilización de los verbos que emplean estos niños de dos y tres años? Puedes comparar tus conclusiones con las de Clark (1982), de donde se han seleccionado y adaptado estos ejemplos:

Situación	Expresión
(esperando a que pesen un trozo de queso)	*Tienes que medirlo*
(hablando sobre vestirse)	*Mami me pantalona*
(negándose a que la madre pase el aspirador en su habitación)	*No buum mi sucio*
(echando pan en la sopa)	*Estoy paneando mi sopa*
(esperando a que suene el timbre)	*Haz que timbre*
(a la madre que se está secando el pelo)	*No pelo a mí*

V. Las dos transcripciones que se ofrecen a continuación corresponden a sendas conversaciones mantenidas entre las mismas personas, una madre y su hija. En la primera (1), la niña tenía 24 meses de edad, mientras que la segunda (2) tuvo lugar tres meses más tarde. ¿Serías capaz de describir los cambios que se han producido en la capacidad de la niña para utilizar el lenguaje durante este periodo? (Los ejemplos se han tomado de Bellugi, 1970).

(1)

EVE: *Have that?* («¿Coge esto?»)

M: *No, you may not have it* («No, no puedes cogerlo»).

EVE: *Mom, where my tapioca?* («¿Mami, dónde mi tapioca?»)

M: *It's getting cool. You'll have it in just a minute* («Se está enfriando. Estará lista en un minuto»).

EVE: *Let me have it* («Déjame cogerla»).

M: *Would you like to have your lunch right now?* («¿Quieres comer ahora mismo?»).

EVE: *Yeah. My tapioca cool?* («Sí. ¿Mi tapioca fría?»).

M: Yes, it's cool («Sí, está fría»).

EVE: *You gonna watch me eat my lunch?* («¿Tú vas a mirarme cómo me como mi almuerzo?»)

M: Yeah, I'm gonna watch you eat your lunch («Sí, voy a mirar cómo te comes tu almuerzo»).

EVE: *I eating it* («Yo comiendo esto»).

M: *I know you are* («Ya lo sé»).

(2)

M: *Come and sit over here* («Ven y siéntate por aquí»).

EVE: *You can sit down by me. That will make me happy. Ready to turn it* («Tú puedes sentarte cerca de mí. Esto me hará feliz. Listo para pasar ésta»).

M: *We're not quite ready to turn the page* («No estamos listos para pasar la página»).

EVE: *Yep, we are* («Sí, lo estamos»).

M: *Shut the door, we won't hear her then* («Empuja la puerta, no la oiremos entonces»).

EVE: *Then Fraser won't hear her too. Where he's going? Did you make a great big hole there?* («Entonces Fraser no la oirá también. ¿Dónde ha ido? ¿Has hecho un enorme gran agujero aquí?»).

M: *Yes, we made a great big hole in here; we have to get a new one* («Sí, hemos hecho un enorme gran agujero aquí; tenemos que coger uno nuevo»).

EVE: *Could I get some other piece of paper?* («¿Puedo coger otro trozo de papel?»)

VI. (i). Muéstrales la siguiente lista de expresiones a algunos amigos y pídeles que adivinen su significado:

un coche de nieve
un bastón correr
un pastel de agua
una cepillo de dedos
un niño de poney

(ii). Compara las versiones que te hayan dado los adultos a los que hayas interrogado con las que dio este niño de dos años (los ejemplos se han tomado de Clark, 1993, 40):

(1). (hablando de un coche de juguete totalmente blanco)
N: *Este es un coche de nieve.*
A: *¿Por qué es un coche de nieve?*
N: *Que tiene mucha nieve encima. No puedo ver las ventanas.*

(2). N: *Esto es un bastón de correr.*
A: *¿Un bastón de correr?*
N: *Sí, porque yo corro con este bastón.*

(3). N: (en el baño) *Es un pastel de agua.*
A: *¿Por qué lo llamas un pastel de agua?*
N: *Hago esto en el agua.*

(4). N: *Yo compro un cepillo de dientes y un cepillo de dedos.*
A: *¿Qué es un cepillo de dedos?*
N: *Es para limpiar uñas.*

(5). N: (llevando una gorra) *Yo como un niño de poney.*
A: *¿Qué es un niño de poney?*
N: *Un niño que lleva poney.*

¿Qué sugieren estos ejemplos acerca de la naturaleza del proceso de adquisición del vocabulario?

■ Lecturas adicionales

El capítulo 8 de Fromkin *et al.* (2003) o el capítulo 11 de O'Grady *et al.* (2005) constituyen introducciones alternativas, también de breve extensión, a la expuesta en este libro acerca del tema de la adquisición de la lengua materna. Un tratamiento más completo es el que hacen Clark (2003), Gleason (2000), Hulit y Woward (2002), Ingram (1989) y Karmiloff-Smith (2001). Ya de forma más específica puede consultarse a Eimas (1991) o Jusczyk (1997) en lo concerniente a la percepción del habla por parte de los niños pequeños; a Oller (2000), en lo que atañe, al balbuceo; a Bloom (1991), en lo que se refiere a al desarrollo general del lenguaje; a O'Grady (1997), en lo que concierne al desarrollo sintáctico; y a Clark (1993) en lo que atañe al desarrollo semántico. Dos revisiones exhaustivas de este tema son las de Fletcher y MacWhinney (1995), y Ritchie y Bhatia (1999).

15 Aprendizaje de una segunda lengua

«La Pascua es una fiesta para comer del cordero», explicó la niñera italiana. «Uno también puede comer del chocolate».

«¿Y quién trae el chocolate?», preguntó la profesora.

Yo sabía la palabra y levanté mi mano, diciendo «El conejo de Pascua. Él traer del chocolate».

«¿Un conejo?». La profesora, asumiendo que yo había empleado una palabra incorrecta, colocó sus dedos índices a ambos lados de la parte superior de su cabeza, agitándolos como si fuesen unas orejas.

«¿Te refieres a uno de éstos? ¿A un conejo *conejo*?»

«Bien, seguro», dije. «Él venir en la noche, cuando uno dormir en una cama. Con una mano él tener una cesta y comidas.»

La profesora suspiró y negó con la cabeza. Por lo que ella tenía entendido, yo acababa de explicar todo lo que estaba mal en relación con mi país. «No, no», dijo. «Aquí en Francia el chocolate lo trae una gran campana que viene volando desde Roma.»

Le rogué que no prosiguiera. «¿Pero como saben la campana dónde vives?»

«Bueno», me respondió, «¿y cómo lo sabe un conejo?»

Sedaris (2000)

Algunos niños crecen en un ambiente social en el que se emplea más de una lengua, de forma que son capaces de adquirir un segundo idioma en condiciones semejantes a aquellas en las que se produjo la adquisición de la primera lengua. Estos afortunados individuos son bilingües (véase el capítulo 18). Sin embargo, la mayoría de nosotros no nos exponemos a una segunda lengua hasta mucho después, como le ocurrió a David Sedaris, de manera que nuestra capacidad para usar esa segunda lengua raramente corre pareja, incluso después de años de estudio, a la que mostramos cuando empleamos la primera. Este hecho resulta intrigante, puesto que aparentemente no hay ningún otro sistema «cognitivo» que uno pueda aprender mejor cuando tiene dos o tres años de edad, que cuando tiene quince o treinta. Se han apuntado varias razones que explicarían este misterio y se han propuesto diferentes métodos para tratar de conseguir que la efectividad a la hora de comunicarse por parte de quienes estudian una segunda lengua (L2) sea semejante a la que manifiestan cuando usan la primera (L1).

El aprendizaje de una segunda lengua

En ocasiones, se suele distinguir entre el aprendizaje de una lengua en condiciones de «lengua extranjera» (es decir, el aprendizaje de un idioma que, en líneas generales, no se habla en la comunidad a la que se pertenece) y el aprendizaje en condiciones de «segunda lengua» (es decir, el aprendizaje de un idioma que se habla en la comunidad a la que uno pertenece). Así, los estudiantes japoneses que viven en Japón y que estudian español en clase están aprendiendo este idioma como lengua extranjera (ELE), mientras que si esos mismos estudiantes estuvieran asistiendo a una clase de español radicada en alguna ciudad de España, estarían aprendiendo el idioma como segunda lengua (ESL). Dado que en ambos casos su intención es simplemente la de intentar aprender otro idioma, lo cierto es que suele emplearse de forma más general la expresión **aprendizaje de una segunda lengua** cuando se desea describir ambas situaciones.

Adquisición y aprendizaje

Una distinción más importante es la que diferencia a la adquisición del aprendizaje. El término **adquisición** se usa para describir el desarrollo gradual de la capacidad de expresarse en una lengua determinada cuando se utiliza de forma natural para comunicarse con otras personas que ya la conocen. El término **aprendizaje**, por el contrario, se utiliza para designar el proceso, más consciente, de acumulación de conocimientos acerca de las principales características de una lengua que deseamos hablar, como su vocabulario o su gramática, proceso que, en líneas generales, tiene lugar en un ámbito más formal (así, por ejemplo, decimos que las matemáticas se aprenden y no que se adquieren).

Tradicionalmente se ha recurrido a actividades relacionadas con el aprendizaje para enseñar idiomas en las escuelas. La tendencia es que, si dan el resultado adecuado, el estudiante suele lograr incrementar su conocimiento «acerca» de la lengua en cuestión (como lo demuestran los test realizados al efecto), mientras que no sucede lo mismo en lo concerniente a la fluidez con que usa dicha lengua en condiciones reales (como se pone de manifiesto cuando dichos estudiantes han de interactuar socialmente). Las actividades relacionadas con la adquisición son, por el contrario, las que experimentan los niños pequeños y, de forma análoga, quienes terminan hablando otra lengua después de largos periodos de interacción social (lo que implica un uso constante del idioma) con los hablantes nativos de la misma. Aquellos individuos cuya experiencia con la L2 reviste fundamentalmente un carácter de aprendizaje no suelen alcanzar el mismo dominio de la lengua que aquellos cuyo contacto con dicha lengua ha sido el característico del proceso de adquisición.

Barreras para la adquisición

Para la mayoría de las personas la experiencia con cualquier L2 difiere sustancialmente de su experiencia previa con la L1, por lo que difícilmente llegan a adquirirla plenamente. Lo habitual es que se acerquen a esa otra lengua durante la adolescencia o ya de adultos, en forma de cursos de unas pocas horas a la semana (y no a través de una interacción constante como la que experimenta un niño), que deben compaginar con otras muchas ocupaciones (un niño no tiene muchas más cosas que hacer), y disponiendo ya de una lengua que satisface la mayor parte de sus necesidades comunicativas cotidianas. A pesar de que esta falta de tiempo, de objetivo y de incentivos, dificulta en gran medida, o en muchos casos, los intentos por aprender una L2, lo cierto es que algunas personas parecen ser capaces de sortear todas estas dificultades, de manera que llegan a utilizar la L2 de forma notablemente eficaz, aunque habitualmente nunca consigan hablar como un nativo (es decir, alguien para quien esa lengua es su L1).

Sin embargo, incluso en condiciones de adquisición ideales, muy pocos individuos adultos llegan a alcanzar, a la hora de utilizar una segunda lengua, el dominio de ella que posee un hablante nativo. Algunas personas consiguen escribirla sin cometer apenas errores, pero no les sucede lo mismo cuando tienen que hablarla. Un caso bien conocido es el del escritor Joseph Conrad, cuyas novelas se han convertido en clásicos de la literatura inglesa, pero que al hablar manifestaba un fuerte acento polaco (el polaco era su primera lengua). Esto parece sugerir que algunas características de una segunda lengua (por ejemplo, su vocabulario o su gramática) son más fáciles de aprender que otras (por ejemplo, su pronunciación). De hecho, en ausencia de una exposición precoz a los sonidos y a la entonación, características de la L2, lo más probable es que se detecte siempre algún tipo de acento, incluso entre quienes han conseguido una gran fluidez en el uso de ese idioma.

Este tipo de observaciones se interpreta, en ocasiones, como una evidencia de que, una vez que ha pasado el periodo crítico para la adquisición del lenguaje (en torno a la pubertad), resulta muy difícil adquirir otra lengua de forma plena (véase el capítulo 13). A modo de símil, podríamos caracterizar este fenómeno diciendo que nuestra capacidad inherente para adquirir el lenguaje ha quedado saturada, en gran medida, por las peculiaridades distintivas de la L1, de manera que se produce una pérdida de flexibilidad o de receptividad a la hora de incorporar las características de otra lengua diferente (L2).

En contra de esta opinión se suelen aducir otro tipo de evidencias, como, por ejemplo, el hecho de que los estudiantes de más de diez años de edad aprenden con mayor rapidez y con mayor efectividad una segunda lengua que, por ejemplo, aquellos que tienen siete años. Pudiera ser, desde luego, que la adquisición exitosa de una L2 con independencia de que se termine teniendo algo de acento requiriese de una combinación de diversos factores. La edad óptima para lograrlo podría estar comprendida entre los diez y los dieciséis años, cuando la flexibilidad de nuestra capacidad intrínseca para adquirir el lenguaje todavía no se ha perdido por completo, pero, al mismo tiempo, la madurez de nuestras capacidades cognitivas nos permite ya poder analizar de forma más efectiva y productiva las regularidades de la L2 que queremos aprender.

Factores afectivos

Pero incluso durante la edad óptima, la adquisición puede verse bloqueada por una barrera de muy diferente origen. Los adolescentes son, por regla general, mucho más vergonzosos que los niños pequeños. Si existe un sentimiento fuerte de aversión o de vergüenza a la hora de intentar producir los sonidos característicos de otras lenguas, de nada servirán entonces ni las capacidades físicas, ni las cognitivas de las que se disponga. Si este sentido de la vergüenza se combina con una falta de empatía por la cultura extranjera cuya lengua se ha de aprender (es decir, si no hay una identificación con los hablantes de dicha lengua, ni con sus costumbres), el proceso de aprendizaje podría verse considerablemente inhibido por los sutiles efectos derivados del hecho de no querer ser percibido como ruso, o como alemán, o como americano.

Otros factores de diversa naturaleza también podrían contribuir a desencadenar este tipo de reacción emocional o «afectiva», como puedan ser unos manuales aburridos, un entorno escolar desagradable o un horario agotador de estudio y/o trabajo. Todos estos sentimientos o experiencias negativos se denominan **factores afectivos** y pueden terminar creando una genuina barrera que impida la adquisición. En esencia, se trata de que si uno está cansado, no se siente cómodo, siente vergüenza o no está suficientemente motivado, difícilmente logrará aprender nada.

Los niños parecen verse menos afectados por los factores afectivos. Las descripciones que se han hecho hasta la fecha de la manera en que se produce la adquisición de una L2 durante la infancia están llenas de ejemplos que demuestran que los niños pequeños superan rápidamente estas inhibiciones, conforme intentan hacer uso de las palabras y de las locuciones que van aprendiendo. Aunque también los adultos logran superar en ocasiones este tipo de inhibiciones. La conclusión de un estudio al respecto particularmente interesante fue que la vergüenza que sentían los miembros de un grupo de voluntarios adultos que intentaban aprender una L2 se fue reduciendo conforme se iban incrementando la cantidad de alcohol que consumían. Hasta un determinado momento se produjo una considerable mejora de la pronunciación de la L2, pero después de varios tragos, como puede suponerse, la pronunciación comenzó a empeorar rápidamente. Cursos como *El francés con coñac* o *El ruso con vodka* pueden ser una solución parcial a este problema, pero lo más probable es que las inhibiciones vuelvan a aparecer al recuperar la sobriedad.

Centrándose en el método...

A pesar de todas estas barreras y dificultades, la necesidad de aprender otras lenguas ha dado lugar a la aparición de diferentes enfoques y métodos de enseñanza, que tienen como objetivo mejorar el aprendizaje de una L2. En una fecha tan lejana como 1483, William Caxton utilizó una de las primeras imprentas para editar un libro que llevaba por título *Right good lernyng for to lerne shortly frenssh and englyssh* (*El correcto y buen aprendizaje destinado a aprender en poco tiempo francés e inglés*). Caxton no fue el primero en recopilar material pensado para que las personas interesadas en el aprendizaje de una L2 pudiesen practicarla, pero sí uno de los primeros en presentar dicho material en un formato que prestaba especial atención a las frases y a las locuciones, como, por ejemplo, a los saludos convencionales: *Syre, god you kepe. I haue not seen you in longe tyme* («Señor, Dios os guarde. No os había visto desde hace mucho tiempo»). Este tipo de formato ha sido adoptado posteriormente por numerosos autores. Los métodos más recientes, diseñados para facilitar el aprendizaje de una L2, tienden a reflejar los diferentes puntos de vista teóricos que existen acerca de la manera óptima de aprender una segunda lengua.

El método de la gramática y la traducción

El enfoque más tradicional consiste en tratar el aprendizaje de una segunda lengua como si fuera otra disciplina académica más. El objetivo del proceso de aprendizaje es, en consecuencia, la memorización de largas listas de palabras y de un conjunto de reglas gramaticales, concediéndose más importancia al lenguaje escrito que al hablado. Este método tiene su origen en el enfoque tradicional empleado para la enseñanza del latín y normalmente se describe como el **método de la gramática y la traducción**. En realidad, este nombre lo han acuñado sus detractores, quienes sostienen que el énfasis que se pone en que los estudiantes aprendan todo tipo de cuestiones sobre la L2 les impide aprender a utilizar de forma efectiva la lengua en una conversación cotidiana. Aunque resulta evidente que a lo largo de los siglos este método ha servido para que muchas personas hayan logrado alcanzar una competencia adecuada en una L2, se aduce, en ocasiones, que muchos de los estudiantes que han seguido este método y que han obtenido buenas notas en francés, se dan cuenta al dejar la escuela que no comprenden la manera en que los franceses utilizan el francés en Francia.

El método audiolingüe

Un planteamiento sustancialmente diferente, que pone el énfasis en el lenguaje hablado, se hizo muy popular a mediados del siglo XX. Consistía en una introducción sistemática y gradual de las estructuras características de la L2, de menor a mayor complejidad, y a menudo, a través de ejercicios que el alumno tenía que repetir. Los partidarios de esta estrategia de aprendizaje, denominada **método audiolingüe**, creían que el uso fluido de una lengua era, esencialmente, una cuestión de adquisición de un conjunto de «hábitos», que se podían desarrollar mediante una práctica continuada. Buena parte de esta práctica se conseguía pasando numerosas horas en un laboratorio de idiomas, repitiendo todo tipo de ejercicios orales. Aunque actualmente es posible encontrar métodos de enseñanza de lenguas extranjeras que pueden considerarse como variantes del método audiolingüe, sus críticos señalan que la práctica aislada de ejercicios basados en patrones de una lengua no tiene ningún parecido con la naturaleza interactiva que caracteriza al uso real de la lengua hablada. Además, puede ser algo terriblemente aburrido.

Enfoques comunicativos

Recientemente se ha revisado la experiencia acumulada a lo largo de los años en lo concerniente a la enseñanza de una L2 con objeto de proponer nuevos métodos de aprendizaje. Estos métodos reciben el nombre genérico de **enfoques comunicativos**. En parte, constituyen una reacción en contra de la artificialidad que implicaba la «práctica basada en patrones» del método audiolingüe y también contra la creencia de que el aprendizaje consciente de las reglas gramaticales de una lengua deviene necesariamente en una capacidad para utilizarla. Aunque existen diferentes estrategias para lograr crear entornos comunicativos en un aula de L2, todas ellas se basan en la idea de que las funciones del lenguaje (es decir, aquello para lo que se utiliza) deben prevalecer sobre las formas de la lengua (es decir, la corrección de las estructuras gramaticales o prológicas generadas). En este tipo de métodos, las lecciones normalmente se organizan en torno a conceptos como «pedir algo», que se ponen en juego en diferentes contextos sociales, en lugar de centrarse en cosas como «las formas del pasado» en diferentes oraciones. Estos cambios han coincidido con un intento por suministrar materiales más apropiados para el aprendizaje de una L2 con objetivos específicos (como sucede, por ejemplo, con el «inglés para el personal médico» o «el japonés para hombres de negocios»).

Centrándose en el alumno...

El cambio más fundamental que se ha producido en los últimos años en el área del aprendizaje de una L2 ha consistido en pasar de una preocupación por el profesor, el manual y el método, a centrarse en el alumno y en el proceso de adquisición de la nueva lengua. Por ejemplo, una característica fundamental de la mayoría de los enfoques comunicativos es que se muestran bastante tolerantes con los «errores» que cometen los estudiantes. Tradicionalmente, estos «errores» se consideraban algo muy negativo y que debía evitarse a toda costa. El hecho de que últimamente se sea más condescendiente con los errores que cometen los alumnos está relacionado con un cambio fundamental de perspectiva respecto a la manera en que tiene lugar el aprendizaje de la L2, que ha dado lugar a un distanciamiento con relación al enfoque tradicional.

Así, en lugar de considerar una expresión como *In the room there are three womens* («En la habitación hay tres mujeres»), generada por un hablante cuya L1 es el castellano, simplemente como un fallo de aprendizaje de la forma correcta del plural de la palabra inglesa *woman* (que puede corregirse mediante una práctica exhaustiva de la forma correcta, *women*), se tiende a ver dicho enunciado como un indicio de que está teniendo lugar el proceso natural de adquisición de la L2. Un «error» no es, entonces, algo que entorpezca el progreso del estudiante, sino una señal de que dicho progreso en el aprendizaje activo de la lengua se está produciendo, conforme el estudiante trata de ensayar nuevas formas de comunicarse en la lengua que está aprendiendo. Del mismo modo que durante el proceso de adquisición de la L1 el niño genera diferentes formas agramaticales, también resultaría esperable que quien está aprendiendo una L2 produzca este tipo de formas agramaticales en determinadas etapas del proceso de aprendizaje (véase el capítulo 14). Así, el ejemplo de *womens* puede considerarse un tipo de sobregeneralización (de la *–s* como marca de plural), que el alumno emplea en consonancia con el hecho de que se trata de la manera más general de construir el plural en inglés.

Transferencia

Resulta evidente que algunos errores cometidos por quien está aprendiendo una L2 pueden deberse a la «transferencia» de expresiones o de estructuras desde la L1 (un fenómeno que también se denomina «influencia translingüística»). La **transferencia** supone el uso de sonidos, expresiones o estructuras propias de la L1 a la hora de expresarse en la L2. Así, por ejemplo, cuando un hablante que tiene el castellano como L1 genera una estructura como *take it from the side inferior* («toma esto de la parte inferior»), lo más probable es que haya intentado emplear el adjetivo *inferior* (en inglés, lo correcto habría sido *lower*) colocándolo además detrás del nombre, como suele ser típico en las construcciones del español. Si la L1 y la L2 tienen características parecidas (por ejemplo, marcan el plural mediante algún morfema que se coloca al final del sustantivo), quien aprende la nueva lengua puede beneficiarse de una **transferencia positiva** de sus conocimientos sobre la L1. Por otra parte, si se transfieren características de la L1 que, en realidad, son diferentes de las de la L2 (como, por ejemplo, colocar el adjetivo en inglés detrás del nombre) tiene lugar el fenómeno que se denomina **transferencia negativa,** que puede provocar que la expresión en la L2 resulte poco comprensible. La transferencia negativa (que, en ocasiones, se llama también «interferencia».) es más frecuente durante las primeras etapas del aprendizaje y suele disminuir conforme el alumno se va familiarizando con la L2.

Interlengua

Cuando se examinan las formas lingüísticas generadas en detalle, resulta que por quienes están aprendiendo una L2 contiene un gran número de «errores» que no parecen tener relación ni con las formas de la L1, ni con las formas de la L2. Por ejemplo, un hablante que tenga el castellano como lengua materna y que diga en inglés algo como *She name is Maria* («Ella nombre es María») está produciendo una forma que no utilizarían los hablantes adultos del inglés, que no aparece durante la adquisición del inglés como L1 por parte de los niños, ni que tampoco se basa en ninguna estructura característica del castellano. Este tipo de evidencias sugiere que existiría una suerte de sistema intermedio en la adquisición de la L2, el cual, si bien contiene tanto características de la L1 como de la L2, es realmente un sistema inherentemente variable que cuenta con sus propias reglas. Este sistema se denomina **interlengua** y actualmente se considera la base de todas las estructuras generadas en la L2.

Si quien está en proceso de aprender una L2 desarrolla un repertorio lo bastante fijo de expresiones en la misma, caracterizado por la presencia de numerosas formas que no concuerdan con las de la lengua que está aprendiendo, y ya no progresa más, se dice que su interlengua se ha «fosilizado». El proceso de **fosilización** de la pronunciación de la L2 constituye la causa más probable de lo que se percibe como acento extranjero. Sin embargo, una interlengua no está diseñada para fosilizarse. Antes bien, se va desarrollando naturalmente y termina por convertirse en un medio efectivo de comunicación si se dan las condiciones adecuadas. Una de las principales áreas de estudio actuales en el campo del aprendizaje de segundas lenguas consiste, precisamente, en el análisis de cuáles son las condiciones exactas que deben darse para que el aprendizaje de la L2 tenga lugar con éxito.

Motivación

Diversos factores se combinan para conformar el perfil de un buen estudiante de una L2. Es obvio que la motivación para aprender es importante. Sin embargo, en muchos casos existe una **motivación instrumental.** Es decir, las personas desean aprender una L2 con objeto de lograr algún otro objetivo distinto al de carácter social, como conseguir un determinado título académico (para el que el estudio de una segunda lengua es un requisito indispensable) o poder leer publicaciones científicas. En otros casos existe una **motivación de integración,** que hace que el aprendizaje de la L2 tenga un objetivo social, de manera que quienes aprenden la lengua puedan tomar parte en la vida social de la comunidad que emplea ese idioma y, de esta manera, convertirse en miembros de la misma y ser aceptados como tales.

Merece también la pena remarcar que aquellos que han tenido algún éxito a la hora de comunicarse en la L2 son también los que están más motivados para aprenderla. Así, la motivación puede ser tanto un resultado, como una causa del éxito en el aprendizaje. Por consiguiente, un entorno de aprendizaje de la lengua que anime al estudiante a hacer uso de cualquiera de las habilidades en la L2 adquiridas previamente con objeto de lograr comunicarse con éxito debería ser más útil que uno en el que sólo se preste atención a los errores, a las correcciones y a los fallos que impiden una expresión perfecta. De hecho, el estudiante que está dispuesto a probar, que se anima a hablar, aun a riesgo de cometer errores, y que intenta comunicarse en la L2, tenderá, si se le da la oportunidad adecuada, a obtener mejores resultados en el aprendizaje. Una parte importante de dicha oportunidad está constituida por la disponibilidad de estímulos o, en otras palabras, de un «input» lingüístico adecuado.

Input y output

El término **input** se utiliza para hacer referencia al lenguaje al que se expone quien aprende una lengua. El input sólo resulta útil para el aprendizaje de una L2 si es comprensible. Esto puede lograrse haciendo que su estructura y su vocabulario sean simples, como sucede en la variedad de habla que se conoce como **habla de extranjero**. Supongamos que un hablante nativo de inglés le pregunta, en primera estancia, a un estudiante extranjero lo siguiente: *How are you getting on in your studies?* («¿Cómo te va con tus estudios?»). Si su interlocutor no lo entiende, el hablante nativo puede optar por utilizar una expresión más sencilla y decir algo como *English class, you like it?* («La clase de inglés, ¿te gusta?»). Este tipo de habla de extranjero puede resultar beneficioso, no sólo para lograr satisfacer una necesidad comunicativa inmediata, sino porque, en tanto que input lingüístico, proporciona al estudiante primerizo ejemplos más claros y comprensibles de las estructuras básicas de la L2.

No obstante, a medida que se va desarrollando la interlengua de quien aprende la L2, se incrementa también la necesidad de interacción y surge en las conversaciones una suerte de «input negociado». El **input negociado** puede definirse como el material de la L2 que el alumno logra adquirir conforme interactúa, pidiendo correcciones y centrando la atención en lo que se está diciendo. En el siguiente ejemplo (tomado de Pica *et al.*, 1991) puede comprobarse que quien está aprendiendo la lengua, es decir, un hablante no nativo (HNN) de inglés, y el hablante nativo (HN), negocian los significados de forma conjunta. El input comprensible (el hecho, por ejemplo, de usar la palabra *triangle* [«triángulo»] para describir una determinada forma) sólo se ofrece en el momento en que quien está aprendiendo lo necesita y cuando está prestando atención al significado contextual de la palabra.

HN: *Like part of a triangle?* («¿Como una parte de un triángulo?»)
HNN: *What is triangle?* («¿Qué es triángulo?»)
HN: *A triangle is a shape um it has three sides* («Un triángulo es una forma... uhmm... tiene tres lados»).
HNN: *A peack?* («¿Un pico?»)
HN: *Three straight sides* («Tres lados rectos»).
HNN: *A peack?* (¿Un pico?)

HN: *Yes, it does look like a mountain peak, yes* («Sí, se parece al pico de una montaña, sí»).

HNN: *Only line only line?* («¿Sólo línea, sólo línea?»)

HN: *Okay two of them, tight? One on each side? A line on each side?* («Bueno, dos de ellas, ¿de acuerdo? ¿Una en cada lado? ¿Una línea en cada lado?»)

HNN: *Yes* («Sí»).

HN: *Little lines on each side?* («¿Pequeñas líneas en cada lado?»)

HNN: *Yes* («Sí»).

HN: *Like a mountain?* («¿Como una montaña?»)

HNN: *Yes* («Sí»).

En este tipo de interacción, el estudiante se beneficia tanto del hecho de recibir un *input* (por cuanto está escuchando la L2) como de producir un *output* (dado que está hablando la L2). La oportunidad de generar un **output** comprensible en el seno de una interacción significativa parece constituir otro factor crucial para que quienes tratan de aprender una L2 logren adquirir la competencia deseada en la misma, si bien es lo más difícil de conseguir en una clase de idioma extranjero que cuente con muchos alumnos. Para tratar de solucionar esta contingencia, se han desarrollado diferentes tipos de tareas y actividades que obligan a los alumnos a interactuar entre sí, generalmente por parejas o dispuestos en grupos de un tamaño reducido, con objeto de intercambiar información o solventar determinadas cuestiones. A pesar de las iniciales reticencias despertadas por este método, en el sentido de que se temía que los alumnos podrían terminar aprendiendo los errores de sus compañeros, lo cierto es que los resultados de este **aprendizaje basado en tareas** demuestran de forma inequívoca que quienes aprenden la L2 siguiendo este método terminan por usarla de manera más adecuada y en mayor medida. El objetivo de estas actividades no es tanto que los alumnos incrementen su conocimiento sobre la L2, sino que desarrollen una adecuada competencia comunicativa en la misma.

Competencia comunicativa

La **competencia comunicativa** se puede definir como la capacidad general de usar una lengua correctamente, con propiedad y con la flexibilidad necesaria. El primer componente de la misma se denomina **competencia gramatical** e implica un uso correcto de las palabras y de las estructuras de la lengua. No obstante, si la enseñanza se centra demasiado en la competencia gramatical, el alumno puede terminar siendo incapaz de interpretar o generar de forma apropiada expresiones en la L2.

Un segundo componente de la competencia comunicativa es la **competencia sociolingüística**, que puede definirse como la capacidad de emplear la lengua de forma apropiada. Gracias a esta competencia, quien aprende una lengua será capaz de distinguir cuándo ha de decir *¿Puedes pasarme el agua?* o cuándo puede utilizar una expresión como *¡Dame agua!*, dependiendo del contexto social. Si quien está aprendiendo una L2 desea adquirir una competencia sociolingüística adecuada, se verá obligado a familiarizarse con gran parte de las cuestiones discutidas en el apartado dedicado a la Pragmática (capítulo 11).

El tercer componente de la competencia comunicativa es lo que se denomina **competencia estratégica**. Consiste en la capacidad de organizar un mensaje de forma efectiva y poder compensar, recurriendo a diferentes estrategias, cualquier dificultad imprevista que pueda surgir y que comprometa la comunicación. A la hora de utilizar la L2 para comunicarse, quienes la están aprendiendo atravesarán de forma inevitable por momentos en los que advertirán la existencia de un desajuste entre lo que quieren decir y su capacidad para hacerlo. Algunas personas optan simplemente por callarse (lo cual es una mala idea), mientras que otras intentan expresar los que desean decir recurriendo a una **estrategia de comunicación** (lo cual es una idea mucho mejor). Por poner un ejemplo: un hablante cuya L1 es el holandés deseaba hacer referencia en castellano a un *een hoefijzer*, pero desconocía la palabra equivalente en esta lengua. En consecuencia, recurrió a una estrategia comunicativa, ideando una manera de referirse al objeto al que deseaba aludir recurriendo al vocabulario del castellano que ya conocía. Lo que dijo realmente fue lo siguiente: *las cosas que llevan los caballos en las patas, las cosas de hierro*. Su interlocutor comprendió inmediatamente lo que quería decir (*las herraduras*). Esta flexibilidad a la hora de utilizar la L2 constituye un elemento clave para que la comunicación sea un éxito. En esencia, la competencia estratégica consiste en la capacidad de superar los problemas potenciales de comunicación cuando se está interactuando con otra persona.

Lingüística aplicada

Si se desea investigar la compleja naturaleza del aprendizaje de una L2, resulta preciso recurrir a conceptos que no proceden únicamente del análisis lingüístico, sino también de otros campos del conocimiento, como los estudios de la comunicación, la pedagogía, la psicología o la sociología. Esta empresa a gran escala se denomina a menudo **lingüística aplicada**. Como quiera que representa un intento por tratar todo tipo de cuestiones prácticas relacionadas con el lenguaje (y no sólo con el aprendizaje de una L2), la lingüística aplicada se ha convertido en los últimos años en una de las áreas de investigación más activas dentro del estudio del lenguaje.

Ejercicios

1.¿A qué crees que hace referencia el denominado «fenómeno Joseph Conrad»?

2. ¿Por qué razón suele afirmarse que las matemáticas se aprenden y no que son adquiridas?

3. Indica cuatro barreras típicas que dificultan la adquisición de una L2 en el caso de los adultos en comparación con el proceso de aprendizaje de la L1 por parte de los niños.

4. ¿Qué diferencia existe entre una transferencia positiva y una transferencia negativa?

5. ¿Qué ocurre cuando la interlengua se fosiliza?

6. ¿Cuáles son los tres componentes de la competencia comunicativa?

7. ¿Por qué el «habla de extranjero» puede ser beneficiosa?

■ Tareas de investigación

A. ¿Qué diferencia existe entre «input» y «entrada [en inglés *intake*]» en el aprendizaje de una L2?

B. ¿A qué se está haciendo referencia cuando se habla de la existencia de un «*continuum* estilístico» en el estudio de la interlengua?

C. ¿Qué argumentos se suelen aducir a favor de la «hipótesis del output» en los estudios de adquisición de segundas lenguas?

D. Presta atención al siguiente diálogo (tomado de Lynch, 1996), en el que participa un profesor (P) y un estudiante de inglés con un nivel básico (E).

P: *And he shakes his fit at them-up in the tree* («Y él les muestra el puño, cuando están subidos en el árbol»).
E: (Frunce el ceño).
P: *He shakes his fit at them.*
E: *Ah ok wait a minute* («Ah, ya, espere un segundo»).
P: *He waves at them – do you understand?* («Lo mueve delante de ellos, ¿lo entiende?»)
E: *No.*
P: *Well he wakes up first of all and um –he's angry with the monkeys* («Bueno, él al principio se pone en pie y... bueno.. está enfadado con los monos»).
E: *Ah yeah* («Ah, ya»).
P: *Because they've taken his hats* («Porque le han quitado sus sombreros»).
E: *Yes* («Vale»).
P: *And he – shakes his fist that is he waves his arm – at them* («Y él... les muestra el puño... agita su brazo...se dirige a ellos»).
E: *Hm.*
P: *In anger* («Presa del enfado»).
E: *Yes, yes* («Sí, sí»).
P: *And the monkeys – all wave their arms back at him* («Y los monos... todos agitan sus brazos en respuesta»).
E: *Yes* («Sí»).

¿Qué características del diálogo anterior parecen estar diseñadas con objeto de dar lugar a un input comprensible o negociado?

■ Temas/proyectos de discusión

I. ¿Con cuáles de las siguientes afirmaciones estás de acuerdo? ¿Qué razones aducirías para justificar tu respuesta?

(i) Las personas con un coeficiente intelectual más alto aprenden con mayor facilidad una nueva lengua y alcanzan una mayor competencia en la misma.

(ii) La mayor parte de los errores que se comenten en la L2 se deben a problemas de interferencia con la L1.

(iii) A la hora de aprender una L2 conviene evitar oír construcciones erróneas o, en caso contrario, terminarán por aprenderse.

(iv) Conviene enseñar las estructuras más simples de la L2 antes que las más complejas.

(v) A la hora de enseñar una L2 conviene explicar una única regla gramatical, practicarla todo lo posible y sólo entonces pasar a una siguiente regla.

(Para obtener información básica sobre esta cuestión puedes consultar el capítulo 7 de Lightbown y Spada, 1999).

II. «La Enseñanza Comunicativa de la Lengua se basa en la premisa de que no es preciso enseñar gramática a quienes desean aprender un segundo idioma con anterioridad a que sean capaces de comunicarse en dicho idioma, dado que la irán adquiriendo de forma natural conforme vayan aprendiendo a comunicarse. En consecuencia, en algunas variantes de la Enseñanza Comunicativa de la Lengua la enseñanza explícita de la gramática no tiene cabida» (Ellis, 1997)

(i) ¿Consideras que resulta posible aprender un segundo idioma centrándose únicamente en la función que se desea satisfacer («la comunicación»), sin prestar atención alguna a la forma («la gramática»)?

(ii) ¿Por qué crees que se ha vuelto a vindicar una «enseñanza centrada en la forma» después de muchos años de Enseñanza Comunicativa de la Lengua?

(Para obtener información básica sobre esta cuestión puedes consultar el capítulo 9 de Ellis, 1998.)

III. A continuación se enumeran algunos de los principios que Krashen y Terrell (1983) consideran necesarios para una adecuada adquisición de una L2:

1. El profesor debe utilizar siempre la lengua que se va a estudiar.

2. Los errores producidos por los alumnos a la hora de hablar no deben corregirse, siempre y cuando no interfieran en la comunicación.

3. Las tareas realizadas en el aula debe organizarse en función de una serie de temas y no de estructuras gramaticales; la práctica de determinadas estructuras gramaticales no constituye un objetivo de dichas tareas.

4. El profesor debe crear un entorno que facilite la adquisición de la L2: el nivel de ansiedad debe ser bajo; la relación con el profesor, buena; y las relaciones con los demás alumnos, amistosas.

(i) ¿Se corresponde esta descripción con tu experiencia personal a la hora de aprender una L2?

(ii) ¿Existen diferencias entre ambos casos? ¿Cuáles?

(iii) ¿Crees que la estrategia descrita anteriormente daría buenos resultados? ¿Qué problemas podrían plantearse?

IV. A continuación se transcribe una de las explicaciones dadas por un hablante nativo de castellano en una clase de inglés.

In a room there are three womens ... one is blond ... blond hair ... there are three womens ... one woman is the teacher ... and the other two womans are seat

in the chair ... one of them are .... are blond hair.. and the other woman ... is
black hair... the teacher is made an explanation about shapes ... triangle circle.

[«En una habitación hay tres mujeres... una es rubia... rubio pelo... hay tres mujeres... una mujer es la profesora... y las otras dos mujeres están sentadas en la silla... una de ellas son... son rubio pelo... y la otra mujer... es negro pelo... el profesor es hecho una explicación sobre formas... triángulo círculo»].

(i) Trata de identificar los errores cometidos por este alumno.

(ii) Trata de clasificar los errores que hayas encontrado dentro de los siguientes grupos: (a) de sobregeneralización; (b) de interferencia con la L1; (c) resultantes de algún otro proceso.

V. Una de las dificultades que se experimentan con mayor frecuencia a la hora de intentar comunicarse en una segunda lengua (y a veces en la propia L1) consiste en desconocer el término preciso para referirse a algo. Cuando eso sucede, los hablantes utilizan diferentes tipos de estrategias de comunicación para continuar la caracterización de lo que tratan de decir. ¿Serías capaz de identificar las diferentes estrategias que los hablantes de los ejemplos que se proponen a continuación han empleado cuando han tratado de describir una *fusta* (la L1 de cada uno de ellos se indica entre paréntesis)? Compara tus conclusiones con las de Tarone y Yule (1985), de donde se han tomado estos ejemplos.

1. (japonés) *it's a long stick and eh ... on top of it eh there is a ... ring.*
(«es un palo largo y eh... en la parte de arriba eh hay un... lazo.»)

2. (italiano) *it's like a rope ... but it's rigid ... at one end has like of ring but it's*
not rigid ... you can use to stimulate the horse to ... go.
(«es como una cuerda... pero es rígido... en un extremo tiene como de lazo pero no es rígido... tú puedes utilizarlo para estimular al caballo para... ir.»)

3. (chino) *a stick or bar and I think we use to ... play or to ... attack some one.*
(«un palo o barra y yo creo nosotros usamos para... jugar o para... atacar alguien.»)

4. (español) *is no common piece... it consist of ... a main piece of dark color.*
(«no es pieza común... consta de... una principal pieza de oscuro color.»)

5. (coreano) *plastic stick ... one end side ... like a round.*
(«palo de plástico... un final lado... como una redonda.»)

6. (español) *it's a ... using for jocking ... for to hit the horse.*
(«es un... usado para montar a caballo... para pegar el caballo.»)

7. (chino) *I don't know what's this.*
(«No sé lo que es.»)

VI. Seguramente has intentado alguna vez aprender una segunda lengua. De acuerdo con tu experiencia, trata de responder a las siguientes cuestiones:

(i) ¿Qué es lo que te ha planteado mayores dificultades: la pronunciación, el vocabulario, la gramática u otra cosa?

(ii) ¿Por qué crees que experimentaste dichas dificultades? ¿Fue un problema del profesor, del manual, del entorno físico, de la falta de tiempo, de los demás alumnos o se trató de alguna otra cosa?

(iii) ¿Crees que hay una «edad buena» para empezar a aprender una segunda lengua? ¿Y un «perfil adecuado» de alumno?

(iv) ¿Crees que hay lenguas que son más fáciles de aprender que otras? Y en caso afirmativo, ¿a qué crees que podría deberse?

VII. Los siguientes diálogos fueron grabados en una universidad norteamericana. En ambos casos interviene Jiang (J), un estudiante chino. En el primer diálogo Jiang está hablando con Andy (A), un estudiante americano local, mientras que en el segundo conversa con Luis (L), un estudiante argentino (para más detalles, véase Yule y Gregory, 1989).

Diálogo 1.

J: *How about – are you normally a part time student?* («¿Qué hay de, eres normalmente un estudiante a tiempo parcial?»)

A: *Part time* («A tiempo parcial»).

J: *So, you're had another part time job or –* («Es decir, tu has conseguido otro empleo de media jornada o...»)

A: *Right – I work for Louisiana National Guard* («Correcto, yo trabajo para la Guardia Nacional de Luisiana»).

J: *National Guard?* («¿Guardia Nacional?»)

A: *Right – Louisiana* («Sí, de Luisiana»).

J: *Oh great* («Oh, fantástico»).

A: *It's like a state militia* («Es como una milicia estatal»).

J: *It's like a policeman* («Es como un policía»).

A: *No no – it's like a – it's like a state militia – it's like the army for the state* («No, no, es como una, es como una milicia del Estado, es como el ejército estatal»).

J: *Oh yes* («Oh, sí»).

A: *It's involved with eh like if there's a disaster they react.* («Está relacionada con... eh... si hay una catástrofe, ellos actúan».

J: *Ah* («Ah»).

A: *Uh – help – right?* («Eh, ayudan ¿entiendes?»)

J: *Ah to help on the – on the site* («Ah, para ayudar en, en el lugar»).

A: *And also – it's also for um in case they get called for military duty – for the country – but it's like a scholarship type thing* («Y también, es también para... uhm... también los pueden llamar para cumplir con deberes militares –para el país- pero también está relacionado con las becas para estudiar»).

J: *Ah yes* («Ah, sí»).

A: *So the National Guard pays your tuition fees – pay school – I get my tuition waiver – plus more money* («Así la Guardia Nacional paga tus gastos de estudio –paga la Universidad- para mí la matrícula es gratuita, y además me dan una cierta cantidad de dinero para gastos»).

J: *Ah – ah yeah that's good* («Ah, ah, sí, eso está bien»).

Diálogo 2.

J: *You mean your department didn't tell you what eh you should do on your re-search?* («¿Quieres decir que tu departamento no te dice lo que, bueno, lo que deberías hacer en tu investigación?»)

L: *No – that's one – but the other is some subject* («No, esta es una, pero hay otra cosa»).

J: *Excuse me – what kind of guide you are expect?* («Disculpa, pero, ¿qué tipo de ayuda esperarías?»)

L: *I don't believe now I have broshek* («No creo que ahora yo tenga un *broshek*»).

J: *Brushing?* («¿Secado?»)

L: *Broshek – broshek – broshek.*

J: *Broshek? – working? – pressure?* («¿*Broshek*?, ¿trabajo?, ¿presión?»)

L: *No – broshek – make a broshek – proshek* («No, *broshek*, hacer un *broshek*, *proshek*»).

J: *Ah project* («Ah, proyecto»).

L: *Right* («Correcto»).

J: *You mean –* («Quieres decir...»)

L: *You know what that means? nobody say me what they needs* («¿Sabes lo que significa? Nadie me dice lo que ellos necesita»).

J: *Ah.*

L: *So I make a lot of mistake* («Por tanto yo hago un montón de error»).

J: *Ah nobody check you mean your project* («Ah, quieres decir que nadie te corrige tu proyecto»).

L: *Right* («Correcto»).

J: *Nobody give you advice – ah?* («Nadie te aconseja nada, ¿eh?»)

L: *Yeah well advice is too –* («Sí, bueno, consejo es demasiado»).

J: *Is too general.* («Son consejos demasiado generales.»)

L: *Yeah too eh clouding* («Sí demasiado eh *turbiante*»).

J: *Too clothing?* («¿Demasiado vestido?»)

L: *Clouding* («*Turbiante*»).

J: *Closing?* («¿Cerrado?»)

L *Cloudy, cloudy* («Turbio, turbio»).

J: *Yeah* («Ah, comprendo»).

L *It's muddy* («Es confuso»).

J: *Yeah okay* («Sí, comprendo»).

(i) ¿En qué interacción crees que Jiang obtiene un *input* más comprensible? ¿En qué te has basado para tu respuesta?

(ii) ¿En qué interacción hay más *input* negociado? ¿Por qué?

(iii) ¿Qué características de estas interacciones podrías señalar como potencialmente beneficiosas para el aprendizaje de Jiang?

■ Lecturas adicionales

El capítulo 12 de O'Grady *et al.* (2005) constituye una introducción alternativa, también de breve extensión, a la expuesta en este libro al tema de la adquisición/el aprendizaje de una segunda lengua. Libros de texto de carácter introductorio acerca de esta cuestión son los de Ellis (1997) y Lightbown y Spada (1999). Otros manuales son los de Cook (2001), Gass y Selinker (2001) y Sharwood-Smith (1994). Las ideas acerca de cómo se modifica la pronunciación cuando se consume vino provienen de Guiora *et al.* (1972), mientras que el ejemplo de las «herraduras» se ha tomado de Kellerman *et al.* (1990). Ya de forma más específica, puede consultarse a Major (2001) en lo concerniente a la cuestión del «acento de extranjero»; a Numan (1991), en lo que atañe a los métodos de enseñanza de una L2; a Gass (1997), en lo que se refiere a la cuestión del input; a Scarcella *et al.* (1990), en lo que concierne a la competencia comunicativa; y a Kasper y Kellerman (1997), en lo que atañe a las estrategias comunicativas. Una revisión de la cuestión de la enseñanza y el aprendizaje de una segunda lengua ha sido realizada por Hinkel (2004), mientras que Davies y Elder (2004) han hecho lo propio en lo que atañe a la lingüística aplicada.

16 Los gestos y las lenguas de signos

Aquella vieja dama, que ya había cumplido los noventa, conservaba, sin embargo, la agudeza de un estilete, si bien caía en ocasiones en una pacífica ensoñación. Cuando le sucedía esto, parecía como si estuviese haciendo punto, porque sus manos se movían constantemente ejecutando complejos movimientos. Sin embargo, su hija, que también se comunicaba mediante la lengua de signos, me informó de que no estaba haciendo punto, sino pensando para sí, pensando en la lengua de signos. Me hicieron saber, asimismo, que incluso mientras dormía, la anciana dibujaba secuencias de signos sobre la colcha. Estaba soñando en la lengua de signos.

Sacks (1989)

Cuando se ha discutido el proceso de adquisición del lenguaje, nos hemos centrado fundamentalmente en el hecho de que aquello que normalmente adquiere la mayoría de los niños es el habla. Sin embargo, la variante hablada no es la única forma en que se puede adquirir una primera lengua. Del mismo modo que muchos niños cuyos padres hablan inglés o español adquieren dichas lenguas a una edad temprana de forma natural, los niños sordos nacidos de padres que también lo son adquieren con la misma naturalidad **la lengua de signos**. Conforme crecen, como descubrió Oliver Sacks, pueden llegar incluso a usar la lengua de signos mientras «hablan» en sueños. Si estos niños viven en Estados Unidos, normalmente adquirirán la Lengua de Signos Americana, también conocida como Ameslan o **ASL** (*American Sign Language*). Con al menos 500.000 usuarios (aunque quizás su número llegue a los dos millones), el ASL es una de las lenguas más difundidas en los Estados Unidos. Se trata de una cifra nada desdeñable, ya que hasta hace relativamente poco tiempo se desaconsejaba la utilización del ASL en la mayoría de las instituciones educativas para sordos. De hecho, históricamente muy pocos profesores de niños sordos conocían el ASL, y ni siquiera lo consideraban una lengua «real». Para numerosas personas, las lenguas de signos no eran lenguas, ni tan siquiera un lenguaje, sino «mera gesticulación».

Los gestos

Aunque tanto la lengua de signos como los **gestos** precisan del uso de las manos (junto con otras partes del cuerpo), difieren, sin embargo, en su naturaleza. La lengua de signos se asemeja al habla y se usa como un sustituto de la misma, mientras que los gestos se emplean generalmente acompañando al discurso hablado. Como ejemplos de gestos se pueden citar el movimiento de volteo hacia abajo y hacia arriba de la palma de la mano que se suele hacer en clase, por poner el caso, para indicar que algo no se ha hecho demasiado bien; o el movimiento de giro con una mano que se suele emplear cuando se está describiendo el intento de abrir una botella o un bote. Los gestos forman parte, simplemente, del acto comunicativo que se está llevando a cabo.

En el estudio del comportamiento no verbal, se suele establecer una distinción entre gestos y emblemas. Los **emblemas** son signos, como «el pulgar hacia arriba» (= las cosas son favorables) o «chitón» (= mantenerse en silencio), que funcionan a modo de frases hechas y que no dependen de lo que se está diciendo. Los emblemas tienen un carácter convencional y vienen determinados por un conocimiento de tipo social, es decir, de lo que se considera o no se considera ofensivo en una determinada comunidad. En Gran Bretaña, por ejemplo, un emblema consiste tradicionalmente en colocar el índice y el corazón formando una V (= victoria), siempre y cuando el dorso de la mano se dirija hacia quien lo realiza, porque si se muestra hacia el receptor de la señal, se convierte en un emblema bien diferente (= te insulto de manera muy ofensiva). Cuando se visitan diferentes lugares, resulta importante no confundir los emblemas empleados por la población local.

Tipos de gestos

Dentro del conjunto de gestos que suelen acompañar al habla resulta posible distinguir entre aquellos que evocan, de alguna manera, el contenido del mensaje hablado y aquellos que aluden a algo a lo que se está haciendo referencia. Los **iconos** son gestos que parecen reflejar el significado de lo que se está diciendo, como sucede cuando trazamos un cuadrado en el aire con el dedo índice mientras decimos *Estoy buscando una caja de pequeño tamaño*. Por sí mismo, un gesto icónico no «significa» lo mismo que se está explicitando verbalmente a la vez que se está empleando, pero puede contribuir a enriquecer el «significado» de lo dicho. McNeill (1992) proporciona un ejemplo particularmente ilustrativo de este caso: una mujer movía su antebrazo repetidamente hacia arriba y hacia abajo con el puño cerrado, como si sostuviese un arma, mientras decía *y ella lo cazó otra vez*. El mensaje que se deseaba comunicar, incluyendo la referencia al arma (realmente un paraguas), resultaba de la combinación de las palabras y de los gestos.

Otra clase frecuente de gestos se conocen como **deícticos**. Como se indicó en el capítulo 11, el término «deíctico» significa «lo que señala» y a menudo empleamos los gestos para señalar a las cosas o a las personas conforme hablamos. Los deícticos pueden emplearse dentro del contexto en que se produce la conversación, como ocurre cuando utilizamos la mano para señalar una mesa (en la que existe un pastel) y le preguntamos a alguien *¿Te gustaría tomar un pastel?* Sin embargo, también podemos recurrir a ese mismo gesto y a esa misma mesa (aunque el pastel ya no esté en ella), si más adelante decimos *El pastel estaba delicioso*. En este caso, la combinación de las palabras que articulamos y de los gestos que hacemos permite que podamos referirnos adecuadamente a algo que sólo existe en el recuerdo común a ambos interlocutores, pero no en el espacio físico real.

Existe un tercer grupo de gestos, que habitualmente se suelen designar como **gestos de compás**. Se trata de movimientos rápidos, de reducida amplitud, que se hacen con la mano o con los dedos y que acompañan el ritmo del discurso hablado, empleándose, a menudo, para enfatizar determinadas partes del mismo o para indicar que se ha terminado de describir un suceso y que se va a comenzar a comentar lo sucedido. Como sucede con otros gestos, estos movimientos de la mano acompañan al discurso hablado, pero no suelen utilizarse, en general, como un medio de comunicación. No obstante, cuando los movimientos de las manos se utilizan para «hablar», debemos considerarlos como partes de una lengua de signos.

Clases de lenguas de signos

Existen dos categorías generales de lenguas que hacen uso de los signos: las lenguas de signos alternativas y las lenguas de signos primarias. Por definición, una **lengua de signos alternativa** es un sistema de gestos realizados con las manos que desarrollan determinados hablantes para lograr una comunicación limitada en un contexto específico en el cual no puede recurrirse al lenguaje hablado. Así, por ejemplo, en algunas órdenes religiosas se observa la regla del silencio, de forma que se ha desarrollado una lengua de signos alternativa de carácter restringido. Un caso de este tipo sería el de algunos monjes de clausura. Otro ejemplo lo constituye el de determinados grupos de aborígenes australianos, los cuales renuncian por completo a hablar durante determinados períodos de tiempo, como las épocas de luto, de manera que, en lugar del lenguaje hablado, recurren a una lengua de signos alternativa bastante elaborada. También es posible encontrar versiones menos sofisticadas de este tipo de lenguas de signos alternativas en algunas ocupaciones específicas, como, por ejemplo, entre los corredores de apuestas de los hipódromos británicos o entre los corredores de Bolsa. En todos estos casos, el usuario de la lengua de signos alternativa dispone de una primera lengua (la hablada).

Por el contrario, la **lengua de signos primaria** es la primera lengua para aquellas personas que no son capaces de utilizar una lengua hablada para comunicarse con sus semejantes. La Lengua de Signos Británica (BSL, de *British Sign Language*) o la Lengua de Signos Francesa (LSF, de *Langue des Signes Française*), en tanto que las usan para comunicarse de forma cotidiana los miembros de las comunidades de sordos de Gran Bretaña y de Francia, constituyen ejemplos de lenguas de signos primarias. En contra de lo que se cree habitualmente, los inventarios de estas lenguas de signos primarias no son idénticos, ni mutuamente inteligibles. La Lengua de Signos Británica también difiere sustancialmente de la Lengua de Signos Americana (ASL), la cual se parece más, por razones históricas, a la Lengua de Signos Francesa.

En este capítulo, y con objeto de describir algunas características de una lengua de signos primaria, nos centraremos fundamentalmente en el ASL, si bien procederemos a discutir previamente las razones por las que durante mucho tiempo se ha considerado que el ASL no era en absoluto un lenguaje natural.

Oralismo

Sólo a partir de la década de los años sesenta del siglo pasado comenzó a considerarse seriamente el ASL como un lenguaje natural, siguiendo los trabajos de William Stockoe (1960). Hasta ese momento, lo cierto es que muchos profesores (en realidad bien intencionados) creían que si los niños sordos usaban la lengua de signos (quizás porque les era más «fácil»), lo que sucedería realmente era que se terminaría inhibiendo la adquisición del habla. Según estos profesores, lo que estos niños necesitaban en realidad era poder hablar, de forma que se desarrolló un método pedagógico para ello conocido habitualmente como **oralismo**. Este método, que dominó la educación de los sordos durante un siglo, exigía que los estudiantes practicaran los sonidos característicos de la lengua hablada de su lugar de origen y que desarrollaran la habilidad de leer en los labios. A pesar de su manifiesta falta de éxito, el oralismo nunca fue seriamente cuestionado, quizás por la creencia generalizada durante esta época de que, en términos educativos, los niños sordos no podían dar demasiado de sí.

Por los motivos que fueran, este método sólo consiguió que unos pocos alumnos lograsen hablar de forma inteligible (al parecer, menos de un 10 por ciento en el caso del inglés); el número de ellos que conseguía leer en los labios era aún más reducido (en torno al 4 por ciento). Mientras que el oralismo entraba en declive, el uso del ASL fue floreciendo subrepticiamente. Muchos niños sordos nacidos de padres oyentes terminaban adquiriendo en las escuelas para sordos esta lengua prohibida, pero no lo hacían a partir de sus profesores, sino de otros niños con su misma discapacidad. Como quiera que sólo uno de cada diez niños sordos nace de padres que también lo son, es decir, de padres de los que puedan adquirir la lengua de signos, puede afirmarse que el ASL es una lengua única, ya que su medio de transmisión cultural más importante es de niño a niño.

El inglés en signos

En los últimos años se han producido cambios sustanciales en la educación de los sordos, si bien todavía se sigue incidiendo en el aprendizaje del inglés, aunque sea de la variante escrita y no de la hablada. Una consecuencia de este hecho es que numerosas instituciones educativas para sordos estimulan el aprendizaje de lo que se ha venido a llamar **inglés en signos** (que en ocasiones se denomina «inglés codificado manualmente», cuyo acrónimo es MCE, de *Manually Coded English*). Se trata, en esencia, de un método para producir signos que corresponden a las palabras de una oración inglesa, las cuales siguen, además, el orden de palabras característico del inglés. En gran medida, el inglés en signos está diseñado para facilitar la interacción entre los sordos y la comunidad oyente. Su mayor ventaja estriba en que parece ser mucho más fácil de aprender para los padres oyentes de un niño sordo, de forma que constituye un sistema de comunicación que puede emplearse con éste último.

Por razones similares, los profesores oyentes que trabajan en la educación de niños sordos pueden recurrir al inglés en signos al mismo tiempo que hablan. Asimismo, resulta más fácil de usar para aquellos intérpretes oyentes que realizan traducciones simultáneas de conferencias o de clases para un público sordo. De hecho, numerosas personas sordas prefieren realmente que los intérpretes utilicen el inglés en signos, porque, según, afirman, les resulta más fácil entender los mensajes. Aparentemente, cuando algunos intérpretes tratan de utilizar el ASL, el mensaje suele distorsionarse, por la sencilla razón de que muy pocas personas oyentes que no hayan aprendido el ASL en la infancia llegan a dominarlo por completo.

Sin embargo, el inglés en signos, ni es inglés, ni es ASL. Cuando se utiliza para generar una versión exacta de una oración inglesa hablada, la correspondiente variante en inglés en signos resulta dos veces más larga que la versión en inglés hablado o en ASL. Por consiguiente, en la práctica raras veces se generan versiones exactas de lo que ha de comunicarse, de ahí que surja un formato híbrido, caracterizado por la utilización de algunos signos-palabras y por un orden de palabras que no respeta totalmente el del inglés (en muchos casos, llegan a modificarse algunos signos-palabras, con objeto de asemejarlos al inglés, como sucede cuando se emplea la forma correspondiente a la letra G para representar la palabra inglesa *glad,* «contento», y no el signo que ya existe en ASL para denotar este concepto). El resultado de este proceso sería algo parecido a generar mensajes en los que se hace uso del orden de palabras del alemán, pero que contienen nombres, adjetivos y verbos franceses. Lo que se obtiene, ni es alemán, ni es francés, aunque podría aducirse que constituye una forma de conseguir que los hablantes franceses aprendan cómo se construyen las oraciones en alemán.

Este argumento es el que se ha utilizado para apoyar la enseñanza del inglés en signos en las escuelas de sordos, ya que uno de sus principales objetivos es preparar a los alumnos para que sean capaces de leer y de escribir en inglés. No obstante, la razón última es la idea de que la educación de los sordos debería estar encaminada a permitir que éstos, por razones económicas obvias, puedan integrarse en el mundo de los oyentes. El resultado ha sido convertir al ASL en una suerte de lengua marginal, que sólo se utiliza para la interacción entre sordos. Estos son los motivos fundamentales por los que el ASL, que es la lengua de signos natural de los sordos, se sigue conociendo muy poco y continúa a merced de muchos de los prejuicios y de los mitos a los que se ha visto expuesto a lo largo de su historia.

Los orígenes del ASL

Sería muy sorprendente que el ASL fuera realmente, y como algunos han defendido, «algo así como una versión en signos del inglés». Históricamente se desarrolló a partir de la Lengua de Signos Francesa, que comenzó a utilizarse en una escuela de París fundada en el siglo XVIII. A principios del siglo XIX un profesor de esta escuela, llamado Laurent Clerc, fue invitado a Estados Unidos por un pastor protestante americano, Thomas Gallaudet, quien estaba tratando de organizar una escuela para niños sordos. Clerc no sólo enseñó a los niños sordos, sino que también entrenó a otros profesores. Durante el siglo XIX, esta versión importada de la lengua de signos evolucionó hasta dar lugar a lo que hoy en día se conoce como ASL, incorporando en el proceso elementos de las lenguas de signos naturales empleadas por los sordos norteamericanos. Este peculiar origen permite entender la razón por la que los usuarios del ASL y los usuarios de la BSL no comparten, de hecho, una lengua de signos común.

La estructura de los signos

Al tratarse de un lenguaje natural que opera de modo visual, el diseño del ASL está hecho pensando en los ojos y no en los oídos. Al producir formas lingüísticas en ASL, los «hablantes» hacen uso de cuatro aspectos clave de la información visual. En general, se suelen caracterizar como **parámetros articulatorios** del ASL y serían los siguientes: forma, orientación, ubicación y movimiento. A continuación se describirá cada uno de estos parámetros, recurriendo para ello a la descripción de un signo de uso habitual, el que denota la expresión GRACIAS.

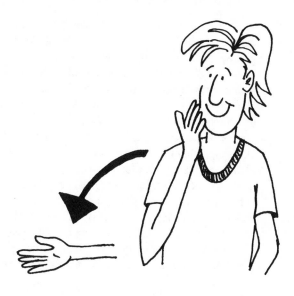

Forma y orientación

Para describir la articulación de GRACIAS en ASL, podemos comenzar por la **forma**, o configuración de la(s) mano(s) al formar el signo. La forma puede variar, según el número y la identidad de los dedos que se empleen, en función de si éstos se extienden o se doblan, y según la configuración global que adopta(n) la(s) mano(s). La configuración que se muestra en la ilustración correspondería a una «mano plana» (y no a un puño, a una mano arqueada o a cualquiera de las restantes formas permitidas).

En el caso concreto de GRACIAS, la **orientación** de la mano sería «palma hacia arriba» (y no «hacia abajo»). En otros signos la mano puede estar orientada de otras maneras, como «mano plana con la palma hacia el que realiza el signo», que sería la forma usada para indicar «mío».

Ubicación y movimiento

Con independencia de la forma y la orientación que adopta(n) la(s) mano(s), también resulta pertinente su **ubicación** (o lugar de articulación), un parámetro que describe la localización de la(s) misma(s) en relación con la cabeza y con la parte superior del cuerpo del signante. Así, en el caso de GRACIAS, el signo comienza cerca de la boca y se completa a la altura del pecho. Algunos signos sólo pueden distinguirse en función de su ubicación, como sucede en el caso de VERANO (la mano se sitúa sobre los ojos) y FEO (la mano se sitúa bajo los ojos); los restantes parámetros son idénticos, puesto que en ambos casos la forma que adopta la mano, la trayectoria de su movimiento y la orientación de la palma son las mismas. Por otro lado, en algunos signos en los que se emplean las dos manos (como sucede, por ejemplo, en el caso de MEDICINA o de BARCO) una de ellas se comporta como una especie de punto de referencia para la otra, de forma que ésta última se adelanta con respecto a la primera o se mueve por encima de ella.

En el caso concreto de GRACIAS el componente movimiento es «hacia afuera y hacia abajo» en dirección al receptor. La velocidad a la que se realiza esta secuencia de gestos condiciona, igualmente, el significado del signo. Tal como refiere Stockoe (2001), el director de relaciones públicas del Gallaudet College (una institución para alumnos sordos) advirtió un día que dos empleados sordos del centro estaban «hablando» acerca de un antiguo presidente que se encontraba gravemente enfermo. En un momento dado de la conversación observó un signo que interpretó como MUERTO, por lo que se apresuró a llamar por teléfono al *Washington Post,* donde apareció al día siguiente la correspondiente nota necrológica del ex-presidente. No obstante, dicha nota necrológica fue prematura, como se puso de evidencia rápidamente, ya que el empleado sordo había realizado toda la secuencia de movimientos del signo correspondiente a MUERTO de manera mucha más lenta que lo que el director había creído percibir, de forma que el significado real del signo había sido MORIBUNDO. Las diferencias en los tipos de movimientos que se emplean dan lugar a diferencias de significado. Es evidente que, de la misma manera que existen «lapsus del oído» (capítulo 13), también pueden existir «lapsus del ojo».

Elementos básicos, caras y el deletreo con los dedos

Los elementos que entran en oposición en relación con cada uno de los cuatro parámetros generales descritos anteriormente pueden analizarse como un conjunto de rasgos o **elementos básicos**. Así, por ejemplo, «mano plana» es uno de los elementos básicos en lo concerniente a la orientación. La identificación de cada uno de estos elementos básicos permite realizar un análisis exhaustivo de cualquier signo en término de rasgos, de forma muy semejante a lo que sucede los rasgos fonológicos en el caso del lenguaje hablado.

Además de estos parámetros y de estos elementos básicos, existen funciones particularmente importantes que son desempeñadas por componentes no manuales, como es el caso de los movimientos de la cabeza, de los ojos y de diversos tipos de expresiones faciales. Por ejemplo, si una oración tiene un carácter interrogativo, lo habitual es que se indique elevando las cejas, abriendo mucho los ojos e inclinando ligeramente la cabeza hacia adelante.

Por otro lado, cuando aparece un término novedoso en la conversación, quienes se comunican mediante la lengua de signos siempre tienen la posibilidad de recurrir al **deletreo con los dedos,** un sistema de configuración de las manos que se utiliza convencionalmente para representar las letras del alfabeto.

Debería resultar obvio a partir de esta breve descripción de algunas de sus características básicas que el ASL es un sistema lingüístico diseñado para el medio visual, esto es, para interactuar frente a frente. La mayoría de los signos se realiza a la altura del cuello y de la cabeza, y en los casos en los que su realización se produce cerca del pecho o de la cintura, normalmente suele ser obligatoria la participación de ambas manos. Una de las diferencias fundamentales que existen entre un sistema de comunicación que utiliza un canal visual y otro que emplea un canal vocal-auditivo consiste en que los mensajes visuales pueden incorporar varios elementos diferentes de forma simultánea. El lenguaje hablado tiene un carácter lineal, que deriva de la manera en que se suceden las señales sonoras. En cambio, en el medio visual, aunque los signos también se producen de forma lineal, lo cierto es que pueden generarse numerosos elementos al mismo tiempo en un espacio determinado.

El significado de los signos

A menudo se cree que los signos del ASL constituyen meras representaciones visuales o «retratos» de los objetos o acciones a los que se refieren, lo cual es un error. Del mismo modo, se sigue considerando que el lenguaje de los sordos consiste en un conjunto restringido de gestos primitivos que se asemejan a los objetos que denotan o que recrean las acciones a las que hacen referencia, de forma semejante a como se haría en una pantomima. La persistencia de este tipo de malentendidos se explica, en gran parte, por el hecho de que la mayoría de los oyentes raramente asiste a una conversación o a una discusión técnica en las que se emplee el ASL, las cuales pueden versar sobre cualquier cuestión imaginable, concreta o abstracta, recordando en muy poco a ningún tipo de pantomima.

Resulta interesante el hecho de que, en tanto que no somos usuarios del ASL, cuando se nos indica que un signo de esta lengua se emplea para denotar un determinado objeto o una acción concreta, a menudo creamos algún tipo de conexión simbólica entre dicho signo y su significado, la cual, de alguna manera, busca hacer más transparente la relación entre ambos elementos. Así, podríamos analizar el signo que significa GRACIAS de forma que pudiera interpretarse como algún tipo de versión, adecuadamente simbólica, del hecho de «dar las gracias».

Sin embargo, en la mayoría de los casos este proceso no funciona en la dirección opuesta, es decir, habitualmente resulta difícil averiguar el significado de un signo partiendo únicamente de su aspecto. De hecho, algo semejante sucede cuando escuchamos cualquier lengua que desconocemos, por cuanto lo más probable es que seamos incapaces de reconocer signos individuales (palabras) en una conversación fluida mantenida en dicho idioma. Si somos incapaces de «ver» las palabras, difícilmente lograremos identificar los «cuadros» o los «motivos» necesarios para poder interpretarlas. La mayor parte de las conversaciones cotidianas en ASL en las que intervienen usuarios con una gran competencia no se fundamentan en la identificación de tales motivos simbólicos, sino en el reconocimiento de formas lingüísticas familiares que tienen una naturaleza arbitraria. Como demostración de que esto es así, resulta particularmente ilustrativo tratar de adivinar la palabra inglesa a la que equivaldría el signo que se muestra a continuación, el cual se usa con gran frecuencia:

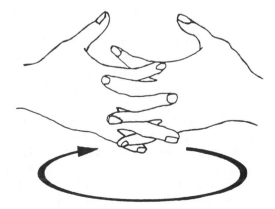

Este signo consiste en hacer rotar por delante del pecho las dos manos con los dedos entrelazados. Se han sugerido diversos orígenes icónicos muy diferentes para este signo. Según una de las interpretaciones propuestas, este signo representaría las bandas que hay en una bandera; según otra interpretación, el signo representaría un recipiente donde se mezclan diversos ingredientes; según una última propuesta, el signo reflejaría la interrelación que existe entre sucesos que tienen lugar al mismo tiempo. De todas maneras, parece absurdo sugerir que cuando un signante emplea este signo en una conversación para hacer referencia a AMÉRICA evoca en su mente cualquiera de las anteriores imágenes. O, cuando menos, es tan absurdo como sugerir que cuando oímos la palabra *América* evocamos la figura de Amerigo Vespucci, el italiano del siglo XVI cuyo nombre parece haber dado lugar a dicho topónimo. Los signos del ASL cuentan con su propio significado en el seno del sistema de signos y no porque hagan referencia a una determinada imagen visual cada vez que se usan.

Escribir en ASL

El hecho de que una lengua de signos haga uso del medio visual de una forma tan sutil hace muy difícil que pueda representarse con precisión por escrito. Como ya observó Lou Fant (1977), «hablando con propiedad, la única forma de escribir el Ameslan es usar imágenes en movimiento». Uno de los mayores problemas en este sentido estriba en encontrar una manera de incorporar aquellos componentes de la gesticulación facial que contribuyen al mensaje. Una solución parcial ha consistido en optar por una doble representación: se traza una línea y bajo ella se escriben las palabras correspondientes a los signos que se hacen con las manos (en letras mayúsculas), mientras que por encima de la misma se indican la naturaleza y la amplitud de las expresiones faciales concomitantes (siempre de una forma convencionalizada) que contribuyen al mensaje. Así, la *p,* en la siguiente transcripción, denota que la expresión facial empleada al signar indica una función de pregunta y que dura toda la ejecución de la secuencia de signos situada bajo la línea, de forma que el conjunto debería traducirse como *¿Puedo tomar prestado el libro?*

                                      P
————————————————
A MÍ PRESTAR LIBRO

Todavía en la actualidad se siguen analizando otros aspectos sutiles del significado que se deben a la expresión del rostro. En uno de estos estudios se constató que un usuario de la lengua de signos, generó, justo en mitad de una historia que estaba narrando, el siguiente mensaje: HOMBRE PESCAR [continuo]. El elemento «continuo» se indica mediante la extensión del movimiento repetitivo de las manos cuando forman el signo PESCAR. Una traducción básica de la expresión anterior sería *El hombre estaba pescando.* Sin embargo, los usuarios del ASL la tradujeron como *El hombre se relajaba y disfrutaba al pescar.* Esta información adicional procedía de una determinada expresión facial realizada por el comunicante, en la que los labios se juntaban y se hacían sobresalir en parte, manteniendo la cabeza ligeramente echada hacia atrás. Resulta evidente que la función de este gesto no manual era equivalente a la de un adverbio o un sintagma preposicional, y que se trataba de una parte integral del mensaje. Se eligió la notación *mm* como una manera de incorporar este elemento a la representación escrita, de manera que una transcripción más precisa del mensaje anterior sería la siguiente:

_____ mm
HOMBRE PESCAR [continuo]

Como resultaría esperable, se han propuesto otras notaciones adicionales, con objeto de captar los elementos no manuales más importantes que intervienen en la comunicación en ASL.

El ASL como un lenguaje natural

La investigación del ASL desde un punto de vista lingüístico es un fenómeno relativamente reciente. Sin embargo, parece evidente que todos los rasgos que es posible encontrar típicamente en las lenguas habladas cuentan con un rasgo equivalente en el ASL. El ASL presenta, asimismo, todas las propiedades definitorias del lenguaje humano, tal como se describieron en el capítulo 2. Existen en él niveles equivalentes a la fonología y a la morfología (elementos básicos), así como a la sintaxis (secuencias de elementos básicos). Así, por ejemplo, el orden de palabras del ASL es Sujeto Verbo Objeto (SVO), al igual que en el inglés, pero, sin embargo, el adjetivo suele ir pospuesto al sustantivo, a diferencia de los que sucede en esta lengua (pero a semejanza de lo que ocurre en francés).

Los niños que adquieren el ASL como primera lengua atraviesan muchas de las etapas de desarrollo del lenguaje identificadas en los niños que adquieren la lengua hablada, aunque la generación de signos parece empezar antes que la producción de palabras habladas. Por otro lado, en manos de individuos ingeniosos, el ASL se emplea para hacer chistes y para llevar a cabo «juegos de signos». De la misma manera, existen diferentes dialectos del ASL en regiones distintas y se pueden rastrear los cambios históricos experimentados por la forma de los signos, al menos desde principios del siglo xx (las versiones más antiguas se han conservado en viejas películas).

En resumen, podemos afirmar que el ASL es un lenguaje natural, con la particularidad añadida de haber logrado resistir a décadas de prejuicios e incomprensión. Hay un chiste muy viejo que circula entre los sordos, que empieza con la siguiente pregunta: *¿Cuál es el mayor problema con el que se enfrentan los sordos?* Quizás un mayor conocimiento de su lenguaje y un mayor aprecio del mismo por parte del resto de la población podría cambiar con el tiempo la respuesta que se ha dado tradicionalmente a esta pregunta, que no es otra que: *La gente que oye.*

Ejercicios

1. En el análisis del comportamiento no verbal, ¿qué es lo que se conoce como emblemas?

2. ¿Qué diferencia existe entre los gestos «icónicos» y los «deícticos»?

3. ¿A qué nos referimos cuando hablamos de una lengua de signos alternativa?

4. ¿Cuál es la diferencia más importante que existe entre el ASL y el inglés en signos?

5. ¿Qué parámetros articulatorios del ASL poseen «una mano plana» y «palma hacia arriba» como elementos básicos?

6. ¿Cuál sería la traducción más probable de:

(a)

$$\overline{\hspace{3cm}\text{p}\hspace{0.5cm}}$$
SUCEDER AYER NOCHE

(b)

$$\overline{\text{neg}\hspace{2cm}}\hspace{0.5cm}\overline{\text{mm}}$$
NIÑO NO ANDAR [continuo]

7. ¿Cuáles son los cuatro parámetros articulatorios del ASL?

8. ¿Cuál era el principal objetivo del oralismo?

■ Tareas de investigación

A. ¿Qué conexión existe entre la educación de personas sordas y la invención del teléfono?

B. ¿Por qué razón todo el mundo se sentía tan predispuesto hacia el oralismo a pesar de su manifiesta falta de resultados?

C. ¿Qué es el SimCom? ¿Qué ventajas y qué desventajas supone para los estudiantes sordos?

D. ¿Qué diferencia existe entre una incapacidad auditiva «prelingüística» y una «postlingüística»?

■ Temas/proyectos de discusión

I. ¿Con cuáles de las siguientes afirmaciones estarías de acuerdo? Indica las razones que justifican tu respuesta.

(i) El gesto de encogerse de hombros indica siempre algún tipo de «impotencia».

(ii) El gesto de guiñar un ojo se usa en todas partes como saludo.

(iii) Resulta más fácil aprender los gestos de una cultura ajena que las palabras de una lengua extranjera.

(iv) El gesto de fruncir el ceño lleva implícito la existencia de algo negativo, mientras que el de arquear las cejas implica la existencia de algo positivo.

(v) El que una persona haga demasiados movimientos con las manos mientras habla (como, por ejemplo, mesarse los cabellos o agarrarse el mentón) indica que está mintiendo.

(Para obtener información básica sobre esta cuestión puedes consultar el manual de Ekman, 1999.)

II. Según Corballis «existen razones significativas para suponer que buena parte del desarrollo de lenguaje en los últimos dos millones de años tuvo lugar en forma de sistema gestual y no como resultado de la evolución de un sistema de vocalización» (2002: 98).

(i) ¿Qué te parece la idea de que el origen del lenguaje se encuentra en la evolución de un sistema de comunicación mediante gestos y de que el desarrollo del habla habría sido una consecuencia de la conversión posterior de dicho sistema de gestos manuales en uno de gestos orales?

(ii) ¿Podría considerarse como una evidencia a favor de esta hipótesis el hecho de que la capacidad de manipulación de los humanos primitivos se desarrollara con anterioridad a su capacidad para hablar?

(iii) ¿Podría considerarse como una evidencia a favor de esta hipótesis el hecho de que los niños se comunican de forma no verbal (por ejemplo, señalando con el dedo) antes de ser capaces de hablar?

(Para obtener información básica sobre esta cuestión puedes leer el capítulo 5 de Corballis, 2002.)

III. Si los signos del ASL fueran realmente icónicos, al observarlos deberíamos ser capaces de *ver* su significado de forma transparente. A continuación se incluyen tres signos comunes del ASL.

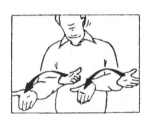

(i) ¿Cuál crees que puede ser su significado?

(ii) Si has sido capaz de proponer un significado para los mismos, indica en qué rasgos te has basado para hacerlo.

(Compara tu respuesta con el verdadero significado de estos signos, tal como aparecen en el capítulo 4 de Baker y Cokely, 1980, de donde se han tomado estas ilustraciones.)

IV. A continuación se recoge la opinión de Alexander Graham Bell (el inventor del teléfono) sobre el uso del ASL, hacia finales del siglo XIX, tal como la comenta Lane (1980: 149):

Bell se opuso siempre al uso de la lengua de signos. Las razones que aducía se basaban fundamentalmente en la observación de que los sordos la dominaban con mayor facilidad y de que su fiabilidad a la hora de utilizarla era mayor. En consecuencia, Bell estimaba que el ASL terminaría suplantando al habla o previniendo su aparición. Bell no sólo creía que el ASL resultaba contraproducente si se quería que los sordos terminasen integrándose en la sociedad, sino que pensaba que esta lengua de signos constituía una prisión intelectual y social, ya que era un sistema ideográfico y no fonético, limitado en precisión, flexibilidad, sutileza y poder de abstracción.

(i) ¿Cómo intentarías convencer a Bell de que estaba equivocado?

V. Lee con atención la siguiente afirmación de Woodward (1980: 105):

No todos los individuos incapaces de oír pertenecen a la comunidad de los sordos; de hecho, la sordera audiométrica, esto es, el grado real de pérdida de oído, a menudo no tiene nada que ver con la manera en que se establece la relación del individuo con la sordera. Así, el comportarse como sordo, el hecho de considerarse uno mismo como un miembro de esa comunidad o la identificación de otros individuos como miembros de la misma parece ser el factor básico que determina si una persona se considera a sí misma como sordo o como alguien que no pertenece a este colectivo.

(i) ¿Qué opinas acerca de ese «comportarse como sordo», que sería la clave para determinar si alguien pertenece a la comunidad de los sordos o no?

(ii) ¿Qué factores sociales, psicológicos o lingüísticos pueden estar detrás de este fenómeno?

(iii) ¿Conoces otros grupos minoritarios donde también se haya detectado este fenómeno?

VI. A continuación se recoge un análisis, realizado por Neisser (1983: 29), de las posibles razones por las que el método del oralismo tuvo una aceptación tan significativa en la educación de los sordos:

El oralismo fue una idea del siglo XIX, caracterizado por su entusiasmo por los aparatos y por su confianza en el futuro de la tecnología. Asimismo, estaba reforzada por la ética protestante del trabajo duro, de la práctica constante y de la fortaleza de carácter como herramientas para superar cualquier contratiempo de la vida. Floreció en el marco de las maneras victorianas (y la ciencia victoriana), y reflejaba el profundo antagonismo anglosajón hacia cualquier lengua que no fuera el inglés.

(i) ¿Crees que todavía es posible encontrar personas que sostengan este punto de vista?

(ii) ¿Se trata de un punto de vista justificable?

(iii) ¿Qué tipo de repercusiones generales crees que se seguirían de esta perspectiva para el estudio del lenguaje, la enseñanza de lenguas minoritarias o la educación en general?

VII. La adquisición de la lengua de signos como primera lengua suministra una de las pruebas más relevantes de la importancia de la interacción entre la madre (o el cuidador) y el niño. Las interacciones mediante signos exigen atención visual. Normalmente, el niño es incapaz de mirar a una pelota, a la madre y hacer a la vez el signo PELOTA. Esto crea algunas condiciones especiales que son muy diferentes de las que existen durante la adquisición de la lengua hablada. ¿Podrías indicar cuáles serían estas diferencias cruciales (por ejemplo, a la hora de aprender los nombres de los objetos)?

(Para obtener información básica sobre esta cuestión puedes consultar a Wood *et al.*, 1986.)

■ Lecturas adicionales

Una breve introducción a la cuestión de los gestos es el capítulo 1 de Goldin-Meadow (2003), aunque un tratamiento más detallado puede encontrarse en Kendon (2004), Messing y Campbell (1999), McNeill (1992, 2000), y Armstrong *et al.* (1995). Corbaliis (2002) y Stockoe (2001) tratan la cuestión de los gestos en el contexto de una discusión acerca del origen del lenguaje. Sobre las lenguas de signos alternativas puede consultarse a Kendon (1988) y a Umiker-Sebeok y Sebeok (1987). Una breve introducción al ASL, alternativa a la expuesta en este capítulo, es la que aparece en el fichero 13 de *Language files* (2004), o bien la de Lucas y Valli (2004). Textos introductorios a la lengua de signos son los de Costello (1995), Humphries *et al.* (1994), o Lewis y Henderson (1997), mientras que trabajos de referencia estándar son los de Klima y Bellugi (1979), en el caso del ASL, y Kyle y Woll (1985), en el caso del BSL. Si se quiere profundizar en las experiencias de los sordos, puede leerse a Padden y Humphries (1988). Una revisión exhaustiva del trabajo desarrollado en los últimos años en el campo de las lenguas de signos es el libro de Emmorey y Lane (2000), mientras que en lo concerniente a cuestiones relacionadas con las mismas, puede consultarse el volumen de Marschark y Spencer (2003).

17 Historia de la lengua y cambio lingüístico

Fæder ure þu þe eart on heofonum,
si þin nama gehalgod.
Tobecume þin rice.
Gewurþe þin willa on eorðan swa swa on heofonum.
Urne gedæghwamlican hlaf syle us to dæg.
And forgyf us ure gyltas,
swa swa we forgyfað urum gyltendum.
And ne gelæd þu us on costnunge,
ac alys us of yfele.

Padrenuestro (ca. 1000 d.C.)

Esta versión escasamente reconocible del Padrenuestro en inglés cuenta con alrededor de mil años de antigüedad y proporciona una indicación bastante evidente de que la lengua de los «Englisc» ha experimentado cambios sustanciales con el tiempo hasta llegar a convertirse en el inglés empleado actualmente. Cuando se investigan las características de las lenguas más antiguas y la forma mediante la cual han dado lugar a las lenguas modernas, estamos realmente estudiando la historia de dichas lenguas y los cambios lingüísticos que se han producido a lo largo de la misma, una investigación a la que también se hace referencia con el término de **filología**. En el siglo XIX la filología dominó el estudio del lenguaje y una de las consecuencias más significativas fue la creación de «árboles genealógicos», con objeto de poner de manifiesto el grado de parentesco que existía entre las diversas lenguas. Sin embargo, antes de que algo así fuese posible, resultó preciso «descubrir» que diversas lenguas habladas en diferentes partes del globo pertenecían realmente a una misma familia.

Árboles genealógicos

En 1786 un oficial del gobierno británico llamado sir William Jones, que ocupaba por aquel entonces el cargo de juez en la India, hizo la siguiente observación acerca del sánscrito, la antigua lengua en la que estaban redactados los códigos jurídicos hindúes:

La lengua sánscrita, cualquiera que sea su antigüedad, posee una estructura maravillosa: más perfecta que el griego, más copiosa que el latín y más exquisitamente refinada que ambas, aunque tiene muchas afinidades con las dos, tanto en lo que concierne a las raíces de los verbos, como en lo que atañe a las formas de la gramática, las cuales difícilmente pueden considerarse un efecto de la casualidad.

Sir William Jones continuaba sugiriendo, de una manera revolucionaria para su época, que algunas lenguas habladas en áreas geográficamente muy distantes podrían tener un antepasado común. Sin embargo, parecía evidente que la descripción de ese supuesto antepasado común no podía llevarse a cabo a partir de restos o registros de ningún tipo, de forma que resultaba preciso reconstruirlo haciendo uso de los rasgos que tuvieran en común las lenguas presumiblemente derivadas del mismo.

Durante el siglo XIX, comenzó a emplearse un nuevo término para designar a esa lengua progenitora: **protoindoeuropeo.** En la propia estructura del término existe una referencia a la idea de que se trataría de la variante original de una lengua *(proto)* de la que derivarían las modernas lenguas habladas en el subcontinente indio *(indo)* y en Europa *(europeo)*. Una vez que se aceptó que el protoindoeuropeo sería una suerte de «tatarabuelo», los investigadores comenzaron a identificar las diferentes ramas del árbol genealógico de la familia indoeuropea, estableciendo el linaje de muchas de las lenguas actuales. A continuación se muestra un esquema que incluye una reducida selección de lenguas indoeuropeas, situadas sobre las correspondientes ramas de su árbol genealógico.

La familia indoeuropea es la que cuenta con una mayor cantidad de hablantes y con una distribución más amplia en todo el mundo, pero no es la única. Se estima que existen alrededor de treinta de estas familias, que incluyen, al menos, 4.000 lenguas distintas, aunque el número puede ascender a 6.000. Algunas de estas lenguas se encuentran en peligro de extinción, mientras que otras se están expandiendo. Por número de hablantes, el chino es la que cuenta con más hablantes nativos (cerca de mil millones), mientras que el inglés (con unos 350 millones) es la lengua más utilizada en diferentes lugares del mundo.

Relaciones de familia

Si analizamos el árbol de la familia indoeuropea, lo primero que puede sorprendernos es el hecho de que lenguas tan diferentes como las que aparecen incluidas en él se encuentren realmente emparentadas. No en vano, dos lenguas como el hindi y el italiano no parecen tener nada en común. Sin embargo, una forma de ver con mayor nitidez dichas relaciones consiste en la comparación de los registros correspondientes a la generación de lenguas anterior, como sería el caso del sánscrito y del latín, respectivamente, a partir de las cuales evolucionaron las lenguas modernas. Por ejemplo, si utilizamos caracteres latinos para escribir las palabras correspondientes a *padre* y *hermano* en sánscrito, latín y griego antiguo, se puede ver claramente que sí tienen algunas características en común:

Sánscrito	Latín	Griego antiguo	
pitar	patēr	pater	(«padre»)
bhrātar	frāter	phrāter	(«hermano»)

No obstante, aunque estas formas se parecen bastantes, resulta extremadamente improbable que en todas las lenguas sea posible encontrar exactamente las mismas palabras. Con todo, el hecho de que las coincidencias existan (en especial, en lo que concierne a la pronunciación más probable de estas palabras) constituye un sólido argumento para justificar la existencia de una conexión genética entre estas tres lenguas.

Cognados

En el procedimiento que acabamos de emplear para establecer la existencia de una posible conexión genética entre lenguas diferentes hemos partido del análisis de lo que se ha dado en llamar «cognados». A menudo, pueden encontrarse dentro de grupos de lenguas relacionadas un conjunto de términos que presentan un gran parecido. Un **cognado** de una palabra en una lengua determinada (por ejemplo, en inglés) puede definirse como una palabra de otra lengua (por ejemplo, del alemán) que posee una forma similar y que es o ha sido utilizada para denotar un significado parecido. Así, las formas inglesas *mother, father* y *friend* son cognados de las formas alemanas *Mutter* («madre»), *Vater* («padre») y *Freund* («amigo»), respectivamente. Partiendo del análisis de estos cognados, resulta plausible asumir que el inglés moderno y el alemán moderno tienen probablemente un antepasado común dentro de lo que se ha denominado la rama germánica del indoeuropeo. Este procedimiento nos permite comparar toda suerte de grupos de palabras semejantes en otras parejas de lenguas, como el español (*madre, padre* y *amigo*) y el italiano (*madre, padre* y *amico*), para concluir que los cognados constituyen una evidencia de que también debe existir un antepasado común en la rama itálica del indoeuropeo.

Reconstrucción comparada

Usando la información suministrada por estos grupos de cognados, resulta posible iniciar un proceso denominado **reconstrucción comparada**. El objetivo del mismo es la reconstrucción de lo que presumiblemente habría sido la forma original o «protoforma» de un determinado término en la lengua progenitora común. A la hora de utilizar este método, quienes se ocupan de la historia de las lenguas hacen uso de varios principios generales, dos de los cuales se describen a continuación:

El **principio de la mayoría** es particularmente sencillo. Si en un grupo de cognados, tres formas empiezan por el sonido [p] y una comienza por el sonido [b], entonces lo más probable es que la mayoría de las lenguas hayan preservado el sonido original (en este caso, el [p]), mientras que sólo una minoría haya evolucionado a lo largo del tiempo.

El **principio de la evolución más natural** se basa en el hecho de que algunos tipos de cambios fonéticos son muy comunes, mientras que otros son mucho menos probables. Así, los cambios consignados en (1)-(4), en el sentido explicitado, se han observado en numerosas ocasiones, mientras que no existen evidencias de que hayan tenido lugar en sentido contrario.

(1) las vocales situadas al final de una palabra desaparecen con frecuencia (*vino* → *vin*)
(2) los sonidos sordos se sonorizan, especialmente si están en posición intervocálica (*muta* → *muda*)
(3) las consonantes oclusivas se vuelven fricativas (*ripa* → *riva*)
(4) las consonantes se vuelven sordas al final de la palabra (*rizu* → *ris*)

Reconstrucción fonética

Ante distintos ejemplos de palabras procedentes de lenguas diferentes, como los que se muestran a continuación, una manera de comenzar a realizar una reconstrucción comparada de la lengua progenitora sería determinar la forma más probable del sonido inicial de la palabra correspondiente en dicha lengua.

Lenguas

A	B	C	
cantare	cantar	chanter	(«cantar»)
catena	cadena	chaîne	(«cadena»)
caro	caro	cher	(«querido»)
cavallo	caballo	cheval	(«caballo»)

Como quiera que las formas escritas llevan a menudo a confusión, conviene tener presente que todas las palabras pertenecientes a las lenguas A y B comienzan por el sonido [k], mientras que las que corresponden a la lengua C empiezan por [ʃ]. En función de los datos anteriores, el «principio de la mayoría» postularía que el sonido inicial [k], que caracteriza a las lenguas A y B, sería más antiguo que el sonido [ʃ] de la lengua C. Además, conviene reseñar que [k] es una consonante oclusiva, mientras que [ʃ] es una fricativa. De acuerdo con el «principio de la evolución más natural», los cambios tienden a producirse en el sentido de que las oclusivas se conviertan en fricativas, y no a la inversa, de manera que, nuevamente, lo más probable es la [k] haya sido el sonido original. Mediante este tipo de procedimiento hemos iniciado la reconstrucción comparada de los orígenes comunes de algunas palabras del italiano (lengua A), el castellano (lengua B) y el francés (lengua C). En este caso en particular, tenemos una manera adicional de comprobar si nuestra reconstrucción es correcta, puesto que la lengua de la que derivan estos tres idiomas es el latín. Cuando comparamos los cognados latinos de las formas analizadas, resulta que se trata de los términos *cantare, catena, carus* y *caballus*, lo que confirma que la [k] era el sonido inicial.

Reconstrucción morfológica

Tomemos un ejemplo más exótico. Imaginemos que hemos de analizar los datos recabados por un lingüista que acaba de regresar de una expedición a una remota región de la selva amazónica. A continuación se ofrecen algunos ejemplos de cognados de tres lenguas relacionadas. Ahora bien, ¿qué aspecto tendrían las protoformas correspondientes?

Lenguas

1	2	3	Protoformas	
mube	mupe	mup	_____	(«arroyo»)
abadi	apati	apat	_____	(«piedra»)
agana	akana	akan	_____	(«cuchillo»)
enugu	enuku	enuk	_____	(«diamante»)

Si aplicamos en primer lugar el «principio de la mayoría», parece que lo más plausible es que las formas más antiguas se basen en las formas de las lenguas 2 ó 3. Si esta asunción es correcta, los cambios consonánticos deberían haber sido [p] → [b], [t] → [d] y [k] → [g], con objeto de que hayan podido aparecer las formas más tardías características de la lengua 1. En estos cambios parece existir un patrón común, que seguiría, en parte, el «principio de la evolución más natural», es decir, el hecho de que las consonantes sordas se conviertan en sonoras cuando están situadas entre vocales. En consecuencia, las palabras de las lenguas 2 y 3 deben ser formas más antiguas que las que pertenecen a la lengua 1.

Ahora bien, ¿cuál de las otras dos listas, la 2 o la 3, contiene las formas más antiguas? Si se tiene en cuenta que otro de los cambios fonéticos «de evolución más natural» consiste en que las vocales finales desaparezcan con frecuencia, podemos sugerir que las formas de la lista 3 han perdido la vocal final de manera regular, mientras que todavía es posible encontrar dichas vocales en las formas de la lista 2. La opción más plausible sería, entonces, que las formas de la lista 2 sean las más parecidas a lo que debieron ser las protoformas originales.

Cambio lingüístico

La reconstrucción de protoformas supone un intento de determinar cómo era una lengua antes de que empezara a conservarse por escrito. Sin embargo, incluso en los casos en los que disponemos de registros escritos de un periodo anterior de una lengua determinada, como sucede con el inglés, es posible que dichos registros no mantengan ninguna semejanza con la variante escrita de esa lengua que podemos encontrar actualmente, por ejemplo, en los periódicos. Una evidencia de esto último la constituye la versión del Padrenuestro citada al principio de este capítulo. Para determinar la manera en que puede evolucionar sustancialmente una lengua a través del tiempo examinaremos de forma muy sucinta la historia del inglés.

Inglés antiguo

Los orígenes de lo que ha terminado siendo el inglés que conocemos actualmente se encuentran en las lenguas germánicas habladas por un grupo de tribus del norte de Europa, que invadieron las Islas Británicas en el siglo v después de Cristo. En una de las primeras narraciones que conservamos acerca de este hecho se describía a estas tribus de anglos, sajones y yutos como «la cólera de Dios hacia Bretaña». De los nombres de las dos primeras tribus procede el término *anglosajones*, empleado para describir a aquellas gentes, mientras que del nombre de la primera de ellas, los anglos, proviene el nombre utilizado para designar su lengua, el *englisc*, y su nuevo hogar, *Engla-land* (literalmente, «la tierra de los anglos»).

De esta variedad temprana del *englisc*, que actualmente denominamos **inglés antiguo,** provienen muchos de los términos básicos del inglés actual: *mann* (*man*, «hombre»), *wīf* (*woman*, «mujer»), *cild* (*child*, «niño»), *hūs* (*house*, «casa»), *mete* (*food*, «comida»), *etan* (*eat,* «comer»), *drincan* (*drink,* «beber») y *feohtan* (*fight,* «luchar»). Estos recién llegados eran paganos y dieron nombre a los días de la semana, homenajeando así a sus dioses. De *Woden* procede el *Wednesday* («día de Woden», en castellano, «miércoles»), mientras que de *Thor* proviene *Thursday* («día de Thor», en castellano, «jueves»). Sin embargo, no siguieron siendo paganos durante mucho tiempo. A partir del siglo VI, y hasta el siglo VIII, se sucedió un prolongado período durante el cual los anglosajones se fueron convirtiendo al cristianismo, de ahí que numerosos términos procedentes de la lengua usada en la liturgia cristiana, el latín, pasaran a formar parte del inglés empleado en aquella época. De este período datan palabras inglesas modernas como *angel* («ángel»), *bishop* («obispo»), *candle* («cirio»), *church* («iglesia»), *martyr* («mártir»), *priest* («sacerdote») o *school* («escuela»).

A partir del siglo VIII, y durante los dos siglos siguientes, otro grupo de europeos del Norte alcanzó determinadas regiones costeras de Bretaña, primero para saquearlas, y después para instalarse en ellas. Se trataba de los vikingos. De su lengua, el noruego antiguo, proceden las formas originales que, con el tiempo, terminaron dando lugar a términos modernos particularmente comunes, como *give* («dar»), *law* («ley»), *leg* («pierna»), *skin* («piel»), *sky* («cielo»), *take* («tomar») o *they* («ellos»). Por cierto, el apellido *Yule*, que es un término que designa la época navideña, esto es, el período comprendido entre el 24 de diciembre y el 6 de enero, deriva de la palabra *jól,* del noruego antiguo, que designaba una celebración invernal llevada a cabo por los vikingos.

Inglés medio

El suceso que señala el final del periodo del inglés antiguo y el principio de la etapa del **inglés medio** es la llegada de los normandos franceses a Inglaterra, que se produjo tras su victoria en la batalla de Hastings, a las órdenes de Guillermo el *Conquistador,* en 1066. Estos invasores francófonos se convirtieron en la clase dominante y, por tanto, la lengua de la nobleza, del gobierno, de la jurisprudencia y de la vida civilizada en Inglaterra durante los doscientos años siguientes pasó a ser el francés. Del francés derivan términos modernos como *army* («ejército»), *court* («corte»), *defense* («defensa»), *faith* («fe»), *prison* («prision») o *tax* («tasa»).

Sin embargo, la lengua de los campesinos siguió siendo el inglés. Los campesinos araban las tierras y criaban *sheep* («ovejas»), *cows* («vacas») y *swine* («cerdos») —que son todas palabras del inglés antiguo—, mientras que las clases elevadas francófonas hablaban de *mutton, beef* y *pork*, que son palabras de origen francés. Esta es la razón por la que en inglés moderno existen diferentes términos para referirse a estos animales «cuando están vivos» o «cuando están cocinados».

Durante este periodo, el francés (o, más concretamente, una versión inglesa del francés) fue la lengua de prestigio, de ahí que Chaucer indique explícitamente que uno de sus peregrinos a Canterbury era capaz de hablarlo:

She was cleped Madam Eglentyne
Ful wel she song the service dyvyne,
Entuned in hir nose ful semely,
And Frenshe she spak ful faire and fetisly.

Una versión en ingles actual del anterior fragmento sería la siguiente:

And she was called Madame Eglentine.
Full well she sang the service divine,
Intoned in her nose full seemly,
And French she spoke full fair and properly.

(«Se llamaba Doña Eglantina.
Cantaba muy bien las horas litúrgicas,
entonándolas adecuadamente con voz nasal [como debía cantarse el gregoriano],
y el francés lo hablaba de forma apropiada y con gran corrección.»)

Este fragmento constituye un ejemplo de inglés medio, escrito a finales del siglo XIV. Difería ya sustancialmente del inglés antiguo, aunque aún fueron necesarios varios cambios relevantes para que el idioma terminase adoptando la forma moderna. El rasgo más significativo del inglés de la época de Chaucer consistía en que los sonidos vocálicos diferían significativamente con respecto a los que podemos oír en las correspondientes formas modernas. Chaucer vivió en lo que debería sonar como un «hu:s» (*house*, «casa», que actualmente se pronuncia aproximadamente como «haus»), junto a su «wi:f» (*wife*, «esposa», que actualmente se pronuncia aproximadamente como «waif») y «hei» (*he*, «él», que actualmente se pronuncia aproximadamente como «hi») seguramente se tomaría con «hi:r» (*her*, «ella», que actualmente se pronuncia aproximadamente como «her») una botella de «wi:na» (*wine*, «vino», que actualmente se pronuncia aproximadamente como «wain») a la luz de la «mo:na» (*moon*, «luna», que actualmente se pronuncia aproximadamente como «mu:n» [los : indican que la vocal es larga]).

En los doscientos años que transcurrieron entre 1400 y 1600, que son los que separan a Chaucer de Shakespeare, los sonidos del inglés sufrieron un cambio sustancial, conocido como «el gran cambio vocálico», que consistió fundamentalmente en una elevación generalizada de las vocales largas (como, por ejemplo, la transformación de [o:] en [u:], como ocurrió con *mōna → moon*).Como consecuencia de este cambio, la pronunciación del inglés moderno temprano, un período que comienza en torno a 1500, varió sustancialmente con respecto a la característica de los períodos anteriores. La aparición de la imprenta en 1476 provocó también cambios significativos. Sin embargo, como quiera que los impresores tendieron a estandarizar y afijar la pronunciación de la época en la forma de escribir las palabras (como, por ejemplo ocurre con *knee* «rodilla», que actualmente se pronuncia [nɪ:]), los cambios de pronunciación que tuvieron lugar posteriormente no quedaron reflejados, en líneas generales, en la manera de escribir el inglés moderno (cuyo período comienza a partir de 1700).

Las influencias que un idioma recibe de otras lenguas, como los préstamos léxicos que el inglés tomó del francés normando o del noruego antiguo, comentados anteriormente, se denominan **cambios externos** de dicha lengua. Sin embargo, algunos otros de los cambios que pueden tener lugar a lo largo de la evolución histórica de una lengua no parecen responder a causas externas. En los apartados siguientes examinaremos algunos de estos tipos de **cambios internos** experimentados por el inglés.

Cambios fonéticos

Entre los diversos cambios experimentados por la lengua inglesa en la transición desde el inglés medio al inglés moderno, puede mencionarse el hecho de que algunos sonidos dejaran simplemente de pronunciarse cuando aparecían en ciertas palabras, de ahí que determinadas letras sean «mudas» en el inglés moderno escrito. Así, las consonantes oclusivas velares [k] y [g], cuando están situadas al comienzo de una palabra, no se pronuncian actualmente si van seguidas de una nasal [n]. Sin embargo, se siguen escribiendo, como sucede en *knee* o en *gnaw* («roer»), en recuerdo de la antigua manera de pronunciar estas palabras.

Otro ejemplo de este proceso lo constituye la fricativa velar /x/, que aparecía en la antigua pronunciación de una palabra como *nicht*, [nɪxt], la cual se parecía bastante a la pronunciación del correspondiente término en alemán actual, pero que está ausente en la pronunciación de la forma moderna de dicha palabra, a saber, *night* «noche», que sería aproximadamente [najt]. No obstante, en algunos dialectos actuales del inglés existen restos de este antiguo sonido, como ocurre con la consonante final de algunas palabras escocesas, como *loch* «lago», aunque la mayoría de los angloparlantes ya no lo emplean.

El cambio fonético que se denomina **metátesis** implica una inversión de la posición que ocupan dos sonidos en una palabra. Este tipo de inversión se ha producido a lo largo de la evolución de diversas palabras inglesas. Como ejemplos pueden consignarse los siguientes:

acsian → *ask* («preguntar»)
bridd → *bird* («pájaro»)
frist → *first* («primero»)
hros → *horse* («caballo»)
brinnan → *beornan* (*burn*) («quemar»)
wæps → *wasp* («avispa»)

Por otro lado, el vaquero que pronuncia la expresión *pretty good* («*muy bien*») de tal manera que suena a algo así como *purty good* proporciona un ejemplo adicional de metátesis, con la salvedad de que habría que describirlo como una característica de una variedad dialectal del inglés moderno. En algunos dialectos del inglés americano todavía se puede oír la forma *aks*, tal y como aparece en una oración como *I aksed him already* («Ya se lo pregunté a él»), en lugar de la forma más habitual, *ask*.

El intercambio de posiciones que se da en la metátesis puede ocurrir en ocasiones entre sonidos no contiguos. La forma castellana *palabra* deriva de la forma latina *parabola*, aunque para ello fue preciso que los sonidos [l] y [r] intercambiaran sus posiciones respectivas. Como se puede comprobar en los siguientes ejemplos, resulta posible encontrar este mismo patrón en otros casos:

Latín   *Castellano*

miraculum → *milagro*
parabola → *palabra*
periculum → *peligro*

Otro tipo de cambio fonético es la **epéntesis**, que se produce cuando se introduce un sonido adicional entre dos sonidos adyacentes. Algunos ejemplos de epéntesis serían los siguientes:

æmtig → *empty* («vacío»)
spinel → *spindle* («huso»)
timr → *timber* («madera»)

Algunos hablantes de inglés añaden un sonido [p] detrás de la nasal [m] (algo que ocurre de forma generalizada en el caso de *empty* «vacío») cuando pronuncian *something* «algo» como «sumpthing». Cualquiera que pronuncie la palabra *film* («película») como «filum», o la palabra *arithmetic* («aritmética») como «arithametic», estará generando otros ejemplos de epéntesis en inglés moderno.

En el desarrollo de algunas lenguas puede darse un tipo adicional de cambio fonético, que, sin embargo, no aparece en inglés. Se denomina **prótesis** y tiene lugar cuando se añade un sonido al principio de una palabra. Es un cambio particularmente frecuente en el proceso de transformación histórica de determinadas formas latinas en las correspondientes formas castellanas, como, por ejemplo, en las consignadas a continuación:

schola → *escuela*
spiritus → *espíritu*

De hecho, los hablantes de castellano que comienzan a aprender el inglés como segunda lengua añaden a menudo un sonido vocálico protético al principio de algunas palabras inglesas, de forma que términos como *strange* («desconocido») o *story* («historia») suenan aproximadamente como *estrange* o *estory*.

Cambios sintácticos

Algunas diferencias notables entre la estructura de las oraciones del inglés antiguo y del inglés moderno están relacionadas con el orden de las palabras. En los textos escritos en inglés antiguo que se han conservado hasta la fecha resulta posible encontrar un orden Sujeto-Verbo-Objeto, que es el habitual en inglés moderno, pero también podemos detectar otros órdenes de palabras diferentes, que han dejado de utilizarse. Así, por ejemplo, en inglés antiguo el sujeto podía ir pospuesto al verbo, como sucedía en una expresión como *fērde hē* (literalmente, «viajó él»), mientras que el objeto podía anteponerse al verbo, como ocurre en una expresión como *he hine geseah* (literalmente, «él a él vio»), o incluso podía estar situado al comienzo de la oración, como es el caso de *him man ne sealde* (literalmente, «a él hombre no dio [nada]», es decir, «a él nadie le dio nada»).

En este último ejemplo, el uso de la partícula negativa también difiere de la manera en que se emplea en inglés moderno, ya que la secuencia *not gave (en inglés antiguo, *ne sealde*, «no dio») ha dejado de ser gramatical. En inglés antiguo era posible, asimismo, una construcción con una «negación doble», como sucede en el siguiente ejemplo, en el que tanto *ne* («no») como *nǣfre* («nunca») dependen del mismo verbo, mientras que en inglés moderno lo correcto sería decir *You never gave* («Tú nunca diste») y no **You not gave never*:

and	ne	sealdest		þū	mē	nǣfre	ān	ticcen
y	no	diste		tú	mí	nunca	un	niño

«y tú nunca me diste un niño»

No obstante, el cambio más drástico que tuvo en lugar en la estructura de las oraciones inglesas fue la pérdida de un gran número de afijos flexivos, correspondientes a diversas categorías gramaticales. Teniendo presentes los ejemplos anteriores, puede advertirse que las formas *sealde* («él dio») y *sealdest* («tú diste») se diferencian por la desinencia verbal (respectivamente, *-e* y *-est*), las cuales han desaparecido en inglés moderno. En inglés antiguo, los nombres, los adjetivos, los artículos y los pronombres contaban con diferentes formas flexivas, de acuerdo con la función gramatical que desempeñaban en la oración.

Cambios semánticos

Las divergencias más evidentes que existen entre el inglés moderno y el inglés antiguo encuentran su razón de ser en los numerosos préstamos léxicos que han penetrado en la lengua desde la época de éste último, tal y como se describió en el capítulo 6. Quizás resulte menos evidente el hecho de que dichas divergencias también se explican, en parte, porque numerosas palabras han dejado simplemente de emplearse. Por ejemplo, puesto que ya nadie lleva espada (al menos la mayoría de las personas) la palabra *foin*, que significaba «ataque de la espada» ha dejado de utilizarse. Una palabra muy común en inglés antiguo para designar al «hombre» era *were*, pero, sin embargo, ha caído en desuso, salvo en el ámbito de las películas de terror, donde ha sobrevivido en la forma compuesta *werewolf* («hombre lobo»). Diversas expresiones, tales como *lo* («he aquí, mirad»), *verily* («verdaderamente») o *egad* («¡Dios mío!», una deformación de *Oh God*), se suelen reconocer sin grandes problemas como arcaísmos, como sucede también con determinados nombres con evidente sabor medieval, como *Egbert*, *Percival* o *Bertha*.

Existen otros dos procesos adicionales de cambio semántico, que suelen describirse como «ampliación» y «reducción» del significado. Un ejemplo de **ampliación** del significado es el cambio experimentado por *holy day*, en tanto que fiesta religiosa, que ha pasado a designar cualquier internado temporal de interrupción del período laboral (con la grafía *holiday* «vacación»). Otro ejemplo de «ampliación» de significado es el experimentado por la palabra *foda* («forraje»), que con la forma *food* («comida») ha pasado a designar cualquier tipo de alimento. Un último ejemplo puede ser el uso actual de la palabra *dog* («perro»). Mientras que *dog* se emplea en la actualidad para hacer referencia a un animal de cualquier raza, la forma correspondiente en inglés antiguo (*docga*) se utilizaba para designar una sola raza de perro.

El proceso inverso, denominado **reducción**, ha dado lugar, por ejemplo, a que la palabra del inglés antiguo *hund*, que en su momento se empleaba para designar cualquier tipo de perro, se utilice actualmente, con la grafía *hound*, para hacer referencia a determinadas razas de perro (en concreto a las pertenecientes al grupo de los podencos). Otro ejemplo de reducción de significado es el experimentado por *mete*, un término que en origen se empleó para denotar cualquier tipo de comida, pero que en su forma moderna, *meat* («carne»), se utiliza de manera mucho más restringida para aludir a un tipo muy concreto de alimento. La variante del inglés antiguo de la palabra *wife* («esposa») podía utilizarse para hacer referencia a cualquier mujer, pero en la actualidad sólo se aplica a las mujeres casadas. Un tipo diferente de reducción del significado es el que ha hecho que algunas palabras hayan terminado adquiriendo una connotación negativa, como sucede con *vulgar* («vulgar»), que originariamente se empleaba en el sentido de «ordinario», o con *naughty* («escabroso»), que inicialmente significaba simplemente «digno de mención».

Variación diacrónica y sincrónica

Ninguno de los cambios que se han descrito en este capítulo ha sucedido de un día para otro. Antes bien, dichos cambios han sido graduales y probablemente difíciles de identificar mientras estaban sucediendo. Aunque algunos pueden estar ligados a grandes transformaciones sociales, causadas por guerras, invasiones y otras conmociones, la fuente más habitual de los cambios lingüísticos parece encontrarse en el incesante proceso de transmisión cultural a que está sometida cualquier lengua. Cada nueva generación tiene que encontrar la manera de utilizar la lengua que le ha legado la generación anterior. En este proceso continuo, mediante el cual cada nuevo usuario de la lengua tiene que «recrear» la lengua empleada por la comunidad a la que pertenece, existe una tendencia inevitable a que algunos elementos se incorporen de forma exacta, mientras que también resulta inevitable que otros sólo lo hagan de forma aproximada. En ocasiones, también surge un deseo de innovar. Habida cuenta este sutil proceso de transmisión, lo esperable es que las lenguas no sean estables, sino que, por el contrario, el cambio y la variación sean fenómenos omnipresentes.

En este capítulo nos hemos centrado en el análisis de la variación de una lengua desde el punto de vista **diacrónico**, es decir, desde una perspectiva histórica, en tanto que los cambios se han ido produciendo con el paso del tiempo. El tipo de variación lingüística que puede analizarse de forma **sincrónica**, es decir, a partir de las diferencias existentes en un momento concreto dentro de una lengua, entre los diferentes lugares en que se habla y entre los distintos grupos que la hablan, será el objeto de los dos próximos capítulos de este libro.

Ejercicios

1. Trata de agrupar las siguientes lenguas en parejas, de forma que aparezcan juntas aquellas que estén más estrechamente relacionadas desde un punto de vista histórico: bengalí, inglés, farsi, gaélico, hindi, italiano, noruego, pasto, polaco, portugués, ucraniano, galés

2. ¿Qué son los cognados?

3. Intenta deducir a partir de los siguientes datos cuáles sería las protoformas más plausibles:

Lenguas

1	2	3	Protoformas
cosa	*chose*	*cosa*	_____
capo	*chef*	*cabo*	_____
capra	*chèvre*	*cabra*	_____

4. ¿Cuáles de las siguientes palabras pertenecen probablemente al inglés antiguo y cuáles al francés: *bacon, beef, calf, deer, ox, pig, veal, venison*?

5. ¿De qué tipos de cambios fonéticos pueden considerarse ejemplos las siguientes transformaciones?:

   (a) *thridda → third* («tercero»)
   (b) *scribere → escribir*
   (c) *glimsian → glimpse* («vistazo»)

6. La forma verbal del antiguo inglés *steorfan* («morir de cualquier causa») ha dado origen a la forma verbal del inglés moderno *starve* («morir de hambre»). ¿Qué término técnico se emplea para caracterizar este tipo de cambio semántico?

■ Tareas de investigación

A. ¿Quiénes eran los neogramáticos? ¿Qué tenía de novedosa su metodología de análisis del cambio lingüístico?

B. ¿Qué sucede en el proceso de cambio lingüístico conocido como «gramaticalización»?

C. Describe lo que sucedió en algún caso de «muerte de una lengua» del que exista constancia documental.

D. Las cuatro versiones del mismo acontecimiento bíblico (descrito en Mateo, 27: 73) que se recogen a continuación permiten ilustrar algunos de los cambios acaecidos en la historia del inglés (se han tomado de Campbell, 2004). ¿Serías capaz de describir los cambios que se han producido en el vocabulario y en la gramática?

(i) Inglés moderno (1961)

Shortly afterwards the bystanders came up and said to Peter, «Surely you are another of them; your accent gives you away!»

(ii) Inglés moderno temprano (1611)

And after a while came vnto him they that stood by, and saide to Peter, Surely thou also art one of them, for thy speech bewrayeth thee.

(iii) Inglés medio (1395)

And a litil aftir, thei that stooden camen, and seiden to Petir, treuli thou art of hem; for thi speche makith thee knowun.

(iv) Antiguo inglés (1050)

þa æfter lytlum fyrste genēalǣton þa ðe þær stodom, cwǣdon to petre. Soðlice þu eart of hym, þyn spræc þe gesweotolað.

(Una versión literal en inglés moderno de este fragmento sería la siguiente: «Then after little first approached they that there stood, said to Peter. Truly thou art of them, thy speech thee makes clear», es decir, «Entonces después poco primero se acercaron ellos que estuvieron allí, dijeron a Pedro. Realmente tú eres de ellos, tu forma de hablar lo hace claro.»)

■ Temas/proyectos de discusión

I. Un investigador decimonónico llamado Curtis (citado en Aitchison, 2001) caracterizó uno de los principales objetivos de la lingüística histórica en los siguientes términos:

Un objetivo fundamental de esta ciencia es la reconstrucción de las formas completas, puras, correspondientes al estado primigenio, a partir de las formas desfiguradas y mutiladas que aparecen en las lenguas concretas.

(i) ¿Estás de acuerdo con la idea de que las lenguas se deterioran y empeoran («desfiguradas y mutiladas») a medida que pasa el tiempo?

(ii) ¿Qué tipo de evidencias emplearías para cuestionar este punto de vista?

(Para obtener información básica sobre esta cuestión puedes consultar el capítulo 17 de Aitchison, 2001.)

II. Haciendo uso de todo lo discutido en este capítulo acerca de la reconstrucción comparada, intenta proponer las protoformas más plausibles de la siguiente serie de cognados (tomados de Sihler, 2000: 140).

Lenguas

A	B	Protoformas
kewo («rojo»)	čel («rojo»)	_____
kuti («árbol»)	kut («madera»)	_____
like («pesado»)	lič («taciturno»)	_____
waki («hermana»)	wač («hermana»)	_____
wapo («mano»)	lap («mano»)	_____
woli («viga»)	lol («tejado»)	_____

El lenguaje

(Para obtener información básica sobre esta cuestión puedes consultar las secciones 96-102 de Sihler, 2000.)

III. Considera los siguientes datos:

Lenguas	1	2	3	4	5	6	7
	fem	*pyat*	*cinco*	*pięć*	*itsutsu*	*fünf*	*cinque*
	fire	*chetyre*	*cuatro*	*cztery*	*yottsu*	*vier*	*quattro*

(i) De los siete pares de ejemplos anteriores, seis pertenecen a lenguas indoeuropeas. ¿Cuál crees que, con gran probabilidad, no corresponde a una lengua de dicha familia?

(ii) Los seis que sí corresponden a lenguas indoeuropeas pueden agruparse de dos en dos, en función de la estrecha relación que mantienen las lenguas a las que pertenecen. ¿Cómo llevarías a cabo esta agrupación?

(iii) ¿Qué par de los anteriores asociarías a la lengua inglesa?

(iv) ¿Con qué par asociarías una octava lengua cuyos términos cognados fuesen *quinque* y *quattuor*?

IV. Haciendo uso de los datos que se recogen a continuación, intenta completar la lista de protoformas correspondientes, tratando de describir tres procesos diferentes de cambio que plausiblemente hayan tenido lugar durante la evolución de este grupo de lenguas.

Lenguas

1	2			Protoformas	
lik	*ligu*	*ligu*	*liku*	_____	(«insecto»)
hip	*hiba*	*hiba*	*hipa*	_____	(«camino»)
rad	*radi*	*rathi*	*radi*	_____	(«nube»)
nam	*namu*	*namu*	*namu*	_____	(«vivienda»)

V. Hay quien sostiene que el inglés no puede ser una lengua germánica, sino que deriva del latín.

(i) ¿Cómo tratarías de demostrarle que está equivocado?

(ii) ¿Qué pruebas esgrimiríais para convencer a quien defiende esta idea de que es más correcto considerar al inglés como un miembro de la rama germánica de la familia indoeuropea?

(Para obtener información básica sobre esta cuestión puedes consultar cualquiera de los siguientes textos: Barber, 1993; Baugh y Cable 1993; Williams, 1975).

VI. A continuación se recogen cuatro versiones del mismo acontecimiento bíblico, descrito en Mateo, 2:13 «Después de que aquellos se hubieran ido, un ángel del Señor se le apareció a José en sueños». ¿Serías capaz de explicar las diferentes formas, estructuras y, probablemente, pronunciaciones que se pueden encontrar en dichas versiones?

(i) Inglés contemporáneo:

After they had gone, an angel of the Lord appeared to Joseph in a dream.

(ii) Inglés moderno temprano (principios del siglo XVIII):

And when they were departed, behold, the Angel of the Lord appeareth to Joseph in a dreame.

(iii) Inglés medio (siglo XIV):

And whanne thei weren goon, lo, the aungel of the Lord apperide to Joseph in sleep.

(iv) Inglés antiguo (siglo X):

Þa hi þa ferdon, þa ætwde Drihtnes engel Iosepe on sefnum.

VII. Probablemente lograrás leer y comprender sin demasiadas dificultades el siguiente fragmento de la *Crónica de los Reyes Católicos*, un texto castellano del siglo XVI. Intenta reescribir el texto en castellano contemporáneo, anotando todas las diferencias que encuentres (por ejemplo, *cibdad* en lugar de *ciudad*). A continuación, trata de explicar la manera en que has logrado averiguar el equivalente actual de los términos menos familiares (como, por ejemplo, *obsequias*).

Como la princesa que estaba en la cibdad de Segovia sopo la muerte del Rey Don Enrique su hermano, luego se intituló Reyna de Castilla é de Leon, é fizo las obsequias muy solemnes por el ánima del Rey. Otrosí allí en Segovia se fizo por los de la cibdad un cadahalso, do vinieron todos los Caballeros é regidores é la Clerecía de la cibdad, é alzaron en él los pendones Reales, diciendo: «Castilla, Castilla por el Rey Don Fernando é por la Reyna Doña Isabel, su muger, proprietaria destos Reynos»; é besáronle todos las manos, conosciéndola por Reyna é Señora dellos, é ficieron la solennidad é juramento de fidelidad, que por las leyes destos Reynos es instituido que se debe facer en tal caso á sus verdaderos Reyes.

■ Lecturas adicionales

El capítulo 11 de Fromkin *et al.* (2003) o el archivo 12 de *Language Files* (2004) constituyen sendas introducciones alternativas, también de breve extensión, a la expuesta en este libro al tema de la lingüística histórica. Para una concisa revisión del desarrollo histórico del inglés puede consultarse específicamente el capítulo 14 de Finegan (2004). Como textos introductorios pueden recomendarse los de Aitchison (2001), Campbell (2004), Janson (2002) y Trask (1996b), aunque un tratamiento más completo de esta cuestión es el que hacen Antilla (1989), Lass (1997), McMahon (1994) y Sihler (2000). Si se quiere abordar este tema desde una perspectiva diferente, conviene leer los trabajos de Dixon (1997) o de Labov (2001). Ya de forma más específica puede consultarse a Cannon (1990) en lo concerniente a la figura de Sir William Jones; a Comrie (1987), Garry y Rubino (2001), Grimes (2000) o Lyovin (1997), en lo que atañe a las lenguas del mundo y a las familias de lenguas; y a Baugh y Cable (1993), Crystal (2003b), Pyles y Algeo (1993) o a Smith (1996), en lo que se refiere a la historia de la lengua inglesa. Una revisión exhaustiva de las diferentes cuestiones concernientes a la lingüística histórica es la de Joseph y Janda (2001).

18

La variación geográfica de las lenguas

MISERICORDIA.- Porque la mujé que ha tenío un trompiezo en er mundo, como yo lo he tenío, lo pienza bien antes de escuchá a ningún hombre. Y no es que er corazón no me pía guerra –porque me la píe–, zino que enzeña mucho un trompiezo. Y yo tuve un trompiezo al empezá a viví... y toavía estoy yorando aquel trompiezo.

Serafín y Joaquín Álvarez Quintero, cit. en Alcalá Venceslada (1998)

A lo largo de este libro hemos tratado a las lenguas, como el inglés, el castellano o el swahili, como si sólo existiera una única variedad de cada una de ellas cuando se usan de forma cotidiana. En otras palabras, hemos ignorado, en gran medida, el hecho de que cualquier lengua varía sustancialmente, especialmente en la manera en que se habla. Si nos centramos en el caso del español, resulta posible encontrar diversas variedades del mismo, habladas en diferentes países, como Venezuela, Argentina, Méjico o España. A su vez, existen distintas variedades dentro de cada uno de estos países, siendo un ejemplo de la que se habla en algunas regiones de España el discurso de Misericordia en la obra *El patinillo*, de los hermanos Álvarez Quintero, tal como la cita Alcalá Venceslada en su diccionario. En el presente capítulo nos ocuparemos del análisis del componente de la variabilidad lingüística que depende del lugar en que se habla una determinada lengua, es decir, haremos **geografía lingüística**. Pero para empezar, será preciso identificar la variedad concreta a la que nos referimos habitualmente cuando hablamos de lengua inglesa, española o swahili.

La lengua estándar

Cuando en los capítulos precedentes analizamos los sonidos, las palabras y las oraciones de una lengua cualquiera, nos estábamos centrando, de hecho, en las características de una determinada variedad de la misma, denominada normalmente **lengua estándar**. Realmente se trata de una variedad idealizada, pero para la mayoría de las personas coincide con la variedad comúnmente aceptada como lengua oficial de su comunidad o de su país. Si pensamos, por ejemplo, en el caso del inglés estándar, se trataría de la variedad que esperamos encontrar impresa en los periódicos y en los libros, de la que se emplea normalmente en los medios de comunicación, y de la que se enseña en los colegios. Se trataría, asimismo, de la variedad del inglés que habitualmente se procura enseñar a quienes desean aprender el inglés como segunda lengua. Esta variedad se asocia indiscutiblemente con la educación y con la comunicación en un contexto público, y se puede describir con mayor facilidad en términos de lengua escrita (de ahí que se suela hablar del vocabulario, la ortografía o la gramática del inglés), que de la lengua hablada.

Si deseamos referirnos a la variedad general del inglés utilizada en las transmisiones de radio y televisión en Estados Unidos, entonces podemos recurrir al término más específico de inglés americano estándar, mientras que en el caso de Gran Bretaña hablaríamos de inglés británico estándar. Del mismo modo, y con relación a otras variedades reconocidas de inglés y empleadas en otras partes del mundo, podemos hablar de inglés australiano estándar, inglés canadiense estándar o inglés indio estándar.

Acento y dialecto

Con independencia de que pensemos o no que hablamos una variedad estándar de nuestra lengua materna, lo cierto es que todos tenemos **acento**. No es verdad que unos hablantes tengan acento y otros carezcan de él. Otra cosa bien distinta es que nos parezca que el acento de determinados hablantes es muy marcado o que puede reconocerse fácilmente, mientras que el de otros es más sutil o menos pronunciado. Sea como fuere, lo cierto es que cualquier hablante tiene acento. Técnicamente, el término «acento» tiene un uso más restringido y se emplea para describir aquellos aspectos de la pronunciación que permiten identificar la procedencia de un determinado hablante, bien en términos geográficos, bien en términos sociales. No obstante, conviene distinguir el término «acento» del término **dialecto**, que se utiliza para caracterizar determinados rasgos gramaticales y de vocabulario, además de los relacionados con la pronunciación.

Por ejemplo, parece evidente que la oración *No sabes de lo que estás hablando: ese tipo es tonto* tiene el mismo «aspecto» con independencia de que se pronuncie con acento argentino o con acento peninsular. En ambos casos los hablantes están utilizando formas del español estándar, aunque pronunciándolas de diferente manera. Sin embargo, una oración como *Vos no sabés de questas hablando: ese pibe es un boludo,* que tiene el mismo significado que la anterior, se ha escrito con la intención de reflejar lo más exactamente posible lo que diría una persona que hablase la variedad dialectal que conocemos como español argentino. Resulta evidente que entre ambas oraciones existen diferencias en la pronunciación (entonación, *questas*), pero también en lo que concierne al vocabulario (*pibe, boludo*) y a determinadas formas gramaticales (el voseo, *sabés*).

Mientras que las diferencias de vocabulario se reconocen fácilmente, las variaciones dialectales en lo que atañe al significado implícito en las construcciones gramaticales suelen estar menos documentadas. A continuación, se ofrece un ejemplo, citado en Trudgill (1983), de un diálogo entre dos hablantes de inglés británico, de visita en Irlanda (B y C), y un nativo, hablante de inglés irlandés (A), que tuvo lugar en Donegal:

A: *How long are youse here?*
(«¿Cuánto tiempo estáis aquí?»)
B: *Till after Easter.*
(«Hasta después de Pascua.»)
(El hablante A parece confundido.)
C: *We came on Sunday.*
(«Llegamos el domingo.»)
A: *Ah. Youse're a while then.*
(«Ah. Entonces ya lleváis aquí unos días.»)

Parece que en el dialecto del hablante A la construcción *How long are youse here?* tiene un significado parecido al de la estructura *How long have you been here?* («¿Cuánto hace que estáis aquí?»), refiriéndose, por consiguiente, a un tiempo pretérito. Sin embargo, el hablante B contesta a la pregunta de A como si dicha pregunta se refiriera a un tiempo futuro (es decir, como si tuviese un significado parecido a la estructura *How long are you going to be here?*, «¿Cuánto tiempo vais a estar aquí?»). Cuando el hablante C contesta recurriendo a una respuesta que alude a un suceso ya pasado (*We came on Sunday*, «Llegamos el domingo»), el hablante A se da cuenta de este hecho y vuelve a utilizar el tiempo presente (*Yose're here*, «Estaréis unos días») para referirse a un tiempo de pasado. Conviene resaltar que los visitantes parecen comprender sin mayor problema la forma dialectal *youse* (= *you* plural), aunque es muy improbable que forme parte de su propio dialecto.

Dialectología

Aunque de vez en cuando puedan surgir dificultades imprevistas durante la comunicación, lo cierto es que la mayoría de los hablantes de una determinada lengua tienen la impresión de que existe una inteligibilidad mutua entre los distintos dialectos de la misma. Éste es uno de los criterios empleados en el estudio de los dialectos, o **dialectología**, para distinguir entre dos dialectos diferentes de un mismo idioma (sus hablantes pueden, en general, comprenderse mutuamente) y dos lenguas diferentes (sus hablantes no pueden, en general, comprenderse mutuamente). Evidentemente, no es ésta la única manera, o la más fiable, de identificar los dialectos, pero resulta útil para poner de manifiesto el hecho de que cualquier dialecto, como también cualquier lengua, tiene el mismo valor en tanto que objeto de estudio. En este sentido, conviene subrayar que, desde el punto de vista lingüístico, ninguna de las variantes de una determinada lengua es intrínsecamente «mejor» que otra. Simplemente son diferentes.

Una cuestión distinta concierne a la circunstancia de que algunas variedades de una lengua concreta terminen adquiriendo más prestigio que otras desde el punto de vista social. De hecho, la variedad que se desarrolla como la lengua estándar suele ser en origen un dialecto prestigioso en términos sociales, relacionado inicialmente con un centro cultural o político (por ejemplo, Londres, para el inglés británico, o París, para el francés). Pero siempre seguirán existiendo otras variedades de esa lengua, habladas en diferentes regiones.

Dialectos regionales

La existencia de diferentes dialectos regionales es un hecho ampliamente conocido y, a menudo, es también el origen de muchos chistes acerca de los hablantes procedentes de otras regiones. Así, en Estados Unidos es posible oír a alguien de Brooklyn bromear sobre la definición de *sex* («sexo») que hacen los hablantes procedentes de los estados del Sur, aludiendo al hecho de que para ellos *sex is fo'less than tin* («sexo es cuatro menos que diez»). Para que el chiste surta efecto, es preciso lograr imitar adecuadamente la pronunciación sureña de la palabra *six*, «seis». A su vez, los sureños suelen bromear preguntando a los hablantes oriundos de Brooklyn por la identidad de un *tree guy* («chico del árbol»), ya que afirman que estos últimos suelen aludir frecuentemente a *doze tree guys* (en lugar de *those three guys,* «aquellos tres chicos»). Resulta evidente, por tanto, que a algunos dialectos regionales se les suele asociar una pronunciación estereotipada.

Sin embargo, quienes se ocupan en serio del estudio de los dialectos regionales intentan dejar a un lado los estereotipos y dedican buena parte de su investigación a tratar de identificar los rasgos del habla que están presentes de forma recurrente en un área geográfica determinada, pero no en otra. A menudo, estos estudios dialectales prestan una exquisita atención a los detalles y tienden a emplear criterios muy selectivos a la hora de identificar a los informantes que resultan aceptables. Después de todo, es importante saber si la persona cuya forma de hablar se está analizando constituye realmente un representante típico del dialecto característico de la región que se está estudiando.

Por consiguiente, en la mayoría de los estudios dialectales suele recurrirse a **NORMS**, es decir, *non-mobile, older, rural, male speakers* («hablantes de sexo masculino, habitantes del medio rural, de edad avanzada y estables»). En principio, este tipo de hablantes se seleccionó porque se creía que estaría menos sujeto a las influencias procedentes de los confines de su área dialectal. Sin embargo, una consecuencia desafortunada que conllevó la elección de esta clase de informantes fue que las descripciones dialectales resultaron ser más precisas con referencia a un periodo temporal anterior a aquel en el que se estaba realizando la investigación. Con todo, la detallada información que han proporcionado estos estudios ha sido la base para la confección de numerosos atlas lingüísticos de países completos (por ejemplo, el de Inglaterra) o de regiones (como es el caso del área septentrional de la región del Medio Oeste en los Estados Unidos).

Las isoglosas y las fronteras dialectales

A continuación analizaremos algunos ejemplos de las variaciones regionales encontradas en uno de estos estudios, concretamente en el que dio lugar al *Linguistic Atlas of the Upper Midwest of the United States* (*Atlas Lingüístico de la región septentrional del Medio Oeste de los Estados Unidos*). Uno de los objetivos de este tipo de estudios es el de tratar de encontrar cuantas diferencias significativas sea posible en el habla de quienes viven en áreas geográficas distintas e intentar determinar, a continuación, la localización de las fronteras dialectales que existen en ellas. Así, si se observa, por ejemplo, que la gran mayoría de los informantes de un área concreta afirman que transportan sus cosas a casa desde el supermercado en una *paper bag* («bolsa de papel»), mientras que la mayor parte de los hablantes de un área vecina indican que ellos utilizan un *paper sack* («saco de papel»), entonces resulta posible, en general, trazar una línea sobre el mapa para separar ambas áreas, tal como se muestra en la ilustración que aparece a continuación. Esta línea se denomina **isoglosa** y representa un límite entre dos áreas diferentes en lo que respecta a un determinado elemento lingüístico.

Si resulta que además existe una distribución parecida en el caso de otros dos elementos, como, por ejemplo, una preferencia a la hora de utilizar *pail* («cubo») en el Norte, y *bucket* en el Sur, entonces se puede trazar otra isoglosa, que posiblemente se superponga a la anterior. Cuando varias isoglosas terminan coincidiendo de esta manera, resulta posible trazar una línea más sólida, que indicaría la existencia de una **frontera dialectal**.

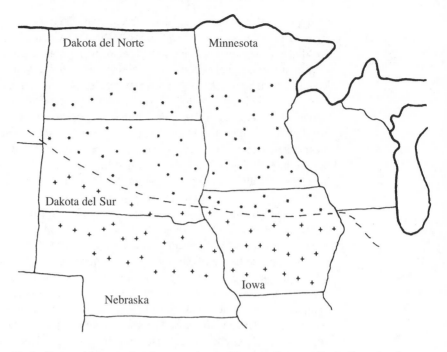

En la ilustración anterior, los asteriscos de pequeño tamaño indican los lugares donde se utiliza *paper bag,* mientras que el signo + señala las localidades donde se ha constatado el empleo de *paper sack.* La línea discontinua que separa las dos áreas representa la isoglosa, que coincide, en términos generales, con las líneas de separación correspondientes a otros rasgos lingüísticos. Utilizando esta información sobre las fronteras dialectales podemos concluir que en el norte de la región del Medio Oeste de los Estados Unidos existe un área dialectal que corresponde al denominado dialecto «norteño», que incluye Minnesota, Dakota del Norte, la mayor parte de Dakota del Sur y el norte de Iowa. El resto de Iowa y la totalidad de Nebraska muestran características propias del dialecto de las Midland. Algunas de las diferencias de pronunciación y de vocabulario existentes entre ambos dialectos se recogen en la tabla siguiente:

	«t<u>au</u>ght» («enseñó»)	«r<u>oo</u>f» («tejado»)	«cr<u>ee</u>k» («arroyo»)	«grea<u>s</u>y» («grasiento»)	
«Norteño»:		[ɔ]	[ʊ]	[ɪ]	[s]
Midland:	[a]	[u]	[i]	[z]	

	(«bolsa de papel»)	(«cubo»)	(«queroseno»)	(«hábil»)	(«ponerse enfermo»)
«Norteño»:	*paper bag*		*pail*	*kerosene*	*slippery* *get sick*
Midland:	*paper sack*	*bucket*	*coal oil*	*slick*	*take sick*

En otras palabras, si un hablante de inglés americano pronuncia la palabra *greasy* como [grizi] y pide un *bucket* para transportar el agua, lo más probable es que no haya crecido, no pasado la mayor parte de su vida, en Minnesota. No obstante, conviene remarcar que las formas típicas mencionadas anteriormente no las utilizan todas las personas que viven, de hecho, en una región determinada, sino que las emplea un elevado porcentaje de las personas que fueron entrevistadas durante la realización del estudio dialectal en cuestión.

El *continuum* dialectal

En relación con las fronteras dialectales conviene hacer otra advertencia. El hecho de trazar fronteras dialectales e isoglosas resulta bastante útil cuando se quiere obtener una visión general de los dialectos regionales, pero tiende a ocultar la circunstancia de que, en la mayoría de las áreas de frontera dialectal, los dialectos o las variedades de una lengua determinada tienden a entremezclarse. Teniendo esto presente, resulta más apropiado concebir la variación regional como el resultado de la existencia de un *continuum* **dialectal**, y no como una sucesión de regiones dialectales separadas de forma nítida y distinta de la contigua.

Un tipo muy parecido de *continuum* puede aparecer cuando dos lenguas relacionadas se encuentran separadas por una frontera política. Así, cuando viajamos de Holanda a Alemania, conforme nos acercamos a este último país los núcleos de población de hablantes de holandés van dejando paso a áreas, cercanas ya a la frontera, donde el «Dutch» («holandés») comienza a sonar como el «Deutsch» («alemán»), debido a que los dialectos del holandés y los dialectos del alemán comienzan a distinguirse con mayor dificultad. A medida que nos vamos adentrando en Alemania, la concentración de individuos que hablan algo que es, sin lugar a dudas, alemán, se va incrementando.

Los hablantes que van y vienen, cruzando esa frontera, y que utilizan las diferentes variedades con significativa facilidad, pueden considerarse **bidialectales** (es decir, hablan dos dialectos). La mayoría de nosotros ha crecido disponiendo de alguna suerte de bidialectalismo, hablando un dialecto «en la calle» y teniendo que aprender otro dialecto «en el colegio». Sin embargo, existen personas que conocen dos lenguas diferentes. Este tipo de individuos se denominan **bilingües**.

Bilingüismo y diglosia

En muchos países la variación regional no es meramente una cuestión de la existencia de dos (o más) dialectos diferentes de la misma lengua, sino que implica la existencia de dos (o más) lenguas diferentes y, en ocasiones, bastante distintas entre sí. Canadá, por ejemplo, es un país oficialmente bilingüe, en donde tanto el inglés como el francés tienen el estatus de lengua oficial. Sin embargo, el reconocimiento de los derechos lingüísticos de los hablantes de francés existentes en el país, que se concentran fundamentalmente en la región de Quebec, no se ha producido sin venir acompañado de no pocos problemas políticos. Durante la mayor parte de su historia, Canadá ha sido esencialmente un país de habla inglesa, aunque con una minoría francófona. En una situación así, el **bilingüismo** a nivel individual ha sido, en general, privativo de un grupo muy restringido de personas. En este tipo de bilingüismo suele ser característico que el miembro del grupo minoritario crezca en el seno de su comunidad lingüística en una situación que, en la práctica, puede considerarse monolingüe (es el caso del galés en Gran Bretaña o del español en los Estados Unidos), y que aprenda posteriormente el otro idioma (en todos los casos anteriores, el inglés) para poder participar de la vida de la comunidad lingüística más numerosa y dominante.

De hecho, muchos miembros de minorías lingüísticas pueden vivir durante toda su vida sin llegar a encontrarse con su lengua materna en el ámbito público. En ocasiones, el activismo político puede lograr que esta situación cambie. En Gales sólo se empezaron a utilizar de forma habitual anuncios y señales bilingües (en inglés y galés) una vez que las señales y los anuncios en inglés fueron tachados y reemplazados por pintadas en galés durante un prolongado período de tiempo. Seguramente muchos *henoed* («ancianos») nunca pensaron que llegarían a ver señales públicas escritas en su lengua materna, como sucede con la reproducida anteriormente. Otra cosa es que se pregunten también por las razones por las que son ellos los que constituyen un peligro para la circulación.

En todo caso, el individuo bilingüe no tiene por qué ser necesariamente una consecuencia de la existencia de una situación de dominio político por parte de un grupo que utiliza una lengua diferente a la lengua materna de dicho individuo. El bilingüismo puede ser simplemente el resultado de tener unos padres que hablen lenguas diferentes. Si un niño adquiere simultáneamente el francés que habla su madre y el inglés que habla su padre, es posible que no perciba ambas lenguas como idiomas diferentes, sino meramente como dos formas distintas de hablar, en función de la persona a la que se dirija. No obstante, incluso en este tipo de bilingüismo, una de las dos lenguas tiende a ser la dominante, mientras que la otra tiende a adoptar una posición subordinada.

En algunos países se da una situación bastante peculiar en lo concerniente a la presencia de dos variedades diferentes de una misma lengua. Dicha situación se denomina **diglosia** e implica la existencia de una variedad «inferior», que se aprende en cada región y que se usa en las relaciones cotidianas, y de una variedad especial o «elevada», que se aprende en las escuelas y que se emplea cuando se han de tratar asuntos relevantes. En los países árabes existe una situación de diglosia de este tipo, desde el momento en que la variedad «elevada» (el árabe clásico) se utiliza en las conferencias o las clases formales, en los acontecimientos políticos relevantes y, especialmente, en las controversias de carácter religioso, mientras que las variedades «inferiores» están representadas por las variantes locales del idioma, como es el caso del árabe egipcio o del árabe libanés. Durante un dilatado período de la historia europea ha existido también una situación de diglosia en muchas regiones, de forma que el latín era la variedad «elevada» y cualquiera de las lenguas europeas locales (en particular, las formas antiguas del francés, el español y las restantes lenguas románicas), las variedades «inferiores» o «vernáculas» (véase el capítulo 19).

Planificación lingüística

Quizás debido al hecho de que el bilingüismo en Europa y Norteamérica suele estar restringido actualmente a grupos minoritarios, lo habitual es considerar a muchos países de estas regiones como monolingües. Para la mayoría de los habitantes de los Estados Unidos, que sólo son capaces de utilizar una única lengua (el inglés), este país sería monolingüe. Sin embargo, para otros estadounidenses es evidente que no lo es, puesto que forman parte de comunidades de gran tamaño cuyos miembros no emplean el inglés en sus hogares. Por poner un ejemplo, la mayoría de la población de San Antonio, Tejas, suele escuchar las emisiones de radio en español, y no en inglés. Este simple hecho tiene importantes repercusiones en lo concerniente a la manera de lograr organizar un gobierno local representativo o en lo que atañe al sistema educativo. ¿En qué lengua se deberían impartir las clases en la escuela primaria, en inglés o en español?

Consideremos ahora esa misma cuestión en un contexto diferente, el de Guatemala, donde, además del español, se hablan veintiséis lenguas mayas distintas. En esta situación, si se elige el español como lengua de educación, ¿se está colocando a todos los hablantes de maya en una posición de desventaja en términos sociales ya desde la etapa de la educación primaria? Este tipo de problemas requiere respuestas emanadas de algún tipo de programa de **planificación lingüística**. Los gobiernos y los organismos educativos y legislativos de muchos países tienen que planificar qué variedad (o variedades) de la lengua (o lenguas) habladas en el país se va(n) a considerar oficial (u oficiales) y se va(n) a usar en las cuestiones administrativas. En Israel, por ejemplo, a pesar de que el hebreo no era la lengua más hablada entre la población, fue elegida como la lengua oficial del Gobierno. En la India, por poner otro caso, se eligió el hindi, aunque en muchas regiones donde no se hablaba esta lengua se produjeron disturbios por esta causa. En Filipinas, por último, se llegó incluso a «guerras por la lengua nacional» antes de que los diferentes grupos lograran ponerse de acuerdo acerca de la denominación que recibiría la lengua nacional (filipino).

Se puede comprender mejor la naturaleza y los objetivos del proceso de planificación lingüística analizando un caso concreto en el que las distintas etapas del mismo se hayan ido aplicando durante numerosos años. Un buen ejemplo podría ser la adopción del swahili como lengua nacional en Tanzania. Aunque todavía hay en este país un gran número de lenguas tribales y también subsisten vestigios del inglés utilizado en la época colonial, el swahili se ha ido incorporando gradualmente como lengua oficial a los sistemas educativo, legal y administrativo. A un proceso de «selección», es decir, de elección de una determinada lengua como oficial, le sucede uno de «codificación», que consiste en hacer uso de gramáticas básicas, diccionarios y modelos escritos con el objetivo de crear y asentar la variedad estándar. Al proceso de «codificación» le sigue el de «elaboración», en el que la variedad estándar se va desarrollando, con objeto de que pueda utilizarse en cualquier ámbito de la vida social; a lo largo de este período comienzan a aparecer diferentes obras literarias escritas en la variedad elegida. La siguiente fase del proceso de planificación lingüística es la de «implementación», que consiste fundamentalmente en el desarrollo y la puesta en práctica de un programa gubernamental destinado a promocionar el uso de la variedad estándar por parte de la población. Una última fase es la de «aceptación», que tiene lugar cuando una mayoría sustancial de la población alcanza la competencia deseada en la variante estándar y termina concibiéndola como la lengua nacional, de forma que dicha variedad no sólo acaba desempeñando un papel social fundamental, sino que termina contribuyendo de forma significativa a la conformación de la propia identidad nacional.

Pidgins y lenguas criollas

En algunos lugares la variedad estándar elegida como lengua nacional puede ser una variedad que originalmente no contaba con hablantes nativos en el país en cuestión. Así, por ejemplo, en Papúa-Nueva Guinea la mayor parte de los trámites oficiales se hacen en tok pisin, una lengua que cuenta actualmente con alrededor de un millón de hablantes, pero que surgió inicialmente como una suerte de lengua «de contacto», lo que a menudo se denomina una lengua *pidgin*. Un **pidgin** (o sabir) es una variedad lingüística de una determinada lengua (por ejemplo, del inglés) que se ha desarrollado con propósitos prácticos (como el comercio) entre grupos de personas que suelen mantener entre sí una relación habitual, pero que desconocen sus respectivas lenguas. En otras palabras, un *pidgin* no cuenta con hablantes nativos. Se cree que el término *pidgin* proviene de la versión china de la palabra inglesa *business* («negocios»).

Un *pidgin* se caracteriza como «*pidgin* inglés» (o «inglés sabir») si el inglés es la lengua **lexificadora**, es decir, si la mayoría de las palabras del *pidgin* provienen del inglés. Sin embargo, esto no implica que dichas palabras conserven su pronunciación o su significado originales. Así, por ejemplo, aunque la palabra *gras* procede de la palabra inglesa «grass» («hierba»), en tok pisin también ha llegado a significar «pelo». Del mismo modo, forma parte de la palabra *mausgras* («bigote», que literalmente significaría «bocapelo», del inglés *mouthgrass*) y de *gras bilong fes* («barba», que literalmente significaría «pelo pertenece cara», en inglés *grass belongs [to the] face*).

Aún hoy en día se siguen utilizando en todo el mundo diversos *pidgins* basados en el inglés. Se caracterizan por la ausencia de una morfología gramatical compleja y por un vocabulario muy limitado. Los sufijos flexivos, como la -*s* (plural) y la -'*s* (posesivo), que en inglés estándar se aplican a los nombres, no suelen utilizarse en los *pidgins*, mientras que son frecuentes estructuras como *tu buk* (*two books*, «dos libros») y *di gyal pleis* (*the girl's place*, «la casa de la chica»). Habitualmente los morfemas funcionales reemplazan a los morfemas flexivos característicos de la lengua base. Así, por ejemplo, en lugar de cambiar la forma *you* («tú») por *your* («tu»), como sucede en el sintagma *your book* («tu libro») del inglés estándar, las lenguas *pidgin* basadas en el inglés utilizan una forma alternativa, como *bilong* (del inglés *belong* «pertenecer»), y modifican además el orden de las palabras, de manera que la frase resultante es algo así como *buk bilong yu* («libro pertenece tú»).

La sintaxis de los *pidgins* puede llegar a diferir sustancialmente de la sintaxis de las lenguas de las que proviene su vocabulario (con independencia de que los términos tomados en préstamo terminen o no modificándose), como se pone de manifiesto en el siguiente ejemplo, relativo a una etapa anterior a la actual del tok pisin:

Baimbai	*hed*	*bilongyu*	*i-arrait*	*gain*
by and by	head	belong you	he-alright	again
(«pronto»)	(«cabeza»)	(«pertenecer tú»)	(«él-bien»)	(«de nuevo»)

«Tu cabeza pronto estará bien de nuevo.»

Se cree que existen entre seis y doce millones de personas que todavía emplean lenguas *pidgin,* y entre diez y diecisiete millones que utilizan los derivados de los *pidgins* que se denominan «lenguas criollas». Cuando un *pidgin* se desarrolla más allá de su papel de lengua de comercio o de contacto y se convierte en la primera lengua de un determinado grupo social, se dice que se ha convertido en una **lengua criolla**. El tok pisin, por ejemplo, es actualmente una lengua criolla. Otro caso de lengua criolla es el de lo que técnicamente se conoce como lengua criolla hawaiana, la cual, si bien todavía se denomina localmente «pidgin», es realmente la lengua que habla un amplio número de personas en Hawai. La lengua criolla se convierte en la lengua materna para los hijos de los hablantes de un *pidgin*. Esto implica que, a diferencia de los sabires, las lenguas criollas cuentan con numerosos hablantes nativos y no tienen ninguna restricción en lo que se refiere a su utilización. De esta forma, la mayoría de la población de Haití habla una lengua criolla basada en el francés, mientras que en Jamaica y en Sierra Leona se utilizan otras lenguas criollas basadas en el inglés.

Los elementos léxicos de un *pidgin* pueden convertirse en los elementos gramaticales de una lengua criolla. Así, la forma *baimbai yu go* («*by and by you go*», literalmente «pronto tú ir», «dentro de poco irás»), característica de las etapas iniciales del tok pisin, se fue acortando gradualmente, de manera que dio lugar a *bai you go* y, finalmente, a *yu bigo*, cuya estructura gramatical no difiere demasiado de su equivalente traduccional en inglés, *you will go* («tú irás»).

El *continuum* post-criollo

Actualmente, en muchos sitios en los que habían surgido y evolucionado lenguas criollas suelen detectarse evidencias de que está teniendo lugar un proceso adicional. Del mismo modo que los *pidgins* fueron evolucionando hasta dar lugar a las lenguas criollas (un proceso que se denomina **criollización**), en la actualidad se observa frecuentemente un retroceso en la utilización de la lengua criolla por parte de aquellos que tienen un mayor contacto con la variedad estándar de la lengua original. Allí donde se asocia la educación y un mayor prestigio social con una variedad más «elevada» (como puede ser el caso del inglés británico en Jamaica), son muchos los hablantes que tienden a utilizar cada vez menos formas y estructuras criollas. Este proceso, conocido como **desacriollamiento**, da lugar, por un lado, a una variedad que se parece en mayor grado al modelo estándar externo, mientras que, por otro lado, genera una variedad básica con un mayor número de rasgos criollos locales. Entre ambos extremos existe todo un rango de variedades distintas, que difieren ligeramente unas de otras y que poseen un número variable de rasgos criollos. Este amplio espectro de variedades, surgidas tras (= «post») la aparición inicial de la lengua criolla, se denomina *continuum* **postcriollo**.

Así, en Jamaica, un hablante puede decir *a fi mi buk dat*, y en ese caso está utilizando la variedad criolla básica, mientras que otro dirá *iz mi buk,* empleando una variedad con menos rasgos criollos; es posible, finalmente, que un tercer hablante afirme *it's my book*, por lo que estará usando una variedad en la que sólo podrán apreciarse los rasgos característicos de la pronunciación criolla, es decir, el «acento criollo». También es muy frecuente que los hablantes utilicen variedades diferentes del *continuum* postcriollo en función de las circunstancias.

Lo esperable es que estas diferencias en el uso de las distintas variedades se encuentren ligadas en gran medida a valores e identidades sociales. Al hablar de las variedades lingüísticas en términos geográficos hemos obviado, de forma ciertamente artificiosa, los complejos factores sociales que también entran en juego a la hora de determinar la variación lingüística. En los dos capítulos finales de este libro investigaremos el efecto que tienen algunas de estas variables sociales.

■ Ejercicios

1. ¿Qué variedad del español crees que se está usando en la cita de los hermanos Álvarez Quintero que encabeza este capítulo?

2. ¿Qué diferencia existe entre dialecto y acento?

3. ¿Qué problema fundamental plantea la utilización de los NORMS en los estudios dialectales?

4. ¿Qué representa una isoglosa en un atlas lingüístico?

5. ¿Cuáles son las dos primeras etapas de un proceso de planificación lingüística destinado a conseguir la implantación de una lengua concreta como lengua nacional?

6. ¿Cuál es la diferencia fundamental que existe entre un *pidgin* y una lengua criolla?

■ Tareas de investigación

A. George Wenker y Jules Guilliéron fueron dos pioneros de la dialectología. ¿En qué diferían los métodos empleados por ambos investigadores? ¿Cuál de ellos se convirtió en la base de los estudios dialectológicos posteriores?

B. Trata de averiguar en qué zonas de las Islas Británicas es posible encontrar:

(i) un acento *brummie*
(ii) un hablante de *scouse*
(iii) el uso de *bairns* en lugar de *children* («niños»)
(iv) el uso de *boy* en lugar de *man* («hombre»)
(iii) el uso de *fink* en lugar de *think* («pensar»)
(iii) el uso de la expresión *Would you be after wanting some tea?* en lugar de *Do you want some tea?* («¿Quieres un poco de té?»)

C. ¿A qué se le alude, en el ámbito del estudio de los *pidgins*, cuando se habla de lenguas «sustrato» y lenguas «superestrato»?

D. El siguiente fragmento de inglés criollo hawaiano (que procede de Lum, 1990, citado en Nichols, 2004) contiene algunas formas y estructuras dignas de atención:

Had one nudda guy in one tee-shirt was sitting at da table next to us was watching da Bag Man too. He was eating one plate lunch and afterwards, he wen take his plate ovah to da Bag Man. Still had little bit everyting on top, even had bar-ba-que meat left.
«Bra, » da guy tell, »you like help me finish? I stay full awready.»

Analiza el uso de *da*, *one*, *stay* y *wen* en el fragmento anterior.

■ Temas/proyectos de discusión

I. Peter Trudgill ha hecho notar que «el incremento de la movilidad geográfica durante el siglo XX ha dado lugar a la desaparición de numerosos dialectos y formas dialectales debido a un proceso que puede denominarse «nivelación dialectal», en tanto que ha supuesto rebajar las diferencias que existían entre unos dialectos y otros» (2000: 155). En relación con este hecho, trata de responder a las siguientes cuestiones:

(i) ¿Crees que la «nivelación dialectal» es un proceso activo en el área geográfica en la que vives?

(ii) ¿Cress que esto implica necesariamente que al final terminará existiendo un único dialecto?

(iii) ¿Qué otras fuerzas pueden estar actuando capaces de hacer que aparezcan nuevos dialectos?

(Para obtener información básica sobre esta cuestión puedes consultar el capítulo 8 de Trudgill, 2000.)

II. El inglés no es la lengua oficial de los Estados Unidos, aunque hay quien defiende que debería serlo. Trata de enumerar los argumentos a favor y en contra del «English-Only Movement («Movimiento por el inglés como lengua única»).

(Para obtener información básica sobre esta cuestión puedes consultar el volumen de Wiley, 2004.)

III. En los estudios sobre variación lingüística, una gran barrera geográfica se suele considerar, a menudo, como un factor responsable de la aparición y el mantenimiento de variedades diferentes de una determinada lengua. Como quiera que el océano Atlántico es una gran barrera de este tipo, no debería sorprendernos encontrar algunas diferencias entre el inglés británico y el americano, en particular, en lo que respecta a su vocabulario. En relación con este hecho, trata de responder a las siguientes cuestiones:

(i) ¿Serías capaz de identificar, con la ayuda de un diccionario, el significado de las siguientes palabras en ambas variedades?

allowance, baggage, bill, biscuits, braces, bonnet (referido a coche), *boot* (referido a coche), *bum, chips, comforter, dustman, fanny, firstfloor, flat* (nombre), *gas, homel, lay-by, lift* (nombre), *lorry, lounge, mean* (adjetivo), *mince, nappy, pants, paraffin, pavement, petrol, post, rubber, spanner, surgery, tights, torch, trailer, sweets, vest.*

(ii) ¿Existen términos privativos de una de las dos variedades?

(iii) ¿Por qué crees que la variación no es en realidad muy notable, aunque la barrera sí lo sea?

IV. En algunos dialectos británicos (sobre todo del norte de Inglaterra y de Escocia) y de las regiones meridionales de los Estados Unidos (fundamentalmente en la zona comprendida entre Georgia y Louisiana), aparece una construcción gramatical que no se encuentra en el inglés estándar. Se denomina construcción con doble modal, porque se utilizan dos verbos modales. Un ejemplo de dicha construcción sería el siguiente: *I might could do it later* (literalmente, «Yo podría podía hacerlo después»). Los modales básicos del inglés son los siguientes: *can, could, may, might, must, ought to, shall, should, will, would* (equivalen a las formas castellanas *puedo, puedes, puede...; podría, podrías, podría...; debo, debes, debe...; debería, deberías, debería...;* etc.).

(i) ¿Cuál crees que es el significado que se intenta comunicar con una construcción de doble modal que no vaya ya implícito en el significado de un único modal (por ejemplo, *might could* «podría podía» frente a *could* «podría»)?

(ii) ¿Consideras que se trata de una mera coincidencia el hecho de que estas formas aparezcan en dos regiones tan separadas o crees, por el contrario, que podría existir alguna conexión?

V. La Comisión sobre el bilingüismo y la biculturalidad publicó en 1961 las siguientes estadísticas con respecto a la población de Montreal.

	Inglés	Francés	Otros
Población según origen étnico	377.625	1.353.480	378.404
Número de bilingües según origen étnico	101.767	554.929	119.907
Número de individuos monolingües en cada lengua oficial:	462.260	826.333	–

(i) Trata de averiguar el porcentaje de cada grupo por su origen, según si son o no bilingües y en función de si son monolingües o no.

(ii) ¿Qué crees que predomina en cada uno de estos grupos, el monolingüismo o el bilingüismo?

(iii) Trata de averiguar cuál de las dos lenguas oficiales fue la que aprendieron preferentemente quienes figuran en el grupo *Otros*. ¿Por qué crees que sucedía esto en una ciudad canadiense?

VI. A continuación se incluyen algunos ejemplos del inglés criollo hawaiano (tomados de Bickerton, 1991), junto con las correspondientes traducciones al inglés estándar (y al español).

Us two bin get hard time raising dog.
«The two of us had a hard time raising dogs.»
(Literalmente: «Los dos de nosotros tuvimos un difícil tiempo criando perros.»)
(«Ambos pasamos una época mala criando perros.»)

John-them stay cockroach the kauhay
«John and his friends are stealing the food.»
(«John y sus amigos están robando la comida.»)

He lazy, 'a'swhy he no like play.
«He doesn't want to play because he's lazy.»
(«Él no quiere jugar, porque es perezoso.»)

More betterI bin go Honolulu for buy om.
«It would have been better if I'd gone to Honolulu to buy it.»
(literalmente, «Esto hubiera sido mejor si yo hubiera ido a Honolulú a comprarlo».)
(«Hubiera sido mejor que hubiese ido a Honolulú a comprarlo.»)

The guy gon'lay the vinyl bin quote me price.
«The man who was going to lay the vinyl had quoted me a price.»
(«El hombre que iba a poner el vinilo fijome un precio.»)
(«El tipo que iba a poner el vinilo me puso el precio.»)

Bin get one wahine she get three daughter.
«There was a woman who had three daughter.»
(«Había una mujer que tenía tres hijas.»)

She no can go, she no more money, 'a'swhy.
«She can't go because she hasn't any money.»
(«Ella no puede ir, porque no tiene ningún dinero.»)

(i) ¿Cuáles son las diferencias lingüísticas que existen entre estas dos variedades del inglés? (Una buena manera de abordar este problema es comenzar analizando la forma en que se expresa el tiempo pasado y el número plural.)

VII. Las diferentes variedades de una lengua siempre despiertan grandes polémicas por una razón u otra. Lingüísticamente, sólo existen variedades no estándar, pero socialmente hay variedades «malas» o «subestándar». Hay quien defiende que es una obligación del sistema escolar lograr que los alumnos que las utilizan dejen de hacerlo, proporcionándoles, a cambio, una lengua «mejor».

(i) ¿Estás de acuerdo con este punto de vista?

(ii) ¿Crees que este argumento puede aplicarse por igual a niños que empiezan el colegio en inglés y cuya lengua nativa es el español, el vietnamita, el urdu (una variedad del hindi, con gran abundancia de palabras persas, que se utiliza en Pakistán) o el criollo?

(Para obtener información adicional sobre esta cuestión puedes consultar los textos de Baron, 1990, o Crawford, 1992.)

■ Lecturas adicionales

El capítulo 20 de Crystal (2003b) o el capítulo 11 de Finegan (2004) constituyen sendas introducciones alternativas, también de breve extensión, a la expuesta en este libro al tema de las variedades regionales de las lenguas. Como textos introductorios, que contienen secciones dedicadas específicamente a la variación regional, pueden recomendarse los de Holmes (2001), Romaine (2000) y Trudgill (2000). Otros manuales apropiados son los de Chambers (2003), Finegan y Rickford (2004), Mesthrie *et al.* (2000) y Wardhaugh (1998). Ya de forma más específica, puede consultarse a Trudgill y Hannah (2002) en lo concerniente a las diferentes variedades del inglés estándar. Para obtener ejemplos adicionales del criollo jamaicano puede recurrirse a Chambers y Trudgill (1998). Acerca del *continuum* dialectal germano-holandés puede consultarse a Barbour y Stevenson (1990). Allen (1973-76) se ocupa extensamente de la cuestión del Atlas Lingüístico de la región septentrional del Medio Oeste de los Estados Unidos, mientras que Kretzschmar (2004) hace lo propio en lo que atañe a los dialectos regionales. Para trabajos menos específicos, puede consultarse a Wolfram y Schilling-Estes (1998) en lo concerniente al inglés americano y a Trudgill (1999) en el caso del inglés británico. Para el bilingüismo, véase a Romaine (1995) o la revisión del tema, más exhaustiva, que hacen Baker y Jones (1998). Acerca de la planificación lingüística puede consultarse a Kaplan y Baldauf (1997, 1999). En Holm (2000) o en Todd (1990) es posible encontrar un tratamiento adecuado de la cuestión de los *pidgins* y de las lenguas criollas. Sankoff y Laberge (1974) han documentado el caso específico de la transformación del baimbai en tok pisin, mientras que Sakoda y Siegel (2003) han descrito el inglés criollo hawaiano.

19

La variación social de las lenguas

No cabe duda de que resulta complicado realizar juicios estilísticos acerca del argot empleado en el pasado. No obstante, si nos encontramos en un libro inglés del siglo XVII con una descripción de una persona en estos términos «shite-a-bed scoundrel, a turdy gut, a blockish grutnol and a grouthead gnat-snapper» (literalmente, «villano lecho-de-mierda, tripa de heces, cabeza cuadrada de moneda de cuatro peniques, papamoscas cabeza de bloque») lo más probable es que el escritor no estuviese empleando la variedad neutra o «apropiada» de la época; antes bien, podemos asumir sin temor a equivocarnos que estaba haciendo uso del argot para caracterizar a dicha persona como alguien despreciable y de escasa inteligencia [una simple evidencia de este hecho es que aún hoy en día una palabra como *turd,* que constituye una forma vulgar de aludir a las heces, se emplea en el argot con el significado aproximado de «tonto de remate»].

Burridge (2004)

En el capítulo anterior nos centramos en la variación en el uso de una lengua que está asociada a factores geográficos. Sin embargo, en una área geográfica concreta no todo el mundo habla siempre de la misma manera. Parece evidente que determinados usos del idioma, como el argot al que alude Kate Burridge en la cita que encabeza este capítulo, se asocian preferentemente a unos individuos y no a otros. También solemos ser conscientes de que dos personas que viven próximas en una misma zona geográfica, pero cuya educación o nivel de renta es distinto, suelen hablar de forma bastante diferente. De hecho, estas diferencias pueden emplearse, consciente o inconscientemente, para señalar la pertenencia de un individuo a un grupo social o a una comunidad de hablantes determinados. Una **comunidad de hablantes** puede definirse como un grupo de personas que comparten un conjunto de normas y expectativas con relación al uso de la lengua. El estudio de las características lingüísticas que son relevantes en términos sociales para los miembros de una comunidad de hablantes se conoce como «sociolingüística».

Sociolingüística

En términos generales, la **sociolingüística** se ocupa del análisis de las relaciones existentes entre el lenguaje y la sociedad. Se trata de una vasta área de investigación que surgió como consecuencia de la interacción entre la Lingüística y diversas disciplinas académicas. Así, está en estrecho contacto con la Antropología, en tanto que se encarga del análisis de las relaciones que existen entre la lengua y la cultura, pero también con la Sociología, por cuanto busca determinar el papel crucial que desempeña el lenguaje en la organización de los grupos y las instituciones sociales. También está relacionada con la Psicología Social, especialmente en lo que se refiere a su interés por la manera en que se expresan las actitudes y las percepciones, y por el modo en que pueden identificarse los comportamientos integradores o marginadores en un grupo. Todas estas conexiones resultan relevantes a la hora de tratar de analizar el lenguaje desde un punto de vista social.

Dialectos sociales

A diferencia de lo que sucedía en el caso de los tradicionales estudios acerca de los dialectos regionales, que tendían a centrarse en la forma de hablar de los habitantes de las áreas rurales, los actuales estudios acerca de los **dialectos sociales** o **sociolectos** tienden a centrarse fundamentalmente en la forma de hablar de los habitantes de pueblos y ciudades. En el estudio social de los dialectos, se suele recurrir al concepto de clase social para definir grupos de hablantes que tienen alguna característica en común. En general, se suelen distinguir dos grandes grupos, que se designan como «clase media» y «clase trabajadora», respectivamente. El primero incluye aquellos individuos cuya educación se ha prolongado durante más tiempo y que, en general, desempeñan trabajos intelectuales; por el contrario, en el segundo grupo se incluyen quienes abandonaron los estudios relativamente pronto y se ocupan de algún tipo de trabajo manual. En consecuencia, cuando nos referimos al «habla de la clase trabajadora» estamos aludiendo a un determinado dialecto social. Por otra parte, se suele recurrir a los términos «alta» y «baja» para subdividir cada uno de los grupos anteriores, atendiendo, en líneas generales, a un criterio de renta, de forma que «el habla de la clase media-alta» sería otro tipo de sociolecto.

Como sucede en cualquier estudio dialectal, para el análisis de los sociolectos sólo suelen considerarse como relevantes algunos de los rasgos característicos de la lengua. En términos generales, el objetivo fundamental de este tipo de análisis consiste en determinar la existencia de alguna diferencia entre la pronunciación, el vocabulario o las estructuras sintácticas empleados por dos grupos sociales, habitualmente, por la clase trabajadora y por la clase media. Así, por ejemplo, en Edimburgo los miembros de la clase trabajadora baja pronuncian regularmente la palabra *home* («hogar») como [he:m], es decir, como si rimase con *name* («nombre»), mientras que quienes pertenecen a la clase media-baja lo hacen como [ho:m], es decir, como si rimara con *foam* («espuma»). Ciertamente, se trata de una pequeña diferencia de pronunciación, pero sirve como un indicativo del estatus social. Un ejemplo más familiar para la mayoría de la gente de habla inglesa sería el del verbo *ain't* (que indica pasado negativo), tal como aparece en *I ain't finished yet* («Aún no he terminado»), que es más frecuente entre los hablantes pertenecientes a la clase trabajadora que entre los hablantes que pertenecen a la clase media.

Cuando buscamos ejemplos adicionales de usos de la lengua que puedan considerarse típicos de un determinado sociolecto, estamos tratando a la clase social de la que son característicos como la **variable social**, mientras que el rasgo lingüístico analizado (como la manera de pronunciar una palabra o el uso que se le da a la misma) se caracterizan como la **variable lingüística**. Seguidamente, podemos tratar de determinar si existe (y hasta qué grado lo hace) una variación sistemática de ambas variables. La manera de hacerlo consiste en calcular la frecuencia con la que los hablantes pertenecientes a la clase en cuestión hacen uso de cada una de las variantes que presenta la variable lingüística analizada. En general, casi nunca se trata de una situación todo-nada, de ahí que los estudios de sociolectos suelan hacer referencia a la frecuencia de uso de una determinada forma por parte de los hablantes pertenecientes a un determinado grupo, mientras que resulta más infrecuente concluir que sólo uno de los grupos utiliza de forma exclusiva una de las formas analizadas.

Educación y empleo

Como quiera que las circunstancias en que se desarrolla la vida de una persona son únicas e irrepetibles, cada uno de nosotros posee una manera de hablar peculiar, una suerte de dialecto personal que se denomina **idiolecto**. Sin embargo, también es cierto que solemos acomodar nuestra manera de hablar a la de aquellos con quienes compartimos una educación parecida y/o un trabajo semejante.

Entre quienes abandonan el sistema educativo a una edad temprana, existe una mayor tendencia a utilizar formas que son relativamente poco frecuentes en el habla de aquellos que continúan estudiando hasta completar una educación superior. Así, expresiones como las que aparecen en frases del tipo *Them boys throwed somethin'* («Los chicos les arrojaron algo») o *It wasn't us what done it* («No fuimos nosotros quienes lo hicimos») se asocian con mayor frecuencia a hablantes que han pasado menos años en el colegio. La lengua hablada de quienes prolongan su estancia en el sistema educativo tiende a poseer un mayor número de rasgos que son consecuencia del dilatado período de contacto con la lengua escrita, de ahí que en este último caso sea más probable oír una forma como *threw* en lugar de *throwed*, o que *who* aparezca con mayor frecuencia que *what* cuando el antecedente sea una persona. El comentario, tan habitual, de que un determinado profesor «se expresa como un libro» alude a una manifestación extrema de la influencia de la variante escrita de la lengua, consecuencia de los largos años pasados en el seno del sistema educativo.

Una vez que nos hacemos adultos, una consecuencia del tiempo que hemos dedicado a nuestra formación suele ser la importancia del cargo o del trabajo que terminamos desempeñando, así como el estatus socioeconómico que logramos alcanzar. Por consiguiente, la manera en que los ejecutivos de una entidad bancaria hablan unos con otros difiere de la forma en que dialogan entre sí quienes limpian las ventanas de la misma, lo que constituye una evidencia lingüística de la relevancia que tienen las variables sociales que entran en juego en este caso. En uno de los primeros estudios sociolingüísticos que se realizaron en Labov (1972) examinó la influencia que sobre el modo de hablar tenían dos variables sociales, el lugar de trabajo y el estatus socioeconómico, estudiando las diferencias de pronunciación que existían entre los vendedores de tres grandes almacenes de Nueva York: *Saks*, en la Quinta Avenida (donde se vendían productos de lujo y donde la clientela era de clase media-alta), *Macy's* (donde se vendían productos de valor medio y donde la clientela era de clase media-media) y *Klein's* (donde se vendían productos más baratos y donde la clientela pertenecía a la clase trabajadora). Para ello, Labov entraba en cada una de estos establecimientos y formulaba a los vendedores preguntas que les forzaban a emplear la expresión *fourth floor* («cuarta planta»), como, por ejemplo, *Where are the women's shoes?* («¿Dónde puedo encontrar los zapatos de señora?»). La expresión *fourth floor* exige pronunciar (o no) dos /r/ **postvocálicas** (en sentido estricto una /r/ postvocálica es un sonido /r/ que está situado entre una vocal y otra consonante, o que va detrás de una vocal y constituye el final de una palabra).

Labov encontró que en los tres casos existía un patrón uniforme en las respuestas, en el sentido de que cuanto mayor era el estatus socioeconómico de la tienda, mayor era la intensidad con que se pronunciaba la /r/, y viceversa, de forma que cuanto menor era dicho estatus, menos audible se hacía el sonido /r/. Por tanto, la diferencia en una única variable lingüística (a saber, la aparición o no de la /r/ postvocálica y la intensidad de su pronunciación) servía como distintivo de la clase social, permitiendo diferenciar el habla de la clases media-alta, media y trabajadora. Otros estudios han confirmado la validez de las conclusiones de Labov en el caso de los habitantes de Nueva York.

Sin embargo, en Reading, una localidad situada a unos 60 kilómetros al oeste de Londres, Trudgill (1974) encontró que la misma variable (es decir, las condiciones de pronunciación de la /r/ postvocálica) tenía el valor social opuesto. Así, los hablantes de clase media de Reading tendían a pronunciar la /r/ en menor medida que los pertenecientes a las clases más bajas. De hecho, en Reading los hablantes de clase media-alta parecían no pronunciar en absoluto la /r/ postvocálica, de forma que cuando se los oía hablar decían cosas del tipo *Oh, that's mahvellous, dahling!* («¡Oh, es maravilloso, querida!»). En la tabla 19.1 se recogen los resultados de estos dos estudios (tomados de Romaine, 2000).

Porcentaje de individuos que pronuncian la /r/ postvocálica

Clase social	Ciudad de Nueva York	Reading
Media-alta	32	0
Media-baja	20	28
Trabajadora-alta	12	44
Trabajadora-baja	0	49

Marcas sociales

Como se pone de manifiesto en la tabla anterior, una misma variable lingüística, en este caso la forma de pronunciar la /r/ postvocálica, puede tener una significación social diametralmente opuesta en dos lugares diferentes. Sin embargo, en ambos casos el patrón descubierto revela que la utilización de este sonido en particular funciona como una **marca** social. En otras palabras, el hecho de que esta peculiaridad sea frecuente (o no) en el habla de una persona permite identificarla como miembro de un determinado grupo social, con independencia de que la persona en cuestión sea o no consciente de esta circunstancia.

Existen otras peculiaridades en lo concerniente a la pronunciación que funcionan como marcas sociales. En todo el mundo de habla inglesa, un indicio particularmente estable de que se pertenece a la clase trabajadora y de que se ha tenido una educación insuficiente consiste en la aparición de [n], en lugar de [ŋ], al final del sufijo de gerundio, *–ing*, en palabras como *sitting* («sentando[se]») y *drinking* («bebiendo»). Las pronunciaciones que representamos como *sittin'* o como *drinkin'* se asocian típicamente a las clases más bajas.

Otra marca social es la denominada «caída de la [h]», que consiste en la desaparición de la aspiración inicial [h], y que da lugar a que dos palabras diferentes como *at* («en») y *hat* («sombrero») se pronuncien de la misma manera. Siempre acontece al principio de las palabras y puede dar lugar a enunciados que sonarían más o menos como *I'm so 'ungry I could eat an 'orse* («Tengo tanta hambre que me comería un caballo»). En inglés contemporáneo, este fenómeno se asocia a las clases sociales más bajas y con menor educación, si bien su función como marca de clase parece ser la misma, y en el mismo sentido, que en los tiempos de Charles Dickens, un autor que escribía a mediados del siglo XIX. De hecho, Dickens la usó para indicar la baja extracción social de un personaje como Uriah Heep en su novela *David Copperfield* (en el siguiente fragmento de la misma, en el que habla Heep, puede observarse cómo la palabra *humble* [«humilde»] ha perdido la [h] inicial):

«I am well aware that I am the umbles person going», said Uriah Heep, modestly; «...My mother is likewise a very umble person. We live in an umble abode, Master Copperfield, but we have much to be thankful for. My father's former calling was umble.»

(«Sé muy bien que soy la persona más humilde del mundo, —dijo Uriah Heep, modestamente—; ... Mi madre es igualmente una persona muy humilde. Vivimos en un lugar muy humilde, señor Copperfield, pero tenemos mucho por lo que estar agradecidos. El anterior trabajo de mi padre era humilde.»)

Estilo y cambio de estilo al hablar

En su estudio acerca del habla en los grandes almacenes Labov incluyó un elemento adicional, de carácter particularmente sutil, que no sólo le permitió investigar el tipo de estratificación social ilustrado en la tabla de la página anterior, sino también el **estilo al hablar,** en tanto que característica social del uso del lenguaje. La distinción más básica que puede hacerse en lo que concierne al estilo es la que existe entre el estilo formal y el informal. El estilo formal se caracteriza por prestar una mayor atención a la manera en que se habla, a diferencia de lo que sucede cuando se opta por el estilo informal, de ahí que, en ocasiones, también se denomine a ambos estilos «estilo cuidadoso» y «estilo descuidado», respectivamente. Cuando un individuo pasa de un estilo a otro, se dice que se ha producido un **cambio de estilo**.

Labov asumía que cuando preguntara por primera vez a los dependientes por alguna cosa ellos le contestarían haciendo uso del estilo informal. Por esta razón, cuando recibía una respuesta, Labov simulaba no haber oído correctamente, de forma que lo que hacía era contestar, a su vez, algo como *«Excuse me?»* (¿Perdón?), con objeto de conseguir que el dependiente volviera a repetir su primera respuesta (recordemos que en el experimento de Labov se trataba de *fourth floor*), lo que presumiblemente haría prestando una mayor atención a lo que decía, con objeto de hacerse entender. Labov asumía que esta segunda respuesta podía considerarse una muestra representativa del estilo formal del dependiente. Cuando sus interlocutores repetían el sintagma *fourth floor,* la frecuencia de la /r/ postvocálica se incrementaba en los tres grupos. El incremento más significativo de dicha frecuencia era el que tenía lugar en el caso de los dependientes que trabajaban en *Macy's*. La conclusión de Labov fue que, cuando han de cambiar a un estilo más formal, los hablantes pertenecientes a la clase media tienden, en mayor medida que los que pertenecen a otras clases sociales, a aproximarse a la manera en que hablan las clases superiores, un resultado que ha sido confirmado posteriormente por otros estudios.

Si se diseña una manera lo suficientemente sofisticada como para conseguirlo, resulta posible subdividir aún más las categorías de estilos. Así, por ejemplo, una opción pasa por pedirle al entrevistado que lea un breve texto en voz alta, lo que hará que preste una mayor atención a la manera en que se expresa, cosa que no sucederá, en cambio, si le pedimos simplemente que responda a algunas preguntas. Si además le solicitamos a esa persona que lea en voz alta una lista de palabras tomadas del texto en cuestión, su pronunciación se volverá aún más cuidada, es decir, recurrirá a un estilo mucho más formal. Cuando Labov analizó los resultados obtenidos en el caso de los hablantes neoyorquinos con los que puso en práctica este tipo de estrategias, su conclusión fue que la acentuación de la /r/ postvocálica se incrementaba conforme la tarea precisaba una mayor atención a la hora de hablar. Así, por ejemplo, entre los hablantes de clase media-baja el incremento fue tan marcado en el caso en el que debían pronunciar en voz alta la lista de palabras, que la frecuencia de la /r/ postvocálica sobrepasó realmente la característica del grupo de hablantes pertenecientes a la clase media-alta.

Como han puesto de manifiesto otros estudios, cuando los hablantes que pertenecen a un grupo de estatus intermedio recurren, en un contexto formal, a una forma de prestigio asociada a un grupo de estatus superior, tienden a sobreutilizarla. Se ha aducido que este hecho sería una consecuencia de la ambición social que impele a la clase media a «mejorar». Puesto que sus miembros son conscientes de que determinados rasgos de pronunciación tienen un estatus más elevado, estos hablantes confunden «más» con «mejor» cuando han de recurrir al estilo formal a la hora de hablar.

Prestigio

Cuando en el apartado anterior hemos discutido el concepto de cambio de estilo, hemos introducido, asimismo, la idea del «prestigio» de una determinada forma, en tanto que una manera de explicar la dirección que siguen determinados individuos cuando deciden cambiar el estilo de su discurso. Cuando el cambio se produce para aproximarse a una forma que es más frecuente en el habla de aquellos a quienes se considera que poseen un estatus social superior, hablamos de **prestigio manifiesto**, esto es, de un estatus que, de forma generalizada, se reconoce como «mejor» o que recibe una valoración más positiva en la comunidad más numerosa.

No obstante, existe otro fenómeno denominado **prestigio encubierto**. Se trata del estatus «oculto», pero también de carácter positivo, que posee un determinado estilo de habla y que constituiría la causa por la que algunos grupos sociales no manifiestan el cambio de estilo en la misma medida que otros. Así, por ejemplo, cabe preguntarse por qué numerosos hablantes pertenecientes a las clases trabajadoras más bajas no cambian su estilo, de informal a formal, de forma tan radical como lo hacen los hablantes de las clases media-baja. Una explicación puede ser que los primeros valoran positivamente los rasgos que los identifican como miembros de su grupo social, de ahí que se muestren reticentes a modificarlos para que se asemejen a los asociados a un grupo social diferente. Es posible que valoren, por ejemplo, la solidaridad entre los miembros de su clase (es decir, el hecho de hablar como los que tienen a su alrededor) en mayor medida que el ascenso en la escala social (es decir, el hecho de hablar como los que se encuentran por encima de ellos en términos sociales).

Para los hablantes de clase media más jóvenes muchas de las características gramaticales y de la pronunciación relacionada habitualmente con los grupos de estatus social inferior (por ejemplo, el hecho de decir *I ain't doin' nuttin'* en lugar de *I'm not doing* anything, «No estoy haciendo nada») llevan asociadas frecuentemente un prestigio encubierto.

Ajuste del discurso

A medida que examinamos con mayor detalle la variación en el estilo del discurso, resulta cada vez más evidente que no sólo es una función de la clase social del hablante y del cuidado que tiene al hablar, sino que también se ve influida por la idea que dicho hablante tiene de quienes lo escuchan. Este tipo de variación se describe en ocasiones como «diseño debido a la audiencia», aunque se conoce más habitualmente como **ajuste del discurso**. El ajuste del discurso se define como nuestra capacidad de modificar el estilo de nuestro modo de hablar con objeto de que se asemeje o se diferencie en mayor grado del estilo que, a nuestro entender, utiliza la persona (o personas) con la(s) que estamos hablando.

Una posibilidad pasa porque adoptemos un estilo al hablar que intente reducir la distancia social. En este caso de habla de **convergencia**, lo cual implica el uso de formas semejantes a las empleadas por nuestro(s) interlocutor(es). En los siguientes ejemplos (tomados de Holmes, 1992) un adolescente pregunta a dos personas diferentes si puede ver las fotografías que dichas personas han tomado durante sus vacaciones. En el primer caso (A), su interlocutor es un amigo, mientras que en el segundo (B), se trata de una amiga de su madre. Mientras que la petición es en esencia la misma, el estilo utilizado al hacerlo difiere sustancialmente, puesto que el hablante trata de que se ajuste en la mayor medida posible al que emplea su interlocutor.

A. *C'mon Tony, gizzalook, gizzalook* («Vamos, Tony, déjame mirarlas, déjame mirarlas»)
B. *Excuse me. Could I have a look at your photos too, Mrs. Hall?* («Discúlpeme. ¿Podría yo también examinar sus fotografías, señora Hall?»)

La posibilidad contraria consiste en que recurramos a un cambio de estilo con objeto de remarcar la distancia social que existe entre nosotros y nuestro(s) interlocutor(es). Este proceso se denomina **divergencia** y una manera de lograrlo consiste en utilizar formas que difieran significativamente de las que emplea la persona con la que se habla. En la tercera línea del siguiente ejemplo, un adolescente escocés cambia a un estilo que posee características sustancialmente diferentes de las que tenía el estilo que él mismo empleó en la primera línea:

ADOLESCENTE: *I can't do it, sir.* («Soy incapaz de hacerlo, señor.»)
PROFESOR: *Oh, come on. If I can do it, you can too.* («¡Oh, vamos! Si yo puedo hacerlo, tú también puedes.»)
ADOLESCENTE: *Look, I cannae dae it so...* («No puedo hacerlo así...»)

La causa de la repentina divergencia de estilo parece deberse no sólo a una necesidad de comunicar un énfasis adicional a la repetición de la primera afirmación, sino, asimismo, a la identidad implícita en la respuesta del profesor («Somos lo mismo»). Así, este adolescente recurre al cambio el estilo para señalar que para él esa identidad no es tal.

Registro y jerga

El estilo que empleamos al hablar se ve influido por otro factor que también está relacionado con la identidad social y que deriva del **registro**. Por registro se entiende una manera convencional de emplear la lengua que resulta apropiada en un determinado contexto, que puede ser situacional (por ejemplo, la iglesia), ocupacional (por ejemplo, la abogacía) o tópico (por ejemplo, estudios del lenguaje). Así, podríamos identificar determinados rasgos asociados al registro religioso (*Que Dios os bendiga en tiempos de tribulación*), al legal (*El demandante llama al testigo al estrado*) e incluso al lingüístico (*En la morfología de este dialecto existe un menor número de sufijos flexivos*).

Una de las características distintivas de un registro es el uso de una **jerga**, que puede definirse como un vocabulario técnico especializado, asociado a un determinado tipo de ocupación o a una determinada área de conocimiento o de interés (por ejemplo, y remitiendo a los ejemplos anteriores, *tribulación*, *estrado* o *sufijo*) . En términos sociales, la jerga ayuda a crear y mantener relaciones entre quienes, de alguna manera, se ven a sí mismo como «miembros» de algo, pero también a excluir a quienes no lo son. Este efecto excluyente de la jerga especializada, como puede ser la asociada al registro médico (del que un ejemplo podría ser la siguiente oración: *El zanoxyn es un medicamento no esteroidal con actividad antiinflamatoria que se emplea para el tratamiento de la artritis, la bursitis y la tendinitis*) a menudo lleva a que se critique a quienes pueden considerarse lícitamente como aquejados de «jerguitis».

Argot

Mientras que la jerga es un vocabulario especializado que emplean quienes forman parte de grupos sociales consolidados, que a menudo se definen en virtud de su estatus profesional (así, por ejemplo, la jerga legal), el **argot** es más típico de individuos que no pertenecen a ningún grupo consolidado de estatus elevado. El argot o «estilo coloquial» alude a aquellas palabras o expresiones que emplean los hablantes de menor edad (o quienes pertenecen a otros grupos sociales que comparten determinados intereses comunes) en sustitución de términos más habituales. En inglés americano, por ejemplo, la palabra *bucks* constituye un típico ejemplo de argot, porque se ha empleado en lugar de *dollars* «dólares» o de *money* «dinero» durante más de cien años. En cambio, la adición a dicha palabra del sufijo *mega-*, con el sentido de «mucho(s)» es una innovación más reciente (un ejemplo sería *megabucks*), como también lo son las expresiones *dead presidents*, para referirse al papel moneda (la razón es que en los Estados Unidos los billetes de banco llevan impresa las efigies de diversos presidentes) o *benjamins*, para hacer referencia a los billetes de 100 dólares (en los que aparece Benjamin Franklin). Ejemplos parecidos pueden encontrarse en el caso del español, donde también se usa el prefijo *mega-* como aumentativo (*Ese tío es megaguay*) o donde a los billetes de mil pesetas se los denominaba típicamente *talegos*.

Al igual que la música o la manera de vestir, el argot es un componente de la vida social que también está sujeto a las modas, especialmente entre los adolescentes. Quienes recurren al argot suelen emplearlo como una señal de identidad, que los distingue de quienes no comparten sus ideas o su forma de comportarse. En tanto que marca identitaria durante una etapa restringida de la vida de un individuo (en general, la adolescencia temprana), las expresiones de argot suelen «envejecer» muy rápidamente. En inglés, para indicar que algo era «realmente bueno» se utilizaba *groovy, hip* y *super*, pero estas formas fueron reemplazadas por *awesome*, *rad* y *wicked*, que a su vez dieron paso a *dope*, *kickass* y *phat*. Del mismo modo, un *hunk* («un hombre físicamente atractivo») pasó a convertirse en un *hottie*, al igual que algo que era *the pits* («francamente malo») pasó a ser un *bummer* (o se dijo de ello *That's sucks!*) para la siguiente generación. Un ejemplo en español puede ser la manera de hacer referencia a una mujer de gran atractivo físico, a la que sucesivamente se ha ido aludiendo como *bombón*, *cañón*, *maciza*, *buenorra*, *pepino* o *pibón*. Estas diferencias generacionales en el uso del argot, que permiten distinguir los grupos por edades y diferenciar a los hablantes de mayor edad de los más jóvenes, demuestra que la edad es otro factor relevante en lo que concierne a la variación social de una lengua.

Sin embargo, el argot puede variar incluso dentro de un mismo grupo de edad, fundamentalmente entre los de menor edad. Un ejemplo de este fenómeno lo constituye el uso de las palabras obscenas o términos **tabú**. Los términos tabú son palabras y expresiones que las personas evitan proferir por razones ligadas la religión, por educación o porque no se consideran socialmente aceptables. A menudo se trata de «tacos», precisamente el tipo de expresiones que se suelen censurar mediante un pitido agudo en los programas de televisión (*¡Qué piiii estás haciendo, piii imbécil!*) o que en los textos escritos se reemplaza por asteriscos (*¡Tú, j*** imbécil!*). Eckert (2000) estudió las diferencias lingüísticas que existían entre «pijos» (mayor estatus) y «canis» (menor estatus) en los institutos de enseñanza media de Detroit. Eckert determinó que entre los miembros de los grupos con menor estatus tanto los hombres como las mujeres utilizaban los términos tabú de forma habitual. En cambio, entre quienes pertenecían a los grupos con mayor estatus, sólo los hombres los utilizaban, pero únicamente cuando se dirigían a otros hombres; por el contrario, las mujeres no parecían emplearlos en absoluto. La conclusión de Eckert fue que las divisiones de clases sociales, al menos en lo que concierne al uso del argot, ya están bien asentadas desde la adolescencia.

Barreras sociales

Gran parte de lo discutido hasta este momento ha supuesto, realmente, una revisión de la investigación que se ha hecho hasta la fecha acerca de la variación social de la lengua basada fundamentalmente en ejemplos procedentes del inglés británico y de lo que podría denominarse como inglés americano «europeo». Lo cierto es que el hecho de caracterizar una determinada variedad social del inglés de gran difusión en función de la procedencia de sus hablantes en términos históricos permite confrontarla con otra variedad muy difundida de dicha lengua, que es el **inglés afroamericano** (AAE, de *African American English*), a la que también se conoce como inglés negro o *ebonics*. Se trata de la variedad del inglés que emplean la mayoría (aunque no todos) de los afroamericanos, así como otros hablantes de inglés estadounidenses (como, por ejemplo, los portorriqueños que viven en Nueva York). Posee numerosos rasgos característicos que, tomados en conjunto, conforman un grupo peculiar de marcas sociales.

De un modo muy parecido a como las grandes barreras geográficas que existen entre los grupos favorecen la aparición y el mantenimiento de las diferencias lingüísticas propias de los dialectos regionales, las **barreras sociales**, tales como la discriminación y la segregación, contribuyen también a crear diferencias manifiestas entre los dialectos sociales. En el caso del AAE sus rasgos diferenciales han sido considerados a menudo, como propios de individuos que hablan «mal», lo cual no constituye sino un ejemplo más de un comportamiento regular en la mayoría de los grupos sociales, según el cual las prácticas sociales (y especialmente el modo de hablar) de los grupos dominados se consideran «anormales» por parte de los grupos dominantes, que son los encargados de definir lo que es «normal» y lo que no lo es. Sin embargo, aunque los hablantes de AAE continúan experimentado los efectos de la discriminación, lo cierto es que su dialecto social posee con frecuencia un prestigio encubierto de cara a los hablantes más jóvenes pertenecientes a otros grupos sociales, en particular en lo concerniente a la música, de manera que es posible encontrar algunas características del AAE en las expresiones de identidad social propias de muchos individuos que no son afroamericanos.

Lengua vernácula

La forma de AAE que se ha estudiado con mayor profusión se suele denominar **inglés afroamericano vernáculo** (AAVE, de *African American Vernacular English*). El término «vernáculo» se emplea desde la Edad Media. Inicialmente se utilizó para designar las lenguas locales europeas (con un prestigio menor) en oposición al latín (que tenía mayor prestigio), pero posteriormente se ha utilizado para caracterizar cualquier versión hablada no estándar de un idioma que utilizan los grupos de menor estatus social. Así pues, **vernáculo** es una expresión general que designa un tipo de dialecto social, en concreto, aquel que suelen hablar los grupos de estatus inferior y que se considera «no estándar» debido a las acentuadas diferencias que presenta con respecto a la variedad de prestigio en términos sociales, la cual se considera la variedad estándar. Como idioma vernáculo de los afroamericanos, el AAVE comparte diversas características con otras variedades no estándar del inglés, como el denominado «inglés latino» (que se habla en las regiones septentrionales y orientales de los Estados Unidos) y el «inglés chicano» (hablado en el Este y en el Sur del país), que emplean las comunidades de norteamericanos de origen hispano. Las diversas variedades de lo que se ha denominado «inglés asiático americano» también parecen compartir con el AAVE algunas de sus peculiaridades, fundamentalmente en lo relativo a la pronunciación.

Los sonidos de una variedad vernácula

Un rasgo fonológico persistente del AAVE y de otras variedades vernáculas del inglés es la tendencia a simplificar los grupos consonánticos situados al final de las palabras, de forma que aquellas que terminan en dos consonantes (como, por ejemplo *left hand* «mano izquierda») se suelen pronunciar como si sólo existiese una (*lef han*). Esto puede afectar a la pronunciación del sufijo –*ed* de pasado en determinados contextos, de manera que expresiones como *iced tea* («té helado») y *I passed the test* («Aprobé el examen») sonarían aproximadamente como *ice tea* («hielo [y] té»)y *I pass the test* («Apruebo el examen»), respectivamente. Por otro lado, las consonantes dentales situadas a principio de palabra (como ocurre en *think* «pensar» o en *that* «eso») se suelen pronunciar como oclusivas alveolares (*tink, dat*), de manera que el artículo definido (*the*) se suele oír como [də], como pasa en *You da man!* («¡Eh, tú, tío!»). En lo que se refiere a la morfología, no suelen emplearse determinados rasgos morfológicos, como la –'s para indicar posesión o el sufijo –s para marcar la tercera persona del singular, de forma que expresiones como *John's girlfriend* («la novia de John») o *She loves him* («Ella lo ama»), se transformarían en *John girlfriend* y *She love him*, respectivamente. Asimismo, tampoco suelen incluirse los indicadores manifiestos de número plural, en concreto, la marca de plural –s, de ahí que plurales como *guys* («tipos») o *friends* («amigos») se transformen en expresiones del tipo *two guy* (literalmente, «dos amigo») y *one of my friend* (literalmente, «uno de mi amigo»), respectivamente.

La gramática de una variedad vernácula

En cuestiones gramaticales se suele reputar típicamente al AAVE y a otras variantes vernáculas que son «ilógicas» o «descuidadas». Uno de los elementos gramaticales que se suele criticar con mayor frecuencia es la construcción con doble negación, como sería el caso de *He don't know nothin* («Él no sabe nada») o de *I aint' afraid of no ghosts* («Yo no tengo miedo de ningún fantasma»). En general, se suele aducir que estas construcciones son «ilógicas», puesto que la negación se explicita dos veces (y se supone que una segunda negación anula a la primera). Sin embargo, esta característica del AAVE es común a otros muchos dialectos del inglés, así como a numerosas lenguas, como el francés: *Il ne sait rien* («Él no sabe nada»). De hecho, también era habitual en inglés antiguo: *Ic naht singan ne cuðe* («Yo no sabía cómo cantar nada»; literalmente, «Yo no canto no podía»). Realmente no existe nada inherentemente ilógico en estas estructuras, lo que es extensible también a los casos de negación múltiple; lo cierto es que este tipo de estructuras permite poner un énfasis adicional en el aspecto negativo del mensaje que se desea transmitir, como es el caso de *He don't never do nothin* («Él nunca hace nada»).

En cuanto al hipotético «descuido» formal, las críticas se centran en la circunstancia de que, con frecuencia, las formas conjugadas del verbo *to be* «ser, estar» (*are, is*) están ausentes en muchas de las expresiones del AAVE, como sucede en *You crazy* («Estás loco») o en *She workin now* («Ella está trabajando ahora»). Realmente, si se quiere ser riguroso, lo que sucede es que en AAVE no están presentes las formas verbales *are* e *is* en aquellos contextos en los que en las restantes variedades del inglés pueden contraerse cuando se utiliza el estilo informal (así *You're*, *She's*). En este tipo de expresiones el estilo formal del inglés estándar exige la presencia de las formas completas (*are* e *is*), aunque otras muchas variedades del inglés no lo hacen. De la misma manera, son muchas las lenguas, como el árabe o el ruso, que no requieren que esté presente la cópula en este tipo de contextos. En consecuencia, esta peculiaridad del AAVE no es un «descuido», o al menos, lo sería en la misma medida en que podemos considerar «poco cuidadoso» al árabe o al ruso estándar.

Si bien es cierto que los hablantes de AAVE no incluyen la forma *is* del verbo auxiliar en expresiones como *She workin now* cuando desean describir lo que está sucediendo en el momento en que hablan, sí utilizan, en cambio, la forma *be* (y no *is*) para denotar que el suceso al que se refieren tienen un carácter habitual, como ocurre en una oración como *She be workin downtown now* («Ella trabaja ahora en el centro de la ciudad»). En consecuencia, la presencia o la ausencia de la forma *be* permite distinguir entre lo que es una actividad o un estado reiterativos, de lo que está sucediendo en un momento determinado. Cuando un hablante de AAVE desea referirse a una acción que era habitual en el pasado o que comenzó a producirse en un tiempo pasado, recurre a la forma *bin* (que, en general, va acentuada) y no a *was*, como, sucede, por ejemplo, en *She bin workin there* («Ella estuvo trabajando allí»). En resumen, el uso habitual de *be* o de *bin* y la ausencia de las formas del verbo «to be» en las expresiones de presente que denotan estados son rasgos gramaticales recurrentes del AAVE. Las correspondientes formas negativas de estos verbos se forman mediante la partícula *don't* (y no mediante *doesn't*), teniendo en cuenta que el verbo no puede emplearse con una forma contraída de partícula negativa. Así, en AAVE una oración como *She don't be workin* («Ella no está trabajando») es gramatical, mientras que no lo serían **She doesn't be workin* o **She ben't workin*.

En la presente discusión nos hemos centrado en las características lingüísticas de los sociolectos. Sin embargo, los grupos que los emplean no sólo se distinguen por el lenguaje que usan, sino por factores más generales, como sus creencias y opiniones acerca de la realidad, y sus experiencias con la misma. Esto es lo que generalmente se conoce como «cultura», que será el tema del próximo capítulo del libro.

■ Ejercicios

1. ¿Qué es un idiolecto?

2. ¿Cómo definirías el concepto «comunidad de habla»?

3. ¿Por qué razón intentaba Labov conseguir que en las respuestas de sus informantes apareciera la expresión *fourth floor*?

4. ¿De qué manera puede convertirse la pronunciación del sufijo –*ing* en una marca social?

5. ¿A que nos referimos cuando hablamos de un «registro»?

6. ¿Qué se busca comunicar cuando en AAVE se usa el verbo *be* en la expresión *He don't be smokin now*?

7. ¿Cómo describirías las construcciones que se utilizan en estos dos ejemplos, uno tomado del castellano y otro del inglés:

(a) *Palante está cerrao.*
(b) *He just lazy* («Él sólo perezoso.»)

■ Tareas de investigación

A. ¿Qué es lo que diferencia a la «microlingüística» de la «macrolingüística»?

B. ¿A qué se hace referencia cuando, en el estudio de los dialectos, se habla de la «paradoja del observador»? ¿Cómo podría evitarse?

C. ¿Qué diferencia existe entre «cambio de estilo» y «cambio de código»?

D. ¿De dónde procede el término *ebonics*?

■ Temas/proyectos de discusión

I. Según Brown y Attardo (2000: 17):

> *Cuando los niños se mudan de residencia y se van a vivir a una zona diferente antes de cumplir los nueve años, son capaces de «captar» el dialecto local, cosa que no logran hacer sus padres.*

(i) ¿Crees que esta afirmación resulta válida tanto en el caso de los dialectos regionales como de los dialectos sociales?

(ii) ¿Cuándo y de qué manera piensas que las personas desarrollan sus dialectos sociales?

(Para obtener información básica sobre esta cuestión puedes consultar el capítulo 6 de Brown y Attardo, 2000.)

II. Desde un punto de vista lingüístico no hay variedades buenas o malas de una lengua. Sin embargo, existe un proceso social, que se conoce como «subordinación lingüística», según el cual algunas variedades de una lengua se tratan como si tuvieran menor valor que otras. ¿Serías capaz de describir la manera en que opera este proceso en alguna situación social que te fuese familiar?

(Para obtener información básica sobre esta cuestión puedes consultar a Lippi-Green, 1997.)

III. A continuación se han representado gráficamente algunas de las conclusiones de Labov (1972) en relación con la utilización de [n] (tal y como aparece, por ejemplo, en *walkin'* «andando») en contraposición al de [ŋ] (tal y como aparece en *walking*) en diferentes estilos de habla de grupos sociales distintos.

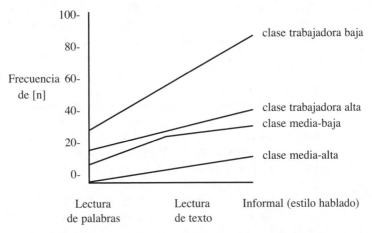

(i) ¿Cuál es la interpretación que darías a estos datos? Por ejemplo, ¿qué grupo utiliza la [n] (-*in'* y no -*ing*) más a menudo y en qué estilo de habla? ¿Qué grupo la utiliza menos y en qué circunstancias?

(ii) Supongamos que quieres investigar un fenómeno parecido en tu comunidad de hablantes. ¿Cómo lo harías?

IV. Seguidamente se incluyen cuatro ejemplos procedentes de la sección de contactos de un periódico, donde se anuncian personas que desean entablar relaciones con otras:

(1) *SOLTERA 29 a. amante de la familia desea conocer joven soltero para una relación estable y muy seria. Particular.*

(2) *HOMBRE soltero, médico de profesión, amplia cultura, desea establecer sincera amistad con mujer de espíritu abierto, afectuosa y sensible, hasta 47 años. Es particular.*

(3) *SOLTERO culto, atractivo, desea relación seria con chica de 23 a 33 años.*

(4) *CAB. SERIO, culto, b. pres. y muy discreto a Srta. agradable mismas caract. para rel. sin int. econ.*

(i) Da la impresión de que este tipo de anuncios cuenta con un registro especial. ¿Qué terminología concreta, abreviaturas y estructuras se han de conocer para interpretar correctamente estos textos (dos ejemplos podrían ser «particular» o «relación seria»)?

(ii) Trata de analizar las expectativas sociales (expresadas lingüísticamente) de los anunciantes. Una manera de hacerlo sería enumerar las características que normalmente un hombre busca en una mujer.

(iii) Trata de encontrar otros ejemplos de este tipo de lenguaje. ¿Qué otras características lingüísticas serían representativas, a tu entender, de este fenómeno social?

■ Lecturas adicionales

El capítulo 6 de Browm y Attardo (2000) o el capítulo 15 de O'Grady *et al.* (2005) constituyen sendas introducciones alternativas, también de breve extensión, a la expuesta en este libro al tema del lenguaje y la variación social. Como textos introductorios pueden recomendarse los de Downes (1998), Holmes (2001), Romaine (2000), Spolsky (1998), Stockwell (2002) y Trudgill (2000). Otros manuales útiles son los Chambers (2003), Mesthrie *et al.* (2000), Milroy y Gordon (2003), y Wardhaugh (1998). Una revisión exhaustiva del trabajo de Labov es la que hace el propio autor (2001). El ejemplo de la manera en que Dickens refleja un dialecto social procede de Mugglestone (1995). Ya de forma más específica, puede consultarse a Eckert y Rickford (2001) en lo concerniente a la cuestión del estilo; a Giles *et al.* (1991), en lo que se refiere al ajuste del discurso; a Biber y Finegan (1994), en lo que atañe al registro; a Eble (1996, 2004), en lo que concierne a la cuestión del argot; a Anderrson y Trudgill (1990), en lo que se refiere a los «tacos»; y a Eckert (2004), en lo que atañe a la manera de hablar de los adolescentes. Sobre el AAVE, véase Green (2002, 2004), Rickford (1999) o Smitherman (2000). Sobre el *ebónics*, véase Baugh (2004). Finalmente, Coulmas (1996) se ocupa, en una revisión muy completa, de todos las cuestiones relacionadas con la sociolingüística.

20

Lengua y cultura

Los cuáqueros rechazaban el uso de *you* («usted») como forma cortés de dirigirse a su interlocutor y preferían, en cambio, emplear *thou* («tú»), puesto que para ellos este pronombre tenía unas connotaciones de intimidad e igualdad. Al rechazar la utilización de *you* por considerarlo una forma de tratamiento que suponía sumisión, los cuáqueros se encontraron con la animadversión de otros hablantes, quienes consideraban que su comportamiento constituía una señal de desprecio. Para algunos cuáqueros las consecuencias de este uso anómalo revistieron una especial gravedad, como sucedió en el caso de Richard Davis, quien refería cómo en la primera ocasión en que se dirigió a la dueña de la casa en la que trabajaba tratándola de *thou,* «[ella] cogió un bastón y me dio tal golpe con él en la cabeza, que llevaba sin sombrero, que me la dejó hinchada y dolorida durante un buen tiempo. Le causó tal enfado la cosa, que juró que me mataría».

Romaine (2000)

Cultura

El término **cultura** se emplea para hacer referencia al conjunto de conceptos e ideas sobre la naturaleza de las cosas y de las personas que aprenden los individuos cuando se convierten en miembros de un determinado grupo social. En consecuencia, puede definirse como «conocimiento adquirido mediante la interacción social». Se trata de un tipo de conocimiento que, al igual que sucede con la primera lengua, adquirimos desde el momento de nacer sin percatarnos realmente de ello. Sólo cuando ya disponemos del lenguaje, es cuando comenzamos a advertir que contamos también con este tipo de conocimiento y, por consiguiente, cuando empezamos a ser conscientes de las características de la cultura a la que pertenecemos. La lengua concreta que adquirimos a lo largo de este proceso de transmisión cultural nos proporciona, al menos inicialmente, un sistema ya dispuesto y operativo de categorizar la realidad que nos rodea y nuestra experiencia de ella.

Junto con las palabras que vamos adquiriendo, también vamos aprendiendo a reconocer los tipos de diferencias categoriales que son relevantes en nuestro contexto social. Es probable que los niños muy pequeños no sean capaces de concebir a un «perro» y a un «caballo» como dos tipos de entidades diferentes, de ahí que se refieran a ambos como *gua-gua*. Sin embargo, conforme van desarrollando un sistema conceptual más complejo, íntimamente relacionado con su primera lengua, empiezan a aprender a categorizar los diferentes tipos de seres vivos, como *el perro* y *el caballo*. En las culturas nativas del Pacífico no había caballos, por lo que no debe resultarnos sorprendente constatar que en sus respectivos idiomas no existían palabras para denotarlos. Para poder emplear palabras como *pe-*

rro o *caballo*, *lluvia* o *nieve*, *padre* o *tío*, *semana* o *fin de semana*, debemos disponer de un sistema conceptual que incluya este tipo de individuos, objetos o ideas como categorías diferenciadas e identificables.

Categorías

Aunque el aspecto de los «perros» con los que nos hemos ido encontrado en nuestra vida puede variar en gran medida, empleamos la palabra *perro* para referirnos a cualquiera de ellos, en tanto que miembros de la categoría *perro*. Una **categoría** puede definirse como un grupo de elementos que poseen determinados rasgos en común. En este sentido, podemos considerar el vocabulario que vamos aprendiendo como un conjunto de etiquetas para marcar las categorías que vamos heredando. Se trata de las palabras que denotan los conceptos sobre los que la gente siente la necesidad de hablar y de discutir en nuestro entorno social.

Resulta tentador creer que existe una relación inmutable entre el inventario de palabras que hemos aprendido (nuestras categorías) y la manera en que se organiza la realidad externa a nosotros. Sin embargo, las evidencias obtenidas a partir del análisis de las lenguas existentes en el mundo sugieren que la forma en que se organiza la realidad externa varía realmente, hasta cierto punto, en función de la lengua que utilicemos para referirnos a ella. Así, algunas lenguas cuentan con numerosos términos diferentes para denotar los distintos tipos de «lluvias» o las clases de «cocos», mientras que otras lenguas pueden disponer de sólo una o dos palabras en ambos casos. Por poner otro ejemplo, aunque los dani de Nueva Guinea son capaces de percibir todos los colores del espectro, sólo cuentan con nombres para dos de ellos, que equivaldrían a nuestros «negro» y «blanco». Por el contrario, los esquimales disponen de nombres para el «negro», el «blanco», el «rojo», el «verde» y el «amarillo», mientras que el inglés tiene, además, nombres para el «azul», el «marrón», el «púrpura», el «rosa», el «naranja» y el «gris». Parece que las lenguas que emplean los grupos humanos con mayor desarrollo tecnológico poseen más términos para designar los diferentes colores. Tomando como punto de partida esta diferencia en el número de términos para denotar los colores básicos, podemos afirmar que en algunas lenguas existen distinciones conceptuales **lexicalizadas** (esto es, «expresadas mediante una palabra individual»), mientras que en otras esto no sucede.

Así, en determinadas lenguas el término equivalente a *padre* no sólo se usa para hacer referencia al «progenitor de sexo masculino», sino también al «hermano del progenitor de sexo masculino», mientras que en español utilizaríamos la palabra *tío (paterno)* para referirnos a este último individuo. Es decir, hemos lexicalizado la diferencia existente entre ambos conceptos. Sin embargo, mientras que en español empleamos esa misma palabra, *tío*, para referirnos al «hermano del progenitor de sexo femenino», en otras lenguas puede existir una palabra diferente para denotar este concepto. En noruego, por ejemplo, la diferencia entre «la madre del padre» *(farmor)* y la «madre de la madre» *(mormor)* está lexicalizada, mientras que no sucede lo mismo en español, donde, en ambos casos se utiliza la palabra *abuela*.

Un ejemplo algo más complejo sería el de las expresiones *semana* y *fin de semana*. Cuando las aprendemos, adquirimos también un sistema conceptual que funciona haciendo uso de segmentos de tiempo como categorías comunes. El hecho de que contemos con palabras o con expresiones para denotar unidades de tiempo, como sería el caso de «dos días» o de «siete días», demuestra que podemos concebir el tiempo como algo mensurable, haciendo uso para ello de determinados sintagmas, de la misma manera que podemos contar las personas («dos hombres») o los libros («siete libros»), es decir, los objetos físicos. Existen otras visiones de la realidad en las que el tiempo no se trata de esta manera. En hopi, una lengua india que se habla en Arizona, el tiempo no puede, en líneas generales, dividirse o contarse. La idea que queremos transmitir cuando afirmamos *Estuvimos allí durante dos días* se expresaría en hopi de un modo parecido a *Nos fuimos una vez que concluyó el segundo día*. En el sistema conceptual que subyace a la manera en que los hopi conciben el tiempo, tal como es expresado por su lengua, se prefiere caracterizar los sucesos como hitos o momentos en los que las cosas cambian y no como secuencias o fragmentos de tiempo. Tradicionalmente, el hopi carecía de una palabra para «el sábado y el domingo» como unidad de tiempo, de ahí que no existiera tampoco el «fin de semana».

Relativismo lingüístico

En los dos últimos ejemplos hemos asumido que las diferencias en el uso del lenguaje implican la existencia de modos diferentes de hablar acerca de la realidad externa. A esta cuestión se suele aludir normalmente en términos de **relativismo lingüístico**, por cuanto parece como si la estructura de la lengua que empleamos, con sus categorías predeterminadas, influyera en la manera en que percibimos dicha realidad. En su versión menos radical, esta idea simplemente da cuenta del hecho de que no sólo empleamos las categorías que nos proporciona nuestra lengua para hablar acerca del mundo empírico, sino probablemente, y hasta cierto punto, también para pensar sobre el mismo. En su versión más radical, que recibe el nombre de **determinismo lingüístico**, la idea puede reformularse en los siguientes términos: «la lengua determina el pensamiento», lo que quiere decir que únicamente podemos pensar en términos de las categorías que nos ofrece nuestra lengua.

Un ejemplo muy citado cuando se quiere justificar esta hipótesis consiste en el abundante número de palabras que, según parece, tienen los esquimales para referirse a lo que en castellano denominamos *nieve*. Según la tesis del determinismo lingüístico, cuando un hablante de español contempla un escenario invernal, sólo estaría percibiendo una única entidad de color blanco, la cual categorizaría como *nieve*. Se aduce que si fuera un esquimal el que estuviese admirando esa misma escena, sería capaz de distinguir diversos tipos de «nieve», puesto que posee expresiones habituales para referirse a cada una de ellas. Si concebimos estas expresiones comunes como etiquetas categoriales, entonces el sistema de categorización del esquimal le permite presumiblemente a sus hablantes ver, y también pensar sobre lo que ven, de forma bastante diferente a los hablantes de español. Más adelante volveremos a considerar esta relación entre los esquimales y la *nieve*, pero de la manera en que acabamos de exponerla, esta relación constituye un buen ejemplo de una estrategia de análisis de las relaciones entre el lenguaje y la cultura que data del siglo XVIII.

La hipótesis Sapir-Whorf

La perspectiva analítica implícita en la discusión anterior forma parte de lo que ha llegado a conocerse como **hipótesis Sapir-Whorf** desde la primera mitad del siglo XX. En una época en que la investigación lingüística en los Estados Unidos todavía corría a cargo, en gran medida, de científicos con una sólida formación antropológica, Edward Sapir y Benjamin Whorf argumentaron que las lenguas de los indios norteamericanos, como el hopi, hacía que viesen la realidad de forma diferente quienes hablaban lenguas europeas. Según Whorf, los hopi percibían la realidad de modo distinto a otras tribus (incluyendo la tribu de los angloparlantes), porque era su lengua la que les llevaba a hacerlo así. En la gramática del hopi existe una distinción entre «animado» e «inanimado»; asimismo, entre el conjunto de entidades categorizadas como «animadas» se encuentran las nubes y las piedras. Whorf sostenía que los hopi creen que las nubes y las piedras son entidades vivas, y que es su lengua la que los induce a creerlo. Dado que el inglés no marca gramaticalmente a las nubes y a las piedras como «entes animados», los hablantes de inglés no ven la realidad de la misma manera que los de hopi. En palabras de Whorf, «diseccionamos la naturaleza siguiendo las directrices que nos imponen nuestras lenguas maternas» (véase Carroll, 1956).

Se han aducido diversos argumentos en contra de este punto de vista. Siguiendo a Sampson (1980), por ejemplo, podríamos imaginar que existe una tribu cuya lengua marca gramaticalmente las diferencias de sexo, de manera que los términos utilizados para los individuos de sexo femenino, como *niña* o *mujer*, presentan una marca distintiva en dicha lengua. Si prestamos una mayor atención, nos daremos cuenta de que estas marcas de «feminidad» también se emplean con las palabras correspondientes a *piedra* y *puerta*. ¿Tenemos, entonces que concluir obligatoriamente que los miembros de esta tribu creen que las piedras y las puertas son entidades de sexo femenino de la misma manera que lo son las niñas y las mujeres? Esta tribu no es, en modo alguno, desconocida. Utilizan las expresiones *la femme* («la mujer»), *la pierre* («la piedra») y *la porte* («la puerta»). ¿Deberíamos, por tanto, concluir que los hablantes de francés creen que las piedras y las puertas son femeninas en el mismo sentido que las mujeres?

La cuestión que plantean las conclusiones derivadas de estos dos ejemplos, el del hopi y el del francés, es que lo que realmente sucede es que se están confundiendo las categorías lingüísticas (animado, femenino) y las categorías biológicas (vivo, hembra). En la mayoría de las lenguas ambas categorías coinciden, pero no es algo obligatorio. Y lo que resulta más importante: las categorías lingüísticas no nos fuerzan a obviar las categorías biológicas. Así, aunque el hopi categorice de una determinada manera la palabra correspondiente a *piedra*, ello no significa que un camionero hopi piense que ha matado a un ser vivo cuando su camión pase por encima de una piedra.

Los esquimales y la nieve

Volviendo a la cuestión de los esquimales y de la «nieve», está claro que el español no cuenta con demasiados términos para hacer referencia a los diferentes tipos de nieve. No obstante, los hablantes de español pueden crear expresiones, jugando con los recursos que les proporciona su lengua, para referirse a *nieve húmeda, nie-*

ve polvo, nieve primavera o incluso a *la nieve de aspecto sucio que se acumula formando montones en las aceras cuando ha pasado la máquina quitanieves*. En todos los casos se trata de categorías de nieve para el hablante de castellano, lo que sucede es que **no están lexicalizadas** (es decir, «no se expresan mediante una sola palabra»). Por consiguiente, quienes hablan español pueden expresar el cambio de categoría mediante distinciones lexicalizadas (*Más que _nieve_, lo que cae es _aguanieve_*) y mediante distinciones no lexicalizadas (*Decoramos las ventanas con unos adornos hechos con un spray que pulveriza un _plástico sintético que imita a la nieve_*), aunque parece que la mayoría de nosotros tendrá una visión bastante diferente de la «nieve» en comparación con la del hablante de esquimal medio.

Según Martin (1986), los esquimales del oeste de Groenlandia sólo cuentan realmente con dos palabras básicas para «nieve» (*qanik*, que alude a «la nieve que todavía flota en el aire», y *aput*, que denota «la nieve caída sobre el suelo»). A partir de estos dos términos básicos son capaces de crear un gran número de expresiones habituales para referirse a diversos fenómenos relacionados con la nieve, tal y como se describe en Fotescue (1984). Sin embargo, no parecen existir razones de peso para suponer que tales expresiones estén condicionando la forma de ver o de pensar de quienes las usan. Ciertamente, algunas expresiones se emplearán con bastante frecuencia para referirse a experiencias que son cotidianas, pero, sin embargo, es la persona que las emplea, y no la lengua, la que piensa acerca de la experiencia en cuestión y la que decide lo que será expresado y lo que no.

Del mismo modo que los esquimales, y como consecuencia de su forma tradicional de vida, han ido creando numerosas expresiones habituales para hablar sobre la «nieve», los hablantes de tuvaluano (que viven en el algunas islas del Pacífico Central) cuentan con numerosas palabras para designar los distintos tipos de «cocos». En otra cultura del Pacífico, la de Hawai, la lengua aborigen dispone de un gran número de palabras para hacer referencia a las diferentes clases de «lluvia». Nuestras lenguas reflejan nuestras preocupaciones.

La lengua que adquirimos la usamos para transmitir conocimientos, de forma que lo esperable es que influya de algún modo en la manera en que se organizan dichos conocimientos. Sin embargo, al mismo tiempo adquirimos también la capacidad de manipular dicha lengua y de ser creativos con ella, con objeto de poder expresar lo que percibimos de la manera en que nos parezca más oportuna. Si el pensamiento y la percepción estuvieran completamente determinados por la lengua, entonces el cambio lingüístico sería imposible. Si una joven hopi no dispusiera en su lengua de ninguna palabra para designar el objeto que nosotros denominamos *ordenador*, ¿dejaría, por ello, de percibir ese objeto? ¿Sería incapaz de pensar en él? Lo que la joven hopi podría hacer al encontrarse con esa nueva entidad es modificar su lengua para poder satisfacer la necesidad que siente de poder referirse a esa nueva entidad. Los humanos manipulamos la lengua, y no a la inversa.

Categorías cognitivas

Una manera de analizar la cognición, esto es, la manera en que piensan los seres humanos, consiste en determinar la estructura de la lengua que emplean, si bien debe quedar claro que el resultado de dicho análisis contendrá simplemente indicios acerca de ese modo de pensar y no las causas del mismo. El hecho de que los hablantes de hopi, por ejemplo, adquieran un sistema lingüístico en el que las nubes son «animadas» puede proporcionarnos indicios acerca de un sistema de creencias tradicionales o de un modo de pensar que es privativo de su cultura y no de la nuestra. Por poner otro caso, en yagua, una lengua que se habla en Perú, entre los entes «animados» se encuentran la luna, las rocas y las piñas, además de las personas. En las tradiciones de los yagua todas estas entidades se consideran como objetos valiosos, de forma que su interpretación cultural del rasgo «animado» se aproximaría al concepto de «tener una importancia especial para la vida», más que al concepto de «tener vida» en sí mismo, como sería la interpretación cultural que haría la mayoría de los hablantes de español.

Clasificadores

Podemos conocer la manera en que determinadas lenguas como el yagua clasifican las palabras gracias a unas marcas gramaticales que se denominan **clasificadores**, las cuales señalan el tipo o la «clase» al que pertenece el nombre en cuestión. Por ejemplo, en swahili, una lengua hablada en el este de África, los clasificadores son prefijos, que agrupan los nombres en humanos (*wa-*), no humanos (*mi-*) y objetos manufacturados (*vi-*), de ahí la forma de palabras como *wato-to* («niños»), *mimea* («plantas») y *visu* («cuchillos»). De hecho, una distinción conceptual tan significativa como la que existe entre los objetos naturales (*miti*, «árboles») y los manufacturados hechos a partir de los primeros (*viti*, «sillas») se marca simplemente mediante un cambio del clasificador.

En dyirbal, una lengua australiana, según el uso habitual de los clasificadores, los «hombres, canguros y boomerangs» pertenecen a una categoría conceptual, mientras que «las mujeres, el fuego y las cosas peligrosas» pertenecen a otra diferente. El análisis de las creencias culturales de este pueblo (como, por ejemplo, el hecho de que el Sol sea femenino y se despose con la Luna, que es un ente masculino) puede ayudarnos a entender determinados aspectos de una concepción del mundo que nos resulta ajena y a comprender la razón por la que la luna forma parte de la primera categoría, mientras que el sol se incluye en la segunda.

Los clasificadores se emplean, a menudo, junto con los numerales para indicar el tipo de cosas que se están contando. En los siguientes ejemplos, tomados del japonés, los clasificadores se asocian con los objetos, que se pueden conceptualizar de tres modos distintos en función de su forma: como «cosas alargadas y delgadas» (*hon*), como cosas «planas y delgadas» (*mai*), y como cosas «pequeñas y redondeadas» (*ko*).

banana ni-hon «dos plátanos»
syatu ni-mai «dos camisas»
ringo ni-ko «dos manzanas»

Lo más parecido a este fenómeno que podemos encontrar en el caso del inglés concierne al uso de los clasificadores cuando hablamos de «las unidades» de ciertos tipos de cosas. Así, en inglés se distingue entre las cosas que se consideran **contables** (*shirt* «camisa», *word* «palabra», *chair* «silla») y las que se consideran **incontables** (*clothing* «ropa», *information* «información», *furniture* «mueble»). Lo relevante en este contexto es el hecho de que en inglés el uso del artículo indefinido *a/an* o del plural con los sustantivos contables da lugar a construcciones agramaticales (así, **a clothing*, **an information*, **two furnitures*). Para evitar estas construcciones agramaticales, el hablante de inglés recurre a expresiones cuasi-clasificadoras, como «item of» («un elemento de») o «piece of» («una pieza de») (así, *an item of clothing* «una prenda de vestir», *a bit of information* «un dato», *two pieces of furniture* «dos elementos del mobiliario»). En otras lenguas, los términos correspondientes se consideran «contables», de ahí que la existencia de una clase gramatical de «entes incontables» constituya una evidencia de que las expresiones cuantificadoras en inglés responden a algún tipo de categorización cognitiva.

Categorías sociales

Palabras como *tío* o *abuela*, discutidas anteriormente, constituyen ejemplos de **categorías sociales**. Se trata de las categorías de organización social que se emplean para describir las relaciones o el parentesco que existen entre unos individuos y otros. Aunque resulta posible definirlas de forma más técnica (por ejemplo, «el hermano del padre o de la madre»), en numerosas situaciones una palabra como *tío* se utiliza para hacer referencia a un conjunto de personas más amplio, incluyendo los amigos íntimos, que no se corresponden con el tipo de individuos a los que puede aplicarse la definición técnica. Algo semejante sucede con la palabra *hermano*, que se utiliza en muchos grupos sociales para referirse a alguien con quien no se comparten lazos familiares. Podemos emplear estas palabras como una forma de categorización social, es decir, como una manera de señalar a determinados individuos como miembros de un grupo que se define por sus vínculos sociales.

Formas de tratamiento

Cuando un hombre le pregunta a otro en la calle *Tío, ¿puedes darme un euro?*, la palabra *tío* se está empleando como **forma de tratamiento** (una palabra o una locución que se refiere y se dirige a la persona a la que se habla o a la que se escribe). Al evocar la clase de relación íntima asociada a un miembro de la propia familia, lo que realmente busca en este caso el hablante con la elección del término empleado para interpelar a su interlocutor es dar lugar a un vínculo solidario (es decir, igualar el estatus social de ambos), que quizás le reporte un gesto de buena voluntad en forma de algunas monedas. Una forma alternativa de realizar su petición podría haber sido empezar su interlocución con *Señor*, indicando que existe un desequilibrio en la relación de poderes (es decir, que el estatus social de ambos es diferente), de modo que, sintiéndose de un estatus superior, es posible que el *señor* tuviera igualmente la deferencia de darle esas monedas.

Cuando la interacción tiene lugar entre individuos que mantienen entre sí una relación de desigualdad, dicha desigualdad se suele poner típicamente de relieve empleando como forma de tratamiento un título (*Doctor*) o el título seguido del apellido (*Doctor González*), en el caso del individuo con un estatus superior, y sólo el nombre de pila, en el caso del individuo con estatus inferior, como se pone de manifiesto en el siguiente diálogo:

– *Doctor González, ¿podría hacerle una pregunta?*
– *Desde luego, Ana, ¿de qué se trata?*

Si la relación está más equilibrada, se emplean formas de tratamiento que indican que el estatus de los dos interlocutores es semejante, como pueden ser los nombres de pila, los hipocorísticos o los apodos:

– Pepe, ¿te apetece un poco más de café?
– Sí, gracias, Ana.

En numerosas lenguas es posible utilizar con fines interpelativos diferentes pronombres, en función de la proximidad o de la distancia que exista en términos sociales con respecto al interlocutor al que nos dirigimos. Es lo que se conoce como **distinción T/V**, una denominación que deriva del hecho de que en francés tales pronombres son *tu* (mayor proximidad) y *vous* (mayor distancia). Un tipo de categorización social semejante existe en alemán *(du/Sie)* y en español *(tú/usted)*. En todos estos casos, como también sucedía antiguamente en inglés *(thou/you),* la forma de plural se emplea para remarcar que los interlocutores no mantenían entre sí una relación social estrecha. Tradicionalmente se recurría a estas formas para subrayar la existencia de una relación de dominio. Así, el individuo con un estatus superior o con mayor poder podía utilizar *tu* o *thou* para dirigirse a un individuo de estatus inferior, pero no al contrario, como descubrió para gran consternación suya el cuáquero Richard Davis. Los individuos con un estatus inferior estaban obligados a emplear las formas *vous* cuando se dirigían a los que poseían un mayor estatus. Este tipo de uso se denomina no recíproco, aunque, en líneas generales, el uso recíproco (es decir, aquel en el que ambos interlocutores emplean la misma forma) de las formas *tu* se ha ido incrementando con el tiempo en Europa entre los hablantes más jóvenes, como los estudiantes, quienes probablemente no se conocen bien en realidad, pero se encuentran ciertamente en unas condiciones muy parecidas.

En inglés, para dirigirse a una persona que carece de un título distintivo se utiliza *Mr.*, *Mrs.*, *Miss* o *Ms.* Únicamente las formas de tratamiento aplicables a mujeres incluyen información acerca de su estatus social. De hecho, una de las formas de tratamiento que se emplea con más frecuencia para interpelar a una mujer indica que se trata de la esposa de un individuo en particular (por ejemplo, alguien denominando «Frank Smith», como sucede cuando nos dirigimos a ella como *Mrs. Smith* o incluso, en determinadas ocasiones, como *Mrs. Frank Smith).* Cuando se originó este sistema, es obvio que la identificación social de las mujeres se hacía en virtud de las relaciones que las ligaban a un hombre en concreto, de forma que era importante especificar que se trataba de esposas de o hijas de. Estas formas de tratamiento siguen funcionando como etiquetas que permiten identificar las categorías sociales, puesto que indican si las mujeres (pero no los hombres) están casadas o no lo están. Cuando una mujer emplea el *Ms.* como parte de su forma de tratamiento está indicando que su categorización social no se basa en su estado civil. Este tipo de observaciones nos lleva a considerar la diferencia más básica que existe en términos de categorización social, que es la que se basa en el «género».

Género

En el capítulo 8 señalamos que la palabra **género** puede emplearse para designar dos conceptos diferentes. Por un lado, el género biológico (o «natural»), que alude a las diferencias de carácter sexual que existen entre el «macho» y la «hembra» en cada especie. Por otro lado, el género gramatical, que es la diferencia que existe entre «masculino» y «femenino», la cual se emplea para clasificar los nombres en determinadas lenguas, como el español *(el sol, la luna)*. Sin embargo, existiría un tercer uso de la palabra género, que sería el **género social**, que consiste en las distinciones que establecemos cuando usamos palabras como «hombre» y «mujer» para clasificar a los individuos en función de su papel social.

Aunque bajo las diferencias sociales (como las que existen entre «padre» y «madre») subyacen diferencias biológicas («macho», «hembra»), lo cierto es que buena parte de lo relativo al papel social que desempeñan los individuos en tanto que hombres o mujeres (en tanto que padres o madres) no depende de la biología. Es realmente en este sentido de género social, y mediante el proceso de aprendizaje de la manera de convertirse en «chicos» o «chicas», como heredamos una cultura de género. Este proceso puede ser tan simple como aprender qué categoría debe vestir de rosa y cuál de azul, o tan complejo como entender las razones por las que una de las categorías fue excluida del proceso de gobierno representativo durante largo tiempo (por ejemplo, prohibiendo su derecho al voto). Para poder llegar a adquirir un género social resulta imprescindible familiarizarse con el uso del lenguaje de género.

Las palabras según el género

En sidamo, una lengua que se habla en Etiopía, existen determinadas palabras que sólo las usan los hombres y otras que únicamente emplean las mujeres, de forma que la traducción de la palabra *leche* sería *ado*, si la realiza un hombre, y *gurda*, si la lleva a cabo una mujer. En numerosas lenguas indígenas de los Estados Unidos, como el gros ventre (hablada en Montana) o el koasati (que se habla en Louisiana), se ha documentado la existencia de diferentes variantes de la lengua, una para los hombres y otra para las mujeres. En japonés, por poner otro ejemplo, a la hora de hacer referencia a uno mismo («yo»), los hombres emplean tradicionalmente la palabra *boku*, mientras que las mujeres utilizan *watashi* o *atashi*. Por poner un último ejemplo, en portugués un hombre dará las gracias diciendo *obrigado*, mientras que una mujer dirá *obrigada*.

Estos ejemplos simplemente ponen de manifiesto que en las distintas lenguas pueden existir diferencias entre las palabras que emplean los hombres y las que emplean las mujeres. Sin embargo, existen otros ejemplos de palabras empleadas para hacer referencia a hombres y a mujeres que parecen sugerir que las palabras que se utilizan para referirse a los hombres son «normales», mientras que las que se usan para referirse a las mujeres son «especiales». Un caso sería el de aquellos pares de palabras en los que el término que designa la actividad femenina deriva del que denota la masculina, como ocurriría con *héroe-heroína* o *actor-actriz*. El hecho de señalar estas diferencias recurriendo a palabras genéricamente marcadas se ha vuelto un recurso cada vez menos frecuente en inglés americano contemporáneo, de forma que términos como *firemen* («bomberos») o *policemen* («policías») se han transformado en *firefighters* (literalmente, «luchadores contra el fuego», donde *men* «hombres» se ha sustituido por *fighters* «luchadores», que no está marcado genéricamente) y *police officers* («oficiales de policía», donde *men* «hombres» se ha sustituido por *officers* «oficiales», que tampoco está marcado genéricamente). Sin embargo, aún subsiste una fuerte tendencia a considerar el masculino como el género no marcado, de manera que las formas que se refieren a los hombres (por ejemplo, *his* «suyo de él») se utilizan habitualmente cuando se habla en términos generales: *Each student is required to buy his own dictionary* («Se exige a cada estudiante que compre su [masculino] propio diccionario»). No obstante, cada vez son más comunes modos de expresión alternativos, como el uso simultáneo de las formas correspondientes a ambos géneros (*his or her*) o de formas que no explicitan el género (como *they* «su de ellos»). Sea como fuere, existen otros términos que continúan sugiriendo que las palabras «especiales» son las que se refieren a las mujeres y no al contrario. Así, en inglés se emplea *career woman* (literalmente, «mujer con carrera») o *working mother* («madre trabajadora») para designar a la mujer que trabaja fuera de casa, mientras que los términos correspondientes al género masculino, a saber *career man* o *working father*, son francamente inusuales.

Cuando analizamos la cuestión de la variación social (capítulo 19) y discutimos las diferencias que existían entre la manera de hablar de las clases trabajadoras y de la clase media, pasamos por alto, en gran medida, las diferencias de género. Sin embargo, dentro de cada clase social existe una significativa variación en función del género. En líneas generales, siempre que están disponibles dos alternativas, una de mayor prestigio y otra menos prestigiosa (por ejemplo, *talking/talkin'* «hablando» o *I saw it/I seen it* «Lo he visto»), las mujeres utilizarán la forma de mayor prestigio con una frecuencia más elevada. Esta diferencia resulta más manifiesta en el caso de los hablantes que pertenecen a la clase media. En un estudio en particular, se analizó el uso de las construcciones con doble negación (del tipo *I don't want none* «No quiero ninguno») entre los miembros de la clase media-baja. El resultado fue que mientras un 32% de los hombres las empleaban, tan sólo el 1% de las mujeres hacían uso de ellas. Este patrón se repite de forma regular y se ha tratado de explicar en ocasiones aduciendo que la socialización de las mujeres las impele a ser más cuidadosas, a preocuparse en mayor medida del estatus social y a ser más sensibles a las críticas de los demás. Una explicación alternativa podría ser que la socialización de los hombres los impulsa a comportarse con mayor agresividad, de forma más ruda y con una mayor independencia. Es posible que los hombres prefieran las formas que no se consideran estándar o que se asocian con el habla de las clases trabajadoras debido a su asociación con el trabajo manual, la fuerza y la rudeza. Y los hombres rudos tienen además voces graves.

La forma de hablar según el género

En general, los hombres tienen un tracto vocal más largo, una laringe de mayor tamaño y unas cuerdas vocales más gruesas que las mujeres. Esto hace que los sonidos que emiten al hablar se sitúen en una zona del espectro sonoro que se corresponde con tonos más graves (80-200 Hz) que los que emiten las mujeres (120-400 Hz). El término **tono** se emplea para describir el efecto de la vibración de las cuerdas vocales. Cuando la vibración es más lenta, el tono de la voz es más bajo; por el contrario, si las cuerdas vocales vibran a mayor velocidad, el sonido resultante es más agudo. Si bien cuando «hablamos normalmente» el intervalo tonal de la voz masculina y de la femenina coinciden en gran medida, en numerosas situaciones existe una tendencia a exagerar las diferencias entre ambos tipos de voces, con objeto de que la voz suene más «a hombre» o más «a mujer».

En comparación con los hombres, las mujeres que hablan inglés americano actual recurren en mayor medida a las variaciones de tono, es decir, a subir o bajar el tono de la voz mientras hablan. Entre las diversas características de la forma de hablar femenina identificadas hasta el momento pueden mencionarse la utilización de una entonación ascendente (↑) al final de las construcciones enunciativas (*It happened near San Diego↑, in southern California↑* «Sucedió cerca de San Diego, en la California meridional»), así como un mayor uso de los atenuadores retóricos (*una clase de, cierto tipo de*) y de las coletillas (*Hace algo así como un poco de frío aquí, ¿no es cierto?*). En inglés las **coletillas** o ***tag questions*** son preguntas cortas formadas por un auxiliar (*don't, isn't*) y un pronombre (*it, you*), que se añaden al final de una oración enunciativa (*I hate it when it rains all day, don't you?* «Odio cuando se pasa lloviendo todo el día, ¿no te parece?»). Las mujeres las emplean con mayor frecuencia que los hombres cuando están dando su opinión acerca de algo. Todas estas características de la forma de hablar de las mujeres parecen ir encaminadas a facilitar el consenso en relación con la idea que están tratando de expresar, en lugar de optar por simplemente por afirmarla. Por el contrario, los hombres tienden a emplear un mayor número de formas asertivas y un lenguaje más «brusco» (*¡Aquí hace un frío de cojones!*). Otros investigadores han indicado que las mujeres, cuando hablan con personas de su mismo sexo, prefieren recurrir al estilo indirecto (*¿Podría ver esa foto?*), mientras que los hombres, cuando se dirigen a otros hombres, recurren con mayor frecuencia al estilo directo (*¡Trae acá esa foto!*).

El concepto «hablando con personas de su mismo sexo» es particularmente relevante cuando se trata de determinar las características que tiene la manera de hablar de hombres y mujeres, dado que buena parte de nuestro proceso de socialización tiene lugar en grupos formados por individuos de nuestro mismo sexo. A la edad de tres años, los niños prefieren ya hablar con otros niños de su mismo sexo. A los cinco año, los niños excluyen explícitamente a las niñas de sus actividades y hacen comentarios despectivos de quienes juegan con ellas. Durante toda la infancia, los niños se socializan en el seno de grupos de mayor tamaño, a menudo a través de actividades competitivas, estableciendo y consolidando relaciones jerárquicas (*Soy Spiderman y tú tienes que obedecerme*). Por su parte, las niñas se socializan en el seno de grupos más reducidos, a menudo mediante actividades que implican la cooperación entre sus miembros, estableciendo relaciones recíprocas e intercambiando papeles (*Tú puedes ser la médico ahora y yo seré la paciente*). En numerosas sociedades la socialización en grupos formados por individuos del mismo sexo se ve reforzada mediante un proceso educativo separado, dando lugar a hombres y mujeres que sólo pueden relacionarse con los miembros del otro sexo en muy contadas ocasiones fuera del ámbito familiar. Por consiguiente, no debe sorprendernos constatar que cuando un género ha de relacionarse con el otro las estrategias que siguen sean diferentes.

La interacción hablada según el género

Muchas de las peculiaridades distintivas de la manera de hablar de las mujeres identificadas hasta el momento (como, por ejemplo, la mayor frecuencia en el uso de las formas interrogativas) facilita la réplica durante la conversación, permitiendo que los demás interlocutores puedan hablar, con lo que la interacción se convierte en una actividad compartida. La interacción entre los hombres parece organizarse, en cambio, de una manera más jerárquica, de forma que el derecho a hablar o a «tener la palabra» se convierte en un objetivo en sí mismo. Los hombres suelen dar, en general, réplicas más prolongadas cuando hablan y en muchos contextos sociales (por ejemplo, en las ceremonias religiosas) es posible que sólo uno de ellos esté autorizado a hacerlo.

Una consecuencia de la existencia entre hombres y mujeres de diferentes estilos a la hora de hablar es que determinadas características de los mismos se vuelven particularmente conspicuas cuando han de relacionarse con personas del otro sexo. Por ejemplo, cuando están discutiendo personas del mismo sexo apenas existen diferencias entre hombres y mujeres en el número de veces que uno de los interlocutores interrumpe al otro. Sin embargo, si la discusión tiene lugar entre personas de distinto sexo, los hombres son mucho más proclives a interrumpir a las mujeres. De hecho, en un estudio sobre esta cuestión, llevado a cabo en un centro universitario norteamericano, los hombres fueron responsables de hasta el 96% de dichas interrupciones.

Si la conversación tiene lugar entre mujeres, éstas son capaces de generar un mayor número de canales de retroalimentación, con objeto de indicar a su interlocutora que la están escuchando y le están prestando atención. El término **canal de retroalimentación** alude al uso de palabras *(¿en serio?, ¿de verdad?)* o de sonidos *(¡ajá!, ¡huuumm!, ¡ah!)* mientras una persona está hablando por parte de quien la está escuchando. Los hombres no sólo generan menos canales de retroalimentación, sino que tienden a interpretarlos, cuando los escuchan, como una señal de aquiescencia. Cuando se relacionan personas de diferente sexo, las mujeres tienden a interpretar el hecho de que los hombres no generen canales de retroalimentación como una señal de que no les están prestando la suficiente atención. Por su parte, los hombres suelen interpretar la mayor frecuencia de canales de retroalimentación que caracteriza al discurso femenino como una señal de que las mujeres están de acuerdo con lo que ellos están diciendo.

Se han identificado otros rasgos característicos de la manera en que los hombres y las mujeres hacen uso del lenguaje a la hora de relacionarse. De hecho, la existencia de estilos que varían según el género ha dado lugar a que algunos escritores caractericen las conversaciones que tienen lugar entre hombres y mujeres en términos de «comunicación transcultural». Si queremos evitar que se produzcan interferencias en la comunicación durante este proceso, debemos estar preparados para tratar de comprender el genuino impacto que tienen las culturas que heredamos y, recurriendo a la creatividad que permite el lenguaje, que también nos ha sido dada, tratar, asimismo, de encontrar nuevas maneras de dar expresión a esas culturas antes de que también a nosotros nos llegue el momento de transmitirlas.

■ Ejercicios

1. ¿Cuál es la definición más habitual de la «cultura» en el ámbito del estudio del lenguaje?

2. ¿A qué se alude cuando se habla de «determinismo lingüístico»?

3. ¿Qué significa «no lexicalizado»?

4. ¿Qué son los clasificadores?

5. ¿Por qué razón es agramatical la siguiente oración?: *She gave me a good advice* («Me dio un buen consejo»)?

6. La siguiente frase, ¿es más probable que la diga una mujer o un hombre?:

Bueno, creo que ver el golf por televisión es un poco, no sé, un poco aburrido, ¿no te parece?

■ Tareas de investigación

A. ¿Qué diferencia existe entre comunicación «transcultural», «intercultural» y «multicultural»?

B. ¿En qué consiste la «jerarquía básica de los términos que denotan los colores»?

C. Cuando en ponapeano (una lengua que se habla en el Pacífico occidental) se utiliza un numeral junto con un nombre, resulta preciso, asimismo, usar el clasificador adecuado. Algunos clasificadores en ponapeano que son sufijos serían los siguientes:–*men* («cosas animadas»), -*mwut* («montones de cosas»), -*sop* («tallos de cosas») y *dip* («rodajas de cosas»). Dos ejemplos de numerales serían *sili-* («tres») y *pah-* («cuatro»). ¿Serías capaz de completar los siguientes sintagmas nominales empleando el numeral-clasificador apropiado en cada caso?

Ejemplo: *pwutak reirei silimen* («tres altos niños»)

1. *sehu*_____ («cuatro tallos de caña de azúcar»)
2. *dipen mei* _____ («cuatro rodajas de fruto del pan»)
3. *mwutin dippw* _____ («cuatro montones de hierba»)
4. *nahi pwihk* _____ («mis tres cerdos»)

D. ¿Cómo se podría evitar en inglés tener que emplear un lenguaje «marcado genéricamente» a la hora de completar enunciados del tipo de los que se indican a continuación (tomados de Eckert y McConell-Ginet, 2003)?:

Someone called, but _____ didn't leave _____ name.
A friend of mine claimed _____ had met the Beatles.
My teacher promised _____ would write me a letter of recommendation.
The photographer forgot to bring _____ tripod.
Chris said _____ would be having _____ birthday party tomorrow.

■ Temas/proyectos de discusión

I. ¿A qué crees que se debe el que se cite reiteradamente el «hecho probado» de que los esquimales disponen de cientos de palabras para hacer referencia a la nieve? ¿Cómo tratarías de convencer a alguien que cree que, efectivamente, se trata de una realidad y no, más bien, de un mito?

(Para obtener información básica sobre esta cuestión puedes consultar el capítulo 19 de Pullum, 1991.)

II. Trata de responder a las siguientes cuestiones sobre la interacción comunicativa:

(i) ¿Crees que existe alguna diferencia entre «interrumpir» una conversación y que la conversación «se solape»?

(ii) ¿A qué crees que se quiere hacer referencia cuando se distingue entre una «conversación-exposición» (en inglés «report talk») y una «conversación interactiva» (en inglés «rapport talk»)?

(iii) ¿Crees que podría ser oportuno distinguir entre un estilo de hablar «lento» y otro «rápido», en lugar de atribuir determinadas características a la manera en que interactúan hombres y mujeres?

(Para obtener información adicional sobre esta cuestión puedes consultar el capítulo 7 de Tannen, 1990.)

III. En un estudio reciente, llevado a cabo en la Universidad de California, se grabó el comportamiento de dos grupos de individuos, uno formado por hombres y otro por mujeres, mientras trataban de resolver algunos problemas matemáticos. En la tabla siguiente se recogen el tipo y la frecuencia de los «intensificadores» utilizados por ambos sexos durante la realización de dichos ejercicios (un «intensificador» sería, por ejemplo la palabra *really* «realmente» en una frase como *That's a really difficult problem* «Este es un problema realmente difícil»):

	Hombres	Mujeres
Absolutely («absolutamente»)	1	2
Complete («completo»)	3	0
Completely («completamente»)	1	1
Definitely («definitivamente»)	28	14
Extremely («extremadamente»)	5	2
Fucking («jodido»)	1	0
Fully («totalmente»)	2	0
Lots («muchos»)	1	0
Mega («mega»)	0	1
Overly («demasiado»)	0	1
Quite («bastante»)	1	1
Real («real»)	64	29
Really («realmente»)	246	456
So («por tanto»)	163	272
Such a («tal»)	12	24
Super («super»)	3	7
Total («total»)	6	4
Totally («totalmente»)	26	32
Very («muy»)	61	42
Way («manera»)	3	0

Trata de responder a las siguientes cuestiones:

(i) ¿Cuál de los dos grupos utiliza más «intensificadores»?

(ii) ¿Dirías que hay algunos «intensificadores» que son «más masculinos» y otros «más femeninos»?

(iii) ¿Cuál es a tu juicio la razón por la que estas pautas o tendencias están presentes en el habla de hombres y mujeres?

(iv) ¿Sucede lo mismo en tu comunidad de hablantes?

(Para obtener información adicional sobre este estudio puedes consultar a Bradac *et al.*, 1995).

IV. La variación sociocultural no sólo se manifiesta en la lengua hablada, sino que también está presente en el paralenguaje (esto es, el conjunto de gestos vocales y físicos que acompaña a, o se utiliza en lugar de, las expresiones lingüísticas). Después de leer el siguiente análisis de Poyatos (1993: 368-369), trata de contestar a las preguntas que se proponen sobre el mismo:

En las culturas más desarrolladas, conforme uno asciende en la escala social, los eructos involuntarios y no reprimidos se van convirtiendo en un tabú, a menos que sean debidos a una enfermedad, e incluso entonces se supone que uno debería tratar de minimizarlos y de taparse la boca con la mano (mientras esté en condiciones de moverla), puesto que su sonido se considera molesto y ofensivo si no se reprime. No obstante, en muchas culturas existe un estándar diferente en el caso de los hombres y las mujeres. Así, un informante australiano me aseguró que «es del todo normal que los hombres eructen en los bares, pero nunca en un restaurante», mientras que uno chino me dijo que las mujeres han de evitar eructar, pero que «es totalmente correcto si lo hace un hombre».

(i) Según tu propia experiencia, ¿es cierto que existirían patrones diferentes con respecto a este tipo de paralenguaje?

(ii) ¿Se aplican las mismas normas al hecho de chillar, llorar, reír, bostezar, estornudar, escupir o roncar (en público)?

(iii). ¿Qué se dice normalmente en estas situaciones como reacción a cualquiera de los comportamientos enumerados anteriormente (un ejemplo sería decir «¡Jesús!» cuando estornuda alguien que se encuentra próximo a nosotros)?

■ Lecturas adicionales

Diversos autores se ocupan específicamente de la mayoría de las cuestiones tratadas en este capítulo. Así, puede consultarse a Kramsch (1998) en lo concerniente a la relación entre el lenguaje y la cultura; el capítulo 1 de la revisión de Ungerer y Schmid (1996), en lo que atañe a la investigación sobre las categorías; a Carroll (1956), acerca de los escritos de Whorf; a Pullum (1991), para obtener información adicional acerca del tópico de los esquimales y la nieve; a Kent (1986), en lo concerniente a lo discutido anteriormente acerca de los hawaianos y la lluvia; a Finegan y Besnier (1989), en lo que atañe a la manera de hacer referencia a los cocos en tuvaluano; y a Craig (1986), en lo concerniente a los clasificadores. En particular, el sistema de clasificadores que se emplea en dyirbal se discute en Lakoff (1987), mientras que los ejemplos de los clasificadores japoneses proceden de Frawley (1992). Los ejemplos de sidamo se han tomado de Hudson (2000) y los de ponapeano, de Lynch (1998). Para obtener información adicional acerca de las categorías sociales, puede leerse el capítulo 3 de Mesthrie *et al.* (2000). En lo concerniente al género gramatical, una obra de referencia es la de Corbett (1991), mientras que en lo que atañe al desarrollo del género social puede consultarse a Maccoby (1998). El capítulo 4 de Romaine (2000), el capítulo 3 de Talbot *et al.* (2003) y el volumen de Bucholtz (2004) constituyen sendas introducciones de breve extensión a la cuestión de las relaciones entre el lenguaje y el género. Coates (1998, 2004), Eckert y McConnell-Ginet (2003), y Lakoff(2004) tratan este tema de forma más completa. Una revisión exhaustiva es la de Holmes y Meyerhoff (2003).

Apéndice Respuestas a los «Ejercicios»

1 Los orígenes del lenguaje

1. La hipótesis de la adaptación física.
2. Las palabras primitivas podrían haber sido imitaciones de los sonidos naturales que los primeros humanos habrían oído a su alrededor. Todas las lenguas actuales cuentan con palabras que son onomatopeyas (como *gua-gua*).
3. Los sonidos producidos por los seres humanos cuando realizan un esfuerzo físico (gruñidos, por ejemplo), especialmente cuando están cooperando con otros humanos (*yo-he-ho*), podrían haber dado lugar a los sonidos del habla.
4. Las interjecciones contienen sonidos que no se utilizan en la generación del habla ordinaria. Habitualmente se producen mediante breves inspiraciones, justo lo contrario de lo que sucede con los sonidos del habla, que se producen modulando el aire que exhalamos.
5. Los dientes en la especie humana adoptan una posición recta y no se inclinan hacia adelante, como ocurre en los monos; además, todos tienen aproximadamente el mismo tamaño.
6. La faringe se encuentra situada sobre la laringe (o caja vocal, o cuerdas vocales). Cuando la laringe desciende, la faringe se alarga y actúa como un resonador, incrementando el rango de los sonidos producidos por la laringe, así como su nitidez.
7. Puesto que los niños que son sordos de nacimiento no desarrollan el lenguaje hablado en primer lugar, su capacidad lingüística no dependería de las adaptaciones físicas experimentadas por los dientes, la laringe, etc., que son necesarias para poder hablar. Si todos los niños (incluyendo los que nacen sordos) son capaces de adquirir el lenguaje aproximadamente a la misma edad, debe ser porque nacen con una capacidad especial para hacerlo. La conclusión es que dicha capacidad debe ser innata y, por consiguiente, debe estar codificada genéticamente.

2 Los animales y el lenguaje humano

1. Un ejemplo de la transmisión cultural típica del lenguaje podría ser el de un niño que ha heredado determinadas características físicas de sus progenitores (por ejemplo, los rasgos propios de los coreanos), pero que fue adoptado pocos días después de nacer por una pareja angloparlante. Este niño, al crecer, terminará hablando inglés, y no coreano.
2. Gracias a la productividad el sistema puede crear nuevas expresiones y el número potencial de dichas expresiones resulta infinito. En un sistema de referencia fija, el número de señales está prefijado y cada señal sólo se refiere a un objeto o un suceso determinado.
3. La del desplazamiento.
4. Diseñaron una serie de experimentos en los cuales resultaba imposible que los seres humanos le proporcionaran pistas o indicios. El resultado fue que Washoe seguía siendo capaz de producir los signos correctos a la hora de identificar los objetos que aparecían en diversas fotografías.
5. La de la arbitrariedad.
6. El elemento clave parecía ser la precoz exposición a un lenguaje en uso.
7. Al hecho de que habitualmente no existe una conexión natural entre la forma y su significado.
8. No, ya que muchos animales emplean únicamente para señalar el canal vocal-auditivo de los sistemas de comunicación de los que disponen.
9. Dualidad.

10. Pocas veces. El chimpancé llamado Viki llegó a producir versiones más o menos inteligibles de tres palabras inglesas, pero no quedó claro que estuviese produciendo realmente los sonidos característicos del habla humana. El problema estriba en que no existe ningún animal que posea las características fisiológicas necesarias para producir los sonidos típicos de la misma.

11. Después de analizar cuidadosamente el material documental existente, Terrace llegó a la conclusión de que los chimpancés se comportaban como lo hacían para obtener una recompensa en forma de comida.

3 El desarrollo de la escritura

1. La diferencia fundamental es que los pictogramas son símbolos más parecidos a «retratos», que se usan típicamente para denotar algo visible, mientras que los ideogramas son símbolos de carácter más abstracto, que se emplean característicamente para denotar algo conceptual.

2. En un sistema logográfico los símbolos representan palabras, mientras que en un sistema fonográfico representan sonidos.

3. En la escritura jeroglífica el símbolo que denota una determinada entidad acabó empleándose para denotar el sonido de la palabra de la variedad hablada de la lengua que se usaba para hacer referencia a dicha entidad, hasta que el símbolo en cuestión terminó usándose siempre que aparecía ese sonido, con independencia de la palabra en que lo hiciera.

4. El japonés.

5. El alfabeto cirílico.

6. En China.

4 Los sonidos del lenguaje

1. La fonética acústica se ocupa del estudio de las propiedades físicas de los sonidos del habla, en tanto que ondas sonoras que se transmiten por el aire. En cambio, la fonética auditiva se ocupa del estudio de la manera en que se perciben dichos sonidos a través del oído.

2. (a), (b) y (f) son sordos, y (c), (d) y (e) son sonoros.

3. (a) velar, (b) labiodental, (c) alveolar, (d) bilabial, (e) palatal, (f) (inter)dental, (g) velar, (h) velar.

4. (a) fricativo, (b) oclusivo, (c) fricativo, (d) nasal, (e) oclusivo, (f) oclusivo, (g) líquido lateral y (h) fricativo.

5 (a), caza, (b) ferrocarril, (c) chico, (d)) yugo, (e) piñón, (f) herrumbre, (g) zarrapastroso, (h) lluvia, (i) jarcha, (j) ralladura.

6 (a) eʎa, (b) tapa, (c) duɾo, (d) andaɾ, (e) kaθeɾola, (f) soeθ, (g) t͡ʃuθo, (h) legaŋa.

5 Los patrones sonoros del lenguaje

1. Cuando se sustituye un fonema por otro se produce un cambio de significado. Sin embargo, al sustituir un alófono por otro, sólo acontece una variación de sonido, pero no de significado.

2. En un sonido nasalizado parte del aire que llega de los pulmones se expulsa a través de la nariz y no sólo de la cavidad bucal.

3. Pat–fat; pat–pit; heat–heel; tape–tale; bun–ban; fat–far; bell–bet; meal–heel.

4. La fonotaxis se refiere a las maneras permitidas en esa lengua de disponer los sonidos de la misma, lo que depende de restricciones que limitan la secuencia y el orden en que pueden ordenarse los fonemas de dicha lengua.

5. Una sílaba abierta acaba en vocal (el núcleo), mientras que una cerrada acaba en consonante (posee coda).

6. (a) /a/, (b) /b/, (c) /d/, (d) /n/.

7. Se sustituye un sonido por otro en una palabra y se comprueba si la sustitución da lugar a un cambio de significado, en cuyo caso los dos sonidos han de ser fonemas diferentes.

6 Palabras y procesos de formación de palabras

1. Parece tratarse de un préstamo del holandés, en particular de la la forma familiar *Sinter Klaas*, que significa «San Nicolás».
2. (c) es un ejemplo de calco, mientras que (a) y (b) son préstamos.
3. Acuñación.
4. Des-, re-, per-, son prefijos; -ción, -ble y -bilidad son sufijos.
5. (a) conversión, (b) acrónimo, (c) mezcla y (d) apócope.
6. En (a) la primera parte de la palabra, *tele*, constituye un apócope de *televisión,* mientras que *cupón* es una sustantivo pleno, por lo que palabra de nueva creación es el resultado de un proceso subsiguiente de composición. En (b) se ha producido una derivación mediante el sufijo *ista* a partir de del sustantivo *fútbol,* que es, a su vez, un préstamo del inglés. (c) es nuevamente el resultado de un proceso de composición de *pelo* y *rojo*, como también lo es (d), en este caso de los adjetivos *agrio* y *dulce;* en ambos casos ha tenido lugar ulteriormente un fenómeno de conversión.
7. *srnal.*

7 Morfología

1. Los morfemas funcionales serían El, se, en, una, y, les, de.
2.
   (a) pre-, -sión; a-, -ado; in-; -nte; -nte-, -mente.
   (b) En *atípico* y en *asintomático*.
3.
   (a) -as, -es, -os, -s.
   (b) -á, -ndo.
   (c) -a, -a, -a.
   (d) –a, -a, -ó, -a, -a.
4. *-s, -es, -s, -s, -es,* Ø.
5. *abaloŋgo*; *táwa, kəǰǐ*; *bibili*; *kumain*
6. La reduplicación consiste en la repetición de la totalidad o de una parte de una determinada forma con objeto de indicar, por ejemplo, el número plural, en el caso de un sustantivo, o el tiempo futuro, en el caso de un verbo.

8 Sintagmas y oraciones: la gramática

1. *El* (= artículo), *niño* (= nombre), *frotó* (= verbo), *la* (= artículo), *lámpara* (= nombre), *mágica* (= adjetivo), *y* (= conjunción), *repentinamente* (= adverbio), *apareció* (= verbo), *un* (= artículo), *genio* (= nombre), *delante* (= adverbio), *de* (= preposición), *él* (= pronombre).
2. El género gramatical se basa en una distinción del nombre en diferentes clases, como masculino, femenino o neutro, la cual no está relacionada con el sexo. En cambio, el género natural se basa en el sexo, en tanto que distinción biológica entre machos, hembras y entes que no son ni machos ni hembras.
3. (a) No se debe romper un infinitivo (*to fully explain* → to explain fully)
   (b) No se debe acabar una frase con una preposición (*the person I gave the book to* → the person to whom I gave the book).
4. Según las definiciones antiguas, los pronombres eran «las palabras que se usan en lugar de un nombre». Si esta definición fuese apropiada, podríamos usar *él* en lugar de *hombre* y *lo* en lugar de *bocadillo* y reescribir una oración como *El hombre cogió el bocadillo* como **El él cogió el lo*. Dado que habitualmente decimos *Él* (= el hombre) *lo* (= el bocadillo) *cogió*, sería más correcto definir un pronombre como «la palabra que se usa en lugar de un sintagma nominal. En inglés este razonamiento resulta igualmente válido, como puede comprobarse comparando *The man took the sandwich* y **The he took the it.*
5. (a) El niño pequeño pegó al perro negro.
   (b) El perro vio al hombre grande.

6.

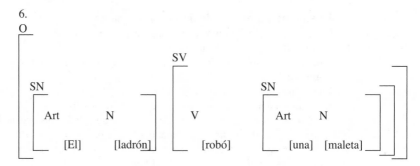

7. El enfoque descriptivo, que, como principio general, propone un procedimiento que permite describir las estructuras regulares que se encuentran realmente en la lengua que se está analizando.

9 Sintaxis

1. El criterio «todas y sólo» significa que la gramática debe generar todas las oraciones gramaticales de una lengua y sólo las que sean gramaticales.
2. Porque cada una de ellas pueden aludir a dos cosas diferentes:
   (a) «Una profesora americana de historia» o «Una profesora que enseña historia de América».
   (b) «Con los pájaros que vuelan» o «Con pájaros mientras se va volando en avión».
   (c) «Los padres de la novia junto con el novio» o «Los padres de ambos, tanto del novio como de la novia».
3. Únicamente la estructura profunda.
4. Todas lo estarían.
5. Sólo la (b) y la (d).
6.

(a)

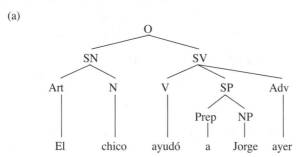

(b)

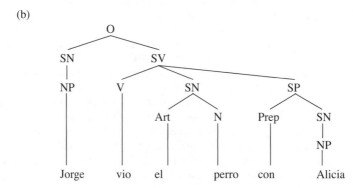

7. (a) La policía arrestó a Laura; (b) Ha sido robada mi bicicleta; (c) Mis hermanos vinieron a comer ayer; (d) Le recomendé bajar el volumen.

10 Semántica

1. Por prototipo se entiende el ejemplo más característico de una determinada categoría, como es el caso de «gorrión», con relación a la categoría «pájaro», para la mayoría de los hablantes peninsulares de español.

2. (a) El verbo *beber* exige un sujeto con el rasgo [+animado], mientras que el nombre *televisión* posee el rasgo [–animado].

   (b) El verbo *escribir* exige un sujeto con el rasgo [+humano] y *perro* posee el rasgo [-humano].

3. Instrumento (*palo de golf*), Agente (*Julio*), Tema (*la pelota*), Origen (*la arena*), Destino (*área de hierba*), Situación (*el hoyo*), Experimentador (*ella*).

4. (a) antonimia; (b) sinonimia; (c) homofonía; (d) hiponimia; (e) antonimia; (f) hiponimia.

5. (a) no graduables; (b) reversos; (c) no graduables; (d) graduables; (e) reversos; (f) graduables.

6. (a) polisemia; (b) metonimia; (c) metonimia; (d) polisemia; (e) metonimia/metonimia.

11 Pragmática

1. Deixis personal (*yo, tú*), deixis espacial (*aquí, vuelve*), deixis temporal (*ahora, más tarde*).

2. *Él, ella, le* (a ella), *le* (a él), *se*, las *píldoras, el dolor*.

3. (a) Si X es el nombre del autor de un libro, entonces X puede emplearse para identificar un ejemplar del libro escrito por dicho autor (en un contexto educativo).

   (b) Si X es el nombre de un plato, entonces X puede emplearse para hacer referencia a la persona que ha solicitado dicho plato (en el contexto de un restaurante).

   (c) Si X es el nombre de un trastorno clínico, entonces X puede emplearse para hacer referencia a la persona que sufre dicho trastorno (en un contexto sanitario).

   (d) Si X es la hora correspondiente a una cita, entonces X puede emplearse para hacer referencia a la persona a la que correspondía dicha cita (en un contexto en el que se emplean agendas y se acuerdan encuentros).

4. (a) Él (o ella) ha comprado cerveza.

   (b) Tienes un reloj.

   (c) Hemos comprado un coche.

   (d) Francia tiene rey.

5. (a) directo; (b) indirecto; (c) indirecto; (d) directo.

6. (a) negativo («Si tienes tiempo»), (b) positivo («Vayamos»)

12 Análisis del discurso

1. La cohesión es un rasgo textual, que alude, en concreto, a los vínculos y conexiones que existen en el interior de un texto. La coherencia es un rasgo de la interpretación que cada persona hace de un texto, de forma que las cosas casen unas con otras de forma adecuada.

2. Los hablantes pueden señalar los puntos finales realizando una pregunta o haciendo una pausa al final de una estructura sintáctica completa, como un sintagma o una oración.

3. Cantidad, calidad, relación y modo.

4. Los atenuadores son palabras o locuciones que se emplean para indicar que no estamos realmente seguros de que lo que estamos afirmando sea suficientemente correcto o completo.

5. A la máxima de la calidad, porque el hablante indica explícitamente que puede estar equivocado.

6. El conductor solicita al mecánico que realice una acción; el mecánico declara la razón por la que no puede cumplir la solicitud.

7. Describe el hecho constatado de que las personas se turnan para hablar en una conversación, sin que habitualmente dos o más personas hablen simultáneamente.

8. Los guiones son semejantes a esquemas dinámicos (o estructuras cognitivas) en los cuales se suceden diversas acciones convencionales.

13 El lenguaje y el cerebro

1. El área de Wernicke.
2. Un malapropismo.
3. La afasia es un trastorno del lenguaje que se debe a un daño cerebral localizado, el cual puede dar lugar a problemas a la hora de comprender y/o generar formas lingüísticas.
4. La afasia de Broca.
5. En la prueba de escucha dicótica se proporciona a una persona un par de auriculares y se le hace escuchar de forma simultánea dos sonidos distintos, cada uno a través de un auricular diferente.
6. El período crítico consiste en la etapa en la que el cerebro humano se encuentra más preparado para recibir un input lingüístico y, en consecuencia, aprender una determinada lengua. Se acepta generalmente que se extiende desde el momento del nacimiento hasta la pubertad.
7. El área de Wernicke, el área de Broca, el área motora y el fascículo arcuato (o arqueado).
8. Para la mayoría de las personas, el hemisferio izquierdo se ha especializado en el procesamiento de los sonidos característicos del lenguaje, mientras que el derecho se ha especializado en el procesamiento de los sonidos ambientales.
9. Porque Genie no aprendió ninguna lengua durante el período crítico y porque cuando empezó a utilizar el lenguaje, parecía haber desarrollado una especialización par el mismo por parte del hemisferio derecho.

14 La adquisición de la primera lengua

1. A continuación se mencionan algunas más de cuatro: frecuencia elevada de preguntas, entonación exagerada, volumen más elevado de lo normal, *tempo* más lento, pausas más prolongadas, consideración de las acciones y de las vocalizaciones como cambios de turno a la hora de hablar, remedo del habla infantil, estructuras oracionales simples, numerosas repeticiones.
2. En la fase posterior de la etapa del balbuceo, cuando el niño tiene aproximadamente entre nueve y diez meses de vida.
3. Durante el décimo y el undécimo mes de vida.
4. El orden sería el siguiente: -*ing*; -*s* (plural); -'*s* (posesivo); -*ed*.
5. La forma más avanzada parece ser la (a), puesto que el elemento negativo está situado delante del verbo, en el interior de la estructura, y no se ha añadido simplemente al comienzo de la misma, como sucede en (b).
6. Sobreextensión.
7. Hacia los dos año de edad, un niño entiende cinco veces más palabras de las que produce. El niño estará dentro de la etapa que se denomina «de las dos palabras».

15 Adquisición/aprendizaje de una segunda lengua

1. Alude a la capacidad de determinados individuos adultos que están aprendiendo una L2 de adquirir una competencia plena en lo concerniente a la variante escrita del idioma, pero conservando, a la vez, un acento característico de su L1, como le ocurría al escritor Joseph Conrad.
2. Las matemáticas se aprenden mediante un proceso consciente de acumulación de conocimientos, que tiene lugar habitualmente en un contexto educativo. En otras palabras, no se adquieren, dado que la capacidad matemática no se desarrolla de forma gradual en ausencia de un esfuerzo consciente, como sucede con el desarrollo de la L1 en el caso de los niños pequeños.
3. Pueden escogerse cuatro cualesquiera de la siguiente relación: se dedica un tiempo insuficiente al proceso de aprendizaje (unas pocas horas a la semana, frente a la interacción constante que tiene lugar en el caso de un niño pequeño); se presta una atención insuficiente al propio proceso de aprendizaje (los adultos tienen siempre multitud de cosas de las que ocuparse o en las que pensar, a diferencia de los niños pequeños); el incentivo es insuficiente (los adultos ya conocen una lengua, que pueden emplear para satisfacer sus

necesidades comunicativas); el «período crítico» de adquisición del lenguaje ya ha finalizado en el momento del aprendizaje; determinados factores afectivos, como la timidez, suponen una inhibición más fuerte en el caso de los adultos que en el de los niños pequeños.

4. La transferencia positiva implica que quien está aprendiendo una L2 recurre a su conocimiento de una determinada característica de su L1 que es similar en el caso de la L2. La transferencia negativa supone que quien está aprendiendo una L2 hace uso de una característica de la L1 que es realmente diferente en la L2.

5. Una interlengua fosiliza cuando contiene numerosas formas que no se corresponden con las de la lengua que se está aprendiendo, de forma que no se progresa más en el proceso de aprendizaje de la misma.

6. La competencia gramatical, la competencia sociolingüística y la competencia estratégica.

7. Porque puede suministrar ejemplos simples y claros de la estructura básica de la L2, al mismo tiempo que garantiza el éxito de la comunicación.

16 Los gestos y las lenguas de signos

1. Los emblemas son signos que funcionan a modo de frases hechas y que no dependen de lo que se está diciendo. Un ejemplo sería el «pulgar hacia arriba», con el significado de «las cosas son favorables».

2. Los iconos son gestos que, de alguna manera, parecen reflejar (parte de) lo que se está diciendo. Un ejemplo sería trazar un cuadrado en el aire con las manos mientras se está haciendo referencia a una pequeña caja. Los deícticos son gestos que se emplean para señalar a las cosas o a las personas conforme hablamos.

3. Una lengua de signos alternativa es un sistema de signos realizados con las manos que permite lograr una comunicación limitada en un contexto en el cual no puede recurrirse a la lengua hablada.

4. El inglés en signos consiste fundamentalmente en oraciones del inglés (en ocasiones abreviadas) cuyo vocabulario está constituido por signos. El ASL constituye una lengua independiente, que posee numerosas estructuras que difieren significativamente de las características del inglés.

5. El parámetro articulatorio del ASL que posee «una mano plana» como elemento básico es la forma, mientras que el que posee «palma hacia arriba» como elemento básico es la orientación.

6. (a) ¿Ocurrió la noche pasada?
   (b) El niño no está/estaba paseando a gusto.

7. Forma, orientación, situación y movimiento.

8. El principal objetivo del oralismo era conseguir que los estudiantes sordos fueran capaces de generar mensajes en la variante hablada de la lengua utilizada en la zona donde vivían, así como lograr que pudieran leer en los labios. El objetivo último era conseguir que se integrasen en la comunidad de oyentes.

17 Historia de la lengua y cambio lingüístico

1. Bengalí e hindi; inglés y noruego; farsi y pasto; gaélico y galés; italiano y portugués; polaco y ucraniano.

2. Los cognados son palabras de diferentes lenguas que, sin embargo, cuentan con una forma y un significado parecidos.

3. Las protoformas más probables serían: *cosa, capo* y *capra* ([k] inicial, [p] sorda → [b] sonora).

4. *Calf, deer, ox* y *pig* proceden del inglés antiguo, mientras que *bacon, beef, veal* y *venison* provienen del francés.

5. (a) metátesis, (b) prótesis, (c) epéntesis

6. Reducción del significado.

2. Rumano y francés; checo y ruso; neerlandés y alemán; gaélico y galés.

3. Se dice que dos palabras de lenguas diferentes son cognados cuando se parecen tanto por la forma como por el significado.

4. Las protoformas son: cosa – capo – capra.
5. «Calf» y «deer» son palabras del inglés antiguo; «veal» y «venison» del francés antiguo.

18 La variación lingüística en términos regionales

1. La variedad andaluza del español peninsular.
2. El término «acento» se utiliza únicamente para describir las características de la pronunciación de una determinada variedad de una lengua, mientras que «dialecto» es un término que también alude a rasgos gramaticales y de vocabulario.
3. Cuando se recurre a los «non-mobile, older, rural, male, speakers», esto es, a los hablantes de sexo masculino, habitantes del medio rural, de edad avanzada y estables, la descripción del dialecto resultante del estudio en cuestión puede corresponder a un período temporal significativamente anterior a aquel en el que se está llevando a cabo dicho análisis. En consecuencia, la utilización de este tipo de informantes impide obtener una caracterización precisa del uso actual de la lengua.
4. Una isoglosa representa el límite de un área en la que la mayoría de los hablantes manifiesta una determinada característica lingüística.
5. Las primeras dos etapas son las de «selección» (elección de una lengua oficial) y «codificación» (preparación de gramáticas y diccionarios).
6. Una lengua criolla cuenta con hablantes nativos, mientras que un *pidgin* carece de ellos.

19 La variación lingüística en términos sociales

1. Un idiolecto es el dialecto personal de un determinado hablante.
2. Se entiende por comunidad de habla el grupo de individuos que comparten un conjunto de normas y expectativas en relación con el uso de la lengua.
3. La expresión *fourth floor* («cuarta planta») implica la existencia de dos oportunidades diferentes de pronunciar (o no) una /r/ postvocálica, la cual estaba siendo investigada por Labov en tanto que variable lingüística.
4. La pronunciación de *–ing* con [n], y no con [ŋ], al final de una palabra como *sitting* («sentando[se]») constituye una marca social característica del habla de la clase trabajadora.
5. Un registro es una manera convencional de emplear la lengua, que resulta apropiada en un determinado contexto, en relación con una ocupación concreta o a la hora de discutir una determinada cuestión. Un ejemplo sería el registro legal, que posee su propia jerga característica, y que es el que usan los abogados.
6. El uso de *be* comunica un sentido de «acción habitual», de manera que una oración como *He don't be smokin now* vendría a significar que actualmente esa persona ya no fuma de forma habitual, o bien, que ha dejado de fumar por completo.
7. (a) registro de clase social baja y (b) ausencia de cópula característica del AAVE.

20 Lengua y cultura

1. Una posible definición de cultura sería la de «conocimiento adquirido socialmente».
2. Se alude a la idea de que «la lengua determina el modo de pensar».
3. Significa «que no se expresa mediante una palabra única».
4. Los clasificadores son marcadores gramaticales que indican el tipo o la «clase» a la que pertenece un mobre.
5. Es agramatical, porque en inglés *advice* es un nombre incontable, de forma que no puede emplearse junto con el artículo indeterminado *a/an*.
6. Lo más probable es que haya sido pronunciada por una mujer, dado que se está expresando una opinión (*creo*) de forma no asertiva, recurriendo, además, a circunloquios (*un poco, un poco*) y a una coletilla (*¿no te parece?*).

Glosario

AAE: inglés afroamericano.

AAVE: inglés afroamericano vernáculo.

acento: características de la pronunciación de un hablante que permiten identificar su lugar de procedencia; contrasta con **dialecto.**

acrónimo: palabra de nueva creación que se forma a partir de las iniciales de dos o más palabras (por ejemplo, *RENFE*, de R̲ed N̲acional de F̲errocarriles E̲spañoles).

acto de habla: cualquier acción (como la de «prometer») que lleva a cabo un hablante cuando hace uso de un determinado enunciado; puede tratarse de un **acto de habla directo** o de un **acto de habla indirecto.**

acto de habla directo: acción en la que la forma empleada (por ejemplo, una estructura interrogativa) coincide directamente con la función pretendida por el hablante al emitir el enunciado en cuestión (preguntar); contrasta con un **acto de habla indirecto.**

acto de habla indirecto: acción en la que la forma empleada (por ejemplo, una estructura interrogativa) no coincide directamente con la función pretendida por el hablante al emitir el enunciado en cuestión (preguntar); contrasta con un **acto de habla directo.**

acto de ofensa al aspecto: hecho de decir algo que constituya una amenaza hacia la autoestima o el aspecto de otra persona.

acto de respeto al aspecto: hecho de decir algo que contribuya a minimizar una posible amenaza hacia la autoestima o el aspecto de otra persona.

acuñación: invención de una nueva palabra (como, por ejemplo, *aspirina*).

adjetivo (Adj): toda palabra (como *feliz* o *extraño*) que acompaña al nombre para proporcionar información adicional acerca del mismo.

adquisición: desarrollo paulatino de la competencia en la primera o en la segunda lengua mediante su uso natural en situaciones comunicativas.

adverbio (Adv): toda palabra (como *lentamente* o *realmente*) que acompaña al verbo o al adjetivo para proporcionar información adicional acerca de los mismos.

afasia: trastorno lingüístico debido a la ocurrencia de daños cerebrales localizados, el cual dificulta la comprensión y/o la producción de secuencias lingüísticas.

afasia de Broca: trastorno lingüístico que compromete típicamente la producción del habla; se caracteriza por una reducción sustancial del discurso, una articulación distorsionada y lenta, y la omisión de marcadores gramaticales.

afasia de conducción: trastorno del lenguaje que está asociado a un daño en el **fascículo arcuato** y que se caracteriza por la dificultad a la hora de repetir palabras o sintagmas.

afasia de Wernicke: trastorno del lenguaje que se caracteriza típicamente por una comprensión más lenta del discurso hablado, mientras que el habla, aunque fluida, se vuelve imprecisa, al carecer de numerosas palabras con «contenido».

afijo: un **morfema ligado** (como *des-* o *–ido*) que va unido a una palabra (como en *desvestido*).

africada: consonante en cuya producción una oclusión inicial va seguida de la liberación del flujo de aire a través de un canal constreñido (un ejemplo sería el sonido inicial de la palabra *chimenea*).

agente: papel semántico desempeñado por el sintagma nominal que identifica a quien realiza la acción denotada por el verbo en un determinado suceso (*El niño golpeó la pelota*).

ajuste del discurso: modificación del estilo al hablar de manera que se asemeje (**convergencia**) o se diferencie (**divergencia**) en mayor grado del estilo que, a nuestro entender, utiliza la persona (o personas) con la(s) que estamos hablando.

alfabeto (escritura alfabética): forma de escritura en la cual cada símbolo representa un segmento fónico.

alfabeto consonántico: forma de escritura en la cual cada símbolo representa un sonido consonántico.

alfabeto fonético: conjunto de símbolos empleados para representar segmentos fonéticos diferentes.

alófono: cada uno de los miembros de un conjunto de sonidos o **fonos** estrechamente relacionados.

alomorfo: cada uno de los miembros de un conjunto de **morfos** estrechamente relacionados.

alveolar: consonante producida por el contacto del ápice de la lengua con los **alveolos** (un ejemplo sería el sonido inicial de la palabra *lápiz*).

alveolos: arco óseo pronunciado situado inmediatamente detrás de los dientes centrales del maxilar superior.

ambigüedad estructural: circunstancia por la cual un mismo sintagma o una misma oración poseen dos (o más) estructuras profundas diferentes y, por consiguiente, dos (o más) interpretaciones distintas.

Ameslan (o **ASL**): Lengua de Signos Americana.

ampliación (de significado): cambio semántico mediante el cual una palabra pasa a emplearse para denotar un significado más amplio que aquél al que hacía referencia previamente (un ejemplo de este fenómeno sería el experimentado por la palabra *foda* «forraje», que, con la forma *food* «comida», ha pasado a designar cualquier tipo de alimento); se opone a la **reducción (de significado).**

anáfora (expresiones anafóricas)**:** utilización de determinados pronombres (como, por ejemplo, *aquello*) o de determinados sintagmas nominales (como, por poner el caso, *la muñeca*) para aludir de forma retrospectiva a algo mencionado previamente.

análisis conversacional: estudio de la manera en que se suceden los turnos de intervención en una conversación.

análisis de constituyentes inmediatos: tipo de análisis gramatical que se ocupa de determinar la manera en que los constituyentes de menor entidad se agrupan en las oraciones para formar constituyentes mayores.

análisis del discurso: estudio de los componentes del lenguaje que exceden el ámbito de la oración, como sería el texto o la conversación.

análisis estructural: determinación de la distribución de las formas gramaticales en una determinada lengua.

analogía: proceso de formación de una nueva palabra que hace que se asemeje de alguna manera a una palabra ya existente.

anomia: tipo de trastorno lingüístico caracterizado por las dificultades a la hora de encontrar las palabras adecuadas; suele estar asociada a la **afasia de Wernicke.**

antecedente: primera mención de algo o de alguien, a lo que posteriormente se aludirá mediante la **anáfora.**

antonimia: relación léxica que mantienen dos palabras que cuentan con significados contrarios (*«Superficial» es un antónimo de «profundo»*).

antónimos graduables: palabras que cuentan con significados opuestos en relación con una cualidad escalar (por ejemplo, *alto-bajo*).

antónimos no graduables: palabras que constituyen contrarios directos (como, por ejemplo, *vivo* y *muerto*).

antónimos reversos: pareja de antónimos en la que uno de los miembros denota la acción contraria a la que denota el otro (por ejemplo, *vestir-desvestir*).

apócope: proceso que consiste en la reducción de una palabra no monosilábica con objeto de obtener una forma más breve (por ejemplo, *tele* a partir de *televisión*).

aprendizaje: proceso consciente de acumulación de conocimientos; no es lo mismo que la **adquisición.**

aprendizaje basado en tareas: método de aprendizaje de una segunda lengua que consiste en recurrir a la realización de actividades que supongan un intercambio de información o la resolución determinadas cuestiones como forma de que los alumnos consigan alcanzar un dominio adecuado de la lengua que están aprendiendo.

aprendizaje de una segunda lengua (L2): proceso por el que se logra adquirir una competencia apropiada en una lengua diferente a la materna; se produce con posterioridad al proceso de adquisición de la **L1.**

arbitrariedad: propiedad del lenguaje que alude al hecho de que no existe una conexión natural entre una forma lingüística y su significado.

área de Broca: zona del hemisferio cerebral izquierdo que participa en la producción del habla.

área de Wernicke: zona del hemisferio cerebral izquierdo que participa en la comprensión de las estructuras lingüísticas.

argot: conjunto de palabras o expresiones que emplean en lugar de las formas más convencionales quienes no forman parte de grupos sociales consolidados de estatus superior (un ejemplo sería utilizar *talego* en lugar de *billete de mil pesetas*).

artículo (Art): palabra (como *el* o *un*) que se usa siempre junto al nombre.

asimilación: proceso mediante el cual un rasgo articulatorio de un determinado sonido se transfiere a otro sonido contiguo en el curso de la producción del habla.

ASL (o Ameslan): Lengua Americana de Signos.

aspecto: imagen que da una persona en público tal y como se describe en el estudio de las formas de cortesía.

aspecto negativo: necesidad de ser independiente y de sentirnos libres de cualquier imposición; lo contrario es el **aspecto positivo.**

aspecto positivo: necesidad de sentirnos vinculados con algo o con alguien, de pertenecer a algo, de ser miembros de un grupo; es lo contrario del **aspecto negativo.**

aspiración: liberación parcial de aire que, en ocasiones, acompaña a la articulación de una consonante **oclusiva.**

ataque: parte de la **sílaba** que precede a la **vocal.**

atenuador retórico: palabra o frase que se emplea para indicar que uno no está completamente seguro de que lo que está diciendo sea suficientemente correcto o completo.

balbuceo: uso de secuencias silábicas (*ba-ba*) y de combinaciones de las mismas (*ma-ga*) por parte de los niños pequeños durante su primer año de vida.

barrera social: cualquier fenómeno, como la discriminación o la segregación, que contribuya a separar los grupos sociales y a crear diferencias manifiestas entre los **dialectos sociales** que emplean dichos grupos.

bidialectal: capaz de hablar dos **dialectos.**

bilabial: consonante en cuya articulación intervienen ambos labios (como, por ejemplo, las dos consonantes de la palabra *pavo*).

bilingüe: término empleado para caracterizar a la persona que cuenta con dos lenguas maternas o al país en el que existen dos lenguas oficiales; se suele oponer a **monolingüe.**

calco: tipo de **préstamo** en el cual cada elemento de la palabra prestada se traduce a la lengua que la toma en préstamo (por ejemplo, *rascacielos* con relación a *skyscraper).*

cambio de estilo: cambio de **estilo al hablar,** desde uno formal a otro informal, o viceversa.

cambio externo: conjunto de influencias exteriores que dan lugar a cambios en una lengua; se opone al **cambio interno.**

cambio interno: cambio en una lengua que no está causada por influencias externas a la misma; se opone al **cambio externo.**

canales de retroalimentación: uso de palabras (*¿sí?*) y/o sonidos (*hmm*) por parte de los oyentes mientras su interlocutor se está dirigiendo a ellos.

caracteres: formas que se emplean en la escritura china.

categoría: grupo de elementos que comparten determinadas características.

categoría cognitiva: categoría que se utiliza para la organización de nuestro modo de pensar.

categoría social: cualquier **categoría** cuyos miembros se definan en virtud de las relaciones sociales que mantengan entre sí.

clasificadores: marcadores gramaticales que indican el tipo o la «clase» a la que pertenece un **nombre.**

co-articulación: proceso que consiste en articular un sonido de forma casi simultánea al siguiente.

coda: parte de la **sílaba** situada después de la **vocal.**

cognados: palabras de lenguas diferentes que poseen una forma y un significado parecidos (por ejemplo, el inglés *friend* «amigo» y el alemán *Freund* «amigo»).

coherencia: serie de conexiones existentes entre los elementos que integran un determinado texto que contribuye a crear una interpretación con sentido del mismo.

co-hipónimos: palabras que, en una relación de **hiponimia,** comparten el mismo elemento **supraordenado** (*«Caballo» y «perro» son co-hipónimos de «animal»*).

coletillas (en inglés *tag questions*): preguntas cortas formadas por un **auxiliar** (por ejemplo, *don't*) y un **pronombre** (por ejemplo, *you*), que se añaden al final de una oración enunciativa (como sucede, por ejemplo, en *I hate it when it rains all day, don't you?* «Odio los días de lluvia, ¿tú no?»).

colocación: relación que existe entre las palabras que aparecen juntas de forma frecuente (como, por ejemplo, *sal y pimienta*).

competencia comunicativa: capacidad general de usar una lengua de modo exacto, apropiada y flexible.

competencia estratégica: capacidad de usar la lengua que se está aprendiendo con objeto de lograr organizar un mensaje de forma efectiva y poder compensar cualquier dificultad imprevista que pueda surgir y que pueda comprometer la comunicación; es un componente de la **competencia comunicativa.**

competencia gramatical: capacidad de emplear correctamente las palabras y las estructuras de una lengua extranjera; es un componente de la **competencia comunicativa.**

competencia sociolingüística: capacidad de emplear la lengua de forma apropiada en función del contexto social; en un componente de la **competencia comunicativa.**

complementizador (C): palabra (como *que*) cuya función es la de introducir un **sintagma complemento.**

composición: proceso mediante el cual se combinan dos (o más) palabras para dar lugar a una nueva (por ejemplo, *abrelatas*).

comunidad de habla: grupo de individuos que comparten las mismas normas y expectativas con respecto al uso de una determinada lengua.

concordancia: relación gramatical que existe entre dos partes de una oración, como la que mantienen entre sí el **sujeto** (*Catalina*) y una determinada forma verbal *(comía chocolate).*

conjunción: palabra (como *y* o *porque*) que se emplea para conectar palabras, sintagmas y oraciones.

conocimiento previo: información que no figura en un texto, pero que el lector recupera de su propia memoria con objeto de poder interpretarlo.

consonante: sonido del habla que se produce cuando se limita de alguna manera en las cavidades articulatorias el paso del flujo de aire que llega de los pulmones.

contable: tipo de nombre que en una lengua como el inglés puede llevar antepuesto el artículo *a/an* («un/uno») y que cuenta con una forma plural (por ejemplo, *a cup* «una taza», *two cups* «dos tazas»); se opone a **incontable.**

contexto: contexto físico o **contexto lingüístico** (en este caso se habla de **co-texto**) en los cuales se emplea una determinada palabra.

contexto físico: situación, momento o lugar en el que se usan las palabras.

contexto lingüístico: conjunto de palabras alternativas que pueden emplearse en un determinado sintagma u oración; también se denomina **co-texto.**

continuum **dialectal:** transición gradual entre dos variedades dialectales diferentes de una misma lengua.

continuum **postcriollo:** rango de variedades que surge habitualmente en las comunidades de hablantes que emplean una lengua criolla y que, en general, es una consecuencia del proceso que se conoce como **desacriollamiento.**

convergencia: proceso por el que se adopta un estilo de hablar que busca reducir la distancia social existente entre los interlocutores y que suele implicar el uso de formas semejantes a las que emplea la persona con la que se está hablando; se considera una forma de **ajuste del discurso** y se opone a la **divergencia**.

conversión: proceso de cambio de la función de una determinada palabra, como, por ejemplo, de nombre a verbo; se trata de un recurso de formación de nuevas palabras, que también se conoce como «cambio de categoría» o «cambio funcional» (un ejemplo en inglés sería *vacation* «vacaciones» en *They're vacationing in Florida* «Están pasando las vacaciones en Florida»).

cortesía: hecho de ser sensible y tener en consideración la imagen pública o **aspecto** de otra persona.

córtex motor: parte del cerebro que controla el movimiento de los músculos.

co-texto: conjunto de palabras que aparecen junto a un determinado término en el mismo sintagma o en la misma oración; también se denomina **contexto lingüístico**.

criollización: proceso mediante el cual un *pidgin* (o sabir) se convierte en una lengua criolla; es lo contrario de **desacriollamiento**.

cuerdas vocales: láminas musculares de escaso grosor situadas en la **laringe**, las cuales están separadas cuando se producen los **sonidos sordos**, pero se aproximan cuando se producen los **sonidos sonoros**, de forma que tiene lugar una vibración de las mismas.

cultura: conocimiento adquirido socialmente.

cuneiforme: forma de escritura que consistía en hacer marcas sobre una tablilla de arcilla blanda empleando para ello un instrumento terminado en una cuña.

deícticos: gestos que se emplean para aludir a determinadas cosas o personas.

deixis (expresiones deícticas): utilización de palabras como *este* o *aquí* con objeto de «señalar» mediante el lenguaje.

deixis espacial: utilización de palabras como *aquí* o *allí* para «señalar» un lugar determinado mediante el lenguaje.

deixis personal: utilización de palabras como *le* o *los* para «señalar» a una determinada persona mediante el lenguaje.

deixis temporal: utilización de palabras como *ahora* o *mañana* para «señalar» un determinado segmento temporal mediante el lenguaje.

deletreo con los dedos: sistema de configuraciones de las manos que se emplea para representar las letras del alfabeto en la **lengua de signos**.

dental: consonante en cuya articulación el ápice de la lengua se sitúa detrás de los dientes centrales del maxilar superior (un ejemplo sería la consonante que aparece en la preposición *de*).

derivación: proceso de formación de nuevas palabras mediante la utilización de **afijos**.

desacriollamiento: proceso según el cual se va reduciendo de forma paulatina la frecuencia de uso de los rasgos distintivos de una **lengua criolla**, de manera que ésta se va asemejando cada vez más a la variedad estándar; es lo contrario de la **criollización**.

desplazamiento: propiedad del lenguaje que permite a quienes lo usan hacer referencia a cosas y sucesos que no están presentes en el entorno más inmediato.

determinismo lingüístico: hipótesis según la cual sólo podemos pensar sobre la realidad haciendo uso de las categorías que nos proporciona nuestra lengua; difiere del **relativismo lingüístico**.

diagrama de árbol: esquema cuyas ramas indican la **organización jerárquica** de las estructuras lingüísticas.

dialecto: conjunto de peculiaridades gramaticales, de vocabulario y de pronunciación características de una determinada variedad de una lengua; contrasta con el **acento.**

dialecto social (o «sociolecto»): variedad de una lengua cuyos rasgos distintivos dependen del estatus social de sus hablantes (por ejemplo, el habla de la clase media o el de la clase trabajadora).

dialectología: estudio de los **dialectos.**

diglosia: situación en la cual existe una variedad especial o «elevada» de una determinada lengua, que se emplea en contextos formales (por ejemplo, el árabe clásico), y variedades locales de la misma, que se consideran «inferiores» y que utilizan en contextos informales (por ejemplo, el árabe libanés).

diptongo: combinación de dos sonidos en la que el primero de ellos es una **vocal** y el segundo, un **glide**, o viceversa (por ejemplo, *ca<u>u</u>sa* o *n<u>ie</u>to*).

discurso agramatical: tipo de discurso que carece de marcadores gramaticales y que aparece asociado frecuentemente a la **afasia de Broca.**

distinción T/V: diferencia que existe en francés en el uso de los pronombres *tu* y *vous* cuando se emplean como **formas de tratamiento**; el primero indica proximidad en términos sociales, mientras que el segundo sugiere que existe una mayor distancia social entre ambos interlocutores.

divergencia: adopción de un estilo discursivo que acentúa la distancia social, lo que puede conseguirse recurriendo al uso de formas que difieran de las empleadas por la persona con la que se está hablando; se trata de un tipo de **ajuste del discurso** y se opone a la **convergencia.**

dualidad: propiedad del lenguaje que implica que las formas lingüísticas poseen de forma simultánea dos niveles distintos, el de los sonidos y el del significado; también se denomina «doble articulación».

elementos básicos: conjunto de rasgos que pueden considerarse como los elementos que entran en oposición en relación con cada uno de los cuatro **parámetros articulatorios** generales del **ASL.**

elisión: proceso que consiste en omitir la pronunciación de un determinado segmento de una palabra.

emblemas: señales no verbales que funcionan como frases hechas y que poseen una interpretación convencional (un ejemplo sería «el pulgar hacia arriba» para indicar que las cosas son favorables).

enfoque comunicativo: estrategia de enseñanza de una segunda lengua que se basa en el aprendizaje de la misma mediante su uso y no en la enseñanza directa de las características distintivas de dicha lengua.

enfoque descriptivo: estrategia de análisis gramatical que se basa en la descripción de las estructuras empleadas realmente en una determinada lengua, y no de aquellas que deberían utilizarse; se opone al **enfoque prescriptivo.**

enfoque prescriptivo: estrategia de análisis gramatical que consiste en formular reglas destinadas a lograr un uso correcto de la lengua y que, en muchos casos, se basa en la gramática latina; se opone al **enfoque descriptivo.**

«en la punta de la lengua»: fenómeno que consiste en que, si bien se conoce una determinada palabra, resulta imposible, en cambio, recuperarla y llevarla a la superficie con objeto de poder verbalizarla.

epéntesis: cambio fonético que consiste en la incorporación de un sonido adicional a una determinada palabra (por ejemplo, *timr* → *timber* [«madera»]).

epónimo: palabra que deriva del nombre de una persona o de un lugar (por ejemplo, *sándwich*).

escritura jeroglífica: forma de escritura en la que se emplea una representación pictórica de un objeto para indicar el sonido de la palabra que en la lengua hablada denota dicho objeto.

escritura silábica (silabario): forma de escritura en la que cada símbolo representa una sílaba.

escucha dicótica: procedimiento experimental en el que un sujeto escucha dos sonidos diferentes de forma simultánea, cada uno a través de un auricular distinto.

espunerismo: *lapsus linguae* que consiste en intercambiar dos partes de una misma palabra o de dos palabras contiguas; un ejemplo sería decir *noble tons of soil* («nobles montones de tierra»), en lugar de *noble sons of toil* («nobles hijos del trabajo»).

esquema: estructura de conocimiento convencional acerca de las cosas que existe en la memoria, como, por ejemplo, el correspondiente a un supermercado (comida dispuesta en estantes, estantes dispuestos en hileras, etc.).

estilo al hablar: forma de hablar; puede ser formal/cuidadoso o informal/descuidado.

estrategia comunicativa: forma de soslayar el problema que surge cuando, al utilizar una segunda lengua, nuestra limitada competencia no nos permite expresar directamente lo que queremos comunicar; se considera un componente de la **competencia estratégica.**

estructura profunda: estructura subyacente de una oración según viene determinada por las **reglas de estructura sintagmática**.

estructura superficial: estructura oracional que resulta de la aplicación de las **reglas transformacionales** a la **estructura profunda** de la misma.

etapa de la palabra única: período de la adquisición de la **L1** en el que los niños son ya capaces de generar términos simples para aludir a los objetos que les rodean.

etapa de las dos palabras: período en el que el niño comienza a generar enunciados constituidos por dos palabras (por ejemplo, *nena silla*); suele comenzar en torno a los 18-20 meses de edad.

etimología: estudio del origen y de la evolución de las palabras.

experimentador: papel semántico desempeñado por el sintagma nominal que identifica la entidad que siente, percibe o experimenta lo descrito por el verbo (por ejemplo, *El niño se siente triste*).

factores afectivos: reacciones emocionales, como la vergüenza o los sentimientos negativos, que pueden influir en el aprendizaje de una segunda lengua.

faringe: área situada en la zona de la garganta y por encima de la **laringe**.

faríngeo: sonido articulado en la **faringe**.

fascículo arcuato (o arqueado): haz de fibras nerviosas que conectan el **área de Broca** con el **área de Wernicke** y que están situadas en el hemisferio cerebral izquierdo.

filología: estudio de la historia de las lenguas y del cambio lingüístico.

flap: sonido en cuya articulación el ápice de la lengua toca brevemente los **alveolos.**

fonema: la unidad más pequeña de sonido dentro de la representación abstracta de los sonidos de una lengua, capaz de distinguir entre significados diferentes.

fonética: estudio de las características de los sonidos del habla.

fonética acústica: estudio de las propiedades físicas de las ondas sonoras que constituyen el habla.

fonética articulatoria: estudio de la manera en que se producen los sonidos del habla.

fonética auditiva: estudio de la manera en que el oído percibe los sonidos del habla; también se denomina «fonética perceptiva».

fono: cada una de las realizaciones físicas de los sonidos del habla; cada fono representa una versión de un **fonema**.

fonología: estudio de los sistemas y de los patrones que adoptan los sonidos del habla en una determinada lengua.

fonotaxis: conjunto de restricciones acerca de las combinaciones de sonidos admisibles en una determinada lengua.

forma de tratamiento: palabra o locución dirigida a la persona con la que se conversa o a la que se escribe.

forma: uno de los cuatro **parámetros articulatorios** del **ASL**, que describe la configuración de la(s) mano(s) al formar el signo.

fosilización: proceso mediante el cual una **interlengua**, que contiene numerosas rasgos impropios de la **L2**, detiene su desarrollo natural hacia un estadio que contenga formas más ajustadas a las de dicha **L2.**

fricativa: consonante en cuya articulación el flujo de aire que viene de los pulmones se ve constreñido, aunque sin llegar a interrumpirse por completo (son fricativas, por ejemplo, las dos consonantes que aparecen en la palabra *sofá*).

frontera dialectal: línea que representa un conjunto de **isoglosas** y que se emplea para separar dos áreas dialectales contiguas.

género: término que puede emplearse en tres sentidos diferentes: (1) para aludir a las diferencias biológicas que existen entre machos y hembras, lo que se conoce como **género natural**; (2) para aludir a las diferencias que existen entre las clases de sustantivos masculinos, femeninos y neutros, lo que se denomina **género gramatical**; y (3) para aludir a las diferencias que existen entre los papeles sociales desempeñados por hombres y mujeres, lo que se conoce como **género social.**

género gramatical: categoría gramatical que clasifica a los nombres en masculinos o femeninos (o neutros); se opone a otros tipos de **géneros.**

género natural: distinción que se basa en las categorías de macho, hembra y ni macho ni hembra; se opone a los restantes tipos de **género.**

género social: distinción entre los individuos en función de los papeles sociales que desempeñan en tanto que hombres o mujeres; se opone a los restantes tipos de **géneros.**

geografía lingüística: estudio de la variación lingüística que busca determinar las diferentes zonas en las que se hablan variedades distintas de una determinada lengua.

gestos de compás: gestos que consisten en realizar movimientos breves y rápidos con las manos y que marcan el ritmo del discurso.

gestos: utilización de las manos, generalmente a la hora de hablar.

glides: consonantes en cuya articulación la lengua se aproxima hacia, o se aleja de, el punto de articulación de una **vocal**; se denominan también «semivocales», «semiconsonantes» o «consonantes aproximantes» (un ejemplo sería el primer sonido de la palabra *huevo*).

glotal: sonido cuyo punto de articulación se localiza en el espacio comprendido entre las **cuerdas vocales** (un ejemplo sería el sonido inicial de la palabra *who*, «quien»).

glotis: espacio comprendido entre las **cuerdas vocales**.

gorgoritos: fase inicial de utilización de los sonidos del habla por parte del niño durante sus primeros meses de vida.

gramática: análisis de la estructura de los sintagmas y las oraciones.

gramática generativa: conjunto de reglas que definen las oraciones que son posibles en una determinada lengua.

gramática tradicional: descripción de la estructura de los sintagmas y de las oraciones que se basa en las categorías establecidas y utilizadas para el análisis del latín y del griego.

grupo consonántico: conjunto de dos o más **consonantes** que aparecen de forma secuencial.

guión: estructura de conocimiento convencional que existe en la memoria acerca de las secuencias de actos que intervienen en los sucesos; un ejemplo sería «ir al dentista».

habla de extranjero: forma de emplear la propia lengua cuando se está conversando con un hablante no nativo de la misma; se caracteriza porque su estructura y su vocabulario son más simples de lo habitual.

habla del cuidador: forma de hablar que emplean con los niños pequeños el adulto (o adultos) o los niños de mayor edad que se encargan de cuidarlos.

habla telegráfica: secuencias de palabras (habitualmente, **morfemas léxicos**, estando ausentes los **morfemas flexivos**) dispuestas formando sintagmas (como, por ejemplo, *esta mano daño*) que generan los niños pequeños cuando alcanzan, en términos generales, los dos años de edad.

hipocorístico: forma diminutiva, abreviada o infantil que se usa como designación cariñosa, familiar o eufemística; en el caso del inglés la obtención de un hipocorístico puede seguir unas reglas particularmente precisas, de forma que característicamente la palabra se reduce a una única sílaba y recibe la terminación *–y* o *–ie* (como sucede, por ejemplo, en *movie* [«película», de *moving pictures*, literalmente «imágenes en movimiento»]).

hiponimia: relación léxica que mantienen dos palabras cuando el significado de una de ellas está incluido en el de la otra (así, *amapola* es un hipónimo de *flor*).

hipótesis del innatismo: hipótesis según la cual los seres humanos disponen de una capacidad de adquisición del lenguaje que está determinada genéticamente.

hipótesis localista: hipótesis según la cual determinados aspectos de nuestra capacidad lingüística se hallan radicados en partes concretas del cerebro.

hipótesis Sapir-Whorf: hipótesis general que postula que las diferencias en la estructura de las lenguas hacen que sus hablantes vean el mundo de formas distintas; la denominación procede de los nombres de dos lingüistas norteamericanos, Edward Sapir y Benjamin Whorf.

holofrástico (enunciado): forma simple que funciona como un sintagma o como una oración durante las fases iniciales del proceso de adquisición del lenguaje hablado por parte de los niños pequeños.

homófonos: palabras que tienen una forma diferente, pero que se pronuncian igual (por ejemplo, *hola–ola*).

homónimos: palabras que tienen la misma forma, pero un significado diferente (por ejemplo, *banco* [de un parque] y *banco* [institución financiera]).

icónicos: gestos que parecen reflejar o imitar el significado de lo que se dice.

ideograma (escritura ideográfica): forma de escritura en la que cada símbolo representa un concepto.

idiolecto: dialecto de cada hablante individual.

implicatura: significado adicional que transmite un hablante que se está ajustando al **principio de cooperación.**

incontable: tipo de nombre, que en inglés no puede emplearse con el artículo indeterminado *a/an* («un, uno») o en plural (por ejemplo, **a furniture* [un mueble], **two furnitures* [dos muebles]); se opone a **contable**.

inferencia: información adicional que utiliza el oyente o el lector para establecer un vínculo entre lo que afirma quien habla o quien escribe y lo que realmente quería transmitir.

infijo: morfema que se coloca en mitad de una palabra (por ejemplo, *-rn-* en la palabra kamhrnu *srnal*).

inglés afroamericano vernáculo (en inglés, AAVE): estilo de hablar informal que utilizan numerosos afroamericanos como variedad **vernácula.**

inglés antiguo: forma que tenía la lengua inglesa antes del año 1100.

inglés en signos: forma del inglés en la que se mantiene la estructura de las oraciones propia de esta lengua, pero en la que el vocabulario se ha sustituido por signos; también se denomina inglés codificado manualmente o MCE (de *Manually Coded English*).

inglés medio: forma que tenía la lengua inglesa entre los años 1100 y 1500.

input: lenguaje al que se ve expuesto quien lo está adquiriendo o aprendiendo; se opone a **output**.

input negociado: material de una **L2** al que se expone quien lo está adquiriendo/aprendiendo y al que está prestando una atención activa durante su interacción con la **L2.**

instrumento: papel semántico desempeñado por el sintagma nominal que alude a la entidad que se emplea para llevar a cabo la acción denotada por el verbo (por ejemplo, *El niño cortó la cuerda con una navaja*).

interdental: consonante en cuya articulación el ápice de la lengua se sitúa entre los dientes superiores y los inferiores (un ejemplo sería el sonido inicial de la palabra *zapato*).

interlengua: sistema de transición desarrollado por quienes están aprendiendo una **L2**, el cual se caracteriza por poseer rasgos propios de la **L1** y de la **L2**, pero también algunos otros que no dependen de ninguna de las dos.

isoglosa: línea que en un mapa separa dos áreas en las cuales un determinado rasgo lingüístico difiere significativamente; se emplea en el estudio de los **dialectos**.

jerga: vocabulario técnico especial asociado a un determinado tipo de ocupación o a una determinada área de conocimiento o de interés; forma parte del **registro.**

L1: primera lengua; aquella que se adquiere durante la infancia.

L2: segunda lengua.

labiodental: consonante en cuya articulación el labio inferior entra en contacto con los dientes del maxilar superior (un ejemplo sería el sonido inicial de la palabra *final*).

lapsus del oído: error de procesamiento que da lugar a que una palabra o una oración se confunda con otra al oírla; es lo que sucede, por ejemplo, cuando creemos oír *latita azul* en lugar de *la tinta azul*.

lapsus linguae: error del habla que consiste en emitir un sonido o una palabra en un momento inapropiado, como ocurre, por ejemplo, cuando decimos *llévate la buchara a la coca* (en lugar de *llévate la cuchara a la boca*).

laringe: parte de la garganta que contiene las **cuerdas vocales**; también se denomina «caja de la voz».

lateralización (lateralizado): separado en dos partes, izquierda y derecha, cada una de las cuales se encarga de controlar los procesos que tienen lugar en un lado u otro del cuerpo (este término se suele emplear en la descripción del cerebro humano).

lengua criolla: variedad de una lengua que se desarrolla a partir de un *pidgin* y que termina siendo la lengua materna de un determinado grupo de individuos.

lengua de signos: sistema de comunicación que hace uso de las manos (aunque auxiliadas por el rostro y por otras partes del cuerpo).

lengua de signos alternativa: sistema de signos que hace uso de las manos y que utilizan personas capaces de hablar en determinados contextos en los que no les es posible recurrir al lenguaje hablado; se suele oponer a la **lengua de signos primaria**.

lengua de signos primaria: lengua de signos que constituye la primera lengua de un determinado grupo de personas, las cuales típicamente son sordas e incapaces de emplear el lenguaje hablado (un ejemplos sería el **ASL**); se opone a la **lengua de signos alternativa.**

lengua estándar: variedad de una lengua que se considera la oficial en un determinado país o para un determinado colectivo, y que se emplea en las emisiones de radio y televisión, en la prensa escrita y en la educación.

lexicalizado: expresado mediante una única palabra; se opone a **no lexicalizado.**

lexificadora (lengua): lengua que funciona como fuente principal de las palabras que constituyen un *pidgin.*

lingüística aplicada: estudio de un amplio espectro de cuestiones prácticas concernientes al lenguaje, en general, y al **aprendizaje de una segunda lengua**, en particular.

lingüística de corpus: estudio del uso del lenguaje mediante el análisis de la aparición y de la frecuencia de aparición de determinadas formas en una gran colección de textos que se almacenan normalmente en un ordenador.

líquido: sonido que se produce permitiendo que el flujo de aire que llega de los pulmones pase alrededor de la lengua (un ejemplo sería el sonido inicial de la palabra *leve*).

logograma (escritura logográfica): forma de escritura en la cual cada símbolo representa una palabra.

malapropismo: tipo de error al hablar que consiste en el uso de una palabra en lugar de otra debido a su parecido, puesto que comienza o termina de forma semejante y cuenta con aproximadamente el mismo número de sílabas (un ejemplo sería el uso de *medicación* en lugar de *meditación* en la expresión *medicación trascendental*).

marca social: rasgo lingüístico del habla de una persona que permite identificarla como miembro de un determinado grupo social.

máxima: cada una de las cuatro asunciones relativas a la conversación que se encuentran relacionadas con el **principio de cooperación.**

máxima de la calidad: asunción de que en una conversación uno «no mencionará aquello que cree falso o aquello sobre lo que carece de las pruebas suficientes» (Grice, 1975: 46).

máxima de la cantidad: asunción de que en una conversación la contribución de cada interlocutor «será tan informativa como sea necesario, pero ni más informativa, ni menos informativa de lo que sea preciso» (Grice, 1975: 46).

máxima de la relación: asunción de que en una conversación lo que uno diga «ha de ser pertinente» (Grice, 1975: 46).

máxima del modo: asunción de que en una conversación nuestro interlocutor será «claro, breve y ordenado» (Grice, 1975: 46).

metátesis: cambio fonético que consiste en que dos sonidos intercambian sus posiciones respectivas (por ejemplo, *hros* →*horse* [«caballo»]).

método audiolingüe: estrategia de enseñanza de una segunda lengua desarrollada a mediados del siglo XX, que consiste fundamentalmente en la repetición de ejercicios conducentes a la adquisición de una serie de hábitos que permitan un uso fluido de la lengua hablada.

método de la gramática y la traducción: forma tradicional de enseñanza de una segunda lengua, que consiste en la explicación y el aprendizaje de listas de palabras y de diversas reglas gramaticales.

metonimia: utilización de una palabra en lugar de otra con la cual se encuentra íntimamente relacionada en la experiencia cotidiana (por ejemplo, *Se bebió toda la botella* [= el líquido]).

mezcla: proceso de formación de nuevas palabras que consiste en combinar el comienzo de una palabra con el final de otra (por ejemplo, *brunch*, de *breakfast* «desayuno» y *lunch* «almuerzo»).

monolingüe: que conoce o que sólo sabe utilizar una única lengua; se suele oponer a **bilingüe.**

morfema: unidad mínima de significado o de función gramatical.

morfema derivativo: morfema ligado que se emplea para formar nuevas palabras o palabras de una categoría gramatical diferente (un ejemplo sería el sufijo *–ción*, que permite formar un sustantivo como *donación* a partir de un verbo como *donar*); esto no sucede, en cambio, en el caso de un **morfema flexivo**.

morfema flexivo: morfema ligado que se emplea para indicar la función gramatical de una palabra; también se denomina «desinencia» (por ejemplo, *los perros ladraban*).

morfema funcional: morfema libre que se emplea como palabra funcional, como es el caso de las conjunciones (*o*) y las preposiciones (*bajo*).

morfema léxico: morfema libre que consiste en una palabra «con contenido», como un nombre o un verbo.

morfema libre: morfema que puede constituir por sí mismo una palabra individual.

morfema ligado: morfema que no puede aparecer de forma independiente (como *des-* o *-ido*) y que, por consiguiente, debe unirse a otra forma diferente (así, *desvestido*).

morfo: forma real que se emplea como componente de una palabra y que representa una de las diferentes versiones posibles de un **morfema.**

morfología: análisis de la estructura de las palabras.

motivación de integración: deseo de aprender una **L2** para poder tomar parte en la vida social de la comunidad que integran los usuarios de dicha lengua; se opone a la **motivación instrumental.**

motivación instrumental: deseo de aprender una **L2** con el objetivo de poder satisfacer algún objetivo previo y no para lograr formar parte de la comunidad integrada por los usuarios de dicha lengua; se opone a la **motivación de integración**.

movimiento: parámetro articulatorio del **ASL** que describe el tipo de movimiento que se hace a la hora de construir un determinado signo.

nasal: sonido en cuya articulación interviene la nariz (un ejemplo sería el sonido inicial de _novela_).

nasalización: pronunciación de un sonido de tal manera que una parte del aire escape por la nariz; este fenómeno suele tener lugar cuando dicho sonido se encuentra situado delante de una consonante **nasal.**

neologismo: nueva palabra incorporada a una lengua.

neurolingüística: estudio de las relaciones existentes entre el lenguaje y el cerebro.

no lexicalizado: que no se expresa mediante una única palabra; es lo contrario de **lexicalizado.**

nombre (N): palabra que se emplea para describir una persona, cosa o idea (ejemplos de nombres serían _niño_, _bicicleta_ o _libertad_).

nombre propio (NP): sustantivo que se emplea como nombre de algo o de alguien, y que se escribe con mayúscula inicia (un ejemplo de nombre propio sería _Catalina_).

NORMS: hablantes de sexo masculino, habitantes del medio rural, de edad avanzada y estables (del inglés «_n_on-mobile, _o_lder, _r_ural, _m_ale speakers») que se suelen utilizar como informantes en los estudios dialectales.

núcleo: la **vocal** de una **sílaba**.

número: categoría gramatical que clasifica a los **nombres** en singulares o plurales (entre otros tipos).

objetivo: papel semántico desempeñado por el sintagma nominal que identifica el lugar hacia el que se mueve una determinada entidad (por ejemplo, _El niño caminó hacia la ventana_).

oclusión glotal: sonido que se produce cuando la **glotis** se cierra por completo, muy brevemente, y después se abre, dejando pasar nuevamente al aire que viene de los pulmones.

oclusiva: consonante en cuya articulación se produce una interrupción momentánea del flujo de aire que llega de los pulmones; también se denomina «plosiva» (un ejemplo serían los sonidos consonánticos que aparecen en una palabra como _petaca_).

onomatopeya (onomatopéyico): palabra que contiene sonidos similares al ruido que describe (ejemplos de onomatopeyas serían _borbotear_ o _cucú_).

oraciones etiquetadas y encorchetadas: tipo de análisis en el cual los constituyentes de una oración se separan colocándolos entre corchetes, los cuales llevan una etiqueta que describe el tipo de constituyente de que se trata.

oralismo: método diseñado para enseñar a los sordos a hablar y a leer en los labios, como alternativa a la utilización de la **lengua de signos.**

organización jerárquica: análisis de los constituyentes de una oración que busca poner de manifiesto cuáles ocupan un nivel superior, y, en consecuencia, contienen a los restantes.

orientación: uno de los cuatro **parámetros articulatorios** del **ASL**, que describe la manera en que se sitúa la mano durante la realización del signo.

origen: papel semántico desempeñado por el sintagma nominal que denota el lugar desde el que se mueve una determinada entidad (por ejemplo, *El niño vino corriendo desde <u>la casa</u>*).

output: formas lingüísticas generadas por quien está adquiriendo/aprendiendo una lengua; es lo contrario del **input.**

paladar: parte dura del techo de la boca.

palatal: consonante en cuya articulación la lengua se eleva hasta entrar en contacto con el **paladar**; en ocasiones también se denomina «alveopalatal» (un ejemplo sería el sonido inicial de la palabra *lluvia*).

papel semántico: papel que desempeña un **sintagma nominal** en el suceso descrito por la oración; un ejemplo sería el de **agente.**

par (o **conjunto**) **mínimo**: dos (o más) palabras cuya forma es idéntica, con la excepción de un único **fonema**, situado en todos los casos en la misma posición (un ejemplo de par mínimo sería *poca* y *boca*).

parámetros articulatorios: los cuatro aspectos clave de la información visual que se emplean en la descripción de los signos (**forma, orientación, situación y movimiento**).

pausa llena: interrupción del discurso consistente en sonidos como *hummm* o *eeee*.

pedir la palabra: forma en la que cada interlocutor logra intervenir en una conversación.

período crítico: intervalo temporal, comprendido entre el nacimiento y la pubertad, durante el que tiene lugar el proceso de adquisición de la primera lengua.

persona: categoría gramatical que implica una distinción entre la primera persona (que hace referencia al hablante, *yo*), la segunda persona (que hace referencia al oyente, *tú*) y la tercera persona (que hace referencia a cualquier entidad que no sea ni el hablante ni el oyente, *ella, ellos*).

pictograma (**escritura pictográfica**): forma de escritura en la cual cada objeto se representa mediante un dibujo o boceto del mismo.

pidgin: variedad de una lengua desarrollada con fines prácticos, como el de llevar a cabo transacciones comerciales, pero que carece de hablantes nativos, a diferencia de lo que sucede con una **lengua criolla.**

planificación lingüística: elección y potenciación de una determinada lengua como oficial (o de varias, como lenguas oficiales) con objeto de que se use(n) en la administración y en la educación.

polisemia: palabra que posee dos o más significados relacionados (como, por ejemplo, *pie*, que puede ser de una persona, de una lámpara o de una montaña).

postvocálico: situado después de una vocal.

pragmática: estudio del significado que pretende comunicar el hablante, que, en general, excede del que realmente encierra lo que dice.

prefijo: morfema ligado que se añade al comienzo de una palabra (un ejemplo sería *<u>in</u>feliz*).

preposición (Prep): palabra (como *en* o *con*) que se emplea junto con un **sintagma nominal.**

préstamo: proceso mediante el cual se incorporan a una lengua palabras procedentes de otros idiomas.

préstamo en traducción: tipo de **préstamo** en el que se traduce a la lengua de destino cada uno de los elementos que integran la palabra que se toma en préstamo de la lengua de origen; también se denomina **calco.**

prestigio: estatus elevado.

prestigio encubierto: estatus de un determinado estilo o característica del discurso que cuenta con un valor positivo, pero que está «escondido» o que la comunidad más numerosa no valora de la misma manera; se opone a **prestigio manifiesto.**

prestigio manifiesto: estatus de un determinado estilo o característica del discurso que la comunidad más numerosa reconoce de forma generalizada como «mejor» o que valora como más positivo; se opone a **prestigio manifiesto**.

presuposición: todo aquello que un hablante (o quien escribe) asume como correcto o como conocido por su oyente (o lector).

principio de cooperación: asunción que subyace a cualquier conversación y que supone que cualquiera de los interlocutores «hará que su contribución a la conversación que mantiene sea la que se espera que sea, que se produzca en el momento en que haya de producirse y de manera que tenga el propósito o se produzca en el sentido consensuado que demande el intercambio comunicativo en el que estén participando» (Grice, 1975: 45).

principio de la evolución más natural: en la **reconstrucción comparada**, elección de las formas más antiguas en lugar de las más modernas, que se justifica en virtud de los cambios fonéticos que se producen con una mayor frecuencia.

principio de la mayoría: en la **reconstrucción comparada**, elección de la forma que presenta una mayor frecuencia de aparición en el conjunto de las lenguas derivadas.

productividad: propiedad del lenguaje que permite a quien lo usa crear nuevas expresiones; también se denomina «creatividad» o «carácter abierto».

pronombre (Pro): palabra (como *mío* o *él*) que se emplea en lugar de un **sintagma nominal.**

prótesis: cambio fonético que consiste en la adición de un sonido al comienzo de una palabra (por ejemplo, *spiritus* → *espíritu*).

protoindoeuropeo: lengua reconstruida por métodos comparativos que se considera el origen de muchas de las lenguas habladas actualmente en la India y en Europa.

prototipo: miembro más característico de una determinada categoría (por ejemplo, *El «gorrión» es el prototipo de «pájaro»*).

punto final: en el análisis del discurso, finalización de un **turno**, que se suele marcar realizando una pausa al final de un sintagma o de una oración.

raíz: forma base a la cual se unen los distintos **afijos** a la hora de formar las palabras.

rasgos semánticos: elementos básicos que se emplean en el análisis de los componentes del significado de las palabras; un ejemplo podría ser «humano», que habitualmente se denota como [+humano], si se posee, y [-humano], si está ausente.

reconstrucción comparada: recreación de la forma original de un término en una lengua progenitora a partir de la comparación de las formas correspondientes que aparecen en las lenguas derivadas de ella.

recursividad: aplicación reiterada de una determinada regla durante el proceso de generación de estructuras sintácticas.

reduplicación: repetición de una parte o de la totalidad de una determinada forma.

reducción: cambio semántico en virtud del cual una palabra comienza a emplearse para denotar un significado menos general que el término del que deriva (un ejemplo sería *mete* [un término que, en origen, se empleó para denotar cualquier tipo de comida] → *meat* [«carne»]); es lo contrario de la **ampliación.**

referencia: acto mediante el cual un hablante (o quien escribe) utiliza el lenguaje para hacer que un oyente (o quien lo lee) pueda identificar una determinada entidad.

referencia fija: propiedad de un sistema de comunicación que implica que cada señal se relaciona de forma unívoca con un determinado objeto o circunstancia.

registro: forma convencional de emplear la lengua que resulta apropiada en un determinado contexto, que puede ser situacional, ocupacional o tópico, y que se caracteriza por hacer uso de una **jerga** especializada.

reglas de estructura sintagmática: reglas que determinan que la estructura de un sintagma de un determinado tipo consiste en uno o más constituyentes dispuestos en un orden concreto.

reglas léxicas: reglas que determinan el tipo de palabras que pueden emplearse cuando se hace referencia a cualquiera de los constituyentes generados por las **reglas de estructura sintagmática**.

reglas transformacionales: reglas que se emplean para mover o cambiar de posición los constituyentes en las estructuras resultantes de la aplicación de las **reglas de estructura sintagmática.**

relaciones léxicas: relaciones que se establecen entre los significados de las palabras, como es el caso de la **sinonimia.**

relativismo lingüístico: hipótesis según la cual, pensamos, aunque sólo hasta cierto punto, haciendo uso de las categorías que nos proporciona nuestra lengua; difiere del **determinismo lingüístico.**

retroformación: proceso mediante el cual una forma reducida de una palabra, como, por ejemplo, un sustantivo, se emplea como una nueva palabra con una función diferente, como, por ejemplo, la de un verbo (un caso de retroformación sería la generación del verbo *babysit*, «cuidar de un niño» a partir del sustantivo *babysitter*, «niñera ocasional»).

rima: parte de la sílaba que comprende la **vocal** y la(s) **consonante**(s) que la sucede(n).

segmento: cualquier sonido individual empleado en una lengua.

semántica: estudio del significado de las palabras, los sintagmas y las oraciones.

señales comunicativas: cualquier comportamiento al que se recurre de forma intencionada para transmitir algún tipo de información.

señales informativas: cualquier comportamiento que proporciona algún tipo de información, a menudo de forma no intencionada.

significado asociativo: tipo de significado que las personas suelen vincular con el uso de una determinada palabra, pero que no forma parte de su **significado conceptual** (por ejemplo, *aguja* = «dolor»).

significado conceptual: conjunto de componentes básicos del significado denotado por una palabra que se está usando en sentido literal.

sílaba: unidad fonética formada por una vocal y, de forma opcional, por una o más consonantes, que pueden ir antepuestas y/o pospuestas a la vocal.

sinonimia: relación léxica que mantienen dos o más palabras cuyos significados se encuentran estrechamente relacionados (por ejemplo, *«Cercano» es un sinónimo de «próximo»*).

sintagma complemento (SC): estructura como *que María ayudó a Jorge* que se emplea para completar una construcción que comience con una estructura del tipo *Catalina sabía*.

sintagma nominal (SN): sintagma formado por un **nombre** y por otros constituyentes (ejemplos de sintagmas nominales serían *el niño* o *una bicicleta vieja*).

sintagma preposicional (SP): sintagma formado por una **preposición** y un **sintagma nominal** (un ejemplo de sintagma preposicional sería *con un perro*).

sintagma verbal (SV): sintagma que contiene un **verbo**, además de otros constituyentes (un ejemplo de sintagma verbal sería *vi un perro*).

sintaxis (estructuras sintácticas): (análisis de la) estructura de los sintagmas y las oraciones.

sobreextensión: utilización, durante la adquisición de la **L1**, de una determinada palabra para hacer referencia a más objetos que los que designa esa misma palabra cuando es empleada de forma habitual por los hablantes adultos (un ejemplo sería decir *pelota* para referirse a la Luna).

sobregeneralización: durante la adquisición de la **L1**, aplicación de un **morfema flexivo** a más palabras de lo que es habitual en esa lengua (un ejemplo sería decir **dos pieses*).

sociolingüística: estudio de las relaciones que existen entre el lenguaje y la sociedad.

sonidos sonoros: sonidos del habla que se producen cuando vibran las **cuerdas vocales**.

sonidos sordos: sonidos del habla que se producen en ausencia de vibración de las **cuerdas vocales**.

sufijo: morfema ligado que se añade al final de una palabra (como, por ejemplo, *herman_dad_* o *frut_ero_*).

sujeto: función gramatical que desempeña el **sintagma nominal** que se emplea habitualmente para hacer referencia a la persona o cosa que realiza la acción denotada por el **verbo** (como, por ejemplo, *El niño lo cogió*).

supraordenado: término de nivel superior en una relación de **hiponimia** (por ejemplo, *flor-amapola*).

tema: papel semántico desempeñado por el sintagma nominal que se utiliza para denotar la entidad que se ve implicada o afectada por la acción a la que se refiere el verbo (por ejemplo, *El niño golpeó la pelota*).

términos tabú: palabras o expresiones que se evita emplear cuando se utiliza el estilo formal, pero que se emplean, por ejemplo, cuando se reniega (un caso sería *joder*).

tiempo: categoría gramatical que permite distinguir, por ejemplo, las formas verbales de presente de las de pasado.

tono: efecto de la vibración de las cuerdas vocales, que hace que las voces se vuelvan más graves, más agudas, asciendan o desciendan.

transferencia: uso de sonidos, expresiones o estructuras propias de la **L1** a la hora de expresarse en la **L2**.

transferencia negativa: utilización de una determinada característica de la **L1** que, en realidad, es diferente a la de la **L2** mientras se está empleando esta última; se opone a la **transferencia positiva.**

transferencia positiva: utilización de una determinada característica de una **L1** que es semejante a la de la **L2** mientras se está empleando esta última; se opone a la **transferencia negativa.**

transmisión cultural: proceso mediante el cual el conocimiento de una lengua pasa de una generación a la siguiente.

turno: en el análisis conversacional, unidad de discurso de un determinado interlocutor, que termina cuando comienza la unidad de discurso del siguiente interviniente en la conversación.

ubicación (en relación con la **lengua de signos**): uno de los cuatro **parámetros articulatorios** del **ASL,** que describe la posición relativa de las manos en relación con la cabeza y con la parte superior del cuerpo del signante.

ubicación (en **semántica**): **papel semántico** desempeñado por el sintagma nominal que denota el lugar en el que se encuentra una determinada entidad (por ejemplo, *El niño está sentado en la silla*).

úvula: apéndice de pequeño tamaño situado al final del **velo del paladar**.

uvular: sonido en cuya articulación la parte posterior de la lengua se aproxima a la úvula.

variable lingüística: rasgo de una lengua que se emplea para distinguir a dos grupos de hablantes de la misma.

variable social: cualquier factor de índole social que se emplea para distinguir dos grupos diferentes de hablantes (por ejemplo, «clase trabajadora» o «clase media»).

variación diacrónica: diferencias que resultan de los procesos de cambio lingüístico que tienen lugar a lo largo de un determinado período de tiempo, a diferencia de lo que ocurre con la **variación sincrónica.**

variación sincrónica: diferencias que existen en un momento dado en la forma de una lengua en función de los distintos lugares en los que se habla; se opone a la **variación diacrónica.**

velar: consonante en cuya articulación la parte posterior de la lengua se eleva hacia el **velo del paladar** (un ejemplo sería el sonido inicial de la palabra *gato*).

velo del paladar: zona blanda situada en la región posterior del techo de la boca; también se denomina «paladar blando».

ventaja del oído derecho: evidencia de que los seres humanos son típicamente capaces de oír con mayor rapidez los sonidos del habla que les llegan a través del oído derecho.

verbo (V): palabra que se emplea para describir una acción, un suceso o un estado, como, por ejemplo, *ir*, *inundar* o *conocer*.

verbo auxiliar (Aux): verbo que se usa junto con otro verbo (un ejemplo sería *estar* en *estoy comiendo*).

vernáculo: dialecto social de escaso prestigio que hablan quienes pertenecen a un grupo de estatus inferior y que se caracteriza por presentar acentuadas diferencias con la **lengua estándar.**

vínculos cohesivos: conexiones individuales que existen entre las palabras y los sintagmas que conforman un texto.

vocal: sonido que se genera por mediación de las cuerdas vocales y en cuya articulación no se produce ninguna restricción al paso del aire en la cavidad bucal.

voz activa: forma del verbo que se emplea para decir lo que hace el **sujeto** (por ejemplo, *Él robó el coche*).

voz pasiva: forma verbal que se emplea para caracterizar lo que le sucede al **sujeto** (por ejemplo, *El coche fue robado*).

Bibliografía

ADAMS, V., (2001), *Complex Words in English*, Pearson.

AITCHISON, J., (⁴1998), *The Articulate Mammal*, Routledge [ed. cast.: *El mamífero articulado: introducción a la psicolingüística*, Alianza Editorial, 1992].

—, (2000), *The Seeds of Speech*, Cambridge University Press.

—, (³2001), *Language Change: Progress or Decay?*, Cambridge University Press [ed. cast.: *El cambio en las lenguas: ¿progreso o decadencia?*, Ariel, 1993].

—, (³2003), *Words in the Mind*, Blackwell.

ALCALÁ VENCESLADA, A., (1998), *Vocabulario andaluz*, Universidad de Jaén/CajaSur.

ALGEO, A. (ed.), (1991), *Fifty Years among the New Words: A Dictionary of Neologism*, Cambridge University Press.

ALLAN, K., (1986), *Linguistic Meaning*, Routledge.

ALLEN, H., (1973-1976), *The Linguistic Atlas of the Upper Midwest* (3 volúmenes), University of Minnesota Press.

ALLPORT, G., (1983), «Language and cognition», en R. HARRIS (ed.), *Approaches to Language*, Pergammon Press, pp. 80-94.

ANDERRSON, L.-G., y TRUDGILL, P., 1990, *Bad Language*, Penguin Books.

ANDERSON, R., (1977), «Frameworks for comprehending stories», *American Educational Research Journal* 14, pp. 367-81.

ANDERSON, S., (2004), *Doctor Dolittle's Delusion*, Yale University Press.

ANTTILA, R., (²1989), *Historical and Comparative Linguistics*, John Benjamins.

ARMSTRONG, D., *et al.*, (1995), *Gesture and the Nature of Language*, Cambridge University Press.

BAKER, C. y COKELY, D., (1980), *American Sign Language*, T. J. Publishers.

BAKER, C. y JONES, S., (1998), *Encyclopedia of Bilingualism and Bilingual Education*, Multilingual Matters.

BALDWIN, J. y FRENCH, P., (1990), *Forensic Phonetics*, Pinter.

BALL, M., (²1993), *Phonetics for Speech Pathology*, Whurr Publishers.

BARBER, C., (1993), *The English Language. A Historical Introduction*, Cambridge University Press.

BARBOUR, S. y STEVENSON, E., (1990), *Variation in German*, Cambridge University Press.

BARON, D., (1990), *The English-Only Question: An Official Language for Americans?*, Yale University Press.

BAUGH, A. C. y CABLE, T., (⁴1993), *A History of the English Language*, Routledge.

BAUER, L., (1983), *English Word formation*, Cambridge University Press.

—, (²2003), *Introducing Linguistic Morphology*, Edinburgh University Press.

BAUGH, A. y CABLE, T., (⁴1993), *A History of the English Language*, Routledge.

BAUGH, J., (2004), «Ebonics and its controversy», en E. FINEGAN y J. RICKFORD (eds.), *Language in the USA*, Cambridge University Press, pp. 305-318.

BEAKEN, M., (1996), *The Making of Language*, Edinburgh University Press.

BELLUGI. U., (1970), «Learning the language», *Psychology Today* 4, 32-5.

BIBER, D. y FINEGAN, E. (eds.), (1994), *Sociolinguistic Perspectives on Register*, Oxford University Press.

BIBER, D., *et al.*, (1999), *Longman Grammar of Spoken and Written English*, Longman.

BICKERTON, D., (1981), *The Roots of Language*, Karoma.

—, (1990), *Language and Species*, University of Chicago Press [ed. cast.: *Lenguaje y especies*, Alianza Editorial, 1994].

—, (1991), «Creole Languages», en Wang, W. S. Y. (ed.), *The Emergence of Language: Development and Evolution*, WH Freeman.

BLOOM, L., (1991), *Language Development from Two to Three*, Cambridge University Press.

BOESCH, C., *et al.* (eds.) *Behavioural Diversity in Chimpanzees and Bonobos*, Cambridge University Press.

BOND, Z., (1999), *Slips of the Ear*, Academic Press.

BORSLEY, R., (²1995), *Syntactic Theory*, Arnold.

BRADAC, J. J., *et al.*, (1995), «Men's and women's use of intensifiers and hedges in problem-solving interaction: molar and molecular analyses», *Research on Language and Social Interaction* 28, pp. 93-116.

BRAINE, M., (1971), «The acquisition of language in infant and child», en C. REED (ed.), *The Learning of Language*, Appleton-Century-Crofts.

BRINTON, L., (2000), *The Structure of Modern English*, John Benjamins.

BROWN, G., (1990), *Listening to Spoken English*, Longman.

—, (1998), «Context creation in discourse understanding», en K. MALMKJÆR y J. WILLIAMS (eds.), *Context in Language Learning and Language Understanding*, Cambridge University Press, pp. 171-192.

BROWN, G. y YULE, G., (1983), *Discourse Analysis*, Cambridge University Press [ed. cast.: *Análisis del discurso*, Visor Libros, 1993).

BROWN, K. y MILLER, J., (²1991), *Syntax: A Linguistic Introduction to Sentence Structure*, Routledge.

BROWN, S. y ATTARDO, S., (2000), *Understanding Language Structure, Interaction, and Variation*, University of Michigan Press.

BRUNER, J., (1983), *Child's Talk: Learning to Use Language*, Norton [ed. cast.: *El habla del niño: aprendiendo a usar el lenguaje*, Paidós, 1986].

BRYSON, B., (1990), *The Mother Tongue*, William Morrow.

—, (1994), *Made in America*, William Morrow.

BUCHOLTZ, M., (2004), «Language, gender and sexuality», en E. FINEGAN y J. RICKFORD (eds.), *Language in the USA*, Cambridge University Press, pp. 410-429.

BUCKINGHAM, H., (1992), «The mechanisms of phonemic paraphasia», *Clinical Linguistics and Phonetics* 6, pp. 41-63.

BURRIDGE, K., (2004), *Blooming English*, Cambridge University Press.

BURTON-ROBERTS, N., (^{2}1997), *Analyzing Sentences*, Longman.

BYBEE, J., (1985), *Morphology*, John Benjamins.

CAMERON, D., (1995), *Verbal Hygiene*, Routledge.

—, (2001), *Working with Spoken Discourse*, Sage Publications.

CAMPBELL, J., (1982), *Grammatical Man*, Simon & Schuster..

CAMPBELL, G., (1997), *Handbook of Scripts and Alphabets*, Routledge.

CAMPBELL, L., (^{2}2004), *Historical Linguistics: An Introduction*, MIT Press.

CANNON, G., (1990), *The Life and Times of Oriental Jones*, Cambridge University Press.

CAPLAN, D., (1987), *Neurolinguistics and Linguistic Aphasiology*, Cambridge University Press [ed. cast.: *Introducción a la neurolingüística y al estudio de los trastornos del lenguaje*, Visor, 1992].

—, (1996), *Language: Structure, Processing and Disorders*, MIT Press.

CARLIN, G., (1997), *Braindroppings*, Hyperion.

CARNEY, E., (1997), *English Spelling*, Routledge.

CARR, E, (1999), *English Phonetics and Phonology: An Introduction*, Blackwell.

CARROLL, J. (ed.), (1956), *Language, Thought and Reality: Selected Writings of Benjamin Lee Whorf*, MIT Press.

CARSTAIRS-MCCARTHY, A., (2002), *An Introduction to English Morphology*, Edinburgh University Press.

CARVER, C., (1991), *A History of English in Its Own Words*, HarperCollins.

CATFORD, J., (2002), *A Practical Introduction to Phonetics*, Oxford University Press.

CAZDEN, C., (1972), *Child Language and Education*, Holt.

CELCE-MURCIA, M. y LARSEN-FREEMAN, D., (^{2}1999), *The Grammar Book*, Heinle & Heinle.

CHAFE, W, (1994), *Discourse, Consciousness and Time*, University of Chicago Press.

CHAMBERS, J. y TRUDGILL, P., (^{2}1998), *Dialectology*, Cambridge University Press [ed. cast.: *La dialectología*, Visor, 1994].

CHENEY, D. y SEYFARTH, R., (1990), *How Monkeys See the World*, University of Chicago Press.

CHOMSKY, N., (1957), *Syntactic Structures*, Mouton [ed. cast.: *Estructuras sintácticas*, Siglo XXI, 1974].

—, (1972), *Language and Mind*, Harcourt [ed. cast.: *El lenguaje y la mente humana*, Ariel, 2002; *El lenguaje y el entendimiento*, Seix Barral, 1986].

—, (1983), «An interview (by John Gliedman)», *Omni* 6, pp. 112-18.

—, (2002), *On Nature and Language*, Cambridge University Press [ed. cast.: *Sobre la naturaleza y el lenguaje*, Cambridge University Press, 2003].

CLARK, E. V., (1982), «The young word-maker», en E. WANNER y L. R. GLEITMAN (eds.), *Language Acquisition: The state of the art*, Cambridge University Press, pp. 390-425.

—, (1993), *The Lexicon in Acquisition*, Cambridge University Press.

—, (2003), *First Language Acquisition*, Cambridge University Press.

COATES, J. (ed.), (1998), *Language and Gender: A Reader*, Blackwell.

—, (^{3}2004), *Women, Men and Language*, Pearson.

COATES, R., (1999), *Word Structure*, Routledge.

COLLINS, B. y MEES, I., (2003), *Practical Phonetics and Phonology*, Routledge.

COMRIE, B., (1987), *The World's Major Languages*, Oxford University Press.

COMRIE, B., *et al.* (eds.), (1997), *The Atlas of Languages*, Facts on File, Inc.

COOK, V., (^{3}2001), *Second Language Learning and Language Teaching*, Edward Arnold.

CORBALLIS, M., (1991), *The Lopsided Ape*, Oxford University Press.

—, (2002), *From Hand to Mouth* Princeton University Press.

CORBETT, G., (1991), *Gender*, Cambridge University Press.

CORNISH, E., (1999), *Anaphora, Discourse and Understanding*, Oxford University Press.

COSTELLO, E., (1995), *Signing: How to Speak with Your Hands*, Bantam Books.

COULMAS, E (ed.), (1996), *The Handbook of Sociolinguistics*, Blackwell.

—, (2003), *Writing Systems*, Cambridge University Press.

COUPLAND, D., (1991), *Generation X.- Tales for an Accelerated Culture*, St. Martin's Press [ed. cast.: *Generación X*, Suma de Letras, 2000].

CRAIG, C. (ed.), (1986), *Noun Classes and Categorization*, John Benjamins.

CRAWFORD, M., (1995), *Talking Difference*, Sage Publications.

CRUSE, A., (1986), *Lexical Semantics*, Cambridge University Press.

—, (^{2}2004), *Meaning in Language*, Oxford University Press.

CRUTTENDEN, A., (^{6}2001), *Gimson's Pronunciation of English*, Arnold.

CRYSTAL, D., (^{5}2003a), *A Dictionary ofLinguistics and Phonetics*, Blackwell.

—, (^{2}2003b), *The Cambridge Encyclopedia of the English Language*, Cambridge University Press [ed. cast.: *Enciclopedia del lenguaje de la Universidad de Cambridge*, Taurus, 1994].

CURTISS, S., (1977), *Genie: A Psycholinguistic Study of a Modern-day Wild Child*, Academic Press.

CUTLER, A. (ed), (1982), *Slips of the Tongue and Language Production*, Mouton.

CUTTING, J., (2002), *Pragmatics and Discourse*, Routledge.

DAMASIO, A., (1994), *Descartes' Error*, Putnam [ed. cast.: *El error de Descartes*, Crítica, 2006].

DANIELS, P y BRIGHT, W. (eds.), (1996), *The World's Writing Systems*, Oxford University Press.

DAVIES, A. y ELDER, C. (eds.), (2004), *The Handbook of Applied Linguistics*, Blackwell.

DEACON, T., (1997), *The Symbolic Species*, W W Norton.

DENES, E y PINSON, E., (^{2}1993), *The Speech Chain*, W H. Freeman.

DENNING, K. y LEBEN, W., (1995), *English Vocabulary Elements*, Oxford University Press.

DIXON, R., (1997), *The Rise and Fall of Languages*, Cambridge University Press.

DOWNES, W., (²1998), *Language and Society*, Cambridge University Press.

DOWNING, A. y LOCKE, E., (2002), *A University Course in English Grammar*, Routledge.

DOWNING, B. y FULLER, J., (1984), *Cultural contact and the expansion of the Hmong lexicon* (manuscrito no publicado), Departamento de Lingüística de la Universidad de Minnesota.

DUNBAR, R., (1996), *Grooming, Gossip and the Evolution of Language*, Harvard University Press.

EBLE, C., (1996), *Slang and Sociability*, University of North Carolina Press.

—, (2004), «Slang», en E. FINEGAN y J. RICKFORD (eds.), *Language in the USA*, Cambridge University Press, pp. 375-386.

ECKERT, P., (2000), *Linguistic Variation as Social Practice*, Blackwell.

—, (2004), «Adolescent language», en E. FINEGAN y J. RICKFORD (eds.), *Language in the USA*, Cambridge University Press, pp. 361-374.

ECKERT, P y MCCONNELL-GINET, S., (2003), *Language and Gender*, Cambridge University Press.

ECKERT, E y RICKFORD, J. (eds.), (2001), *Style and Sociolinguistic Variation*, Cambridge University Press.

EIMAS, E, (1991), «The perception of speech in early infancy», en W. WANG (ed.), *The Emergence of Language*, W. H. Freeman, pp. 117-127.

EKMAN, P, (1999), «Emotional and conversational nonverbal signals», en L. MESSING y R. CAMPBELL (eds.), *Gesture, Speech and Sign*, Oxford University Press, pp. 45-55.

ELLIS, R., (1997), *Second Language Acquisition*, Oxford University Press.

EMMOREY, K. y LANE, H. (eds.), 2000, *The Signs of Language Revisited*, Lawrence Erlbaum.

ESPY, W., (1978), *O Thou Improper Thou Uncommon Noun*, Potter.

FABB, N., (1994), *Sentence Structure*, Routledge.

FANT, L., (1977), *Sign Language*, Joyce Media.

FAY, D. y CUTLER, A., (1977), «Malapropisms and the structure of the mental lexicon», *Linguistic Inquiry* 8, pp. 505-20.

FINEGAN, E., (⁴2004), *Language: Its Structure and Use*, Wadsworth.

FINEGAN, E. y BESNIER, N., (1989), *Language: Its Structure and Use*, Harcourt Brace Jovanovich.

FINEGAN, E. y RICKFORD, J. (eds.), (2004), *Language in the USA*, Cambridge University Press.

FLAHERTY, A., (2004), *The Midnight Disease*, Houghton Mifflin.

FLETCHER, E y MACWHINNEY, B., (1995), *The Handbook of Child Language*, Blackwell.

FORTESCUE, M., (1984), *West Greenlandic Eskimo*, Croom Helm.

FOX, B., (1993), *Discourse Structure and Anaphora*, Cambridge University Press.

FRAWLEY, W, (1992), *Linguistic Semantics*, Lawrence Erlbaum.

FROMKIN, V. *et al.*, (⁷2003), *An Introduction to Language*, Thomson Heinle.

GALLAWAY, C. y RICHARDS, B. (eds.), (1994), *Input and Interaction in Language Acquisition*, Cambridge University Press.

GARDNER, R., *et al.* (eds.), (1989), *Teaching Sign Language to Chimpanzees*, State University of New York Press.

GARRY, J. y RUBINO, C. (eds.), (2001), *Facts about the World's Languages*, New England Publishing Associates.

GASS, S., (1997), *Input, Interaction and the Second Language Learner*, Lawrence Erlbaum.

GASS, S. y SELINKER, L., (²2001), *Second Language Acquisition: An Introductory Course*, Lawrence Erlbaum.

GEIS, M., (1995), *Speech Acts and Conversational Interaction*, Cambridge University Press.

GELB, I., (²1963), *A Study of Writing*, University of Chicago Press [ed. cast.: *Historia de la escritura*, Alianza Editorial, ³1985].

GESCHWIND, N., (1991), «Specializations of the human brain», en W. WANG (ed.), *The Emergence of Language*, W. H. Freeman, pp. 72-87.

GIBBONS, J., (2003), *Forensic Linguistics*, Blackwell.

GIBSON, K. e INGOLD, T. (eds.), (1993), *Tools, Language and Cognition in Human Evolution*, Cambridge University Press.

GIL FERNÁNDEZ, J., (1988), *Los sonidos del lenguaje*, Síntesis.

GILES, H., *et al.* (eds.), (1991), *Contexts of Accommodation: Developments in Applied Sociolinguistics*, Cambridge University Press.

GLEASON, H., (1955), *Workbook in Descriptive Linguistics*, Holt [ed. cast.: *Introducción a la lingüística descriptiva*, Gredos, 1975].

GLEASON, J. (ed.), (⁵2000), *The Development of Language*, Allyn y Bacon.

GOFFMAN, E., (1967), *Interaction Ritual: Essays on Face-to-Face Behavior*, Doubleday.

GOLDIN-MEADOW, S., (2003), *Hearing Gesture*, Harvard University Press.

GOODGLASS, H., (1993), *Understanding Aphasia*, Academic Press [ed. cast.: *Evaluación de la afasia y de trastornos relacionados*, Médica Panamericana, 1996].

GOODLUCK, H., (1991), *Language Acquisition*, Blackwell.

GOULD, S., (1977), *Ontogeny and Phylogeny*, Harvard University Press.

GREEN, G., (²1996), *Pragmatics and Natural Language Understanding*, Erlbaum.

GREEN, G. y MORGAN, J., (²2001), *Practical Guide to Syntactic Analysis*, CSLI.

GREEN, J., (1991), *Neologisms. New Words Since 1960*, Bloomsbury.

GREEN, L., (2002), *African American English*, Cambridge University Press.

—, (2004), «African American English», en E. FINEGAN y J. RICKFORD (eds.), *Language in the USA*, Cambridge University Press, pp. 76-91.

GRICE, P, (1975), «Logic and conversation», en E. COLE y J. MORGAN (eds.) , *Syntax and Semantics 3: Speech Acts*, Academic Press, pp. 41-58.

—, (1989), *Studies in the Way of Words*, Harvard University Press.

GRIMES, B. (ed.), (¹⁴2000), *Ethnologue: Languages of the World*, Summer Institute in Linguistics.

GRUNDY, E, (^{2}2000), *Doing Pragmatics*, Arnold.

GUIORA, A., *et al.*, (1972), «The effects of experimentally induced change in ego states on pronunciation ability in a second language: an exploratory study», *Comprehensive Psychiatry* 13, pp. 5-23.

GUSSENHOVEN, C. y JACOBS, H., (1998), *Understanding Phonology*, Arnold.

GUSSMAN, E., (2002), *Phonology*, Cambridge University Press.

HALLIDAY, M. y HASAN, R., (1976), *Cohesion in English*, Longman.

Handbook of the International Phonetic Association, 1999, Cambridge University Press.

HARRIS, J., (1994), *English Sound Structure*, Blackwell.

HASPELMATH, M., (2002), *Understanding Morphology*, Oxford University Press.

HAYES, C., (1951), *The Ape in our House*, Harper.

HINKEL, E. (ed.), (2004), *Handbook of Research in Second Language Teaching and Learning*, Lawrence Erlbaum Associates.

HINTON, L., *et al.* (eds.), (1994), *Sound symbolism*, Cambridge University Press.

HOCKETT, C., (1960), «The origin of speech», *Scientific American* 203, pp. 89-96.

—, (1963), «The problem of universals in language», en J. H. GREENBERG (ed.), *Universals of Language*, M.I.T. Press.

HOFMANN, Th., (1993), *Realms of Meaning*, Longman.

HOLLIEN, H., (1990), *The Acoustics of Crime: The New Science of Forensic Phonetics*, Plenum Press.

HOLM, J., (2000), *An Introduction to Pidgins and Creoles*, Cambridge University Press.

HOLMES, J., (1992), *An Introduction to Sociolinguistics*, Longman.

—, (^{2}2001), *An Introduction to Sociolinguistics*, Longman.

HOLMES, J. y MEYERHOFF, M. (eds.), (2003), *The Handbook of Language and Gender*, Blackwell.

HORN, L. y WARD, G. (eds.), (2004), *The Handbook of Pragmatics*, Blackwell.

HUDDLESTON, R. y PULLUM, G., (2002), *The Cambridge Grammar of the English Language*, Cambridge University Press.

HUDSON, G., (2000), *Essential Introductory Linguistics*, Blackwell.

HULIT, L. y HOWARD, M., (^{3}2002), *Born to Talk*, Allyn and Bacon.

HUMPHRIES, T., *et al.*, (^{2}1994), *A Basic Course in American Sign Language*, T. J. Publishers.

HURFORD, J., (1994), *Grammar. A Student's Guide*, Cambridge University Press.

HURFORD, J. y HEASLEY, B., (1983), *Semantics*, Cambridge University Press [ed. cast.: *Curso de semántica*, Visor, 1988].

HUTCHBY, I y WOOFFITT, R., (1998), *Conversation Analysis*, Polity Press.

INGRAM, D., (1989), *First Language Acquisition*, Cambridge University Press.

INOUE, K., (1979), «Japanese», en T. SHOPEN (ed.), *Languages and Their Speakers*, Winthrop Publishers, pp. 241-300.

JABLONSKI, N. y AIELLO, L., (1998), *The Origin and Diversification of Language*, University of California Press.

JACKSON, H., (1985), *Discovering Grammar*, Pergamon.

JANSON, T., (2002), *Speak⁻. A Short History of Languages*, Oxford University Press.

JEFFERY, L., (1990), *The Local Scripts of Archaic Greece*, Clarendon Press.

JENSEN, H., (³1969), *Sign, Symbol and Script*, George Allen & Unwin.

JESPERSEN, O., (1922), *Language. Its Nature, Development and Origin*, Macmillan.

JOLLY, A., (1985), «A new science that sees animals as conscious beings», *Smithsonian* 15, pp. 66-75.

JOHNSTONE, B., (2002), *Discourse Analysis*, Blackwell.

JONES, S., (2002), *Antonymy*, Routledge.

JOSEPH, B. y JANDA, R. (eds.), (2001), *Handbook of Historical Linguistics*, Blackwell.

JUSCZYK, E., (1997), *The Discovery of Spoken Language*, MIT Press.

KAPLAN, R. y BALDAUF, R. (eds.), (1997), *Language Planning from Practice to Theory*, Multilingual Matters.

—, (1999), *Language Planning in Malawi, Mozambique and the Philippines*, Multilingual Matters.

KARMILOFF, K. y KARMILOFF-SMITH, A., (2001), *Pathways to Language*, Harvard University Press.

KASPER, G. y KELLERMAN, E. (eds.), (1997), *Communication Strategies*, Longman.

KATAMBA, F., (1994), *English Words*, Routledge.

KEARNS, K., (2000), *Semantics*, St. Martin's Press.

KELLERMAN, E., *et al.*, (1990), «System and hierarchy in L2 compensatory strategies», en R. SCARCELLA, *et al.* (eds.), *Developing Communicative Competence in a Second Language*, Newbury House, pp. 163-178.

KELLOGG, W y KELLOGG, L., (1933), *The Ape and the Child*, McGraw-Hill.

KENDON, A., (1988), *Sign Languages of Aboriginal Australia*, Cambridge University Press.

—, (2004), *Gesture*, Cambridge University Press.

KENT, H., (1986), *Treasury of Hawaiian Words in One Hundred and One Categories*, University of Hawai'i Press.

KIM-RENAUD, Y.-K. (ed.), (1997), *The Korean Alphabet: Its History and Structure*, University of Hawai'i Press.

KIMURA, D., (1973), «The asymmetry of the human brain», *Scientific American* 228, pp. 70-78.

KLIMA, E. y BELLUGI, U., (1979), *The Signs of Language*, Harvard University Press.

KRAMSCH, C., (1998), *Language and Culture*, Oxford University Press.

KRASHEN, S. y TERRELL, T., (1983), *The Natural Approach*, Pergamon Press.

KREIDLER, C., (1998), *Introducing Linguistic Semantics*, Routledge.

—, (²2004), *The Pronunciation of English*, Blackwell.

KRETZSCHMAR, W., (2004), «Regional dialects», en E. FINEGAN y J. RICKFORD (eds.), *Language in the USA*, Cambridge University Press, 39-57.

KYLE, J. y WOLL, B., (1985), *Sign Language*, Cambridge University Press.

LABOV, W., (1966), *The Social Stratification of English in New York City*, The Center for Applied Linguistics.

—, (1972), *Sociolinguistic Patterns*, University of Pennsylvania Press [ed. cast.: *Modelos sociolingüísticos*, Cátedra, 1983].

—, (2001), *Principles of Linguistic Change,* volumen 2: *Social Factors*, Blackwell [ed. cast.: *Principios del cambio lingüístico*, Gredos, 1996].

LADEFOGED, P, (^{2}1996), *Elements of Acoustic Phonetics*, University of Chicago Press.

—, (^{4}2001), *A Course in Phonetics*, Heinle.

LAKOFF, G., (1987), *Women, Fire and Dangerous Things*, University of Chicago Press.

LAKOFF, R., (1990), *Talking Power*, Basic Books.

—, (2004), *Language and Woman's Place*, Oxford University Press [ed. cast.: *El lenguaje y el lugar de la mujer*, Hacer, ^{3}1995].

LANE, H. L., (1980), «A chronology of the oppression of Sign Language in France and the United States», en H. Lane y F. Grosjean (eds.), *Recent perspectives on ASL*, Erlbaum, pp. 119-161.

Language Files, (^{9}2004), Ohio State University Press.

LASS, R., (1997), *Historical Linguistics and Language Change*, Cambridge University Press.

LEECH, G., (1974), *Semantics*, Penguin.

LE MAY, H., *et al.*, (1988), *New New Words Dictionary*, Ballantine.

LENNEBERG, E., (1967), *Biological Foundations of Language*, Wiley [ed. cast.: *Fundamentos biológicos del lenguaje*, Madrid: Alianza Editorial, ^{3}1985].

LESSER, R. y MILROY, L., (1993), *Linguistics and Aphasia*, Longman.

LEVINSON, S., (1983), *Pragmatics*, Cambridge University Press.

LEWIS, G., (^{2}2000), *Turkish Grammar*, Oxford University Press.

LEWIS, K. y HENDERSON, R., (1997), *Sign Language Made Simple*, Doubleday.

LIEBERMAN, P., (1984), *The Biology and Evolution of Language*, Harvard University Press..

—, (1991), *Uniquely Human*, Harvard University Press.

—, (1998), *Eve Spoke. Human Language and Human Evolution*, W. W. Norton.

LIGHTBOWN, P y SPADA, N., (1999), *How Languages are Learned*, Oxford University Press.

LINDEN, E., (1987), *Silent Partners: The Legacy of the Ape Language Experiments*, Ballantine.

LIPPI-GREEN, R., (1997), *English with an Accent*, Routledge.

LOCASTRO, V, (2003), *An Introduction to Pragmatics*, Michigan University Press.

LÖBNER, S., (2002), *Understanding Semantics*, Oxford University Press.

LUCAS, C. y VALLI, C., (2004), «American Sign Language», en E. FINEGAN y J. RICKFORD (eds.), *Language in the USA*, Cambridge University Press, pp. 230-244.

LUM, D., (1990), *Pass On, No Pass Back!* , Bamboo Ridge Press.

LYNCH, J., (1998), *Pacific Languages*, University of Hawai'i Press.

LYNCH, T., (1996), *Communication in the Language Classroom*, Oxford University Press.

Lyons, J., (1977), *Semantics*, Cambridge University Press [ed. cast.: *Semántica*, Teide, ²1989].

—, (³1991), *Noam Chomsky*, Penguin.

—, (1996), *Linguistic Semantics*, Cambridge University Press [ed. cast.: *Semántica lingüística*, Paidós Ibérica, 1997].

Lyovin, A., (1997), *An Introduction to the Languages of the World*, Oxford University Press.

Maccoby, E., (1998), *The Two Sexes*, Harvard University Press.

MacNeilage, P, (1998), «The frame/content theory of evolution of speech production», *Behavioral and Brain Sciences* 21, pp. 499-546.

Major, R., (2001), *Foreign Accent*, Lawrence Erlbaum Associates.

Malmkjær, K. y Williams, J. (eds.), (1998), *Context in Language Learning and Language Understanding*, Cambridge University Press.

Man, J., (2000), *Alpha Beta: How 26 Letters Shaped the Western World*, John Wiley.

Marchand, H., (²1969), *The Categories and Types of Present-day English Word Formation*, Beck.

Marschark, M. y Spencer, P., (2003), *Oxford Handbook of Deaf Studies, Language and Education*, Oxford University Press.

Martin, L., (1986), «Eskimo words for snow»: a case study in the genesis and decay of an anthropological example», *American Anthropologist* 88, pp. 418-423.

Matthews, P, (²1991), *Morphology*, Cambridge University Press [ed. cast.: *Morfología: introducción a la teoría de la estructura de la palabra*, Paraninfo, 1980].

McEnery, T. y Wilson, A., (2001), *Corpus Linguistics: An Introduction*, Edinburgh University Press.

McMahon, A., (1994), *Understanding Language Change*, Cambridge University Press.

—, (2002), *An Introduction to English Phonology*, Oxford University Press.

McMillan, J., (1980), «Infixing and interposing in English», *American Speech* 55, pp. 163-83.

McNeill, D., (1966), «Developmental psycholinguistics», en E. Smith y G. Miller (eds.) *The Genesis of Language*, MIT Press, pp. 15-84.

McNeill, D., (1992), *Hand and Mind*, University of Chicago Press.

McNeill, D. (ed.), (2000), *Language and Gesture*, Cambridge University Press.

Mellor, D. (ed.), (1990), *Ways of Communicating*, Cambridge University Press.

Merrifield, W., *et al.*, (1962), *Laboratory Manual for Morphology and Syntax*, Summer Institute in Linguistics.

Messing, L. y Campbell, R. (eds.), (1999), *Gesture, Speech and Sign*, Oxford University Press.

Mesthrie, R., *et al.*, (2000), *Introducing Sociolinguistics*, John Benjamins.

Mey, J., (²2001), *Pragmatics*, Blackwell.

Meyer, C., (2002), *English Corpus Linguistics*, Cambridge University Press.

Miller, J., (2002), *An Introduction to English Syntax*, Edinburgh University Press.

Milroy, L. y Gordon, M., (2003), *Sociolinguistics*, Blackwell.

MORENBERG, M., (^{3}2003), *Doing Grammar*, Oxford University Press.

MUGGLESTONE, L., (1995), *Talking Proper: The Rise of Accent as Social Symbol*, Clarendon Press.

MURPHY, L., (2003), *Semantic Relations and the Lexicon*, Cambridge University Press.

NAKANISHI, A., (1990), *Writing Systems of the World*, Charles E. Tuttle Company.

NAPOLI, D., (2003), *Language Matters*, Oxford University Press.

NEISSER, A., (1983), *The Other Side of Silence*, Alfred Knopf.

NICHOLS, E., (2004), «Creole languages: forging new identities», en E. FINEGAN y J. RICKFORD (eds.) *Language in the USA*, Cambridge University Press, pp. 133-152.

NUNAN, D., (1991), *Language Teaching Methodology*, Prentice-Hall.

—, (1993), *Introducing Discourse Analysis*, Penguin.

NUNBERG, G., (2001), *The Way We Talk Now*, Houghton Mifflin.

OBLER, L. y GJERLOW, K., (1999), *Language and the Brain*, Cambridge University Press [ed. cast.: *El lenguaje y el cerebro*, Cambridge University Press, 2001].

O'GRADY, W, (1997), *Syntactic Development*, University of Chicago Press.

O'GRADY, W., *et al.*, (^{5}2005), *Contemporary Linguistics*, St. Martin's Press.

OLLER, D., (2000), *The Emergence of the Speech Capacity*, Lawrence Erlbaum.

OVERSTREET, M., (1999), *Whales, Candlelight and Stuff Like That*, Oxford University Press.

PADDEN, C. y HUMPHRIES, T., (1988), *Deaf in America*, Harvard University Press.

PALMER, E, (1994), *Grammatical Roles and Relations*, Cambridge University Press.

PATTERSON, E y LINDEN, E., (1981), *The Education of Koko*, Holt.

PAYNE, T., (1997), *Describing Morphosyntax*, Cambridge University Press.

PENFIELD, W y ROBERTS, L., (1959), *Speech and Brain Mechanisms*, Princeton University Press.

PICA, T., *et al.*, (1991), «Language learning through interaction: what role does gender play?», *Studies in Second Language Acquisition* 11, pp. 63-90.

PINKER, S., (1994), *The Language Instinct*, William Morrow [ed. cast.: *El instinto del lenguaje*, Aliaza Editorial, 1999].

—, (1999), *Words and Rules*, HarperCollins.

PLAG, I., (2003), *Word formation in English*, Cambridge University Press.

POSNER, M. y RAICHLE, M., (1994), *Images of Mind*, Scientific American Library.

POULISSE, N., (1999), *Slips of the Tongue*, John Benjamins.

POYATOS, F., (1993), *Paralanguage*, John Benjamins.

PREMACK, A. y PREMACK, D., (1991), «Teaching language to an ape», en W. WANG (ed.), *The Emergence of Language*, W. H. Freeman, pp. 16-27.

PREMACK, D., (1986), *Gavagai!* , MIT Press.

PSATHAS, G., (1995), *Conversation Analysis*, Sage Publications.

PULLUM, G., (1991), *The Great Eskimo Vocabulary Hoax*, University of Chicago Press.

PULLUM, G. y LADUSAW, W., (^{2}1996), *Phonetic Symbol Guide*, University of Chicago Press.

PYLES, T. y ALGEO, J., (⁴1993), *The Origins and Development of the English Language*, Thomson.

QUILIS, A. y FERNÁNDEZ, J. A., (⁹1979), *Curso de fonética y fonología españolas*, Consejo Superior de Investigaciones Científicas, Instituto «Miguel de Cervantes».

QUIRK, R., *et al.*, (1985), *A Comprehensive Grammar of the English Language*, Longman.

RADFORD, A., (1997), *Syntactic Theory and the Structure of English*, Cambridge University Press.

—, (2004), *English Syntax*, Cambridge University Press.

RADFORD, A., *et al.*, (²2006), *Linguistics: An Introduction*, Cambridge University Press [ed. cast.: (1ª ed.) *Introducción a la Lingüística*, Cambridge University, 2000].

RENKEMA, J., (²2004), *Introduction to Discourse Studies*, John Benjamins [ed. cast.: *Introducción a los estudios sobre el discurso*, Gedisa, 1999].

RICKFORD, J., (1999), *African American Vernacular English*, Blackwell.

RIMPAU, J., *et al.*, (1989), «Expression of person, place and instrument in ASL utterances of children and chimpanzees», en R. GARDNER, *et al.* (eds.), *Teaching Sign Language to Chimpanzees*, State University of New York Press, pp. 240-268.

RITCHIE, W. y BATHIA, T. (eds.), (1999), *Handbook of Child Language Acquisition*, Academic Press.

ROACH, P., (2001a), *Phonetics*, Oxford University Press.

—, (³2001b), *English Phonetics and Phonology*, Cambridge University Press.

ROACH, P., *et al.*, (¹⁶2003), *English Pronouncing Dictionary* (Daniel Jones), Cambridge University Press.

ROGERS, L. y KAPLAN, G., (2000), *Songs, Roars and Rituals*, Harvard University Press.

ROMAINE, S., (²1995), *Bilingualism*, Blackwell.

—, (²2000), *Language in Society*, Oxford University Press [ed. cast.: *El lenguaje en la sociedad: una introducción a la sociolingüística*, Ariel, 1996].

ROSS, J., (1967), *Constraints on Variables in Syntax*, Indiana University Linguistics Club.

RUMBAUGH, D. (ed.), (1977), *Language Learning by a Chimpanzee: The LANA Project*, Academic Press.

RYMER, R., (1993), *Genie*, HarperCollins.

SACKS, D., (2003), *Language Visible*, Broadway.

SACKS, O., (1989), *Seeing Voices*, University of California Press [ed. cast.: *Veo una voz: viaje al mundo de los sordos*, Anagrama, 2003].

SAEED, J., (²2003), *Semantics*, Blackwell.

SAKODA, K. y SIEGEL, J., (2003), *Pidgin Grammar*, Bess Press.

SALUS, E, (1969), *On Language: Plato to von Humboldt*, Holt.

SAMPSON, G., (1980), *Schools of Linguistics*, Stanford University Press.

—, (1985), *Writing Systems*, Stanford University Press [ed. cast.: *Sistemas de escritura*, Gedisa, 1997].

—, (1997), *Educating Eve*, Cassell.

SANFORD, A. y GARROD, S., (1981), *Understanding Written Language*, Wiley.

SANKOFF, G. y LABERGE, S., (1974), «On the acquisition of native speakers by a language», en D. DeCAMP y I. HANCOCK (eds.) , *Pidgins and Creoles*, Georgetown University Press, pp. 73-84.

SAVAGE-RUMBAUGH, S. y LEWIN, R., (1994), *Kanzi*, John Wiley.

SAVAGE-RUMBAUGH, S., *et al.*, (1998), *Apes, Language, and the Human Mind*, Oxford University Press.

SCARCELLA, R., *et al.* (eds.), (1990), *Developing Communicative Competence in a Second Language*, Newbury House.

SCHIFFRIN, D., (1987), *Discourse Markers*, Cambridge University Press.

—, (1994), *Approaches to Discourse*, Blackwell.

SCHIFFRIN, D., *et al.* (eds.), (2001), *Handbook of Discourse Analysis*, Blackwell.

SCHMANDT-BESSERAT, D., (1996), *How Writing Came About*, University of Texas Press.

SEDARIS, D., (2000), *Me Talk Pretty One Day*, Little Brown.

SEINFELD, J., (1993), *Seinlanguage*, Bantam Books.

SHARWOOD-SMITH, M., (1994), *Second Language Learning*, Longman.

SIHLER, A., (2000), *Language History: An Introduction*, John Benjamins.

SINCLAIR, J., (1991), *Corpus, Concordance, Collocation*, Oxford University Press.

—, (2003), *Reading Concordances*, Pearson Longman.

SMITH, J., (1996), *An Historical Study of English*, Routledge.

SMITHERMAN, G., (2000), *Talkin That Talk: Language, Culture and Education in African America*, Routledge.

SPENCER, A. y ZWICKY, A. (eds.), (2001), *The Handbook of Morphology*, Blackwell.

SPERBER, D. y WILSON, D., (^{2}1995), *Relevance*, Balckwell [ed. cast.: *La relevancia: comunicación y procesos cognitivos*, Visor, 1994].

SPOLSKY, B., (1998), *Sociolinguistics*, Oxford University Press.

SPRINGER, S. y DEUTSCH, G., (^{5}1997), *Left Brain, Right Brain*, W. H. Freeman [ed. cast.: *Cerebro izquierdo, cerebro derecho*, Ariel, 2001].

STEVENS, K., (1998), *Acoustic Phonetics*, MIT Press.

STOCKOE, W., (1960), *Sign Language Structure: An Outline of the Visual Communication Systems of the American Deaf*, Studies in Linguistics, Occasional Papers 8, University of Buffalo.

—, (2001), *Language in Hand*, Gallaudet University Press.

STOCKWELL, P., (2002), *Sociolinguistics*, Routledge.

STOCKWELL, R. y MINKOVA, D., (2001), *English Words: History and Structure*, Cambridge University Press.

STREMMER, B. y WHITAKER, H. (eds.), (1998), *Handbook of Neurolinguistics*, Academic Press.

SWAN, M., (^{2}2005), *Practical English Usage*, Oxford University Press.

TALBOT, M., *et al.*, (2003), *Language and Power in the Modern World*, Edinburgh University Press.

TALLERMANN, M., (1998), *Understanding Syntax*, Arnold.

TANNEN, D., (1984), *Conversational Style*, Ablex Publishing.

—, (1986), *That's Not What I Meant*, William Morrow [ed. cast.: ¡Lo digo por tu bien!: cómo la manera de comunicarnos influye en nuestras relaciones personales, Paidós Ibérica, 2002].

—, (1990), *You Just Don't Understand*, William Morrow [ed. cast.: *Tú no me entiendes: por qué es tan difícil el diálogo hombre-mujer*, Círculo de Lectores, 1992].

TARONE, E. y YULE, G., (1985), «Communication strategies in East-West interactions», en L. E. SMITH (ed.), *Discourse across Cultures*, Pergamon Press.

TAYLOR, J., (^{3}2004), *Linguistic Categorization*, Oxford University Press.

TERRACE, H., (1979), *Nim: A Chimpanzee Who Learned Sign Language*, Alfred Knopf.

THOMAS, J., (1995), *Meaning in Interaction*, Longman.

THOMAS, L., (1993), *Beginning Syntax*, Blackwell.

TODD, L., (^{2}1990), *Pidgins and Creoles*, Routledge.

TRASK, R., (1996a), *A Dictionary of Phonetics and Phonology*, Routledge.

—, (1996b), *Historical Linguistics*, Arnold.

TRUDGILL, P, (1974), *The Social Differentiation of English in Norwich*, Cambridge University Press.

—, (1983), *On Dialect*, Blackwell.

—, (1999), *The Dialects of England*, Blackwell.

—, (^{4}2000), *Sociolinguistics*, Penguin Books.

TRUDGILL, P y HANNAH, J., (^{4}2002), *International English*, Arnold.

UMIKER-SEBEOK, D.-J. y SEBEOK, T. (eds.), (1987), *Monastic Sign Languages*, Mouton de Gruyter.

UNGERER, F. y SCHMID, H., (1996), *An Introduction to Cognitive Linguistics*, Longman.

UPTON, C., *et al.*, (2001), *The Oxford Dictionary of Pronunciation for Current English*, Oxford University Press.

UR, E., (1988), *Grammar Practice Activities*, Cambridge University Press.

VALIAN, V., (1999), «Input and language acquisition», en W. RITCHIE y T. BHATIA (eds.), *Handbook of Child Language Acquisition*, Academic Press, pp. 497-530.

VERSCHUEREN, J., (1999), *Understanding Pragmatics*, Arnold [ed. cast.: *Para entender la pragmática*, Gredos, 2002].

VON FRISCH, K., (1993), *The Dance Language and Orientation of Bees*, Harvard University Press.

WALLMAN, J., (1992), *Aping Language*, Cambridge University Press.

WARDHAUGH, R., (^{3}1998), *An Introduction to Sociolinguistics*, Blackwell.

WATTS, R., (2003), *Politeness*, Cambridge University Press.

WEIR, R., (1966), «Questions on the learning of phonology», en E. SMITH y G. MILLER (eds.), *The Genesis of Language*, MIT Press, pp. 153-168.

WELLS, J., (1990), *Longman Pronunciation Dictionary*, Longman.

WETHERELL, M., *et al,*. (eds.), (2001), *Discourse Theory and Practice*, Sage Publications.

WIDDOWSON, H., (1978), *Teaching Language as Communication*, Oxford University Press.

WILEY, T, (2004), «Language planning, language policy and the English-Only movement», en E. FINEGAN y J. RICKFORD (eds.), *Language in the USA*, Cambridge University Press, pp. 319-338.

WILLIAMS, J. M., (1975), *Origins of the English Language. A Social and Linguistic History*, The Free Press.

WOLFRAM, W y SCHILLING-ESTES, N., (1998), *American English Dialects and Variation*, Blackwell.

WOOD, D. *et al.*, (1986), *Teaching and Talking with Deaf Children*, John Wiley.

WOODARD, R., (2003), *The Cambridge Encyclopedia of the World's Ancient Languages*, Cambridge University Press.

WOODWARD, J., (1980), «Some sociolinguistic aspects of French and American Sign Languages», en H. Lane y F. Grosjean (eds.), *Recent perspectives on ASL*, Erlbaum, pp. 103-118.

YULE, G., (1996), *Pragmatics*, Oxford University Press.

—, (1998), *Explaining English Grammar*, Oxford University Press.

YULE, G. y GREGORY, W., (1989), «Survey interviews for interactive language learning», *ELT Journal* 43, pp. 142-149

Índice temático

En **negrita** se indican los términos técnicos, así como las páginas en las que es posible encontrar una definición de los mismos

Índice de contenidos